戴瑞坤著

文史哲學集成

中日韓朱子學陽明學之研究

康江施人豪敬署

文史哲出版社印行

國家圖書館出版品預行編目資料

中日韓朱子學陽明學之研究 / 戴瑞坤著. – 修訂初版. -- 臺北市 :文史哲, 民 91
面; 公分. -- (文史哲學集成 ; 443)
參考書目 ; 面
ISBN 957-549-456-3 (平裝)

1.（宋）朱熹 - 學術思想 - 哲學 2.（明）王守仁 - 學術思想 - 哲學
125.5 91013517

文史哲學集成 ㊹㊸

中日韓朱子學陽明學之研究

著 者：戴 瑞 坤
出 版 者：文 史 哲 出 版 社
登記證字號：行政院新聞局版臺業字五三三七號
發 行 人：彭 正 雄
發 行 所：文 史 哲 出 版 社
印 刷 者：文 史 哲 出 版 社
臺北市羅斯福路一段七十二巷四號
郵政劃撥帳號：一六一八〇一七五
電話 886-2-23511028・傳真 886-2-23965656

實價新臺幣五四〇元

中華民國九十一年七月修訂初版

ISBN 957-549-456-3

中日韓朱子學陽明學之研究

目錄

朱 子 像　故宮博物院藏

王陽明像　　採自《晚笑堂書傳》，清乾隆版。

原序

集羣聖之成者孔子也刪定往訓垂爲六經而道統治法備焉集諸儒之成者朱子也採摭遺書作近思錄而性功王事該焉夫以堯舜禹湯文武周公之聖使不得孔子繼起而紹述之則詩書禮樂雖識大識小之有人而殘缺滅裂之餘誰爲闡聖言於來禩以周子程子張子諸儒之賢使不得朱子會萃而表章之則微文大義所與及門授受而講貫者卽未盡泯沒於廬山之阜伊洛之濱關中之所傳貽然而斯人徒與寥落幾何一脈綿延安恃不墮況其時又有介甫之堅僻楊劉之纖巧佛老之寂滅虛無浸淫

《朱文公文集全書》書影

王文成公全書卷之一

語錄一　傳習錄上

先生於大學格物諸說悉以舊本爲正蓋先儒所謂誤本者也愛始聞而駭既而疑已而殫精竭思參互錯縱以質於先生然後知先生之說若水之寒若火之熱斷斷乎百世以俟聖人而不惑者也先生明睿天授然和樂坦易不事邊幅人見其少時豪邁不羈又嘗泛濫於詞章出入二氏之學驟聞[illegible]皆

《王文成公全書》書影　清乾隆六年刊本

朱子畫像

李梅樹教授繪　華岡博物館珍藏

王陽明畫像

李梅樹教授繪　華岡博物館珍藏

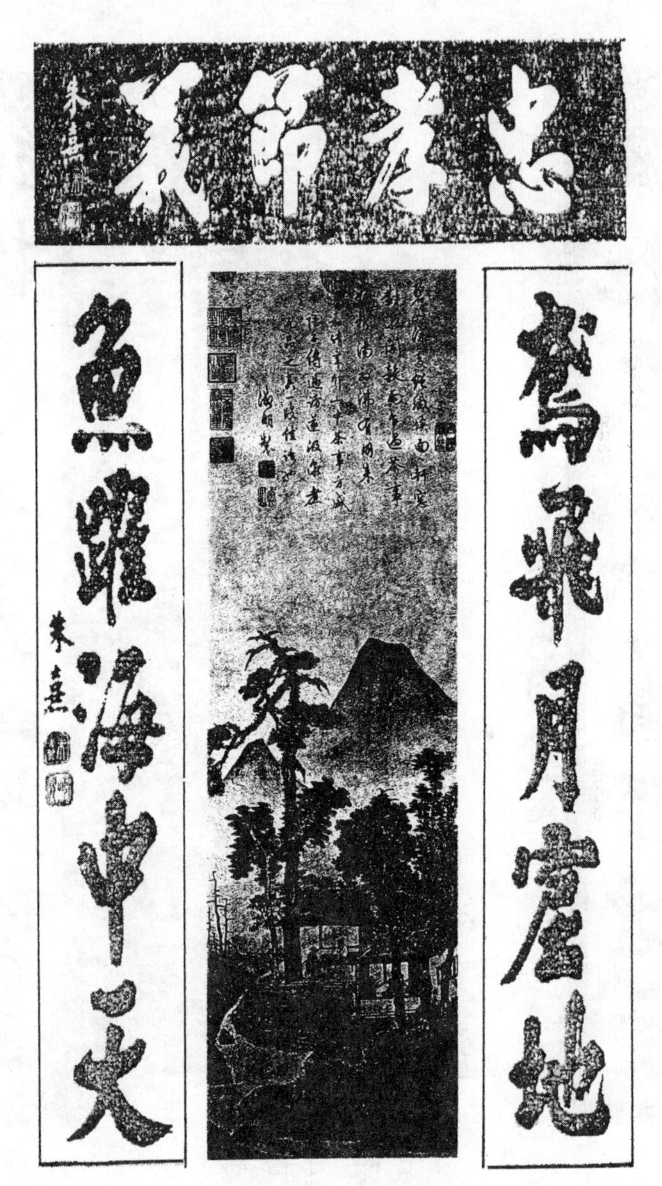

朱熹書聯

王陽明書聯

朱子題刻　　台南孔廟文物館所出

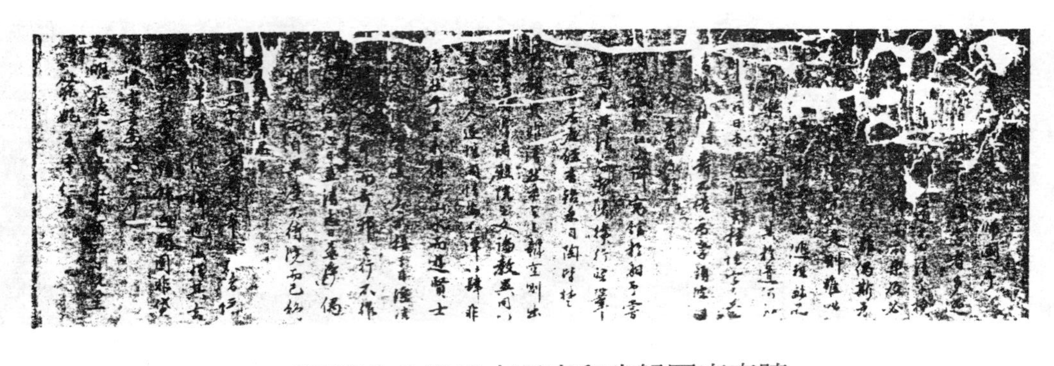

王陽明先生送日本了庵和尚歸國序真蹟

序

朱子學與陽明學，在宋明理學的陣營中，為兩大主流。一般習慣的說法，程朱以理氣為學說的中心，主張性即是理，後人就稱程朱的學說為理學，陸王以心性為其學說的中心，所謂「宇宙即是吾心，吾心即是宇宙」，主張心即是理，因此後人就稱陸王的學說為心學。其實程朱講理，並不是不講心，陸王講心，也並不是不講理。程朱認為理與氣一體貫通，無理則沒有氣，沒有氣則理也沒有掛搭處，這是就宇宙自然界而說。假使就人生界而說，則心與理也是一體貫通的，沒心，理也是沒有地方掛搭處，心與理，也像氣與理一樣。朱子語類說：「心是教人認識道理存在的地方，心雖然具有理，和理相合為一」。可見朱子也論心的。朱子語類還說：「心、性、理，拈著一個，則都貫穿」。只不過朱子比較重視理而已。王陽明顧東橋書也說：「心之體、性也。性即理也」。可見陽明不但論心，也談理。朱子與陽明雖然都提到「性即理」。但有本質的不同。陽明說「性即理也」。是以性是心之體，心即理，所以性亦即理。朱子雖然說「心具眾理，和理相合為一」但不說心即是理。朱子、陽明都有它的理論根據。因此，他們也都有其影響。

公元十七世紀，朱子學在日本流行，藤原惺窩和林羅山先後相傳播，甚至成為德川幕府政治的指導原則，極一時之盛。然因上下尊卑之分，過於嚴厲，其結果造成社會的階級，陽明學起而反對。日本自江戶時代主明治維新，無論政治和社會，都直接間接的受朱子與陽明思想的影響。

朱子學傳流韓國，則有李退溪，退溪名滉，字景浩，退溪生在朱子後三百餘年，自力研究，篤實踐履，以傳朱子學為己任，敬義夾持，知行並進，發揮理氣四端七情之說，為韓國一代儒宗。日本山崎闇齋也頗受其影響。其後有李栗谷，栗谷亦多主朱子之說，惟對理氣決為二物，有進一步的說明。其答成浩原書說:「理氣之妙，難見亦難說，夫理之源一而已矣，氣之源亦一而已矣，氣流行而參差不齊，理亦流行而參差不齊，氣不離理，理不離氣，夫如是，則理氣一也，何處見其有異耶？」因之，在韓國，朱子學則分道揚鑣了。總之，朱子與陽明的思想，無論在日本或韓國，其影響都非常深遠。但經過韓日學者的研究，與中國原來的朱子、陽明之學、也有若干的不同了。

同門戴瑞坤教授，研究朱子與陽明學多年，尤以朱子陽明的思想，在日本學界的影響，頗饒心得，曾有多種著述問世，甚得好評。近更綜合中、日、韓之朱子學與陽明學作深入之研究。詳論朱子與陽明學術之時代背景，思想淵源及其流派，分析中、日、韓，朱子學與陽明學之歷史地位及傳承影響。全書完稿之日，樂為作序，因感佩戴教授契而不捨之研究精神，乃不揣譾陋，妄為應命，然以本書內容之充實，分析之詳盡，立論之精湛，相信出版之後，不但可以了解朱子與陽明學流傳日、韓的經過，且可見我國文化之遠被各方也。

辛未年孟春月黃錦鋐寫于

台北市郊蟾蜍山麓晚學齋

緒論

中、日、韓三國壤地相鄰，命運與共，且民族血緣與文化背景相近，於歐風東漸之前，蓋多取資中國，而今吾等共同關注新世紀面臨之挑戰和出路。為探索此問題及其化解之道，西方學者馬克斯・韋伯（Max Weber）預測：廿一世紀將是以日本為中心，儒家思想為主流之太平洋世紀。日、韓等國深受儒家文化之影響，具有儒家淑世之精神。在中國社會，以孔孟學說為中心之儒家思想，一直是中華文化之主流和道統，其間經漢唐、歷宋明等儒者之闡揚，尤以朱子、陽明之重修己，倡仁義，尊理性，踐力行之人文觀念，深符東亞各國之圓滿答案。是以吾人所希者，不徒於既往歷史之回顧，而在於今後之擷長補短，他山之石，或不無攻錯之用也。

朱子是南宋一代大哲學，因其學說以匡時濟世，解決個人精神上之困惑，因確實需求而創建，並確立其人生觀、社會觀、世界觀。因之，朱子學說是以對時弊之切實憂慮和對人生之困惑超越而受時代所肯定。元明以降，朱子學弘揚於日、韓等國，形成具有東方特色之日本朱子學、韓國朱子學。考釋日、韓朱子學，可知作為活學[1]之朱子學與日、韓兩國之現代化發展，具頗大程度之聯繫。日本朱子學者是將朱子之"格物窮理"思想運用於科學技術之發展，並以此作為攝取西方科技之本；韓國朱子學者則運用朱子之"開源節流"思想，改革時弊、發展生產，加速其現代之完成。是以將朱子學作為活學，於南宋時代，是為匡救時弊而開出藥方；於元明清時代，是為鞏固傳統社會之理論指南。於今則是包攝合理之思維，促進

---

[1]〈結束語〉《中外儒學比較研究》，頁 365。

社會現代化之動力。

又如陽明為有明一代儒宗，誕生浙東，欲追孔孟之舊觀，其於居夷處困之間，上承象山之學，深悟本體之理，倡知行合一與致良知之學，其思想精神，非唯影響中國近代之學術文化，且遠及日、韓兩國，下開近代一脈相承之道統和力行哲學之宏規，更為今日文化復興之一主要力量。吾人於探討朱子、陽明學說，廣被東邦，深植其民心，諦造其歷史之餘，更覺兩位先賢之學說，非但適用於昔日，且歷古常新，實有弘揚之必要。

由上可知，儒學影響中國之古代與現代，亦影響東亞之古代與現代，非唯是中國傳統文化之核心和主體，亦是東亞文化之重要組成部分。日、韓等國是將儒學作為先進學說予以接受，於中世紀，彼等主動學習儒學，將儒學移植於自己之本土，建構以儒學為核心之本土文化，尤以朱子學與陽明學為主，從而形成所謂“儒學文化圈”。其一，此等國家之儒學與中國儒學本質上一致。其發展脈絡及派別之分化，皆無非是中國儒學於域外之表現。其二，日、韓等國之儒學蓋非中國儒學之簡單再現，不同於中國本土之區域儒學。如朝鮮朱子學之求實精神，朱、王對立所反映之官學與私學之對立；日本神道對儒學君臣父子之道之糅合，皆具其本土之特色。其三，儒學於東亞儒學文化圈內，成為傳統文化之基本內容，影響此等國家之社會發展和民族文化心理之形成，特別是儒學文化圈之國家和地區經濟之崛起、發展，使得世人開始重視儒學中之朱子學、陽明學於現代化社會，乃至後現代化社會中之作用。其間或有可資國人借鏡省察之處。

第一章 朱子先生傳略

第一節 朱子之生平與著作

朱子是中國歷史上繼孔子之後最著名之思想家、政治家、教育家，宋代理學之集大成者。其“致廣大，盡精微，綜羅百代”（《宋元學案·晦翁學案》），繼承二程，發展孔孟，集儒家思想之大成，又取他派思想之精華，完成其綿密思想體系，對中國各領域之發展，有其特殊貢獻，豐富中國文化之內涵體現中國文化之特色，其思想傳至海外，甚且影響東亞鄰邦日韓等國，成爲東方文化之核心。

一、 朱子之生平

朱子名熹，自元晦，亦字仲晦，別號有晦菴、晦翁、雲谷老人、滄洲病叟、遯翁等。生於南宋高宗建炎四年（西元一一三０年），死於寧宗建元六年（西元一二００年），世居安徽婺源，其父朱松（字喬年，號韋齋），與延平李侗（字愿中）一同受業於豫章羅從彥（字仲素）之門，曾舉進士，官司勳吏部郎，以不附和議，觸犯秦檜，調任福建尤溪縣尉。建炎四年，辭官退隱尤溪城外毓秀峰下鄭氏草堂，即生於寓所。熹天資聰慧，五歲能誦孝經，十四歲父棄養，囑其向籍溪胡憲（字原仲），白水劉勉之（字致中）及屏山劉子翬（字彥沖）求教。熹遵守遺訓，師事三子，三子亦視同子侄，由是劉勉之，以女妻之。未幾二劉繼歿，是以熹從胡憲習業最久。年十九，登進士第。年二十二，授同安縣主簿，治績日著，公餘究釋老之學。年二十四，徒步數百里，問學於其父之同門延平李侗（程伊川之三傳弟子），因得承“洛學”之正統，奠學問之基。自入延平之門，始悟二氏之非，決志於日常行事之間，做著實之修養工夫。延平曾讚曰：“元晦進學甚力，樂善好義，吾黨鮮有”。[1]年二十八，冬，自同安罷官歸里，惟以事親，講學爲務，暇則往見延平，向之請教質

---

[1]〈與其友羅博文書〉《朱子年譜》卷1上，第18頁。

疑。俟孝宗即位（西元一一六二年），金勢日盛，國事日非，孝宗乃詔求直言，熹上封事言：“帝王之學，必先格物致知，以極夫事物之變，使義理所存，纖悉畢照，則自然意誠心正，而可以應天下之務。”次言：“修攘之計不時定者，講和之說誤之也。夫金人於我，有不共戴天之讎，則不可和也明矣。願斷以義理之公，閉關絕約，任賢使能，立紀綱，厲風俗，數年之後，國富兵強，視吾力之強弱，觀彼釁之淺深，徐起而圖之。”再言：“四海之利病，係斯民之休戚；斯民之休戚，係守令之賢否。監司者，守令之綱；朝廷者，監司之本。本源之地，亦在於朝廷而已。”極為中肯。次年，蒙孝宗召見，重申前議，謂：“大學之道，在乎格物以致其知。陛下未嘗隨事以觀理，即理以應事，平治之效，所以未著。”“君父之讎，不與共戴天。今日所當為者，非戰無以復讎，非守無以制勝。”並陳古先聖王強本折衝，威制遠人之道，以及言路壅塞，佞倖鴟張之害。是時孝宗頗受感動，然宰相湯思退卻力主和議，熹之見無從實現。因之，四年之間，雖屢蒙徵用，辭不赴召者，達六次之多。淳熙二年（西元一一七五年）年四十六，呂東萊來訪，留居旬日，講學於寒泉精舍，相與合編近思錄。及東萊歸，熹因送行，遂同遊信州鵝湖寺（按信州今江西，鉛山縣，鵝湖寺在鄱陽湖濱），與陸九淵（字子靜，世稱象山先生）兄弟等相會，互相質辨，雙方異見，此即史稱“鵝湖之會”淳熙五年（西元一一七八年），熹年四十九歲，辭官隱居已逾二十載，除知南康軍。值天旱，其講求荒政，全活甚多；又訪白鹿洞書院遺址，奏復其舊，並訂定學規，使學子切遵。翌年，又應詔上疏直諫謂：“天下之務，莫大於恤民，而恤民之本，在人君正心術以立紀綱。蓋天下之紀綱不能以自立，必人主之心術公平正大，無偏黨反側之私，然後有所繫而立；必親賢臣，遠小人，講明義理之歸，閉塞私邪之路，然後乃可得而正。今宰相、臺省、師傅、賓友、諫諍之臣，皆失其職，而陛下所與親密謀議，不過一二近習之臣。上以蠱惑陛下之心者，使陛下不信先王之大道而悅於功利之卑說，不樂莊士之讜言而安於私　之鄙態，下則招集天下士大夫之嗜利無恥者，文武彙分，各入其門。交通賄賂，所盜者皆陛下之財；命卿置將，所竊皆陛下之柄。使陛下之號令黜涉，不復出於朝廷，而出於一二人之門。莫大之禍，必至之憂，近在朝夕，而陛下獨未之知。”[2]孝宗觀之，爲之大怒。幸有人爲之辯解，得免於罪。淳熙七年（西元一一八０年），陸九淵來，爲其兄九齡（字子壽，世稱梭山先生），求撰墓誌銘，熹請陸子於白鹿洞書院講解論語“君子喻於義，小人喻於利”一章，聽者甚受感動。此年值浙東饑荒，孝宗派熹提舉浙東，熹即單車就道，細訪民隱，於救荒之外，隨事處畫，必爲經久之計。未幾，熹見己思難現，乃辭官職，退而從事經術與講學。自此之後，雖屢膺新命，皆辭不就，然對國事從未忘懷，屢向孝宗直諫，無所忌諱。如淳熙十五年（西元一一八八年）所上之“戊申封事”尤爲有名。戊申封事謂：“今天下之勢，如人有重病，內自心腹，外達四肢，無一毛一髮不受病者...。且獨以天下之大本與今日之急務，深爲陛下言之。蓋天下之大本者，陛下之心也。今日之急務，則輔翼太子、選任大臣、振舉綱紀、變化風俗、愛養民力，脩明軍政六者是也。...至於選任大臣…夫以陛下之聰明，豈不知天下之事，必得剛明公正之人而後可任也哉…直以一念之間未能撤其私邪之蔽，而燕私之好，便嬖之流不能盡由法度，若用剛明公正之人以爲輔相，則恐其有以妨吾之事，害吾之人，而不得肆。...至於振肅紀綱，變化風俗之說...今日宮省之間，禁密之地，而天下不公之道，不正之人，顧乃得以窟穴盤據於其間。...紀綱不正於上，風俗頹弊於下，蓋其爲患之日久矣...大率習爲軟美之態依阿之言...甚者以金珠爲脯醢，以契劵爲詩文…惟得之求，無復廉恥。...諸將之求進也，必先掊剋士卒以殖私財，然後以此自結於陛下之私人。...彼智勇材略之人，孰肯抑心下首於宦官宮妾之門？而陛下之所得以爲將帥者，皆庸夫走卒...而猶望其脩明軍政，激勸士卒，以強國勢，豈不誤哉！”[3]此疏上奏之時，孝宗已寢，特爲秉燭夜讀，深感熹謀國之誠。時詆毀程學者漸夥，而公然彈劾朱者以爲熹本無學術，徒竊程頤、張載之餘緒，假稱“道學”，藉以欺世盜名。及寧宗即位（西元一一九五年），

[2]〈己酉擬上封事〉《朱文公文集》卷 12，第 393 頁。
[3]〈戊申封事〉《朱文公文集》卷 11，第 365 頁。

趙汝愚爲相，熹復被舉爲侍講。時韓侂胄用事，熹憂其擅權害政，上疏斥言竊柄之失。遂觸侂胄之忌，任侍講僅四十六日即被免。而反熹之人遂乘機讒誣中傷，斥朱學爲僞學，朱黨爲逆黨，甚者誣熹窺伺神器，主斬熹之首以遏亂萌者。是以，朱學及其同道受擊甚大。此即所謂“慶元黨禍”。然熹仍不屈不撓，怡然於竹林精舍講學，一以闡揚大道爲己任，其剛毅如此。慶元六年（西元一二００年）三月，卒於福建建陽考亭家中，年七十有一。同年冬十一月，葬於建陽縣，唐石里之大林谷。參與葬禮者四方雲集，人數達數千人云。

熹自十九歲登進士第以至於死，其間敘任官職達二十餘次，而因時逢衰亂，奸佞當道，或辭而不就，或就亦無從遂其志。然其儒學之成就卻是震爍千古，値得後人景仰。韓侂胄死後，嘉定元年（西元一二０八年）賜謚曰文。因之，世人尊稱熹爲朱文公。理宗寶慶三年（西元一二二七年）追封信國公，紹定三年（西元一二三０年）追封徽國公，淳祐元年（西元一二四一年）配祀學宮。身後之榮譽，與其一生於儒學之貢獻，於吾國儒學史上，堪稱孔子後之第一人。熹高弟黃榦（字直卿，號勉齋，朱子以女妻之）曾說“道之正統，待人而後傳。自周以來，任傳道之責者不過數人。而其能使斯道章章較著者，一二而止耳。由孔子而後，曾子、子思繼其微，至孟子而始著。由孟子而後，周、程、張子繼其絕，至熹而始著。”[4]對師之贊頌，確非溢美之辭。勉齋所撰朱子行狀中謂：

> 其為學也，窮理以致其知，反躬以踐其實，居敬所以成始成終也。謂：致知不以敬，則昏惑紛擾，無以察義理之歸；躬行不以敬，則怠惰放肆，無以致義理之實。持敬之方，莫先主一。既為之箴以自警，又筆之書，以為小學大學皆本於此。終日儼然，端坐一室，討論典訓，未嘗少輟。自吾一心一身，以至萬事萬物，莫不有理。存此心於齋莊靜一之中，窮此理於學

---

[1] 《宋史》《朱熹傳》卷 429，第 12751 頁。

問思辨之際。皆有以見其所當然而不容已與其所以然而不可易。然充其知而見於行者，未嘗不反之於身也。不睹不聞之前，所以戒懼者愈嚴愈敬。隱微幽獨之際，所以省察者愈精愈密。思慮未萌，而知覺不昧；事物相接，而品節不差。無所容乎人欲之私，而有以全乎天理之正。不安於偏見，不急於小成，而道之正統在是矣。其為道也，有太極而陰陽分，有陰陽而五行具，稟陰陽五行之氣以生，則太極之理各具於其中。天所賦為命，人所受為性，感於物為情，統性情為心。根於性則為仁、義、禮、智之德，發於情則為惻隱、羞惡、辭讓、是非之端，形於身則為手足耳目口鼻之用，見於事則為君臣、父子、夫婦、兄弟、朋友之常。求諸人，則人之理不異於己；參諸物，則物之理不異於人。貫徹古今，充塞宇宙，無一息之間斷，無一毫之空闕。莫不析之極其精而不亂，然後合之盡其大而無餘。先生之於道，可謂建諸天地而不悖，質諸聖賢而無疑矣。故其得於己而為德也，以一心而窮造化之原，盡性情之妙，達聖賢之蘊；以一身而體天地之運，備事物之理，任綱常之責。明足以察其微，剛足以任其重，宏足以致其廣，毅足以極其常。其存之也虛而靜，其發之也果而確，其用之也應事接物而不窮，其守之也歷變履險而不易。本末精粗，不見其或遺；表裏初終，不見其或異。至其養深積厚，矜持者純熟，嚴厲者和平，心不待操而存，義不待索而精，猶以為義理無窮，歲月有限，常歉然有不足之意，蓋有日新又新，不能自已者，而非後學之所可擬議也。其可見之行，則修諸身者，其色莊，其言厲，其行舒而恭，其坐端而直。其閒居也，未明而起，深衣、幅巾、方履，拜於家廟以及先聖。退坐書室，几案必正，書籍器用必整。其飲食也，羹食行列有定位，匕箸舉措有定所。倦而休也，瞑目端坐；休而起也，整步徐行。中夜而寢，既寢而寤，則擁衾而坐，或至達旦。威儀容止之則，自少至老，祁寒盛暑，造次顛沛，未嘗有須臾之離也。行於家者，奉親極其孝，撫下極其慈，閨庭之間，內外斬斬，恩義之篤，怡怡如也。其祭祀也，事無纖鉅，必誠必敬，小不如儀，則終日不樂；已祭無違禮，則油然而喜。死喪之禮，哀戚備至，飲食衰絰，各稱其情。賓客往來，無不延遇，稱家有無，常盡其歡。於親故，雖疏遠必致其愛；於鄉閭，雖微賤必致其恭。吉凶慶弔，禮無所遺；賙恤問遺，恩無所闕。其自奉則衣取蔽體，食取充腹，居止取足以蔽風雨，人不能堪，而處之裕如也。若其措諸事業，則州縣之設施，立朝之言論，經綸規畫，正大宏偉，亦可概見。雖達而行道，不能施之一時，然退而明道，足以傳之萬代。謂聖賢道統之傳，散在方策，聖經之旨不明，則道統之傳斯晦。於是竭其精力，以研窮聖賢之經訓。於大學、中庸，則補其闕遺，別其次第，綱領條目，燦然復明。於論語、孟子，則深原當時答問之意，使讀而味之者，如親見聖賢而面命之。於易與詩，則求其本義，攻其末失，深得古人遺意於數千載之上。凡數經者，見之傳注，其關於天命之微，人心之奧，入德之門，造道之域者，既已極深研幾，探賾索隱，發其旨趣而無遺矣。至於一字未安，一辭未備，亦必沈潛反復，或達旦不寐，或累日不倦，以求至當而後已。故章旨字義，至微至細，莫不理明辭順，易知易行。於書，則疑今文之艱澀，反不若古文之平易。於春秋，則疑聖心之正大，決不類傳注之穿鑿。於禮，則病王安石廢罷儀禮，而傳記獨存。於樂，則憫後世律尺既亡，而清濁無據。是數經者，亦嘗討論本末，雖未能著為成書，然其大者固已獨得之矣。若歷代史記，則又考論西周以來，至於五代，取司馬溫公編年之書，繩以春秋紀事之法，綱舉而不繁，目張而不紊，國家之理亂，君臣之得失，如指諸掌。周、程、邵、張之書，所以繼孔聖道統之傳，歷時未久，微言大義，鬱而不彰，為之裒集發明，而後得以盛行於世。太極、先天二圖，精微廣博，不可涯涘，為之解剝條畫，而後天地本原，聖賢蘊奧，不至於泯滅。程、張門人祖述其學，所得有深淺，所見有疏密，先生既為之區別，以悉取夫其長。至或識見小偏，流於異端者，亦必研窮剖析，而不沒其所短。南軒、張公（栻），東萊呂公（祖謙），同出其時，先生以其志同道合，樂與之友。至或識見少異，亦必講磨辯難，以一其歸。至若求道而過者，病傳注誦習之煩，以為不立文字，可以識心見性，不假修為，可以造道入德，守虛靈之識而昧天理之真，借儒者之言，以文佛老之說。學者利其簡便，詆訾聖賢，捐棄經典，猖狂叫呶，側僻固陋，自以為悟。（按指陸象山之心學，即所謂"江西頓悟之說"立論愈下者，則又崇獎漢、唐，比附三代，以便其計功謀利之私。（按指陳龍川之學說，即謂"永康功利之說"）二說並立，高者陷於空無，下者溺於卑陋，其害豈淺鮮哉？先生力排之，俾不至亂吾道以惑天下。於是學者靡然向之。先生教人以大學、論、孟、中庸為入道之序，而後及諸經，以為不先乎大學，則無以提綱挈領，而盡論、孟之精微；不參以論、孟，則無以融會貫通，而極中庸之旨趣。然不會其極於中庸，則又何以建立大本，經綸大經，而讀天下之書，論天下之事哉？其於讀書也，又必使之辨其音釋，正其章句，玩其辭，求其義，研精覃思，以究其所難知，平心易氣，以聽其所自得，然為

> 己務實，辨別義利，毋自欺，謹其獨之戒，未嘗不三致意焉。蓋亦欲學者窮理反身而持之以敬也。從遊之士，迭誦所習，以質其疑。意有未諭，則委曲告之，而未嘗倦。問有未切，則反覆戒之，而未嘗隱。務學篤則喜見於言，進道難則憂形於色。講論經典，商略古今，率至夜半。雖疾病支離，至諸生問辨，則脫然沈痾之去體。一日不講學，則惕然常以為憂。摳衣而來，遠自川蜀。文辭之傳，流及海外。至於荒裔，亦知慕其道，竊問其起居。窮鄉晚出，家蓄其書，私淑諸人者，不可勝數。先生既沒，學者傳其書，信其道者益眾，亦足以見理義之感於人者深也。繼往聖將微之緒，啟前賢未發之機，辯諸儒之得失，闢異端之訛謬，明天理，正人心，事業之大，又孰有加於此者？至若天文、地志、律歷、兵機，亦皆洞究機微。文詞字畫，騷人才士，疲精竭神，常病其難，至先生未嘗用意，而亦皆動中規繩，可為世法。是非姿稟之異，學行之篤，安能事事物物，各當其理，各造其極哉？學修而道立、德成而行尊、見之事業者又如此。[5]

勉齋此文，最能顯示朱子生平之大概。由此，吾人可窺朱子畢生精進，並將儒家之道光大及集大成之一斑。

[5]〈朱子行狀〉《朱文公文集》附錄3，第5411頁。

二、朱子之著作

朱子之著作宏富，並從事典籍整理，茲列舉於下：

書名	卷數
《大學章句》	一卷
《大學或問》	二卷
《中庸章句》	一卷
《中庸或問》	三卷
《中庸輯略》	二卷
《論語綱領》	一卷
《論語集註》	一0卷
《論孟精義》	論語二0卷、孟子一四卷
《孟子集註》	七卷
《孟子綱領》	一卷
《周易本義》	一二卷
《易學啓蒙》	四卷（朱子指畫，蔡元定撰）
《書集傳》	六卷（蔡沈補成）
《詩集傳》	八卷
《詩集解》(散佚)	未詳
《儀禮經傳通解》	正三七卷(黃幹補成)續二九卷
《古今家祭禮》	二0卷
《家禮（疑）》	二卷
《孝經刊誤》	一卷
《小學書》	六卷（朱子指畫，劉子澄撰）
《楚辭集註》	八卷
《楚辭後語》	六卷
《楚辭辨證》	二卷
《太極圖說解》	一卷
《通書解》	二卷
《西銘解義》	一卷
《正蒙解》	二卷
《伊洛淵源錄》	一六卷
《程氏遺書》	二五卷(朱子編，程顥、程頤撰)
《程氏遺書附錄》	一卷(朱子編，程頤撰)

《程氏外書》 一二卷(朱子編，程顥、程頤撰)
《謝上蔡語錄》 三卷(朱子校定，謝良佐撰)
《延平答問》 一卷
《近思錄》 一四卷（朱子、呂東萊合撰）
《玉山講義》 一卷
《白鹿洞書院揭示》 一卷
《記疑》 一卷
《雜學辨》 一卷
《周易參同契考異》 一卷
《陰符經註》 一卷
《韓文考異》 一0卷
《蓍卦考誤》 一卷
《感興詩》 一卷
《資治通鑒綱目》 五九卷(朱子及其門人趙師淵等編)
《八朝名臣言行錄》 前編一0卷、後編一四卷(朱子編)
《論語要義》（散佚） 未詳
《論語訓蒙口義》（散佚） 未詳
《孟子要略》（散佚） 五卷
《中庸集解》（散佚） 二卷
《參同契解》（散佚） 未詳
《三先生論事錄》（散佚） 未詳
《孟子要略》（散佚） 五卷
《困學恐聞編》（散佚） 未詳
《論語略解》（未刊） 未詳
《論語或問》（未刊） 二0卷
《孟子或問》（未刊） 一四卷

此外後世學者所輯錄關於朱子之書籍，列舉如下：

書名	卷數
《朱子大全集》	一二一卷(前一00，續一一，別一0)
《朱子大同集》	一三卷
《朱子全書》	六六卷(李光地編)
《朱子經濟文衡類編》	七六卷
《朱子學的》	二卷
《朱子學訓》	三卷

《朱子文語纂編》	一八卷
《白鹿洞書院教規》	一卷
《晦菴文鈔》	八卷(前六，續二)
《朱子語類》	一四0卷(黎靖德編)
《朱子論學切要語》	二卷
《文公先生經世大訓》	一六卷
《朱子語略》	一0卷
《朱子訓子帖》	一卷
《朱子錄要》	一五卷
《朱子童蒙須知》	一卷
《朱子大全私鈔》	一二卷
《朱子訓蒙詩》	百首
《朱子心學錄》	七卷
《朱子閒適詩選》	一卷
《朱子語錄四纂》	五卷
《朱子語類輯略》	八卷
《朱子晚年全論》	八卷
《朱子心學錄》	七卷
《朱子文集纂》	三二卷
《朱子四書語類》	五二卷
《朱子五經語類》	八0卷
《朱子書抄略》	三卷
《朱子禮纂》	五卷
《朱子文集》	一八卷
《朱子學歸》	二三卷
《朱子論定文鈔》	二0卷
《朱子語類纂》	一三卷
《朱子遺書》	一0六卷
《晦庵先生朱文公文集》前集	一00卷(四部叢刊、四部備要)
《晦庵先生朱文公文集》續集	一一卷(四部叢刊、四部備要)
《晦庵先生朱文公文集》別集	一0卷(四部叢刊、四部備要)
《晦庵先生朱文公文集》前集	一00卷(四庫全書)
《晦庵先生朱文公文集》續集	五卷(四庫全書)
《晦庵先生朱文公文集》別集	七卷(四庫全書)

第二節　朱子之時代背景

朱子是中國歷史繼孔子之後最著名之思想家、政治家、教育家，宋代理學之集大成者。其廣大精緻，綜羅百代，繼承二程，發展孔孟，於其深度廣度，吸收他家之長，建豐富之思想體系，世稱“朱子學”。蓋思想乃時代之產物，必受其時代之影響和制約，且亦具有思想家本人之個性。朱子繼承二程建立其完備體系，豐富內涵之理學思想脈絡，與宋代之社會，尤其是南宋時代實密不可分。

一、文化背景

宋初統治者總結歷史經驗，爲鞏固其統治，加強中央集權。思想家要求復興儒學，重整綱常，正符統治者之要求。一者對唐五代社會動亂、倫常掃地之反思，一者體現宋代社會之時代特點。爲重整綱常，自唐五代不重儒家倫理，尤以統治者自身不按倫理綱常，人無廉恥，致使男女無別、子殺父、臣弑君、兄弟殘殺。動搖社會統治之思想基礎，削弱維繫社會穩定之思想準則。唐代韓愈鑒於儒家仁義之道不明，胡化衝擊漢化，而提倡道統，重整儒學，宣揚儒家之仁義道德，批佛老，斥楊墨異端。宋代思想家承韓愈提倡道統，重整儒學之思想，爲社會治理與穩定而獻力。

因儒學之本質和價值取向在於體現倫理綱常，統治者爲維護其統治，亦極力表彰儒學及其倫理綱常，開展尊孔讀經。此乃宋代新儒學—理學思潮產生之時代背景。

於中國文化史及儒學居一席之地，其產生之根源和背景絕非偶然。蓋隋唐之時，佛教盛行，動搖儒家文化之主導地位。且舊儒學發展至唐代，陷入困境，缺乏思辨哲學爲儒家倫理作論證。宋儒學者爲改拘於訓詁，限於名物之箋注，力轉此風，欲以義理之學代替漢唐宋以來之墨守僵化頹勢，此乃理學產生之學術基礎。一者倫常掃地，人無廉恥，而重義理、重心性，輕考據、輕訓註之新興儒學乃藉機興起。另者儒、佛、道三教融合，亦爲理學之產生預備有利之條件。朱子出生，此時適値南宋時期，江南之社會經濟和科學文化亦由於全國政、經和文化之南移，而得以發展。中國境內金不斷進擾南宋。宋採妥協投降之策。然對生民之起義，則不惜以重兵鎮壓，此皆時代之文化因素使然。

二、社會背景

唐宋之際，中國傳統社會之土地制度，發生重大變革，至宋代土地私有制發展爲實行“不抑兼併”之土地政，致土地買賣頻繁，豪民佔田無限，兼併成風。官田不斷被出賣，轉化爲私人田產。而此官田私田化、不立田制，不抑兼併之政策與土地國有制，是宋代社會區別於前代之特點。正因宋代社會發生與前代不同之歷史變革，已往之均田制遭至嚴重之破壞，土地國有逐漸轉化爲土地私有。宋代百姓之人身依附關係鬆馳，社會地位亦得以提高，且士庶之界限漸被打破。宋採科舉取士之制，庶民得以參政，可防武人專擅、地方割據，保持社會穩定和內部統一。

由於唐五代社會動亂、倫常掃地，宋初統治者有感於歷史經驗之教訓，且儒家倫理綱常式微，反常現象層出不窮，提倡道統，重整儒學思想，主張於新形勢下復興儒學，重建道德倫理，以糾正唐五代不良之社會風氣和朝綱。

宋太祖、大宗兩朝於中央集權，採系列加強措施，制定兵權、政權、財權、司法權等之統治法，消除可能威脅君權和地方割據之因素。宋代重文輕武之策，雖堵塞唐五代藩鎮割據，兵變弒君之路，然卻削減禦外抗敵之力，致成“積弱”之弊，宋朝採中央集權之措施，掌控由上至下各級之權力，造成“政出於一”、“權歸於上”之局面，是以強化中央集權之治，既可避江山易主，動亂重演之局，同時又可防中國歷史反復出現之宗室、外戚、宦官、權臣之亂。

三、政治背景

北宋末，中國境內北方遼（契丹族）一則對北宋行掠奪之戰；另則對已統治之女真行殘酷之治。激起女真各部之反抗。於其酋長阿骨打之率領下，兩度大敗遼軍，軍威大振。徽宗政和五年(西元一一一五年)，阿骨打建國稱帝，國號大金。徽宗宣和二年(西元一一二０年)，阿骨打攻佔遼。至此，遼於東北大部地區，爲金所佔，金成東北強大民族。

金繼遼對宋行進擾之策，滅遼之後，立即乘勝攻北宋。昏庸怯懦之宋徽宗趙佶，匆忙傳位欽宗趙恒，金軍包圍開封，欽宗既不挺李綱等抗戰派將領，亦不顧各地“勤王軍”和“義軍”，而一味向金屈辱投降，割地賠款，甘當“侄皇帝”欽宗靖康元年（西元一一二六年）八月，金藉宋不割三鎮（中山、太原、河間），攻破開封。次年俘徽、欽二帝北去，北宋亡。

高宗建炎元年(西元一一二七年)五月，高宗趙構即帝位於歸德（今河南商丘），改元建炎，是爲南宋。趙構非唯繼徽、欽二帝之屈辱投降政策。且內奸秦檜窺知趙構心理和對金主和之策，此後，秦檜變本加厲推其投降之策。

時李綱宗澤等主張抗金，建議聯合河北、河東之抗金義軍，數次籲趙構回開封，均被峻拒，憂憤以終。

隨土地兼併之加劇，賦稅之苛重，南宋危機加深。而以高宗趙構爲首者，不知整頓吏治，鎮日醉生夢死，置復仇抗金於不顧。時有詩人林升，懷悲憤之情，於《題臨安邸》中寫此詩句：

山外青山樓外樓，西湖歌舞幾時休？
暖風吹得遊人醉，直把杭州作汴州。

從詩中反映君臣之腐化墮落，揭露南宋苟安之景。南宋之立，生民起義不斷，於朱子之時，大小起義不下數十次，對此江河日下之現實，頗多思想家亟思研求救治之方。朱子即扮演肩負此重任，而將理學予以系統化之角色。

第三節 朱子之學術背景

儒學是中國傳統文化之主流，蓋無庸致疑。有謂孔子是中國早期儒學(即原典儒學)之代表者，則朱子是中國後期儒學(即新儒學)之集大成者。於歷史上，朱子是南宋著名之哲學家，亦是中國哲學史上影響深遠哲學家之一。其一生累經坎坷，然自強不息，矢志不渝，終開一代儒學新風。觀其學術背景，蓋分爲三：一，初登仕途，受學李侗；二，設倉社、主經界，集理學大成；三，詔免侍講，理學遭禁。

一、初登仕途，受學李侗

高宗建炎四年至高宗紹興三十一年(西元一一三0年～西元一一六一年)，此期據《宋史》本傳與《宋元學案‧晦翁學案》載，朱子自幼穎悟，初學牙語，父指天示之曰："天也"熹問曰："天之上何物？"松異之。從小即對宇宙之本體，有所關注，或謂對其後來建立"理學"體系之奠基助益頗大。

朱子自小即於其深受二程熏陶之父親教育下，習儒家經典。《朱子年譜》謂：朱子年十餘即"勵志聖賢之學"，慨然奮發，日讀《大學》、《中庸》、《論語》、《孟子》無間斷。當讀《孟子》時，心深有感觸謂："我十來歲時，讀《孟子》，知聖人與我爲同類，喜不可言。"因而以做"聖人"爲己之志。

朱子年十四，時高宗紹興十三年（西元一一四三年），其父朱松病逝。臨終遺命朱子，父事籍溪湖原仲（憲），白水劉致中（勉之）、屏山劉彥沖（子翬），朱子遵父遺言，受學於此三人。

此時朱子雖以儒家經典爲主，然於釋、道亦無不問津。《朱子語類》中云："某舊時，亦要無所不學，禪、道文章、楚辭、詩、兵法、事事要學，出入時無數文字"[6]。可知，此時朱子爲學並未專攻，對佛、道等書皆覽。此廣涉於儒、釋

---

[6]〈自論為學工夫〉《朱子語類》卷104，第2620頁。

道之學風，爲其後融儒釋道爲一體，集理學之大成奠其思想基礎。

朱子年十九時取進士，初涉仕途，但不以此學問自滿，二十歲後欲以精力用於思量"義理"和融會貫通，時廢寢忘食或徹夜未眠，直至義理窮透而後已。

朱子於己刻苦鑽研"義理"之同時，又盼尋明師。幾經輾轉，年三十，高宗紹興三十年(西元一一六０年)正式拜李侗爲師。

李侗是程頤再傳弟子羅從彥之生。而從彥則是二程弟子楊時(龜山)之生。某次程顥送楊時南歸時曰："吾道南矣"程顥死後，又從程頤學。當時士大夫 間盛行佛學，但楊時從"洛學"不變，因之得程頤贊賞，被稱爲得二程"不傳之學"弟子之一。南宋初，時於南方頗具聲名，是以羅從彥"慨然慕之，遂徒步往學焉"[7]從彥被歐陽佑視爲"受業龜山之門，獨得不傳之秘"之人，後被稱爲嫡傳弟子。李侗又隨師於從彥數年，受《春秋》、《中庸》、《論語》、《孟子》之說，從容潛玩，有會於心，盡得所傳之奧，宜謂李侗是二程學說之正傳嫡宗，此乃朱子之師承系統學術淵源。朱子之父朱松亦曾師事羅從彥，與李侗同門友。

朱子拜李侗爲師之後，學術思想生變，據其回憶，年少曾習禪，初見李侗時，曾以禪學請問李侗，李侗只說不是，《朱子語類》記載：

> 李先生為人簡重，卻是不甚會說，只教看聖賢言語，某遂將那禪來權倚閣起，意中道禪亦自在，且將聖人書來讀，讀來讀去，一日復一日，覺得聖賢言語漸漸有味，卻回頭看釋氏之說，漸漸破綻，罅漏百出。[8]
>
> 某少時未有知，亦曾學禪，只李先生後來考究，卻是這邊(指儒學)味長，才這邊長得一寸，那邊便縮了一寸，到今銷鍊無餘矣，畢竟佛學

---

[7]〈羅從彥傳〉《宋史》卷 428，第 12743 頁。

[8]〈自論為學工夫〉《朱子語類》卷 104，第 2620 頁。

無是處。[9]

朱子依李侗之教，只須看“聖賢言語”從“聖經中求義”，以便推見“實理”。朱子潛心讀書，漸悟求“理”之方，即是“靜坐”。由於朱子既能不遠數百里，徒步往從，求教李侗，又能悟聖人之說，悉心求道，因得李侗之稱贊：“穎悟絕人，力行可畏，其所論難，體認切至，自是從遊累年，精思實體，而學之所造益深矣”；並被譽爲“樂善好義，鮮與倫比”之人。[10]於是得李侗之正傳。如此，朱子則成二程之四傳弟子，及儒家“道統”系譜中之重要一員。

二、設社倉、主經界，集理學大成

高宗紹興三十二年至光宗紹熙五年(西元一一六二年～西元一一九四年)朱子受學李侗思想丕變，適値國內政勢亦變。此時高宗(趙構)以抗金之勝，作爲降金之資。遂激起朝野之憤慨，趙構只得於反對和議，主張抗金聲中退位。孝宗(趙睿)繼位後，主抗金，並詔求直言。於是，主“以戰復仇”，視“講和”爲叛逆“天理”之朱子，曾向趙睿上《封事》。[11]提三建議：第一“帝王之學不可以不熟講”。所謂“帝王之學”，即古代賢明君主之學，意謂捐去舊習無用浮華之文，攘斥似是而非邪詭之說，遍訪真儒，置諸左右，以備顧問；第二，“修攘之計不可以不早定”。所謂“修攘之計”，即是“修政事，攘夷狄”。意謂“君父之仇，不與共戴者。….然則今日所當爲者，非戰無以復仇，非守無以制勝”。[12]；第三“本原之地不可以不加意”。其以“四海之利病”，繫於“斯民之休戚”，“斯民之休戚”繫於“守令之賢否”，因而主“正朝廷”、“立紀綱”、“厲風俗”、“選守令”。如此，方能國富民強，方能抗擊金兵。

孝宗乾道三年(西元一一六七年)秋，福建崇安發大水，朝

---

[9]〈自論為學工夫〉《朱子語類》卷104，第2620頁。

[10]〈行狀〉《朱子年譜》卷1上，第18頁。

[11]〈壬午應詔封事〉《朱子文集》卷11，第346頁。

[12]〈癸未垂拱奏劄二〉《朱子文集》卷13，第412頁。

廷命朱子視察災區，並與縣官議論“賑恤”之事。遍訪崇安各地，非唯有“今時肉食者，漠然無意於民直是難與圖事之感，且有“若此學不明，天下事決無可爲之理”之嘆。由於水災嚴重，糧食無收，次年春夏之交青黃不接，崇安大饑荒，隨之饑民起義，人情大震。朱子勸說豪民發藏粟，以賑濟下民。因而主設“社倉”，以解糧食之困。孝宗淳熙十六年(西元一一八九年)內禪，光宗(趙惇)即位。光宗紹熙元年(西元一一九0年)朱子知漳州，主“經界”，即對土地進行核實田畝、畫圖造冊、以田交稅。避免“業去戶存”，貧者仍繳“無業之稅”而地主卻“有業而無稅”之不均現象。凡此改革，皆在補救時弊。

除上述政績外，朱子於此一時期完成建構理學哲學體系之大任。

孝宗乾道四年(西元一一六八年)朱子完成二程遺書之選編，並爲理學倡“存天理，滅人欲”之說。

孝宗淳熙二年(西元一一七五年)呂祖謙從浙江東陽至福建崇安朱子之“寒泉精舍”，相與讀周敦頤、二程和張載之書，並商討編輯《近思錄》，作爲理學入門書。當朱子送呂祖謙回浙江途經江西上饒鵝湖時，呂邀陸氏兄弟(九齡、九淵)來會，本欲調和朱、陸爲學之方，但論後卻顯彼等之歧。朱子從“理”言，主“即物窮理”，而被九淵譏爲“支離事業”；九淵則從“心”言，主“發明本心”，而自稱爲“簡易工夫”，終不歡而散。此後，人稱朱學爲“理學”學派，陸學爲“心學”學派。

淳熙四年（西元一一七七年），作爲集理學之大成之代表作－《論語集注》和《孟子集注》編成。朱子首編《論語集義》和《孟子集義》，後按理學之見取其“精粹”爲《集注》，又將何以取捨之理或予生之答編爲《論語或問》和《孟子或問》。同時又完成《周易本義》和《詩集傳》之撰寫。《論語集注》和《孟子集注》之編成，標志朱子理學體系之建立。

淳熙五年（西元一一七八年），因史浩之薦，朱子被命爲“知南康軍”，朱子從紹興二十三年(西元一一五三年)任同安縣主簿至此，已家居著書、講學二十餘載。

朱子於南康軍任上，猶積極辦學，以宣講"理學"思想。於蘆山唐代文人李渤隱居處，建"白鹿洞書院"。並訂制度章程，對後世影響頗大。於《白鹿洞書院學規》中，將"父子有親，君臣有義，夫婦有別，長幼有序，朋友有信"作爲"五教之目"；將"博學之，審問之，慎思之，明辨之，篤行之"作爲"爲學之序"，並以"言忠信，行篤敬，懲忿窒慾，遷善改過"爲"修身之要"，以"正其義不謀其利，明其道不計其功"爲"處事之要"，以"己所不欲，勿施於人，行有不得，反求諸己"爲"接物之要"（《文集》卷七十四）。白鹿洞書院成爲著名之四大書院之一，而其《學規》則爲各書院之楷模。以白鹿洞書院爲基地，以其《學規》爲指導，培養生徒，形成一己之學派。

光宗紹熙元年（西元一一九０年），朱子知福建漳州。是年，首次刊刻四經（《書》、《易》、〈本義〉、《詩》、〈集傳〉、《春秋》）及四子書（《論語》、《孟子》、《大學》、《中庸》），此事對後影響甚巨。

紹熙五年（西元一一九四年）朱子以六十五高齡，任潭州撫使，修復岳麓書院，據《朱子年譜》記載：

> 先生（指朱子）窮日之力，治郡事甚勞，夜則與諸生講論，隨問而答，略無倦色，多訊以切己務實，毋厭卑近，而慕高遠，懇惻至到，聞者感動。[13]

後岳麓書院與白鹿洞書院亦成朱子講學授徒，傳播理學之所。

此期著作有：《程氏遺書》、《外書》、《八朝名臣言行錄》、《太極圖說解》、《通書解》、《伊洛淵源錄》、《近思錄》、《論語集注》、《孟子集注》、《大學章句》、《中庸章句》、《周易本義》、《易學啓蒙》、《四書或問》等。

---

[13]〈修復嶽麓書院〉《朱子年譜》卷4上，第192頁。

三、詔免侍講，理學遭禁

光宗紹熙五年（西元一一九五年）光宗內禪，寧宗（趙擴）繼位。是年八月，經宰相趙汝愚之薦，任朱子爲煥章閣待制兼侍講。初見寧宗，便上《行宮便殿奏札》。大談其"君臣父子，定位不易，事之常也；君令臣行，父傳子繼，道之經也"和"爲學之道，莫先於窮理"等"大倫"、"大本"之傳統倫理道德。

朱子藉面上之機，面陳諸事，多次舉動，反引寧宗不滿，認有越俎代庖，干預朝務之虞。免朱子侍講之職。趙汝愚等上書固諫，寧宗不聽。是年十一月，朱子回福建考亭。十二月建"竹林精舍"繼事著述。

寧宗慶元元年（西元一一九五年），南宋爆反道學之爭。蓋以趙汝愚相位爲開端。趙汝愚被罷，韓侂胄以擁立寧宗有定策之功而掌大權。慶元二年十二月葉翥上書，批"僞學之魁，以匹夫竊人主之柄，鼓動天下，故文風丕變"（《朱子年譜》卷四下）。慶元四年朝廷以"道學"爲"逆黨"，於是"方是時，士之繩趨尺步、稍以儒名者，無所容其身。"[14]不敢以儒自命。然朱子對此情，仍"日與諸生講學不休，或勸以謝遣生徒者，笑而不答。"（同上）且於慶元六年三月，死之前，猶續改《大學•誠意章》。

此期朱子之著作有：《韓文考異》、《書集傳》等。朱子死時年七十一，歷仕高宗、孝宗、光宗、寧宗四朝，立朝僅四十六日，爲官約十年，其餘四十餘年皆從事講學和著作。在政事則於崇安設"社倉"、主漳州"經界"、彈浙東豪右、解南康饑荒，顯示其管理才幹；於學術則雖被詔免侍講，然一生仍講論、著述、編輯、撰注不已，直至殘年遭"慶元黨禁"之際，仍編纂《禮書》、集注《楚辭》，學術淵博，開一代理學宗風；於教育則隨政興學，建"武夷精舍"、辦"岳麓書院"、創"紫陽書院"、復開"白鹿洞書院"，引"諸大儒雲從星拱，風流相繼"，使其門弟子遍天下，得"洙泗薪傳"之美稱。

---

[11]〈朱熹傳〉《宋史》卷429，第12751頁。

第二章 朱子學概述及其影響

第一節 朱子學概述

朱子是宋明理學之關鍵人物，是中國哲學發展史之一重要里程碑。其“致廣大，盡精微，綜羅百代”[1]，繼二程，發展孔孟，於廣深兩者，可謂集儒家思想之大成。

朱子之生平至其學術活動，可從其哲學方法論至經濟思想、政治學說皆可進行探討。對朱子哲學之範疇，如理、氣、性、命、亦可作分析。

誠然，對朱子此一儒教集大成者，猶有更多細微曲折之處有待發掘，實非短期內可逐一達成。因朱子一生所涉學術門類廣泛，其自稱心傳唐虞道統，明伊洛淵源，崇洙泗，黜二氏。有識之士早已指出其於釋道兩家，陽擠而陰受之。

學者泛觀，以爲朱子之哲學體系是客觀唯心主義，每一研究者有不同之剖析方式，對朱子哲學之理解，見仁見智。對朱子之歷史地位和作用，各有不同之評價。

朱子一生心血凝聚於儒家經典注釋中，其於《五經》、《四書》用力最勤，寓創意於注疏之中。朱子之著述，有始於中年，有貫串於全部生涯，有直至晚年尚未完成者。其著述之先後與其思想之脈絡至爲縝密，如細加分疏，必將對其哲學全貌有所裨益。

朱子文章信札留存頗多，有屬於信手酬答，若細分類別，尚有牴牾之處，就中如何取捨，仍待斟酌。《朱子語類》分門部勒，明白易曉，其間詳略輕重時有歧異，或出於應機答對，不盡周詳，故《語類》所記未可盡從。

朱子多才多藝，遺留作品不少，其中有吟風弄月，有感事詠懷，亦有經形象思維發揮其哲學觀點者。如能取精用宏，對朱子之哲學之理解更上一層。對朱子思想全貌之考察，必有助益。

---

[1]〈晦翁學案〉《宋元學案》卷48，第1495頁。

朱子學術活動時間甚長，自十九歲中進至七十一歲死亡，約半世紀，與當時思想界、文化界、政界人物交遊至廣，其門生弟子遍及朝野。時有論辯，倘能將此論辯整理、研究，非但可明朱子之思想，猶可勾勒南宋中期思潮之概貌。《宋元學案》著者雖有見於此，然囿於時代，蔽於儒教，不無憾焉。蓋其思想之發展與演變頗為複雜，討論不同問題亦隨時空而異，是以吾人研究考察亦應隨之調整，方能略窺其貌。

綜觀朱子哲學思想，是其學術思想之核心和理論基礎，是認識和把握朱子思想之關鍵。其哲學與理學密不可分，朱子於繼承二程開創之理學思想體系之基礎上，結合時代和理論之發展，與同期之思想家相互交流，又吸取先秦原始儒學和儒道等之思想，並借鑑理學各派之觀點，予以綜合改造，發展創新，集其大成。今試舉朱子學說要旨於後：

一、理氣論

理氣論是朱子哲學之重要組成部分。其於吸取並改造張載哲學氣本氣化論之基礎，繼承並發展二程理本氣化論，以理氣關係為範圍，對氣及理與氣之關係作全面之論述，提出以理為宇宙之本體，以氣為構成萬物之材料。[2]

(一)理論

朱子以理為宇宙之本體，亦是其哲學之核心與實質。在理一元論哲學之前提下，朱子對理之內涵和屬性作具體之論述。

理是朱子哲學之最高範疇，以理為核心，朱子建構中國哲學最完備、縝密之理本論哲學。朱子以為，理乃宇宙之本體，天地人物均以理為存在之根據。彼謂：

> 宇宙之間，一理而已。天得之而為天，地得之而為地，而凡生於天地之間者，又各得之以為性。…自未始有物之前，以至人消物盡之後，終則復始，始復有終，又未嘗有頃刻之或停也。

[2]東方鹿〈朱熹的哲學思想〉《朱熹與中國文化》章3，第53頁，貴州人民出版社，2000。

[3]

未有天地之先，畢竟是先有此理。

未有天地之先，畢竟也只是理。有此理，便有此天地；若無此理，便亦無天地，無人無物，都無該載了。[4]

朱子以爲，宇宙之間只有一理，理是永恆之宇宙本體，其先於天地而存在，無所不在，無時不有。於萬物產生之前，理作爲天地萬物存在之根據，已經存在；當萬物消盡之後，理亦仍然存在。天因其理而爲天，地因其理而爲地，人與物因其理而各得其性。理涵蓋並主宰天、地、人、物，是永恆且超時空之形上本體。

(二)氣論

朱子吸取張載氣之思想，否認氣爲宇宙本原，然仍將氣化之思想納於其哲學體系。朱子以爲氣充塞宇宙之間，貫穿於一切事物之中，人與氣皆由氣構成。彼謂："屈伸往來者，氣也。天地間無非氣。人之氣與天地之氣常相接，無間斷，人自不見。"[5]因氣構成人與物，是以人之氣與天地之氣相通無間斷，宇宙皆是氣流行之處。"氣之流行，充塞宇宙。"(《楚辭集注》卷三)此一思想客觀承認物質性之氣之存在，並以氣作爲構成人與萬物之材料。彼謂："物主乎形，待氣而生。"[6]非唯物由氣而生，且"人生初間是先有氣"[7]又因氣之運動變化，方生人。"問：'生第一箇人時如何？'曰：'以氣化。二五之精合而成形。'"[8]明確認爲人由氣化生成。朱子氣化生人、生物之思想是對張載氣論之借用，此表明氣化論自然觀於宋已被認同，唯其分歧在於是否承認氣上另有一本原。

前述言及朱子取張載以聚散言氣之見，以爲氣具有聚與

---

[3]〈讀大紀〉《朱文公文集》卷70，第3500頁。

[4]〈理氣上〉《朱子語類》卷1，第1頁。

[5]〈鬼神〉《朱子語類》卷3，第34頁。

[6]〈中庸二〉《朱子語類》卷63，第1544頁。

[7]〈鬼神〉《朱子語類》卷3，第41頁。

[8]〈理氣上〉《朱子語類》卷1，第7頁。

散、有形與無形之功能和屬性。彼謂："夫聚散者，氣也。若理，在只泊在氣上，初不是凝結自爲一物。但人分上所合當然者便是理，不可以聚散言也。"[9]理無聚散，氣有聚散。氣聚成形，物得以生。"有是氣，便有是形"[10]"氣聚則生，氣散則死"[11]氣散之後，物便死去，此氣亦不復存在，不能再以此既散之氣復聚而生物。"一去便休耳，豈有散而復聚之氣。"[12]朱子取張載氣化論中言氣有聚散之見，然卻棄其氣散復歸於大虛，大虛之氣聚而成萬物之思想。此思想與二程"凡物之散，其氣遂盡"[13]之見相似。

(三)理氣先後

理和氣是構成朱子理氣論哲學體系之兩大範疇，捨其一則其體係不全。經理氣關係之分析和探討，可以揭示朱子哲學之性質和特點。

其一，理先氣後

朱子以爲，從宇宙之本原觀之，是先有理，後有氣。彼謂："所疑理氣之偏，若論本原，即有理然後有氣，故理不可以偏全論。"[14]理在先，氣在後，此言有理之後方生氣。氣有偏全，理無偏全。朱子以理作爲氣之主宰，理非唯在氣之先，且是天地萬物存在之根據，理經氣之變化流行而生長發育萬物。"問：'昨謂未有天地之先，畢竟是先有理，如何？'曰：'未有天地之先，畢竟也只是理。有此理，便有此天地；若無此理，便亦無天地，無人無物，都無該載了！有理，便有氣流行，發育萬物。'曰：'發育是理發育之否？'曰：'有此理，便有此氣流行發育。'"[15]朱子明言有理才有氣化流行，發育萬物之思想，其將氣化論納入理本論之哲學體系中，氣雖充塞宇宙，具有生人、生物之功能，但卻是指理爲宇宙本原而言。此乃對二程理本氣化論之繼

---

[9]〈鬼神〉《朱子語類》卷3，第37頁。
[10]〈中庸二〉《朱子語類》卷63，第1547頁。
[11]〈鬼神〉《朱子語類》卷3，第36頁。
[12]〈理氣上〉《朱子語類》卷1，第8頁。
[13]〈河南程氏遺書〉《二程集》卷15，第163頁。
[14]〈答趙致道一〉《朱文公文集》卷59，第2923頁。
[15]〈理氣上〉《朱子語類》卷1，第1頁。

承。

其二，氣先理後

朱子以爲，從萬物稟賦觀之，是先有氣，後有理。彼謂："若論稟賦，則有是氣而後理隨以具，故有是氣，則有是理，無是氣，則無是理，是氣多則是理多，是氣少即是理少。"[16]具體事物之生成在於稟賦陰陽二氣，"天地初間只是陰陽之氣"[17]宇宙天地之始，僅存陰陽二氣，氣構成萬物，後方有萬物之理。雖朱子以理作爲宇宙之本體，但其於理本論之哲學體系之內，容納氣化論之內容，肯定氣於萬物中之重要，強調事物之氣對其規律之理之主導作用，以爲規律之理不可離氣而存。此乃對張載氣化論之吸取。

其三，理氣有則皆有

從理氣相互依存，理寓於氣中觀之，理氣不分先後，二者有則皆有。彼謂："既有理，便有氣；既有氣，則理又在乎氣之中。"[18]雖朱子從宇宙本原指出理先氣後，但同時又言理存於氣中，"無是氣，則是理亦無挂搭處"[19]從此意觀之，朱子以理氣有則皆有，代替理先氣後。"問：'太極動而生陽，靜而生陰，見得理先而氣後？'曰：'雖是如此，然亦不須如此理會，二者有則皆有。'"[20]朱子提出之"理本無先後之可言"[21]之見含理氣統一不可分。

(四)理氣動靜

周敦頤於《太極圖說》中謂："太極動而生陽，動極而靜，靜而生陰。"按此言，則太極是自身運動之實體，太極是混然一氣。朱子以太極爲理，然則太極究竟能否動靜？

朱子於《太極圖說解》中釋周敦頤之太極動靜說云：

> 太極之有動靜，是天命之流行也，所謂一

---

[16]〈答趙致道一〉《朱文公文集》卷59，第2923頁。
[17]〈理氣上〉《朱子語類》卷1，第6頁。
[18]〈周子之書〉《朱子語類》卷94，第2374頁。
[19]〈理氣上〉《朱子語類》卷1，第3頁。
[20]〈周子之書〉《朱子語類》卷94，第2372頁。
[21]〈理氣上〉《朱子語類》卷1，第3頁。

陰一陽之謂道……蓋太極者，本然之妙也；動靜者，所乘之機也。太極，形而上之道也；陰陽，形而下之器也。[22]

朱子以爲，動靜屬現象世界之表現，動靜指陰陽二氣之動靜，而非太極自身之動靜。太極則爲本體存於陰陽動靜之中之理，其自身無動靜，所謂動靜僅指太極所乘氣機之動靜。朱子又言：

陽動陰靜，非太極動靜，只是理有動靜，理不可見，因陰陽而後知，理搭在陰陽上，如人跨馬相似。[23]

此言周敦頤所謂陽動陰靜並非指太極自身能動靜，動靜之主體是陰陽，動靜之根據是理，能運行之二氣與存於二氣之中而自身不動之太極，二者如人騎馬以行，朱子言：

太極理也。動靜氣也。氣行則理亦行，二者常相依而未嘗相離也。太極猶人，動靜猶馬，馬所以載人，人所以乘馬，馬之一出一入，人亦與之一出一入，蓋一動一靜，而太極之妙未嘗不在焉。[24]

太極是理，理無形無狀，無動靜，因動靜是形而下者之規定。但理存於氣之中，氣可以動靜，氣對理言，是理乘寓其上之運行體，如此則理雖無動無靜，但因乘載於動靜之氣上，即有相對之動靜，正如乘於馬背之人，雖己未動，但因乘於跑馬之上，即有相對於地之動。是以，若謂太極動靜，亦僅指理隨氣而動，理乘氣而動並非指理於氣中運行或現實世界之外另有一獨立之理之世界在行。

---

[22]〈太極圖說解〉《周敦頤集》卷1，第3頁。
[23]〈周子之書〉《朱子語類》卷94，第2374頁。
[24]〈太極圖〉《朱子語類》卷94，第2376頁。

(五)理一分殊

朱子非唯提理本論，且講一理與萬物、一理與萬理之關係，亦提“理一分殊”朱子以爲天理自然，真實無妄，其自然之天理具“理一分殊”之質。彼謂：“理一分殊，是理之自然如此。”[25]朱子繼二程及佛學之理論，提理一分殊之思想，以此概括一理與萬物及萬物之理之關係。“或問理一分殊。曰：聖人未嘗言理一，多只言分殊。蓋能於分殊中事事物物、頭頭項項，理會得其當然，然後方知理本一貫。不知萬殊各有一理，而徒言理一，不知理一在何處。聖人千言萬語教人，學者終身從事，只是理會這箇。要得事事物物、頭頭件件，各知其所當然，而得其所當然，只此便是理一矣。”[26]又謂：“天下之理萬殊，然其歸則一而已矣，不容有二三也。”[27]所謂理一分殊，即指天理只一箇，然天理存於萬事萬物之中，經分殊之萬物而表現。理存於事事物物之中，是事物所當然之理，即事物之所據。知一理存於萬殊之中，又知理是事物然之據，便掌握“理一分殊”之原則。可見“萬物皆有此理，理皆同出一原。…物物各具此理，而物物各異其用，然莫非一理之流行也。”[28]指出理是原、是本、是體，萬物是末、是用、是發現。理既是宇宙之本體而主宰萬物，又是宇宙之本原而派生萬物。所謂理是本體，“見天下事無大無小，無一名一件不是此理之發見”[29]天下萬物皆是理之顯現和作用。所謂理是本原，即理派生物。“此理處處皆渾淪，如一粒粟生爲苗，苗便生花，花便結實，又成粟，還復本形。一穗有百粒，每粒箇箇完全；又將這百粒去種，又各成百粒。生生只管不已，初間只是這一粒分去。物物各有理，總只是一箇理。”[30]理產生物是一生生不已之過程，每物皆有理派生，但物物之理，非分割、欠缺之理，而是完整、渾淪之理。是以朱子哲學之理是本體論與生成論統一之範疇。

---

[25]〈易八〉《朱子語類》卷72，第1829頁。

[26]〈論語九〉《朱子語類》卷27，第677頁。

[27]〈答余正甫一〉《朱文公文集》卷63，第3162頁。

[28]〈大學五〉《朱子語類》卷18，第398頁。

[29]〈朱子十八〉《朱子語類》卷121，第2938頁。

[30]〈周子之書〉《朱子語類》卷94，第2374頁。

朱子理一分殊之思想，是對二程天理論之繼承和發展。朱子於二程"萬理歸於一理"思想之基礎，闡明"萬物皆有此理，理皆同出一原"之道理，非唯萬物歸於一理，且萬物中之理"處處渾淪"、"箇箇完全"，皆是天理之完整體現。

二、心性論

心性論是構成朱子哲學體系之重要組成部分，朱子對其重視不亞於其理氣論。朱子以"心統性情"說為綱領，繼承、改造和發展以往心性之學，提出系列見解、命題和理論，建立內容豐富、邏輯嚴密之心性論思想體系。

(一)心論

朱子哲學之心，是一認識論之範疇，兼有善惡之倫理學意義，心作為認知主體，具有認識萬物及萬物之理之功能和屬性。朱子心為主宰之思想，將心之主宰作用限定於認識論和心對性、情之關係範圍內，是有條件且是相對。朱子雖有誇大心之主觀能動性，但尚未將心直接作為宇宙本體，此乃其與陸九淵心學相互區別之關鍵。朱子所論及之知覺思慮之心、虛靈無限之心、主宰之心、道心與人心相分合一之心，皆是從認識論及倫理學之意義上論心，心未具有宇宙本體之意義，此非唯是其心論之特點，亦是其心性之學之特點。然當朱子將心之內涵和外延擴大，將心上升為天地之心時，此天地之心便是宇宙之本原而生生不息，但此天地之心與有知覺思慮之人心不同。

以心為知覺思慮，此是朱子哲學心範疇之基本內涵，彼謂："有知覺謂之心"[31]又謂："物至而知，知之者，心之感也。"[32]指出知覺是心之屬性。又謂："心者人之知覺，主於身而應事物者也。"[33]從而將知覺視為對外物之反映。

朱子哲學之心，除有知覺外，猶具有思慮功能。彼謂："耳目之官不能思，故蔽於物。"[34]又謂："心則能思，而

---

[31]〈拾遺〉《朱子語類》卷140，第3340頁。
[32]〈樂記動靜說〉《朱文公文集》卷67，第3372頁。
[33]〈大禹謨解〉《朱文公文集》卷65，第3284頁。
[34]〈孟子九〉《朱子語類》卷59，第1414頁。

以思爲職。凡事物之來，心得其職，則得其理，而物不能蔽。”[35]慮亦是一思，是思之詳審、周密處。彼謂：“慮，是思之重復詳審者。”[36]“慮是思之周密處。”[37]是以用心思慮，掌握事物之理，便能辨別是非。彼謂：“心中思慮才起，便須是見得那箇是是，那箇是非。”[38]指出思慮之對象是理，理具於人心，經思慮來把握。“具此理而覺其爲是非者，心也。”[39]

朱子對心之屬性提出“人心虛靈”。彼謂：“虛靈自是心之本體，非我所能虛也。耳目之視聽，所以視聽者，即其心也。豈有形象？”[40]所謂虛，指沒有形象，“心無形影”[41]心非實有之物。心虛是相對於理實而言，心虛便能認識事物及事物之理；所謂靈，指認知主體之神明不測，不受宇宙時空之限制，並具有儲藏知識，預知未來之功能。彼謂：“此心至靈，細入毫芒纖芥之間，便知便覺。六合之大，其不在此。又如古初去今是幾千萬年，若此念才發，便到那裡。”[42]以爲“心官至靈，藏往知來”[43]小到毫芒，大到六合，無論空間之大小或時間之久暫，心皆是無所不包，無所不在，因而心“亦無限量”[44]心之認知功能是無所不至。

朱子謂：“心，主宰之謂也。”[45]所謂主宰，指管攝、統御。主宰有二義：一是指主於一身而言，二是指主於萬事。關於心主於一身，朱子謂：“心者，一身之主宰。”[46]“一身之中，渾然自有箇主宰者，心也。”[47]指心能統御人身之各部位和感覺器官。又謂：“視聽淺滯有方，而心之神明不

[35]〈孟子集注〉《四書章句集注》卷11，第355頁。
[36]〈大學一〉《朱子語類》卷14，第277頁。
[37]〈大學一〉《朱子語類》卷14，第278頁。
[38]〈論語十二〉《朱子語類》卷30，第769頁。
[39]〈答潘謙之一〉《朱文公文集》卷55，第2607頁。
[40]〈性理二〉《朱子語類》卷5，第87頁。
[41]〈大學二〉《朱子語類》卷15，第304頁。
[42]〈大學五〉《朱子語類》卷18，第404頁。
[43]〈性理二〉《朱子語類》卷5，第85頁。
[44]〈盡心說〉《朱文公文集》卷67，第3384頁。
[45]〈性理二〉《朱子語類》卷5，第94頁。
[46]〈性理二〉《朱子語類》卷5，第96頁。
[47]〈論語二〉《朱子語類》卷20，第464頁。

測，故見聞之際必以心御之，然後不失其正。若從耳目之欲，而心不宰焉，則不爲物引者，鮮矣。”[48]指心統御耳目之官，認識才不失其正；心不宰耳目，則受外物之蔽。關於心主於萬事，朱子謂：“人心萬事之主，走東走西，如何了得！”[49]以爲萬事萬物管攝於心，心具有主觀能動，使事物之變化按人之預定方向發展。彼謂：“蓋人心至靈，主宰萬變，而非物所能宰。”[50]主心主宰事物及其變化，而非物主宰心。又謂：“夫心者，人之所以主乎身者也，一而不二者也，爲主而不爲客者也，命物而不命於物者也。”[51]指出心主宰爲一而不爲二。

朱子指出，人之知覺之心，按其來源和內容分爲兩不同之心。“或問‘人心、道心’之別。曰‘只是這一箇心，知覺從耳目之欲上去，便是人心；知覺從義理上去，便是道心。’”[52]所謂道心，指以義理爲內容之心，仁義禮智之義理爲善，道心亦爲善。所謂人心，指原於耳目之欲之心，人生有欲，饑食渴飲，“雖聖人不能無人心”[53]故“人心亦不是全不是好底”[54]而是“可爲善，可爲不善”[55]朱子以爲人是形氣性命結合之產物，人生有欲，此人所不可免，而心中有理，此亦上天賦予。是以人心與道心之存皆是客觀，人人皆有。彼謂：“人莫不有是形，故雖上智不能無人心；亦莫不有是性，故雖下愚不能無道心。”[56]認爲道心以義理爲內容，原於性命之正，道心至善；人心以耳目之欲爲內容，生於形氣之私，人心有善有惡。人心與道心皆有其存在之必然性。

(二)性論

朱子繼承並發展二程之思想，尤以程頤性論爲最，揚棄

[48]〈答何叔京七〉《朱文公文集》卷 40，第 1714 頁。
[49]〈學六〉《朱子語類》卷 12，第 199 頁。
[50]〈答潘叔度三〉《朱文公文集》卷 46，第 2085 頁。
[51]〈觀心說〉《朱文公文集》卷 67，第 3389 頁。
[52]〈尚書一〉《朱子語錄》卷 78，第 2009 頁。
[53]〈尚書一〉《朱子語錄》卷 78，第 2011 頁。
[54]〈尚書一〉《朱子語錄》卷 78，第 2009 頁。
[55]〈尚書一〉《朱子語錄》卷 78，第 2013 頁。
[56]〈中庸章句序〉《朱文公文集》卷 76，第 3828 頁。

湖湘學派胡宏之性論，提出性必兼氣之思想。其理論體系之完備、思想內容之豐富與同時代少於論性且不講氣之陸九淵心學相比，旨趣各異。是對自孔孟以來儒家人性論之深刻總結與發展。

朱子心性論中，心非本體範疇，性則是本體範疇。彼謂："性者萬物之原，而氣稟則有清濁，是以有聖愚之異。"[57]其性是超越氣稟之本原，萬物皆以性爲存在之根據。作爲宇宙本體之義言，性與理之義同。彼謂："宇宙之間，一理而已。天得之而爲天，地得之而爲地，而凡生於天地之間者，又各得之以爲性。"[58]天地萬物得理便爲性，性與理相當，爲同一本體範疇。程氏"性即理"之思想爲朱子所繼承，且性是萬理之總名，萬理即是一理之體現，又是性之內容。朱子謂："性只是理，萬理之總名。此理亦只是天地間公共之理，稟得來便爲我所有。"[59]從性即理之思想出發，朱子將性與太極、道等本體範疇相聯繫，而與主體之心形成對應。

朱子哲學之性，非唯是宇宙萬物之本原，亦是具體事物之內在本質或屬性。此與其理範疇既是宇宙之本體，又是事物之規律之義相似。彼答："性即理"時謂："物物皆有性，便皆有其理。"又問："枯槁之物，亦有理乎？"曰："不論枯槁，它本來都有道理。"[60]所謂"物物皆有性"是指任何事物皆有其內在固有之屬性和性質。火之炎上，水之潤下，金從革，木曲直，土稼穡便是五行之具體屬性。可知，朱子哲學之性和理同，皆具有宇宙本體及具體事物規律、屬性雙重涵義。

朱子以人倫道德作爲性之內涵。彼謂："仁義禮智，性之四德。"[61]認爲仁義道德既是與庶物區別之內在本質，又是儒家人性論與佛教性論相互區別之原則界限。朱子謂："性即天理，未有不善者也。"[62]從本質言，性爲天理，善

---

[57]〈性理一〉《朱子語類》卷 7，第 76 頁。
[58]〈讀大紀〉《朱文公文集》卷 70，第 3500 頁。
[59]〈朱子十五〉《朱子語類》卷 117，第 2816 頁。
[60]〈程子之書三〉《朱子語類》卷 97，第 2484 頁。
[61]〈孟子集注〉《四書章句集注》卷 13，第 355 頁。
[62]〈孟子集注〉《四書章句集注》卷 11，第 325 頁。

而不惡，惡只在性之外存在。彼謂："蓋性一而已，既曰無有不善，則此性之中，無復有惡與善爲對，亦不待言而可知矣。"[63]可見朱子性無有不善之思想於二程中傾向於程頤，而與程顥有別。

朱子於性氣之關係，多本於二程，尤以程頤爲最，又受張載之影響，主性氣兼言方備，同時指出性氣不相夾雜，並提出天命之性寓於氣質之中，對宋代理學之性氣論作總結。

朱子指出："性氣二字，兼言方備。孟子言性不及氣，韓子言氣不及性。"[64]此是對二程性氣關係說之繼承和發揮。彼謂："論性不論氣，不備；論氣不論性，不明，二之則不是。"[65]

朱子主人是性氣結合之產物，彼謂："人之有生，性與氣合而已。"[66]是以性必兼氣，氣必兼性，缺一不可。雖言性氣相兼，然又言性氣不得相雜。其別在於性主於理而無形，氣主於形而有質。性是本原，氣是派生。彼謂："須知未有此氣，已有此性，氣有不存，性卻常在。雖其方在其中，然氣自氣，性自性，亦自不相夾雜。"[67]朱子以爲性先於氣而存在，而氣之存在是暫時，有不存之時，但性卻是永存，是以性氣雖不相離，但又不相混。

朱子於性情之關係，朱子以爲性之內涵是仁義禮智，性爲靜，爲未發，爲體；情之內涵是惻隱、羞惡、辭讓、是非及喜、怒、哀、樂等，情爲動，爲已發，爲用。但朱子以爲"性情一物"兩者不可割裂。

朱子指出"靜者性也，動者情也。"[68]朱子以爲性不動，情是動處。雖性本身不動，卻含動靜之理。彼謂："蓋性無不該，動靜之理具焉。"[69]性感物而動，發則是情，"情者，

---

[63]〈答胡廣仲五〉《朱文公文集》卷42，第1811頁。
[64]〈孟子九〉《朱子語類》卷59，第1389頁。
[65]〈性理一〉《朱子語類》卷4，第66頁。
[66]〈答蔡季通二〉《朱文公文集》卷44，第1912頁。
[67]〈答劉叔文二〉《朱文公文集》卷46，第2095頁。
[68]〈張子之書一〉《朱子語類》卷98，第2513頁。
[69]〈答胡廣仲四〉《朱文公文集》卷42，第1808頁。

性之動也。”[70]以靜動分性情。

(三)心統性情

朱子心性之學之綱領和核心即是心統性情。朱子以其心論、性論及性情關係說爲基礎，總結和吸取前人之思維成果，提出“心統性情”對心性理論和心與性情之關係作深入之論述。

據《近思錄》及朱子所言：“心統性情”一語首見於張載之語錄。朱子對其備加推崇，唯程頤“性即理也”一語堪與相比。彼謂：“伊川‘性即理也’橫渠‘心統性情’，二句，顛撲不破。”[71]

朱子心統性情之首要意義是心兼性情。彼謂：“心統性情，統，猶兼也。”[72]“性，其理；情，其用。心者，兼性情而言，兼性情而言者，包括乎性情也。”[73]“心是包得這兩箇物事，性是心之體，情是心之用。”[74]“仁、義、禮、智，性也，體也；惻隱、羞惡、辭遜、是非，情也，用也。統性情該體用者，心也。”[75]心兼性情，亦可說心包性情，指心是該括性情之總體。性是心之體，情是心之用，心則是該括體用之總體，而性情是此一總體之兩面。

朱子論心性情時，常引述二程“義一道一神”之思想。朱子謂：“仁義禮智，性也；惻隱羞惡辭讓是非，情也；以仁愛，以義惡，以禮讓，以智知者，心也。性者心之理也，情者心之用也，心者性情之主也。程子曰：‘其體則謂之易，其理則謂之道，其用則謂之神’，正謂此也。”[76]二程(實爲程頤)曾說：“上天之載，無聲無臭，其體則謂之易，其理則謂之道，其用則謂之神。”[77]

朱子心統性情之另一要義是心主性情。彼謂：“性是體，

---

[70]〈孟子集注〉《四書章句集注》卷11，第328頁。
[71]〈性理二〉《朱子語類》卷5，第93頁。
[72]〈張子之書一〉《朱子語類》卷98，第2513頁。
[73]〈論語二〉《朱子語類》卷20，第475頁。
[74]〈朱子十六〉《朱子語類》卷119，第2867頁。
[75]〈答方賓王四〉《朱文公文集》卷56，第2690頁。
[76]〈元亨利貞說〉《朱文公文集》卷67，第3361頁。
[77]〈河南程氏遺書〉《二程集》卷1，第4頁。

情是用。性情皆出於心，故心能統之。統，如統兵之統，言有以主之也。”[78]所謂心主性情是指心對性情具有統率管攝之主宰作用。彼謂：“性以理言，情乃發用處，心即管攝性情者也。”[79]彼謂：“性，本體也；其用，情也；心，則統性情，該動靜而爲之主宰也。”[80]“性者心之理也，情者心之用也，心者性情之主也。”[81]

(四)未發已發

朱子早歲曾受胡宏學派(主於“已發”用功)之影響，人活則心從不止歇，即使於睡眠和無所思慮時亦如此。既活之人，其心無論何時，皆非寂然不動，即言心於任何時，皆處於“已發”由於心皆處於已發，則“未發”即非指心。僅能指心之體，指性，性方是寂然不動之未發。因之，朱子以“未發之前”之說爲非，以彼觀之，心皆是已發，無所謂“未發之前”；性皆是未發，發即不再生性。朱子稱“心爲已發，性爲未發”。實者以性爲體，以心爲用，與《中庸》從情感發作前後定義未發已發之義有別。[82]

朱子於不惑之年改變其上述之見，即所謂：“已丑之悟”彼謂：“乾道已丑(西元一一六九年)之春，爲友人蔡季通言之，問辨之際，予忽自疑斯理也。……而程子之言，出其門人高弟之手，亦不應一切謬誤，以至於此，然則予之所自信者，其無乃反自誤乎？則復取程氏書，虛心平氣而徐讀之，未及數行，凍解冰釋。”[83]乾道五年已丑，朱子於“凍解冰釋之後，其“亟以書報欽夫，及嘗同爲此論者，惟欽夫復書深以爲然，其餘則或信或疑至于今，累年而未定也。”[84]此言爲闡明其已丑思想，說服以前同持舊說之同志且形成其後堅持己見。是以成熟之朱子已發、未發具有二義：

其一，以“未發”“已發”指心理活動之不同階段或狀

[78]〈張子之書一〉《朱子語類》卷98，第2513頁。
[79]〈性理二〉《朱子語類》卷5，第94頁。
[80]〈孟子綱領〉《朱文公文集》卷74，第3728頁。
[81]〈元亨利貞說〉《朱文公文集》卷67，第3361頁。
[82]陳來〈南宋理學的發展〉《宋明理學》章3，第152頁，遼寧教育出版社，1994。
[83]〈中和舊說序〉《朱文公文集》卷75，第3786頁。
[84]〈中和舊說序〉《朱文公文集》卷75，第3787頁。

態。

朱子謂：“……思慮未萌、事物未至之時，爲喜怒哀樂之未發。當此之時，即是心體流行，寂然不動之處，而天命之性體段具焉，以其無過不及，不偏不倚，故謂之中，然已是就心體流行處見，故直謂之性則不可。”[85]朱子以爲人生至死雖心之作用從未止息，但心之作用可分爲兩狀態或階段，思慮未萌時心之狀態爲未發，思慮已萌時心之狀態爲已發。思慮未萌時心之作用雖未停止，但可視爲寂然不動之未發；思慮已萌時心之作用明顯活動，可視爲感而遂通之已發。所謂：“中”是表徵心之未發之狀態，非指性言。

朱子從心性論言，將人之修養分爲二，一是未發工夫，即主敬涵養，一是已發工夫，即格物致知。朱子繼承程頤“涵養須用敬，進學則在致知”，提出“主敬以立其本，窮理以進其知”之學問宗旨。

其二，以未發爲性，以已發爲情。

朱子對未發已發非唯有上述其一之法，於心性論本身，朱子對未發已發更多用以指性與情之體用。彼謂：“性情一物，其所以分，其爲未發已發之不同耳。若不以未發、已發分之，則何者爲性，何者爲情耶？[86]”“情之未發者性也，是乃所謂中也，天下之大本也。性之已發者情也，其皆中節則所謂和也，天下之達道也。”[87]

朱子以爲，性是一本質之範疇，是深微不發，僅能以現象之意識活動而表現。情則是一意識現象之範疇，情是性之表現，性是情之根據和根源。朱子以爲“未發”“已發”亦適用於性情間之關係。

(五)天命之性與氣質之性

朱子哲學中，人性是由天命之性與氣質之性共組而成。天命之性指所稟得之天地之理，氣質之性蓋指氣質之攻取緩急之性。由於一切人物兼受所稟理氣兩者之影響，是以現實人物之性，不能說純由理或純由氣所決定。爲言人性是受理

---

[85]〈已發未發說〉《朱文公文集》卷 67，第 3376 頁。

[86]〈答何叔京十八〉《朱文公文集》卷 40，第 1731 頁。

[87]〈太極說〉《朱文公文集》卷 67，第 3385 頁。

與氣共同約制，非唯要有天命和氣質之概念，猶須有綜合反映理氣影響之人性概念，此即氣質之性之概念。[88]

"性"之概念於朱子哲學中有二義，一指天命之性，一指氣質之性。

朱子以為，天地間有理有氣，人物之生皆是稟受天地之氣以為形體，稟受天地之理以為本性，使人之本性與天地之理有一逕接宇宙論之關聯。朱子以為，從人和物觀之，人、物之性皆是從天稟受而來；從天觀之，則謂天賦與萬物以性，朱子以為此即《中庸》"天命之謂性"之義。因之，於朱子哲學中，天理被稟受於人物所成之性常稱作"天命之性。"

稟理為性說，僅謂人具有先天之善，並未言惡之根源，朱子繼程頤之思想，堅以"論性"和"論氣"補之。以為惡有先天之根，此即是氣質，雖此先天之惡，可由道德修養予以改之。朱子以為，於人稟受之氣質中，有清濁偏正等不同，所稟氣質之昏濁偏塞是人之惡之根源。氣稟之不善成為惡之根源，是由氣稟之昏濁造成，對本性之隔蔽，從而影響人善之本質，終呈惡之性質。對眾人而言，性理皆具，而道德之先天差異全決於氣稟之清濁是否隔蔽性理之表現。

因人物兼受所稟理氣兩者之影響，是以現實之人物之性未能言純由理或純由氣所決定，為釋人性是受理氣共同制約，並釋儒學史人性品級差異之說，此非唯要有天命之性和氣質之概念，猶要有綜合反映理氣影響之人性概念，此即朱子提出氣質之性概念之原由。

人物之性是稟受天地之理而得，人物未生時，天地之理行於天地之間，理稟受形氣之後成為性。但理入形氣雖免不受氣質之"污染"，因而朱子以為，現實人性已非性之本體。而此受氣質污染之現實人性即是"氣質之性"。氣質之性反映出，既有理之作用，亦有氣之作用，是道德理性與感性欲求之綜合，是以朱子謂："論天地之性，則是專指理言；論氣質之性，則以理氣雜而言之。"[89]天命之性是氣質之性

---

[88]〈性之諸說〉《朱子哲學研究》章 8，第 203 頁。
[89]〈答鄭子上十四〉《朱文公文集》卷 56，第 2722 頁。

之本然狀態，氣質之性則是天命之性受氣質熏染而生之轉化形態。

朱子以爲，有此兩性之觀念，哲學中人性之爭即可迎刃而解，所謂性惡、性善惡混、性三品，皆言氣質之性，而氣質之性之本體是天地之性，是純善無惡，因性之本體即是理。

三、格物致知論

"格物致知"，首見於《大學》。朱子以《大學》爲曾子所作，孔子"三千之徒，蓋莫不聞其說，而曾氏之傳，獨得其宗，於是作爲《傳》義以發其意"[90]是謂曾子作《大學》。是得孔子之真傳。西漢時戴聖將其編入《小戴禮記》，後得以流傳。宋代理學家將"格物致知"作爲認識論之重要依據，並進行研究，於是《大學》一書之地位，亦隨之提高。二程兄弟亦略作修正，朱子於二程《改正大學》之本，又有所補正。彼謂：

> 宋德隆盛，治教休明，於是何南程氏兩夫子出，而有以接夫孟氏之傳，實始尊信此篇而表章之。既又為之次其簡編，發其歸趣，然後古者大學教人之法，聖經傳賢之指，粲然復明於世。[91]

《小戴禮記》之〈大學〉中提出"格物"和"致知"兩實踐之觀念，理學者由此推演成新儒家之認識論和修養論。朱子和程頤亦有相同之見。朱子承程頤格物之思，使格物論成朱子學體系之特徵。

(一)格物與致知

朱子於格物與致知之關係，一是指主客體之區分與對立；一是指兩者具統一與相聯，其中格物是致知之手段和前提，致知是格物之目的和歸宿。[92]

---

[90]〈大學章句序〉《朱文公文集》卷76，第3826頁。
[91]〈大學章句序〉《朱文公文集》卷76，第3827頁。
[92]〈格物致知論〉《朱熹與中國文化》章3，第99頁。

朱子以格物之物爲物，以致知之知爲知覺即心。彼謂："致知是自我而言，格物是就物而言。"[93]又謂："格物以理言也，致知以心言也"[94]由此提出主客體對立之心物範疇，並將其納入格物致知論之認識論體係。

朱子重視於認識過程中主客體之分辨，區分認知主體與認識對象，並以主賓加以界定。彼謂："蓋人心之靈，莫不有知；而天下之物，莫不有理。"[95]此乃《格物致知補傳》之名言，是朱子認識論之一基本觀點。朱子以爲，認識之主體是人心之知，即人之主觀認識能力；認識之對象則是事物之理，理不離事物，故以事物爲人心之知之客體和對象。朱子明言："知者，吾心之知；理者，事物之理，以此知彼，自有主賓之辨。"[96]將吾心之知確定爲主，將事物之理歸結爲賓。朱子明言主客對立之"主賓之辨"，此是對吾國哲學認識論之貢獻。其吾心之知既爲主，亦爲內；其事物之理既爲賓，亦爲外，故朱子之認識論有內外結合之傾向。此與其主知識積累，以求貫通之思想相一致；而與陸氏心學守約求內，忽視知識，不立文字之治學方法相異。此亦朱陸異同於哲學認識論之根源。

朱子非唯於認識論提出心物對立之主客體範疇，尤重主賓之辨，經格物以致其知，且主格物與致知既相對又統一之關聯，明言"格物所以致知，反離格物而言致知。彼謂：

> 格物、致知，彼我相對而言。格物所以致知。於這一物上窮得一分之理，即我之知亦知得一分；於物之理窮二分，即我之知亦知得二分；於物之理窮得愈多，則我之知愈廣。其實只是一理，才明彼，既曉此。所以《大學》說"致知在格物"，又不說"欲致其知者在格其物"。蓋致知便在格物中，非格之外，別有致

---

[93]〈大學五〉《朱子語類》卷15，第292頁。
[94]〈大學五〉《朱子語類》卷15，第292頁。
[95]〈大學章句〉《四書章句集注》卷1，第6頁。
[96]〈答江德功二〉《朱文公文集》卷44，第1969頁。

處也。又曰："格物之理，所以致我之知。"[97]

指出格物、致知既有對立，又相聯繫。兩者之統一和聯繫表現於"格物、致知，只是一事，非是今日格物，明日又致知。"[98]因格物、致知統一於認識過程之中，是以格物上窮，得一分理，即於致知上增一分知，格物之積累與知識之增廣成正比，故曰"致知便在格物中"離格物，則不能致吾心之知，此與單純內求，摒棄外物之認識論劃清界限。

從"致知便在格物中"言，朱子批離格物而求知，彼謂：

又謂老佛之學乃致知而離乎物者，此尤非是。夫格物可以致知，猶食所以為飽也。今不格物而自謂有知，則其知者妄也；不食而自以為飽，則其飽者病也。若曰老佛之學欲致其知，而不知格物所以致其知，故所知者，不免乎蔽陷離窮之失而不足為知，則庶乎其可矣。[99]

朱子反對不格物而自謂有知之見，主"格物所以致其知"，格物是實現致知之前提和條件，離格物則不能有知，其所謂知亦僅是蔽於成見而不足爲知。

(二)格物與窮理

朱子致知在格物之思想，非唯重主客體之對立和格物、致知之統一，以格物作爲致知之前提和條件，且重於即物窮理之基礎，致吾心之知，推極吾之知識，將認識發展至無所不盡之境地。其於《補傳》對此作說明，並成爲其格物致知論之綱領。朱子謂：

"所謂致知在格物者，言欲致吾之知，在即物而窮其理也。蓋人心之靈莫不有知，而天下之物莫不有理，惟於理有未窮，故其知有不盡

---

[97]〈大學五〉《朱子語類》卷18，第399頁。

[98]〈大學二〉《朱子語類》卷15，第292頁。

[99]〈答江德功二〉《朱文公文集》卷44，第1969頁。

> 也。是以《大學》始教，必使學者即凡天下之物，莫不因其已知之理而益窮之，以求至乎其極。至於用力之久，而一旦豁然而貫通焉，則眾物之表裏精粗無不到，而吾心之全體大用無不明矣。此謂物格，此謂知之至也。”[100]

朱子以窮理作爲格物之目的，而即物窮理又是爲致吾之知，欲致吾之知，則須即物而窮其理。即物窮理是是認識之首階，於即物窮理之基礎，進而致吾之知，則是認識之次階。朱子以爲，此即所謂之“致知在格物”。亦即是謂，朱子之認識論是先即天下之物而格物之理，所謂格物，即是要以形而下之器，窮得形而上之理。然僅格物猶未全，格物要在窮其物理，仍未升至認識天理之階，但爲其預作準備。朱子指出，要將格物窮理進一層提升，使其達致吾知之階，推致其知以至於極，便可認識萬理歸於一理之天理，而天理在人心，掌握天理，便是吾心之知無所不明之標志。由此可知，朱子之格物窮理與其積累之工夫相應，而致知之極至則是豁然貫通之結果，聯繫之，便是物格而知之至。

關於認識過程中格物與致知各自之作用和職能，及兩者之聯繫與區別，朱子指出：

> 格物只是就一物上窮盡一物之理；致知便只是窮得物理盡後，我之知識亦無不盡處，若推此知識而致之也。[101]
>
> 格物，是物物上窮其至理；致知，是吾心無所不知。格物，是零細說；致知，是全體說。[102]

此由認識過程之兩階而言。格物之特點是一事一物窮其理，屬認識之初階，然卻是致知不可少之基礎，經格物，窮其物理，此乃格物於認識過程中之作用；致知之特點是從全

---

[100]〈大學章句〉《四書章句集注》卷1，第6頁。
[101]〈答黃子耕五〉《朱文公文集》卷51，第2362頁。
[102]〈大學二〉《朱子語類》卷15，第291頁。

體言認知主體無所不知。心之知識無所不盡或無所不致，此須立於窮盡物理之基礎，屬認識之高階，是對格物窮理之發展。經致知，推極吾之知識，使吾心之全體大用無所不明，此乃致知於認識過程中之作用和職能。由此可見，格物與致知雖有區別，但關係卻是緊密。朱子格物致知論之特點是重視知識，內外結合，明確提出主客對立之心物範疇，指出於認識物理和道德理性之過程中，須不斷掌握知識，雖其知識要在爲道德踐履提供指導，但確與忽視知識，不立文字，將道德理性主體化，主內求於心之陸氏心學旨趣各異。

(三)積累與貫通

朱子格物之目的在於窮理，而格物窮理之步驟，則須一物一物格，一理一理窮，由一物之理即萬理達於天下一理即天理，是以須由積累至貫通，以認識天理。程頤亦反對只格一物便通萬理之見，主張格物窮理須經由積累至貫通之過程。彼謂："若只格一物便通眾理，雖顏子亦不敢如此道。須是今日格一件，明日又格一件，積習既多，然後脫然自有貫通處。"[103]朱子承此說並指出："程子一日一件者，格物工夫次第也；脫然貫通者，知至效驗極致也。"[104]以爲程頤日格一物，逐步積累，然後豁然貫通於認識之極致，並批通一理便萬理皆能之見。而主積累之重要。朱子謂：

> 天下豈有一理通便解萬理皆通！也須積累將去。如顏子高明，不過聞一知十，亦是大段聰明了。學問卻有漸，無急迫之理。有人嘗說，學問只用窮究一個大處，則其他皆通。如某正不敢如此說，須是逐旋做將去。不成只用究究一個，其他更不用管，便都理會得。豈有此理！[105]

指出學問須漸進，逐步積累，一事一物窮究其理，然後

[103]〈河南程氏遺書〉《二程集》卷18，第188頁。
[104]〈答黃商伯四〉《朱文公文集》卷46，第2074頁。
[105]〈大學五〉《朱子語類》卷18，第391頁。

方能認識天理；如只窮究一理，不去理會萬理，則非唯不能認識萬理，亦不能認識天理。彼謂："但積累得多，自有通處。"[106]所謂貫通，即是融會貫通，一以貫之，通過格物窮究萬理。於漸進積累中，達天理之領悟。彼謂："窮理之學，誠不可以頓進，然必窮之以漸；俟其積累之多，而廓然貫通，乃爲識大體耳。今之窮理之學不可頓進，而欲先識乎大體，則未知所謂大體者，果何物耶？"[107]"識大體"，即指認識天理。但天理非驟然頓悟可知，因之窮理是一漸進，而非頓進。朱子又將積累與貫通同一分殊聯繫。彼謂："蓋能於分殊中事事物物，同同項項理會得其當然，然後方知理本一貫。不知萬殊各有一理，而徒言理一，不知理一在何處？"[108]以爲理會得分殊之萬理，是"方知理本一貫"之前提，"理一"存在於萬殊之中，唯有於分殊之中將事事物物、頭頭項項之萬理把握，領會其當然，方可從中掌握一以貫之之天理。

雖朱子格物窮理以博爲主，然於積累貫通後則歸於約，是以朱子主不必盡窮天下之物，而可類推，觸類而通。彼謂：

> 所謂不必盡窮天下之物者，如十事已窮得八九，則其一二雖未窮得，將會湊會，都自見得。又如四旁已窮得，中央雖未窮得，畢竟是在中間了，將來貫通，自能見得。[109]
>
> 今以十事言之，若理會得七八件，則那兩三件觸類可通。若四旁都理會得，則中間所未通者，其道理亦是如此。[110]

朱子此一思想亦是對程頤類推思維方法之繼承。程頤謂："格物窮理，非是要盡窮天下之物，但於一事上窮盡，其他可以類推。"[111]程頤反對只格一物便通萬理之見，主經

---

[106]〈朱子十四〉《朱子語類》卷117，第2807頁。
[107]〈答王子合十二〉《朱文公文集》卷49，第2222頁。
[108]〈論語九〉《朱子語類》卷27，第677頁。
[109]〈大學五〉《朱子語類》卷18，第396頁。
[110]〈大學五〉《朱子語類》卷18，第407頁。
[111]〈河南程氏遺書〉《二程集》卷15，第157頁。

日積月累，由積習至貫通。朱子將此類推之思想加以發展並明確化。彼謂："既是教類推，不是窮盡一事便了。"[112]朱子格物窮理之思想，是指由一事一物窮究物理，由積累至貫通，由博反約，至認識"理一"之目的，體現對程頤思想之繼承和發展。

(四)知與行

朱子格物致知之認識論謂："格物只是窮理"，"致知便在格物中"，以明格物是爲窮理，經即物窮理而致吾知，並主窮理致知之目的是爲力行，將天理之原則落實於踐行中，彼謂："夫學問，豈以他求，不過欲明此理而力行之耳。"[113]"故聖賢教人必以窮理爲先，而力行以終之。"[114]所謂即物窮理屬致吾知之工夫，得知猶須力行。

其一，知之爲先，行之爲後

所謂知，除人之認識能力外，猶指經認識而得之知，及道德意識等；所謂行，指實行、踐履、行爲等，於知行先後，程頤謂："人力行，先須要知"[115]之思想，以爲"到底須是知了方行得"[116]主知先行後，知而後行，反對未知便是知至、意誠。"[117]人之所未能行，是因見得不真，"若實見得，自然行處無差"[118]說是否行，是驗"知之真不真"之標準。若達真知，自然於行中無差錯，此與其知行常相須，互相發之思想相合。

[112]〈大學五〉《朱子語類》卷18，第397頁。
[113]〈答郭希呂三〉《朱文公文集》卷54，第2579頁。
[114]〈答郭希呂四〉《朱文公文集》卷54，第2580頁。
[115]〈河南程氏遺書〉《二程集》卷18，第187頁。
[116]〈河南程氏遺書〉《二程集》卷18，第187頁。
[117]〈大學二〉《朱子語類》卷15，第302頁。
[118]〈大學二〉《朱子語類》卷15，第302頁。

第二節　朱子學及其影響

朱子是中國古代繼孔子之後影響最大之思想家、哲學家和教育家。非唯集中國儒家思想之大成，且是中國傳統文化之總結者。朱子於二程思想之基礎上，全面繼承和發展北宋以來興起之新儒學。朱子學博大精深、內涵豐富，涉及中國文化之各層面，尤以對中國文化之哲學、倫理、政治、經濟、經學、教育、史學、文學等多所貢獻並產生影響。

雖生前因各種原因，曾遭主政者之打擊、嚴禁，然其學說自身之價值，並未稍減，其學術思想自南宋末以後，支配吾國中古以來之社會意識形態長達七百年，成爲社會文化之指導思想。

朱子以其精緻而富於邏輯思辨之哲學，發展天理治國論，提倡以仁爲本，尊公蔑私，重義輕利，存理去欲。哲學上以天理爲宇宙本體，政治上以天理治國，倫理上以天理爲價值標準。今分述如後：

一、對中國哲學之影響

朱子哲學以其內涵豐富、體系完備、邏輯嚴密、思想深邃，富於思辨而著稱於世，達至中國古代哲學發展之高峰。首先是提高中國哲學之理論思辨水準。朱子進一層發展二程之天理論哲學，使其更加系統化、精緻化，此外朱子經由佛老吸取道佛之思辨哲學，使其理論更爲周延。其次是豐富中國心性哲學之思想體系。心性之學是儒家哲學乃至全中國哲學之核心內容。朱子心性論之提出，是因佛教思想之盛行而動搖儒家文化之主導地位，尤以佛教心性論之流行，使得儒家哲學相形見絀，不足以維繫人心，而造成社會危機和理論危機。爲抗衡佛教哲學心性論對儒學之衝擊，朱子於批佛之同時，又吸取借鑑佛教之心性哲學，加以改造和創新傳統儒學之心性論，建立起以“心統性情”論爲綱領之心性學說。與同時代唯求簡易工夫多於論心，少於論性之陸九淵心性之學，形成鮮明之對照。即使與後來王陽明心性一元論於理論思辨亦毫不遜色，僅各自代表儒家心性論發展之異耳。再次是因過於繁瑣輕物缺陷之弊端。朱子天理論哲學和“心統性情”論理論體系博大精深之反面，是繁瑣、迂闊，使學者流於追求外在之形式和表面詞句而非掌其精神實質。且朱學論說益明、流傳益廣，反成獵取功明利祿之手段，對理論之發展不利。

朱子援氣以論天理，援天理以論心性，以儒家倫理爲本體，一則批判，一則借鑒佛、道精緻之思辨，吸取及發展理學諸流派，建立天理論和心性論之體系，雖達於理學之高峰，然其流弊亦予中國哲學之發展帶來負面作用。

二、對中國政治之影響

朱子是中國歷史上具有遠見卓識之政治思想家，其天理治國論是程朱政治理論之綱領。朱子以二程思想爲基礎，將內在於人心之天理，貫徹於外在政治任務中，由內聖而外王，於治世實踐中落實天理。彼謂：“常竊以爲亘古亘今，只是一體。順之者成，逆之者敗。固非古之聖賢所能獨爲，而後世之所謂英雄豪傑者，亦未有能舍此理而得有所建立、成就者也。”[119]錢賓四先生謂：“朱子於政事治道之學，可謂於理學界中最特出。試觀其壬午、庚子、戊申諸封事，議論光明正大，指陳確切著實，體用兼備，理事互盡，厝諸北宋諸儒乃及古今名賢大奏議中，斷當在第一流之列。又其在州郡之行政實績，如在南康軍之救荒，在漳州之正經界，雖其事有成有敗，然其精心果爲，與夫強立不反之風，歷代名疆吏施政，其可贊佩，亦不過如此。”[120]此時代之深刻反映，良非虛言。

朱子提“正君心是大本”之思想，於君主制之同時，亦主以天理爲標準正君心，去君心違天理之惡念。朱子謂：“天下事有大根本，有小根本。正君心是大根本。”[121]又謂：“能格其君心之不正以歸於正，而國無不治矣”[122]朱子於〈延和

---

[119]〈答陳同甫九〉《朱文公文集》卷36，第1466頁。

[120]〈朱子學提綱〉《朱子新學案》(上)，第19頁。

[121]〈朱子五〉《朱子語類》卷180，第2678頁。

[122]〈孟子集注〉《四書章句集注》卷7，第285頁。

奏劄〉中慷慨陳詞，以君民之心同，皆有天理人欲之別，要求循天理之公，去人欲之私。彼謂：“臣聞人主所以制天下之事者，本乎一心，而心之所主，又有天理，人欲之異，二者一分，而公私邪正之途判矣。蓋天理者，此心之本然，循之則其心公而且正；人欲者，此心之疾疢，循之則其心私而且邪。公而正者，逸而日休；私而邪者，勞而日拙。其效至於治亂安危，有大相絕者，而其端，特在夫一念之間而已。舜、禹相傳，所謂：‘人心惟危，道心惟微，惟精惟一，允執厥中’者，正謂此也。”[123]朱子主以義理正君心，是因君心之善惡繫國之治亂安危，“人主之心一正，則天下之事無有不正；人主之心一邪，則天下之事無有不邪”[124]爲社會之長治久安，是以將“正君心”視作天下萬事之大根本。

受朱子“正君心”限制、約束君權思想之影響，如後來之魏了翁、明之呂坤、明清之際之黃宗羲、顧炎武等，皆倡“眾治”，反“獨治”，此等限制君權及批判君主專制之思想，即是受朱學之影響，亦是朱子思想之發展。

三、對中國倫理之影響

朱子繼二程，集理學之大成，將中國文化發展於一新階段。其學術思想之一特點，即將哲學本體論與儒家倫理學結合，以仁作爲天理之內涵，提升爲宇宙本體，又從天理論證儒家倫之合理性及權威性。朱子展開對仁說、理欲之分、義利之辨之論述。因而有正負兩面之影響。朱子主以仁爲本，尊公蔑私，此對後世產生廣泛之影響，將理學大公無私之倫理思想提升爲天道，認爲天道運行，大公無私，人宜仿效天道，將此精神推展。然朱子之倫理思想，將理欲之分和義利之辨過分強調，因而產生重理、義，抑欲、利之弊。

實者，朱子理欲之辨是對孔孟義利之辨及宋代理學理欲觀之繼承和發展，其思想實質是以天理爲指導，在合理之欲望基礎予以肯定，以道德理性對人之感情欲望加以節制，並

---

[123]〈辛丑延和奏劄二〉《朱文公文集》卷13，第418頁。

[124]〈己酉擬上封事〉《朱文公文集》卷12，第394頁。

倡天理與私欲之對立，要求明天理，滅私欲，將違背天理，超出世俗之奢求和私欲予以遏止。

四、對中國經濟之影響

朱子於社會政治領域以天理治國，提倡君主民本，強調恤民，以民爲邦本，落實於經濟領域，便是復井田，行經界；重農薄賦，與民共財；省費節用，救荒賑濟。

朱子提復井田，行經界是針對當時豪強大肆兼併，田稅不均，出現貧者無業而有稅，富者有業而無稅，非唯公私俱受其害，且造成有稅無業之民生活難以爲繼，被迫聚眾造反，導致社會動亂之發生。彼謂："本州田稅不均，隱漏官物動以萬計，公私田土皆爲豪宗大姓詭名冒占，而細民產去稅存，或更受俵寄之租，困苦狼狽無所從出。州縣既失經常之入，則遂多方擘畫，取其所不應取之財，以足歲計，如諸縣之科罰、州郡之賣鹽是也。上下不法，莫能相正，窮民受害，有使人不忍聞者。熹自到官，蓋嘗反復討論，欲救其弊而隱實郡計入不支出，乃知若不經界實無措手之地"[125]此言上下不法，又將負擔轉嫁予民，使窮人益窮，令人不堪忍受。朱子親睹此失，爰施經界以救其弊。

五、對中國經學之影響

朱子經學是朱子學術思想之基礎和重要組成部分，亦是宋代經學發展之集中體現。經學史上之宋學相對於漢學（漢至唐）和新漢學（清）而言，雖說宋學內部各有分野，但宋學之於漢學，是以重義理闡發，輕訓詁注疏之宋代義理之學與重訓詁義疏、繁瑣釋經之漢唐考據之學相互區別。是以重義理或事重考據，是宋學有別於漢學之顯著特徵。

朱子既以闡發義理爲治經之首要目的，又將闡發義理建立於對經文本義考據訓詁之基礎上；既發揚宋學之精神，又修正宋學之流弊，對漢學有所吸取，對宋學加以發展，啓發後世新漢學。非唯集宋學之大成，且中國經學史上產生最大

---

[125]〈與留丞相劄子三〉《朱文公文集》卷28，第1070頁。

之影響。

朱子集宋學之大成，除對“六經”等諸經詳加考釋，闡發義理外，主要以著《四書章句集注》，於二程思想之基礎上，首創“四書”之名，強調“四書”重於“六經”，治經學以治“四書”爲主、爲先，取代“六經”及“六經”訓詁之學於經學中之主體地位，並於“四書”之中，排列其治學次第，以作爲“入道之序”，建立完整之“四書”學思想體系，充分體現當時以闡發義理爲主之經學，乃至中國文化之時代精神。

清代經學家皮錫瑞站於漢學之立場肯定朱子注疏訓詁之學對漢學之影響。（《經學歷史》）後來漢學之復興即受朱子之影響，由朱子及朱學學者，開清代輯古佚書和清初漢、宋兼採之先河。由此可見。於朱子之經學思想中，既有以義理爲主之內容。又有重訓詁注疏之成分，對宋學流弊加以揚棄，吸取漢學考據之長，將闡發義理之治經目標建於考據之基礎上。從而發展宋學，啓發新漢學，此乃朱子經學深刻之處。

六、對中國教育之影響

朱子之教育活動和教育思想是中國教育史之重要內容和重要發展階段，奠定中國後期傳統社會教育之基礎。從宋末至元明清占中國教育主導地位，影響中國教育長達七百年之久，可謂前所未有。

自宋末以來，朱學上升爲官學，其《四書集注》等被列爲官學課本，成爲中國教育之主導。宋理宗寶慶三年（西元一二二七年），理宗下詔：“朕觀朱熹集注《大學》、《論語》、《孟子》、《中庸》，發揮聖賢蘊奧，有補治道。朕勵志講學，緬懷典刑，可特贈熹太師，追封信國公。”（《宋史・理宗一》卷四一）推崇朱子理學，並將其《四書集注》列爲科考教材，以體現其“勵志講學”。此乃朱學正式成爲官方統治思想之始。朱學除作爲官學，對科考、學校教育影響外，對民間私學、書院、蒙學等各種教育亦影響甚大。如元明清三代之書院教學，蓋皆以朱子之《白鹿洞書院學規》

爲依據。於書院教育中貫徹其明人倫即明理之思想，並體現理學家自由講學、獨立議政之書院教育特色。

七、對中國史學之影響

朱子於經學、史學、文學三者之關係上，朱子以經學爲本，將從治經學中闡發出之聖人之道作爲史學、文學之根據。倡經史結合，以經爲本，將經學即哲學之道統與史學之正統相結合，而以道統觀念作爲確定正統之內在依據。又主文道合一，以道爲本，將哲學之道與文學之文相結合，而倡道本文末，以道爲文學之靈魂。朱子以經學與哲學之道作爲史學和文學根據之思想對中國史學和文學產生影響。

朱子將天理論、道統論引入史學研究領域，於治史中建其義理史學之思想體系。以義理作爲批判歷史之標準。將《春秋》大義概括爲“正誼不謀利，明道不計功；尊王賤霸；內諸夏，外夷狄”。以此爲依據，編著《資治通鑑綱目》等史學著作，堅持其正統觀念，此對後世史學產生重大影響。

宋代史學受時代思潮之影響而逐漸義理化，或有成爲儒家經學之注腳。朱子以理學集大成者之身分治史，於治經中闡發之義理運用於史學研究，倡義理史觀，以爲歷史即是天理流行之歷史，順天理則治，逆天理則亂，建其具時代特徵之義理史學之思想體系。並將其與道統史觀相結合，其天理即道，一部歷史亦即是聖人之道，即理之演變、發展之歷史。元丞相脫脫等據此以修《宋史》，首創〈道學傳〉，以道即理作爲評判歷史是非、世代污隆之標準，體現朱子義理史學之影響。

八、對中國文學之影響

朱子著文，富於文采，文字優美，明白易懂，寓深刻之哲理於通俗淺近文字之中，並善譬喻以說理，增強其思想內容之感染力；朱子作詩，主適度抒懷，感物而道情，詩情與道不相妨。其詩既富情趣，又深含哲理，膾炙人口，爲人稱頌。正因文與道、情與理之結合，方使文學作品具深刻之內涵，打動人心，引起心靈共鳴，催發人心向上；而脫離理性，單純追求自然情欲之文學作品，則使人性與獸性混爲一區，難以提高人之素質，而流於玩物喪志和因感性欲望之過度泛濫而造成社會生活失序，但其歷史和現實經驗之教訓卻均值得吸取。

朱子對中國文學之影響，既有積極之一面（文道合一、美善合一、情道不悖、詩理結合），又有消極之一面（道本文末強調過頭，形成重視道、善、理，而忽視文、美、情之流弊）。以其重理性對文學之指導，倡文道合一、情道不悖、詩理結合，於肯定理性之下，主適度抒懷，感物道情，作好詩文，以增詩文之感染力，對文學之發展產生影響；以其重道輕文，崇性抑情，及存理去欲之理欲觀，亦對文學產生影響，束縛文學之發展。質言之，是將理性與文學、思想與藝術、美與善、自然與倫理結合，而非相互排斥和相互脫節。

綜觀朱子對中國文化之貢獻和影響，吾人得知孔、孟後千餘年之宋代，爲適應社會與文化發展之需要，雖全面總結傳統文化，然亦創新中國傳統文化。朱子於此時代背景下，既以弘揚儒學與儒家聖人之道爲己任，於中國文化之經學、政治、經濟、哲學、倫理、教育、歷史、文學、宗教等各領域，廣泛涉獵，潛心研究，使傳統文化更豐富，更具理性色彩，可見集儒家大成之朱子學於東亞之現代化過程中所扮演之角色及其所產生之影響。

第三章 陽明先生傳略

第一節 陽明之生平與著作

一、陽明之生平

王陽明，名守仁，字伯安，自號陽明子，陽明山人，世稱陽明先生，生於明憲宗成化八年（西元一四七二年），卒於明世宗嘉靖八年（西元一五二九年），浙江餘姚人。祖父倫，字天敘，號竹軒，晉右將軍王羲之後也；父華，字德輝，別號實庵，晚稱海日翁，又稱龍山公，成化十七年進士，官至南京吏部尚書。陽明幼異敏善記，姿度過人，年五歲，一日誦祖父竹軒公所讀書。竹軒公驚問之，曰："聞祖讀時，已默記矣！"少長於家鄉。迨十一歲時，龍山公迎養竹軒公，因攜陽明如京師，途經鎭江金山寺，翁與客酒酣，擬賦詩，未就，陽明從旁賦曰：

> 金山一點大如拳，打破維揚水底天；醉倚妙高台上月，玉蕭吹徹洞龍眠。[1]

語驚四座，復命賦蔽月山房詩，陽明隨口應曰：

> 山近月遠覺月小，便道此山大於月；若人有眼大如天，還見山小月更闊。[2]

十一歲之孩童，竟有氣吞斗牛之概，並道出哲學之意境，正說明後來所以成就聖賢學問和事功，良有以也。年十二，正式就塾師學，此時縱橫之才氣，漸成其豪邁不羈之性格。龍山公以其成熟過早，常爲憂慮；惟祖父竹軒公知之，不願過加約束。一日問塾師曰："何爲天下第一等事？"塾師

---

[1]〈年譜一〉《王陽明全集》，卷 33，第 1221 頁。上海古籍出版社，1992。
[2]〈年譜一〉《王陽明全集》，卷 33，第 1221 頁。

曰：“惟讀書登第耳。”然此答覆，究難滿足其崇高之願望，故疑曰：“登第恐未爲第一等事，或讀書學聖賢耳。”事後龍山公聞之，遂笑曰：“汝欲做聖賢耶？”雖其父譏其近乎“狂妄”，然其不甘卑近，以遊高明之志，早已萌生。年十三，母鄭太夫人卒，居喪哭泣甚哀。幼年失恃，此乃其早歲之一大挫折。陽明生當干戈擾攘、內憂外患交相逼迫之際。年十五時，北方韃靼，勢力益強，爲明邊陲多事之秋。其平素立志報國，獻身編務之雄心，蓋於少時已萌發於胸中。故違禁馳出塞外，縱觀山川形勢，探尋諸夷種落，悉聞備禦之策，慨然有經略四方之志。一日，夢謁伏波（馬援）將軍廟，因慕伏波將軍所云：“丈夫爲志，窮當益堅，老當益壯。”[3]又云：“男兒要當死於邊野，以馬革裹屍還葬耳。”[4]故深受激盪，魂牽夢縈，並賦詩一首云：

> 卷甲歸來馬伏波，早年兵法鬢毛皤；雲埋銅柱雷轟折，六字題文尚不磨。[5]

時畿內秦中，盜賊蜂起，陽明屢欲獻策，均爲龍山公斥止。年十七，往洪都迎夫人諸氏歸，十八過廣信（今江西上饒縣），謁婁一齋，得聞宋儒格物之學，因謂“聖人必可學而至”，由是而發“希聖”、“慕聖”之念。遂專心研究宋學，並常 “端坐省言”以自律。孝宗弘治三年（西元一四九Ｏ年）於餘姚，日與諸友講論經義，每至夜分，仍觀諸經子史，從不稍懈。嘗遍求考亭（朱子）遺書讀之，然理有未得。又於兵法、騎射及仙釋之學，方外養生之術，無所不窺，其博學多識，豈一才一藝所能拘之哉？年十九，留越。年二十一，舉浙江鄉試後，與友人驗格物工夫，毫無所獲，乃爽然自歎，聖賢有分，非可強致，故其思想一變，轉而隨世研究辭章之學。年二十二，初試會試不第，年二十五，復試又告失敗，同舍中有以不第爲恥者，陽明反慰之曰：“世以不

---

[3]〈馬援列傳〉《後漢書》，卷 24，第 828 頁，中華書局。
[4]〈馬援列傳〉《後漢書》，卷 24，第 841 頁。
[5]〈年譜一〉《王陽明全集》，卷 33，第 1222 頁。

第爲恥，吾以不得第動心爲恥。”因自幼即認爲登第恐非第一等事也。倘前此扶搖直上，則恐後更無動心忍性、居夷處困之頓悟矣。年二十六，始學兵法，此時邊報甚急，朝廷正忙於延攬將才。但陽明以爲武舉之設，“僅得騎射搏擊之士，而不可收韜略統馭之才。”乃留心武事，盡讀兵家秘笈，後綏靖南贛，平定宸濠，戡敉匪亂，屢建武功，其精究兵法，蓋由此期積學之故。

經多次挫敗，陽明有感於辭章藝能不足以通至道；求師友於天下又不數遇，致使心志惶惑，莫知所措，黯然不樂。一日，忽讀晦翁上宋光宗疏云：“居敬持志，爲讀書之本；循序致精，爲讀書之法。”深悔好高騖遠，不切實際之病，遂使二十七歲之青年，備嚐人生痛苦，沉鬱致疾，因聞道士養生之道，而有遁世求仙，亟圖解脫之想，然自此讀書務實，循序精進。年二十八歲，孝宗弘治十二年（西元一四九九年）登進士第，授刑部主事，旋改兵部，爲其仕宦之始，觀政工部，疏陳邊務。年二十九，於京師，授刑部雲南清吏司主事。年三十歲，奉命審錄江北，陽明錄囚多所平反，事竣，遂遊九華，作遊九華賦，宿無相、化城諸寺。而有富貴浮雲、潔身高蹈之致。事畢還京，時京中舊遊，俱以才名相馳騁，學古詩文；陽明歎曰：“吾焉能以有限精神，爲無用之虛文也？”遂告病歸越，築室陽明洞，行導引術，而有違世遠去之意。惟祖母岑與龍山公在，念因循未決。久之，又忽悟曰：“此念生於孩提，此念可去，是斷滅種性矣。”於是復思用世。

武宗正德初，以論救言官戴銑等忤劉瑾，詔獄廷杖四十，尋謫貴州龍場驛驛丞，年三十七，居夷處困，動心忍性，忽大悟格物致知之旨。武宗正德四年（西元一五0九年）年三十八，提學副使席書，聘主貴陽書院，是年始論知行合一。及瑾誅，移知廬陵縣，時年三十九，後官職屢遷。武宗正德十一年（西元一五一六年）年四十五，以都察院左僉都御史，巡撫南贛汀漳等處，未幾遂平漳南橫水桶岡大帽諸寇，武宗正德十四年（西元一五一九年）六月，奉敕勘處福建叛軍，至豐城而聞宸濠反，遂返吉安，起兵討之，凡三百五十日而賊擒，命兼江西巡撫。時群小嫉功，競爲蜚語。忠等（指張忠、許泰等）方挾宸濠搜羅百出，軍馬屯聚，糜費不堪；續綸等望風附會，肆爲飛語，時論不平。陽明既還南昌，北軍肆坐謾罵，或故衝導起釁；陽明一不爲動，務待以禮。武宗正德十五年（西元一五二０年）年四十九赴召，次蕪湖；尋得旨返江西。忠、泰在南部，讒陽明必反，惟張永持正保全之。陽明雖遭佞倖之譖譭，權臣之阻抑，然於身處危疑之際，其恤民赤誠，仍時洋溢於篇翰，尤以胸懷坦蕩，棲志浮雲，悠然有煙霞物表之思，若不知奸邪方構，禍且不測者。越明年始揭致良知之學，幸世宗知之，年五十八陞南京兵部尙書，封新建伯。世宗嘉靖六年（西元一五二七年）原官兼左都御史，起征思田，思田平，以歸師襲八寨、斷藤峽，破之。終明之世，文臣用兵制勝，未有如先生者也。時陽明已病，疏請告，至南安，門人周積侍病，問遺言，陽明曰：“此心光明，亦復何言？”頃之而逝，卒後三十八年，即明隆慶元年（西元一五六七年），追贈新建侯，謚“文成”，萬曆中，從祀孔子廟庭。王陽明一生文治武功俱稱於世，對傳統儒學之發展，貢獻尤爲卓著。其學上承孟子，中繼陸象山，而風靡明代中後期並與程朱理學分庭抗禮之陽明心學，或曰陽明學、王學。其學說影響，非唯及於吾國明清兩代以至近現代之儒學，而且播及日本、朝鮮等國，成爲東方文化另一組成部分。

二、陽明之著作

隆慶二年（西元一五六八年）明穆宗朱載垕。曾於＜誥命＞中謂王陽明曰：“紹堯、孔之心傳，微言式闡；倡周、程之道術，來學攸宗。蘊蓄既宏，猶爲丕著⋯.”（《王陽明全集》卷四十）贊陽明爲一代學術宗主，其學說蘊涵宏富，積爲皇皇巨著。

王陽明之講學語錄和詩文著作，於陽明生前已由其門人整理、彙編和刊行，如徐愛、薛侃、南大吉輯刊之傳習錄，錢德洪、鄒守益彙刊之陽明文稿等，先後刊行於正德、嘉靖年間，然皆爲選編、節錄，而非全書。陽明歿後，門人錢德洪、鄒守益、歐陽德、王畿等人繼續廣泛搜輯陽明遺稿，於嘉靖年間陸續編刊陽明先生文錄（含正錄、別錄、外集三種）二十四卷、文錄續編六卷、陽明先生年譜七卷。陽明嗣子王正億則編輯陽明先生家乘三卷（後改編為世德紀及世德紀附錄各一卷）。至隆慶六年（西元一五七二年），御史謝廷傑巡按浙江，乃彙集錢德洪等編訂之傳習錄、文錄、別錄、外集、續編、年譜、世德紀以及陽明門人、友人、朝廷官員撰寫之論年譜書、奏疏、祭文、行狀、墓誌銘等，合為王文成公全書。全書三十八卷，分六類，即：語錄三卷、文錄五卷、別錄十卷、外集七卷、續編六卷、附錄七卷，附錄又分年譜三卷、年譜附錄二卷、世德紀一卷、世德紀附錄一卷，刊行於世。是即隆慶六年謝廷傑刻本。以後刊印之各全書、全集三十八卷本，蓋據該本翻刻或排印。自隆慶本行世以來，題名王文成公全書或陽明全書、王陽明全集之三十八卷木刻本、鉛印本約計二十餘種，各種選本、節要本、單行本則有數十種之多。舉其重要者，全本有[6]：

清光緒間浙江書局刻印王文成公全書本；

民國八年（西元一九一九年）上海商務印書館印四部叢刊所收王文成公全書本；

民國十三年（西元一九二四年）上海中華圖書館鉛印王陽明全集新式標點本，分六冊；

民國二十三年（西元一九三四年）上海商務印書館據萬有文庫版排印的國學基本叢書所收王文成公全書本，分上、下二冊；

民國二十五年（西元一九三六年）上海中華書局據明刻本校刊之陽明全書排印本，分十冊（另有縮印本一冊）；

一九七八年台灣古新書局出版呂何均據隆慶本重編之王陽明全集鉛印本，一冊，三十九卷。之所以較通行本增一卷，是由於重編者將原本卷三十一下山東鄉試錄另立一卷。其內容與原本相同。

一九八六年日本東京明德出版社版安岡正篤監修、岡田武彥、福田殖、難波正男等譯註的王陽明全集中日文對照本，十冊。除增日譯文、譯註之外，其內容仍與三十八卷本

---

[6]〈編校說明〉《王陽明全集》，第2頁。

相同。

選本主要有：

陽明先生文錄五卷、外集九卷、別錄十卷、明嘉靖十四年聞人邦正（銓）刻本，台北中央圖書館有藏本；

陽明先生文錄五卷，外集九卷、別集十四卷、傳習錄三卷、續錄二卷、遺言錄二卷、稽山承語一卷，明嘉靖間刻本，台灣中央研究院歷史語言研究所有藏本；

陽明先生文粹十一卷，明河東書院刻本、孫斗城刻本，台北中央圖書館藏；

陽明先生全錄二十七卷，明嘉靖三十六年贛州董氏刻本，同上藏；

陽明先生文錄十七卷、語錄三卷，明嘉靖二十六年范慶刻本，北京圖書館藏；

王文成公文選八卷，明王畿編，鍾惺評，崇禎六年陶圭父刻本，北京圖書館藏；

陽明先生道學鈔七卷附年譜二卷，明李贄編，萬曆三十七年刻本，北京圖書館和臺北中央圖書館均有藏本；

陽明先生集要十五卷，明施邦曜輯評，崇禎八年刻本，清乾隆五十二年重刻本，民國八年上海商務印書館影印本；

王陽明先生全集十六卷，清王貽樂編，道光六年刻本。

其他如傳習錄單行本，居夷集、陽明先生則言、良知同然錄及陽明書之文選、文鈔、節錄、文粹等等，版本眾多，茲不詳舉。

第二節 陽明之時代背景

大凡一學說之產生，莫不因時代之需，要在爲救時弊而發。陽明學說，尤富時代色彩。蓋先生平生志在匡時救世。黃綰（字宗賢，陽明門人）曾讚其抱負之偉大、風骨之嶙峋。謂其："上欲以其學輔吾君，下欲以其學淑吾民，惓惓欲人同歸於善，欲以仁覆天下蒼生。人有宿怨深讎，皆置不較。雖處富貴，常有煙霞物表之思。視棄千金，猶如土芥，藜羹壨鼎，錦衣縕袍，大廈窮廬，視之如一。真所謂天生豪傑，挺然特立於世，求之近古，誠所未有者也。[7]"茲從文化、社會、政治分別觀之：

一、文化背景

陽明生於朱子之學，相互傾軋之際，陋儒捨本逐末，所謂"黨同伐異，私心浮氣所使，將聖賢事業作一場兒戲看了也。"聖學中衰，人心惶惶，舉世滔滔皆爲功名利祿，積習既深，精神枯竭，世道不振，社會失其維繫，真可謂岌岌可危，陽明目睹此現象，因而觸動其振衰起弊，復興聖學之心。嘗歎曰：

> 夫拔本塞源之論，不明於天下，則天下之學聖人者，將日繁日難；斯人淪於禽獸夷狄，而猶自以為聖人之學！[8]
>
> 三代之衰，王道熄而霸術猖；孔孟既沒，聖學晦而邪說橫；教者不復以此為教，而學者不復以此為學；…世之儒者，慨然悲傷，蒐獵先聖王之典章法制，而掇拾修補於煨燼之餘；蓋其為心，良亦欲以挽回先王之道。聖學既遠，霸術之傳，積漬已深，雖在賢知，皆不免於習染，其所以講明修飾，以求宣暢光復於世者，

---

[7]〈陽明先生行狀〉《王陽明全集》卷 38，第 1429 頁。
[8]〈傳習錄〉《王陽明全集》，卷 2，第 53 頁。

僅足以增霸者之藩籬，而聖學之門牆，遂不復可覩。於是乎有訓詁之學，而傳之以為名；有記誦之學，而言之以為博；有詞章之學，而侈之以為麗。若是者，紛紛籍籍，群起角立於天下，又不知其幾家？萬徑千蹊，莫知所適。…時君世主，亦皆昏迷顛倒於其說，而終身從事於無用之虛文，莫自知其所謂；…聖人之學，日遠日晦，且功利之習，愈趨愈下。其間雖嘗瞽惑於佛老，而佛老之說，卒亦未能有以勝其功利之心；雖又嘗折衷於群儒，而群儒之論，終亦未能有以破其功利之見。蓋至於今，功利之毒，淪浹於人之心髓，而習以成性也幾千年矣。相矜以知，相軋以勢，相爭以利，相高以技能，相取以聲譽；其出而仕也，理錢穀者，則欲兼夫兵刑；典禮樂者，又欲與於銓軸；處郡縣則思藩臬之高；居臺諫則望宰執之要。故不能其事，則不得以兼其官；不通其說，則不可以要其譽；記誦之廣，適以長其傲也；知識之多，適以行其惡也；聞見之博，適以肆其辨也；辭章之富，適以飾其偽也。是以皋夔稷契所不能兼之事，而今之初學小生，皆欲通其說，究其術。其稱名借號，未嘗不曰：“吾欲以共成天下之務。”而其誠心實意之所在，以為不如是，則無以濟其私而滿其欲也。嗚呼！以若是之積染，以若是之心志，而又講之以若是之學術，宜其聞吾聖人之教，而視之以為贅疣枘鑿，則其以良知為未足，而謂聖人之學為無所用，亦其勢所必至矣。嗚呼！士生斯世，而尚何以求聖人之學乎？尚何以論聖人之學乎？士生斯世，而欲以為學者，不亦勞苦而繁難乎？不亦拘滯而險艱乎？嗚呼！可悲也已。所幸天理之在人心，終有所不可泯；而良知之明，萬古一日，則其聞吾拔本塞源之論，必有惻然而悲，戚然而痛，憤然而起，沛然若決江河，而有所不可禦者矣！非夫豪傑之士，無所待而興起者，吾誰與望乎？[9]

近日一種專在勿忘勿助上用工者，其病正是如此。終日懸空去作個勿忘，又懸空去做個勿助，漭漭蕩蕩，全無實落下手處；究竟功夫只做得個沉空守寂，學成一個痴騃漢，才遇些子事來，即便牽滯紛擾，不復能經綸宰制，此皆有志之士，而乃使之勞苦纏縛，擔擱一生，皆由學術誤人之故，甚可憫矣！[10]

此學不明，不知此處擔擱了幾多英雄漢。[11]

今夫天下之不治，由於士風之衰薄，而士風之衰薄，由於學術之不明；學術之不明，由於無豪傑之士者，為之倡焉耳。[12]

大抵忘己逐物，虛內事外，是近來學者時行症候。[13]

今時友朋，美質不無，而有志者絕少，謂聖賢不復可冀，所視以為準的者，不過建功名，炫耀一時，以駭愚夫俗子之觀聽。[14]

吾人讀此正義之訴詞，即可知彼時文化之動亂，誠是“萬徑千蹊，莫知所適”，“功利之毒淪浹於人之心髓，習以成性，人淪於禽獸夷狄而猶自以爲聖人之學。”世上講學術之人，僅知稱名借號，以濟其私，故彼等皆練就一手好本事“相矜以知，相軋以勢，相爭以利，相高以技能，相取以聲譽。”其結果致成“記誦之廣，適以長其傲也；知識之多，適以行其惡也；聞見之博，適以肆其辨也；辭章之富，適以飾其僞也。”是以學術不明，士風衰薄，不知犧牲多少英雄漢。陽明先生誠慨乎其言之！

陽明身處此時代，目睹此現象，危機叢生，後患未已。

---

[9]〈傳習錄〉《王陽明全集》卷 2，第 55 頁。
[10]〈傳習錄〉《王陽明全集》卷 2，第 83 頁。
[11]〈傳習錄〉《王陽明全集》卷 3，第 100 頁。。
[12]〈送別省吾林都憲序〉《王陽明全集》卷 22，第 884 頁。
[13]〈寄陽仕德〉《王陽明全集》卷 27，第 995 頁。
[14]〈寄張世文〉《王陽明全集》卷 27，第 1002 頁。

陽明嘗自悲歌：“淳氣日凋薄，鄒魯亡真承，世儒倡臆說，愚瞽相因仍，晚途益淪溺，手援吾不能；…..詠歌見真性，逍遙無俗情，各勉希聖志，毋爲塵所縈！”[15]不勝感概，其門生錢德洪（緒山）嘗謂：“當時師懲末俗卑污，引接學者，多就高明一路，以救時弊。”[16]於此可見陽明學說動機苦心所在。純然是一片赤誠，欲健全社會文化之中心，爲時代所迫，必定如此。陽明呼籲天下豪傑之士，倡言“天理之在人心，終有所不可泯，良知之明，萬古一日。”並堅信“聞吾拔本塞源之論，必有惻然而悲，戚然而痛，憤然而起，沛然若決江河，而有所不可禦者矣。”以陽明之忠誠貞一，志向遠大，親受文化病症之苦，決不以“獨善”爲自足，由是以內聖外王發創其救人淑世之聖學新說。

二、社會背景

陽明生當明中業（明憲宗成化八年至世宗嘉靖七年），政治由盛轉衰、社會動亂之秋。毛大可於陽明傳纂中謂：“有明世多亂，自永樂之蒲台，正統之慶元，以迄順成弘正，凡畿南河北川東嶺西，無不與賊終始。”（陽明傳纂卷二）至陽明時，更爲猖獗，陽明嘗嘆曰：

> 習氣已深，雖有美質，亦消化漸盡，此事正如淘沙，會有見金時，但目下未可必得耳。[17]
>
> 世衰俗降，友朋中雖平日最所愛敬者，亦多改頭換面，持兩端之說，以希俗取容，意思殊為衰颯可憫。[18]
>
> 士風日偷，素所目為善類者，亦皆雷同附和，以學為諱。[19]
>
> 顧今之時，人心陷溺已久，得一善人，惟恐

---

[15]〈登雲峰〉《王陽明全集》卷 20，第 775 頁。

[16]〈與滁陽諸生并問答語〉《王陽明全集》卷 26，第 982 頁。

[17]〈與黃宗賢一二〉《王陽明全集》卷 4，第 150 頁。

[18]〈與黃宗賢一五〉《王陽明全集》卷 4，第 151 頁。

[19]〈與黃宗賢一七〉《王陽明全集》卷 4，第 153 頁。

其無成，期與諸君共明此學，固不以自任為嫌而避之。」[20]

後世人心陷溺，禍亂相尋，皆由此學不明之故。[21]

學絕道喪之餘，苟有興起向慕於是學者，皆可以為同志。[22]

今天下事勢，如沉疴積痿，所望以起死回生者，實有在於諸君子。[23]

且上溯至明英宗“土木之變”(正統十四年，西元一四四九年)以後，明朝勢由盛轉衰，與初時之繁榮和穩定已成過去，原已潛伏之社會問題，逐漸暴露。及至武宗正德年間，沉疴積痿，危機四伏。

首因土地兼并日趨嚴重，從而導至國家財政之困境。《明史・食貨志》載：“佔奪民業”，“爲民厲者，莫如皇莊及諸王、勳戚、中官莊田爲甚”[24]隨土地兼并之加劇及統治者之驕奢揮霍，百姓之地租和賦稅日重，徭役日多，或有爲避賦稅、徭役、地租之催剝，不得已離鄉背井，成爲流民。而此一嚴重之社會現象，爲明中葉百姓紛紛揭竿而起，爲歷代所罕見。明初諸皇尚有作爲，至中朝主君位者，如英宗、憲宗、武宗等，出身宮廷，人品庸劣，唯知窮奢極欲，胡作非爲，無心朝政，致使宦官專擅，大權旁落，社會動亂日熾。

概觀明自英宗以後，內憂外患交加，社會危機四伏，而統治者猶醉生夢死，內訌頻仍，陽明一生於明王朝衰頹中度過，親歷耳聞佞臣當道，忠臣讒構，感受尤深。陽明曾謂“今天下波頹風靡，爲日已久，何異於病革臨絕之時！”[25]陽明心中雖有一憤然之失落感，然亦亟思一學說理論，以挽社會危機之沉淪。

---

[20]〈寄希淵一三〉《王陽明全集》卷 4，第 159 頁。
[21]〈寄鄒謙之一三〉《王陽明全集》卷 6，第 204 頁。
[22]〈寄鄒謙之一四〉《王陽明全集》卷 6，第 205 頁。
[23]〈與黃宗賢〉《王陽明全集》卷 6，第 220 頁。
[21]〈食貨志〉《明史》卷 77，第 1886 頁，中華書局。
[25]〈答儲柴墟〉《王陽明全集》卷 21，第 814 頁。

陽明目睹此景象，自不能無動於中，因思重振此學，始能挽狂瀾於既倒，救人心於未死，然人心久溺，積重難返，故有“人世傷多難，壯心都欲盡”，“濟世渾無術，違時竟笑偶。”之感。正因彼時“世人趨逐但聲利，赴湯蹈火甘傾危。”是以須從明聖學，正人心之根本治療。故陽明學說，實因當時社會應運而生者。

三、政治背景

陽明一生，凡歷孝宗、武宗、世宗三朝，彼時朝政之臧否得失，關係陽明之成就至鉅，試舉彼時政事一二，以知陽明思想之孕育於艱危而爲濟世之實學。孝宗恭儉有制，勤政愛民，兢於保泰持盈之道，且任人惟賢，宰輔咸一時之選，因之朝序清寧，民康物阜，雖未能躋於聖帝明君之林，然堪稱守成令主也。已未（弘治十二年，西元一四九九年）陽明成進士，入朝供職，事業方且發軔，乙丑（弘治十八年）而帝崩，令人有生不逢時之歎！武宗童昏怠政，暱近群小，耽樂嬉遊，自隳綱紀。綜其所爲，率與乃父背道而馳，設非孝宗遺澤，國有老成，則明社之亡，不待崇禎時矣！陽明勘定匪患，討平叛藩，而橫遭讒嫉，謗讟朋興，致功高不賞，幾罹危禍。世宗偏狹多私，剛愎自用，奸賢莫辨，真僞雜揉。陽明定思田，平八寨，使國威張於域外，乃不世之勛，竟令抑鬱以歿。致有胡熾西北，倭亂東南，迭犯京師，其不爲英宗土木之續者，亦云幸矣！若武、世二宗，皆如孝宗之賢，則陽明之事功，必益輝煌燦爛，尤以學術之足以正人心而勵澆俗，則明之歷史，將重書矣！今讀陽明自書數則，以觀其悲憤之情緒。

> 元日昏昏霧塞空，出門尺咫誤西東，人多失足投坑塹，我亦停車泣路窮；欲斬蚩尤開白日，還排閶闔拜重瞳，小臣謾有澄清志，安得扶搖萬里風。[26]

[26]〈元日霧〉《王陽明全集》卷20，第762頁。

艾草莫艾蘭，蘭有芬芳姿，況生幽谷底，不礙君稻畦；艾之亦何益？徒令香氣衰。荊棘生滿道，出剌傷人肌，持刀忌觸手，睨視不敢揮，艾草須艾棘，勿為棘所欺。[27]

芳園待公隱，屯世待公亨。花竹深臺榭，風塵暗甲兵。一身良得計，四海未忘情。語及艱難際，停杯淚欲傾。[28]

人在仕途，如馬行淖田中，縱復馳逸，足起足陷，其在駑下，坐見淪沒耳。[29]

除前述之文化、社會因素外，士風衰頹而道德危墜，朱學式微，求"正心"以明學術亦是陽明學應運而生之理。吾人蓋知理學濫觴於宋初，形成於北宋五子，至南宋朱子而集其大成。以儒家倫理爲其核心，又以宋之積弱積貧之社會政治背景及唐以來古文復興之文化思潮等，形成所謂："義理之學"，其目的即在解決社會之道德危機。正因如此，以程朱爲代表之理學思想，自南宋即逕受統治者之尊崇，而明代尤甚。然理學所倡導之"天理"，卻喪失對統治者自身之約束力，是以明王朝所面臨之危機更甚。

陽明對當時學術空虛，士風日薄，深惡痛絕，曾謂：

時君世主，亦昏迷顛倒於其說，而終身從事於無用之虛文，莫自知其所謂。聖人之學，日遠日晦，而功利之習，愈趨愈下，其間雖嘗瞽惑於佛老，而佛老之說，卒亦未能有以勝其功利之心；雖又嘗折衷於群儒，而群儒之論，終亦未能有以破其功利之見。蓋至於今，功利之毒，淪浹於人之心髓，而習以成性也幾千年矣。[30]

---

[27]〈艾草次胡少參韻〉《王陽明全集》卷19，第699頁。

[28]〈楊邃菴待隱一五〉《王陽明全集》卷20，第759頁。

[29]〈與陸原靜一二〉《王陽明全集》卷4，第166頁。

[30]〈傳習錄〉《王陽明全集》卷2，第55頁。

> 而惟以成其德行為務，何者？無有聞見之雜，記誦之煩，辭章之靡濫，功利之馳逐，而但使之孝其親，弟其長，信其朋友，以復其心體之同然。[31]

> 德有本而學有要。不於其本而泛焉以從事，高之而虛無，卑之而支離，終亦流蕩失宗，勞而無得矣。是故君子之學，惟求得其心；雖至於位天地，育萬物，未有出於吾心之外也。[32]

由上可知，陽明對時政不滿，乃求根治之方。且彼時文化支離，匪寇橫行，生靈塗炭，民風敗壞，教化未明，是以其倡聖學，息邪說之意志，彌深彌篤，因之陽明學說之發創，實負有時代之使命與意義。

綜觀明末清初學界對陽明及其學說褒貶不一，如弟子徐愛仿顏淵贊美孔子曰："即之若易而仰之愈高，見之若粗而探之愈精，就之若近而造之愈益無窮。"[33]稱譽其"固已超入聖域，粹然大中至正之歸矣。"[34]江右王門弟子鄒守益謂："良知一振，群寐咸醒。"(〈像贊〉)粵中王門弟子薛侃謂："功在社稷，道啓群蒙。"[35]另一弟子王畿謂："我陽明先師倡明聖學，以良知之說覺天下，天下靡然從之。"[36]又從三不朽觀點論之曰："功著社稷而不尸其有，澤究生民而不宰其能，教彰士類而不居其德。"[37]又"推蕩出入大化之中，莫知其然而然。[38]"另黃道周謂："有聖人之才者，未必當聖人之任；當聖人之任者，未必成聖人之功。…..明興而有王文成者出。文成出而明絕學，排俗說，平亂賊，驅鳥獸；大者歲月，小者頃刻，筆致手脫，天地廓然！若仁者之無敵，

---

[31]〈傳習錄〉《王陽明全集》卷 2，第 54 頁。
[32]〈紫陽書院集序〉《王陽明全集》卷 7，第 239 頁。
[33]〈傳習錄〉《王陽明全集》卷 1，第 1 頁。
[34]〈傳習錄〉《王陽明全集》卷 1，第 1 頁。
[35]〈請從祀疏〉《王陽明全集》卷 39，第 1494 頁。
[36]〈重刻陽明先生文錄後語〉《王陽明全集》卷 41，第 1571 頁。
[37]〈刻陽明先生年譜序〉《王陽明全集》卷 37，第 1361 頁。
[38]〈刻陽明先生年譜序〉《王陽明全集》卷 37，第 1361 頁。

自伊尹以來，乘昌運，奏顯績，未有盛於文成者也。”[39]清康熙年間，蜀中馬士瓊稱陽明爲“三不朽”之人物，彼謂：“古今稱絕業者曰‘三不朽’，謂能闡性命之精微，煥天下之大文，成天下之大功。舉內聖外王之學，環而萃諸一身，匪異人任也。唐、宋以前無論已，明興三百年，名公鉅卿間代迭出，或以文德顯，或以武功著，名勒旗常，固不乏人，然而經緯殊途，事功異用，俯仰上下，每多偏而不全之感。求其文起八代之衰，道濟天下之溺，忠犯人主之怒，勇奪三軍之氣，所云參天地，關盛衰，浩然而獨存者，惟我文成夫子一人而已。[40]”後有王學末流曲解“心學”之消極而所造成不良學風外，猶有統治者竭力高倡陽明學中之道德說教，並力圖以“吾心”之力量，挽救行將崩潰之舊制度。顧炎武則以爲陽明所倡之“良知”說導致明朝之衰亡，彼謂：“以一人而易天下，其流風至於百有餘年之久者，古有之矣。王夷甫(王衍)之清談，王介甫(安石)之新說。其在於今，則王伯安之良知是也。”[41]此皆警醒吾人於研究和評述陽明學說時宜關注其文化、社會、政治等背景，方不爲一偏之見所誤導。

---

[39]〈王文成公集序〉《王陽明全集》卷 41，第 1614 頁。

[40]〈序說・序跋〉《王陽明全集》卷 41，第 1621 頁。

[41]〈朱子晚年定論〉《日知錄》卷 20，第 539 頁。

第三節　陽明之學術背景

陽明學說之成就，並非平步青雲，一蹴而幾。其成學前經三十年長期之醞釀，始由苦悶、摸索、鍛鍊中，創發其周延之思想。又經十餘年之精究、體驗，乃完成全部學說。由此可知，其學說之成立決非偶然，亦非倖取，實由百死千難中，經長期之鍛鍊與研究而創發其學說真髓。大凡一學說之發明，有二背景：時代背景與學術背景。雖個人之非常能力，爲其基本要素。蓋任何偉大人物，無論其如何創造，如何特立獨行，均受時代潮流之影響，或予時代以潤飾，或挽狂瀾而東流。陽明處此中衰之時，更無例外。然則陽明所處學術環境如何？其弟子錢德洪曾提前三變和後三變說，在其《刻文錄敘說》中云：

> 先生之學凡三變，其為教也亦三變，少之時，馳騁於辭章；已而出入二氏；繼乃居夷處困，豁然有得於聖賢之旨，是三變而至道也。居貴陽時，首與學者為“知行合一”之說；自滁陽後，多教學者靜坐；江右以來，始單提“致良知”三字，直指本體，令學者言下有悟，是教亦三變也。[42]

錢德洪所謂學之三變，是指陽明由雅好辭章至建立心學體系之思想發展軌跡。而教之三變，則指陽明形成其思想體系後之發展變化。由錢氏觀之，陽明學之發展是經由知行合一至靜坐再致良知三段。

黃宗羲論及陽明學之發展演變與錢氏同，黃氏云：

> 先生之學，始泛濫於詞章，繼而遍讀考亭之書，循序格物，顧物理吾心終判為貳，無所得入。於是出入於佛老者久之。及至居夷處困，

[42]〈刻文錄敘說〉《王陽明全集》卷 41，第 1574 頁。

> 動心忍性，因念聖人處此更有何道？忽悟格物致知之旨，聖人之迹，吾性自足，不假外求。其學凡三變而始得其門。自此之後，盡去枝葉，一意本原，以默坐澄心為學的。存未發之中，始能有發而中節之和，視聽言動，大率以收斂為主，發散是不得已。江右以後，專提“致良知”三字，默不假坐，心不待澄，不習不慮，出之自有天則。蓋良知即是未發之中，此知之前更無未發，良知即是中節之和，此知之後更無已發。此知自能收斂，不須更主於收斂，此知自能發散，不須更期於發散。收斂者，感之體，靜而動也；發散者，寂之用，動而靜也。知之真切篤實處即是行，行之明覺精察處即是知，無有二也。居越以後，所操益熟，所得益化，時時知是知非，時時無是無非，開口即得本心，更無假借湊泊，如赤日當空而萬象畢照。是學成之後又有此三變也。[43]

與錢德洪同，黃宗羲此所謂前三變亦指守仁創立陽明學前之思想變化，後三變是指創立陽明學後之思想變化。但其後三變又與錢德氏異。錢氏將致良知視爲陽明學體系完成之殿，而黃氏則以陽明於揭致良知之教後，又有一居越所操益熟、所得益化之發展時期。此點，陳來先生之《由無之境》曾論述。[44]可知，王學之發展過程於其弟子錢氏和心學殿軍黃氏之間，亦存有分歧。

陽明學發展其一所標志是知行合一說。何以陽明學形成之始，以倡知行合一爲其特點？此因陽明學之形成，具有對治當世學術流弊之特徵。而當世學術之流弊乃程朱理學之虛僞化和知識化，且與踐履脫節。

陽明學發展其二所標志是揭致良知之教。此乃其平宸濠後經忠、泰之變，於明武宗正德十六年於南昌所提出。致良

---

[43]〈姚江學案〉《明儒學案》卷 10，第 181 頁。

[44]〈境界〉《有無之境》章 9，第 235 頁。

知之提出，揭示陽明思想之昇華。致良知之思想貫穿於陽明自龍場悟道以後之始終，是陽明學說之核心內容。陽明謂："吾良知二字，自龍場以後，便已不出此意，只是點此二字不出。於學者言，費卻多少辭說。今幸見出此意。一語之下，洞見全體，真是痛快，不覺手舞足蹈。學者聞之，亦省卻多少尋討功夫。學問頭腦，至此已是說得十分下落。但恐學者不肯直下承當耳。"[45]可見致良知，是陽明學之標志，是陽明學之所以爲陽明學之所在。

陽明學發展其三所標志是陽明居越時提出之四句教，即黃宗羲所謂之"所操益熟，所得益化"。錢德洪以致良知之提出爲陽明學發展之後段，顯有不妥。陽明亦自謂四句教是其學述思想發展之新意。其與錢德洪、王畿等人談四句教時說："我年來立教，亦更幾番，今始立此四句。"[46]"亦更幾番"，即謂經歷殊途；"今始立此四句"，是謂四句教乃標志一新意。陳來先生分析錢氏於陽明致良知後其思想發展不再分段時說："實際上，錢德洪所以盡量貶低四句教在陽明思想中的地位和意義，並不在他不了解陽明晚年思想的歸宿，而在於《文錄》及《年譜》成編時王門'以悟爲則'的流弊日益明顯。德洪自己雖然思想幾度變化，也曾努力在無善無惡上下功夫，但最終仍歸於'四有'，這是他堅持以平藩時致良知說爲陽明思想最後一變的緣由"。[47]陳先生此說確爲的論。宜謂陽明揭致良知之教後，猶有一以四句教爲標志之思想發展過程。

是以以四句教爲標志之陽明晚年之思想，已由道德之發展至哲學本體論，即由實趨於虛，比之前之思想，較難把握，其身後又因時轉世移，而後學之資質不一，所處環境不一，故對師說之理解和體悟亦不一，乃衍生不同之王學流派。

陽明死後，王學即趨於分化，陽明在世時已露端倪。天泉證道時，德洪持守師說，堅持四有；而王畿卻以四有非究竟話頭，另提四無。雖經陽明告誡"二君相資爲用，不可偏

---

[45]〈補錄〉《王陽明全集》卷 32，第 1170 頁。
[46]〈年譜三〉《王陽明全集》卷 35，第 1307 頁。
[47]〈結語〉《有無之境》章 11，第 330 頁。

執”，但王畿未受告誡，仍以宣傳四無爲務。[48]

黃宗羲於《明儒學案》中，曾將王門後學分爲浙中王門、南中王門、粵中王門、江右王門、楚中王門、北方王門、粵閩王門及泰州學派八箇派別。由此可知王門後學遍及江南半壁，可謂至盛且旺，隨之由盛轉衰，僅剩主要三派，浙中王門自龍溪以後即趨冷落；江右王門自東廓、雙江、念菴之後亦趨寥落；泰州學派一傳爲徐波石，再傳爲趙大洲、顏山農，三傳爲何心隱、羅近溪，四傳爲楊復所、周海門，其後亦趨敗落。黃宗羲謂：“陽明先生之學，有泰州、龍溪而風行天下，亦因泰州、龍溪而漸失其傳。”[49]先生此語於王學之興衰確爲的論。

陽明嘗謂：“守仁早歲業舉，溺志詞章之習，既乃稍知從事正學；而苦於眾說之紛擾疲　，茫無可入，因求諸老釋，欣然有會於心；以爲聖人之學在此矣。然於孔子之教，間相出入，然措之日用，往往缺漏無歸，依違往返，且信且疑；其後謫官龍場，居夷處困，動心忍性之餘，恍若有悟，體念探求，再更寒暑，證諸五經四子，沛然若決江河而放諸海也。然後嘆聖人之道坦如大路，而世之儒者妄開竇逕，蹈荊棘，墮坑塹，究其爲說，反出二氏之下，宜乎世之高明之士，厭此而趨彼也！”[50]茲分儒家、佛家、道家三者論之：

一、儒家背景

儒家學說對陽明學說之影響甚大。陽明生平得力於儒家之處頗多。陽明嘗自述：“守仁幼不知學，陷溺於邪僻者二十年；疾疢之餘，求諸孔子、子思、孟軻之言，而恍若有見其非，守仁之能也。”[51]由此觀之，儒家哲學是陽明學說之根源。陽明學說之主旨即著力於大學之“止於至善”與孟子之“良知”。大學謂：“大學之道，在明明德，在親民，在止於至善。”又謂：“致知在格物”，“物格而後知至”；

[48]〈王學的分化衰落和影響〉《王守仁評傳》卷12，第459頁。
[49]〈泰州學案一〉《明儒學案》卷32，第703頁。
[50]〈朱子晚年定論〉《王陽明全集》卷3附錄，第127頁。
[51]〈別黃宗賢歸天台序〉《王陽明全集》卷7，第233頁。

孟子謂："人之所不學而能者，其良能也，所不慮而知者，其良知也。"陽明全部學說雖根源於孟子，然其發揮之完整、理論之具體、實踐之確切，卻能啓聖學之奧秘、發前人之所未發、悟後儒之所未悟，誠不愧仲尼之後又一人。徐愛（字曰仁，陽明門人）曰："始聞先生之教，實是駭愕不定，無入頭處；其後聞之既久，漸知反身實踐，然後始信先生之學，爲孔門嫡傳，舍是皆傍蹊小徑，斷港絕河矣！"[52]因"顏子歿而聖人之學亡，曾子唯一貫之旨，傳之孟軻，終又二千餘年而周、程續。自是而後，言益詳，道益晦，析理益精，學益支離無本，而事於外者益繁以難。"[53]於是深悟"聖人之學難明而易惑，習俗之降，愈下而益不可回。"[54]慨然以光大聖學自任，闡發聖學自期，乃大聲疾呼"聖賢之學，坦如大路，但知所從入，苟循循而進，各隨分量，皆有所至。"[55]陽明又嘗謂："孔孟之訓，昭如日月，凡支離決裂，似是而非者，皆異說也。有志於聖人之學者，外孔孟之訓而他求，是舍日月之明，而希光於螢爝之微也，不亦謬乎！"[56]吾人由此觀之，陽明學說是以儒家哲學爲其背景，而予以發皇光大。倘謂陽明學說全由孔孟聖學改頭換面，則否矣。

其次吾人試就宋以後兩大儒派對陽明學說之影響，此兩派之代表人物當推朱晦菴、陸象山二氏。前者鑒於兩晉之放蕩不羈，主讀書窮理；後者感於漢唐之支離破碎，主直指本心。兩派各有其立論之根據與苦心，直至陽明時代，學風仍盛，尤以朱派爲最。陽明於兩派學說皆曾研究，博聞約取，兼採其長而鎔鑄新說，陽明曾謂："予既自幸其說之不謬於朱子，又喜朱子之先得我心之同然。"[57] 蓋陽明雖以朱派末學黨同伐異爲憾，嘗歎曰："先儒之論，所以日益支離，則亦由後學沿習乖謬，積漸所致。"[58]又謂："若後世論學之

---

[52]〈傳習錄〉《王陽全集》卷1，第10頁。
[53]〈別湛甘泉序〉《王陽明全集》卷7，第230頁。
[54]〈別湛甘泉序〉《王陽明全集》卷7，第231頁。
[55]〈書孟源卷〉《王陽明全集》卷8，第273頁。
[56]〈年譜三〉《王陽明全集》卷35，第1285頁。
[57]〈朱子晚年定論〉《王陽明全集》卷3附錄，第128頁。
[58]〈與陸原靜〉《王陽明全集》卷5，第188頁。

士，則全是黨同伐異，私心浮氣所使，將聖賢事業，作一場兒戲看了也。”[59]而於朱派本身之理論、大源大本上實相表裡。唐君毅先生云：“陽明之論良知，有連著大學之格物、致知、誠意、正心、修身之說而論者。亦有連著中庸之已發、未發、慎獨之說而論者。但皆可說由朱子之說轉進而成。”[60]其言是也。至於陽明與象山之學，雖各有特殊之理論與成就，然亦頗多相同之處，大抵陽明乃取象山辯義利、立大本、求放心，以爲篤實成己之旨，發爲心即理，內聖外王之妙道。可謂善辨朱陸異同而得綜合貫通之功。故陽明曰：“且論自己是非，莫論朱陸是非”，至於其大膽將朱陸撇開，而直發本學，遠紹孔顏孟子之學，獨創“致良知”，則復可謂朱陸之功臣。蓋陽明論學有其基本原則：“夫道，天下之公道也；學，天下之公學也；非朱子可得而私也，非孔子可得而私也，天下之公也，公言之而已矣。”[61]陽明心目中之朱陸皆是“不害其同爲聖賢”，並無所袒護。既未爲陸學增一分價，亦未爲朱學減半分值。今之學者，於論昔賢之學，則大皆知辨其同異，而於其異者，更喜表而出之，以嚴別其流派或思想之類型，而不重觀其異而俱是之所在，更不重觀其會通。今者，吾人試讀陽明於朱陸之批評，即可見其公允客觀之態度，及其獨立精神：

> 凡某之所謂格物，其於朱子九條之說，皆包羅統括於其中，但為之有要，作用不同，正所謂毫釐之差耳！然毫釐之差，而千里之謬，實起於此，不可不辨。[62]
>
> 象山之學，簡易直截，孟子之後一人，其學問思辨、致知格物之說，雖亦未免沿襲之累。然其大本大源，斷非餘子所及也。[63]
>
> 君子之學，豈有心於同異，惟其是而已。吾

[59]〈答友人問〉《王陽明書牘》卷6，第209頁。
[60]〈陽明學與朱子學〉《陽明學論文集》，第53頁。
[61]〈傳習錄〉《王陽明全集》卷2，第78頁。
[62]〈傳習錄〉《王陽明全集》卷2，第77頁。
[63]〈與元席山〉《王陽明全集》卷5，第180頁。

> 於象山之學，有同者，非是苟同；其異者，自不掩其為異也。吾於晦菴之論，有異者，非是求異；其同者，自不害其為同也。假使伯夷柳下惠與孔孟同處一堂之上，就其所見之偏，全其議論，斷亦不能皆合，然要之不害其同為聖賢也。[64]

吾人讀上文，可知陽明晚年於朱、陸是如何之推崇，與公允客觀之態度，誠可欽敬。

二、佛家背景

陽明於初期之苦悶之時，曾費頗大工夫研究佛學。後雖自悔其誤用工夫，然其研究之心得，於其日後創立學說，頗有密切之關係。換言之，陽明學說雖不得謂近禪，然亦有導源於當時佛學之背景者，陽明自謂："嘗學佛，最所尊信，自謂悟得其蘊奧。"[65]吾人若謂其學說與佛學毫無關係，則不然。然謂其爲"禪學"，則大謬矣。因其妙用與聖人僅毫釐之間，是以有未詳觀其"毫釐之間"者，卻謂陽明學太"禪化"，致成千里之謬。蓋陽明精究佛學，而終能棄其所短，擇其所長，而爲聖學作腳注，試觀陽明所言：

> 不思善，不思惡時，認本來面目，此佛氏為未識本來面目者，設此方便，本來面目，即吾聖門所謂良知。[66]
>
> 聖人致知之功，至誠無息，其良知之體，皦如明鏡，略無纖翳，妍媸之來，隨物見形，而明鏡曾無留染，所謂"情順萬事而無情也"無所住而生其心，佛氏曾有是言，未為非也。[67]
>
> 問於陽明子曰："釋與儒孰異乎？"陽明子

---

[64]〈答友人問〉《王陽明全集》卷6，第209頁。
[65]〈諫迎佛疏〉《王陽明全集》卷9，第295頁。
[66]〈傳習錄〉《王陽明全集》卷2，第67頁。
[67]〈傳習錄〉《王陽明全集》卷2，第70頁。

> 曰：“子無求其異同於儒釋，求其是者而學焉可矣。”曰：“是與非孰辨乎？”曰：“子無求其是非於講說，求諸心而安焉者是矣。”[68]

此“本來面目，即吾聖門所謂良知”，不論二家（儒與釋）是非如何？但“求諸心而安焉者是矣。”由此知陽明實善融貫佛學之精義者。然陽明又嘗批評佛學之失，其非“禪化”由下文可證：

> 佛氏著在無善無惡上，便一切都不管，不可以治天下；聖人無善無惡只是無有作好，無有作惡，不動於氣。[69]
>
> 彼釋氏之外人倫，遺物理，而墮於空寂者，固不得謂之明其心矣。[70]
>
> 吾儒養心，未嘗離卻事物；只順其天則自然就是功夫。釋氏卻要盡絕事物，把心看做幻相，漸入虛寂去了；與世間若無些子交涉，所以不可治天下。[71]
>
> 禪之學，非不以心為說，然其意以為是達道也者，固吾之心也。….是以外人倫，遺事物，以之獨善或能之，而要之不可以治家國天下。[72]
>
> 夫佛者，夷狄之聖人；聖人者，中國之佛也。在彼夷狄，則可用佛氏之教，以化導其愚頑；在我中國，自當用聖人之道，以參贊化育。[73]

陽明直斥佛學於中國之不適宜，蓋佛學之爲用，以之獨善或能之，而要之不可以治家國天下，此與儒家修身齊家治國平天下之思想，大相逕庭。謂其“外人倫，遺事物”，僅

---

[68]〈贈鄭德夫歸省序〉《王陽明全集》卷7，第238頁。
[69]〈傳習錄〉《王陽明全集》卷1，第29頁。
[70]〈與夏敦夫〉《王陽明全集》卷5，第179頁。
[71]〈傳習錄〉《王陽明全集》卷3，第106頁。
[72]〈重脩山陰縣學記〉《王陽明全集》卷7，第257頁。
[73]〈諫迎佛疏〉《王陽明全集》卷9，第295頁。

能“獨善”，然“不可以治天下”，因“佛者，夷狄之聖人”雖仍不害其同爲聖人，但不適於中國之社會環境，故“中國自當用聖人之道”，況中國聖人“達則兼善天下”，比佛家之“獨善”卻高一籌。陽明又譏佛老空虛不能悟得吾心之理，其於象山文集序云：“佛老之空虛，遺棄其人倫事物之常，以求明其所謂吾心者，而不知物理即吾心，不可得而遺也。”[74]終究陽明是採佛家之長－“獨善”，而棄其短－“外人倫，遺事物”，是以陽明學說決非歸宗於“禪學”也。

三、道家背景

陽明初年即信佛，又奉道。陽明嘗謂：“某幼不問學，陷溺於邪僻者二十年，而始究心於老釋。賴天之靈，因有所覺。”[75]又謂：“僕誠生八歲而即好其說，今已餘三十年矣。”[76]種下頗深之因緣，吾人試觀陽明見齋說，即可見其浸淫老莊思想之深。如云：“道不可言也，強爲之言而益晦；道無可見也，妄爲之見而益遠。”[77]此與老子之“道可道，非常道，名可名，非常名。”（老子，第一章）又曰：“吾不知其名，字之曰道，強爲之名曰大。”（老子，第二五章）豈不相類？又如陽明謂：“精神道德言動，大率收斂爲主，發散是不得已，天地人物皆然。”[78]此似老子所謂：“致虛極，守靜篤。”又如：“吾輩用功，只求日減，不求日增；減得一分人欲，變是復得一分天理，何等輕快脫灑？何等簡易？”[79]此與老子：“爲道日損”（老子，第四八章）之意相表裏。陽明詩中輒亦有老莊之思想，如：

歸懷

行年忽五十，頓覺毛髮改，四十九年非，童心獨猶在。世故漸改涉，遇坎稍無餒。每當快

---

[74]〈象山文集序〉《王陽明文集》卷 7，第 245 頁。
[75]〈別湛甘泉序〉《王陽明全集》卷 7，第 231 頁。
[76]〈答人問神仙〉《王陽明全集》卷 21，第 805 頁。
[77]〈見齋說〉《王陽明全集》卷 7，第 262 頁。
[78]〈傳習錄〉《王陽明全集》卷 1，第 19 頁。
[79]〈傳習錄〉《王陽明全集》卷 1，第 28 頁。

意事，退然思辱殆。傾否作聖功，物睹豈不快？奈何桑梓懷，衰白倚門待。[80]

遊牛峰寺（今改名浮峰，四絕句二）

人間酷暑避不得，清風都在深山中；池邊一坐即三日，忽見巖頭碧樹紅。

兩到浮峰興轉劇，醉眠三日不知還；眼前風景色色異，惟有人聲似世間。[81]

山中立秋日偶書

風吹蟬聲亂，林臥驚新秋；山池靜澄碧，暑氣亦已收。青峰出白雲，突兀成瓊樓，袒裼坐溪石，對之心悠悠；倏忽無定態，變化不可求，浩然發長嘯，忽起雙白鷗。[82]

陽明仙道之思想，如：

蓋吾儒亦自有神仙之道，顏子三十二而卒，至今未亡也。足下能信之乎？後世上陽子之流，蓋方外技術之士，未可以為道。.....足下欲聞其說，須退處山林三十年，全耳目，一心志，胸中灑灑，不掛一塵，而後可以言此，今去仙道尚遠也。[83]

問仙家元氣、元神、元精，先生曰："只是一件，流行為氣，凝聚為精，妙用為神。"[84]

陽明有道家之修養，道家之氣度，真正達於"全耳目，一心志，胸中灑灑，不掛一塵"之境界。然終不忘"吾儒亦自有神仙之道"，故亦非歸宗於道家，但取其精神耳。

綜上所述可知，陽明乃溶化貫通儒、釋、道三家之學說，

---

[80]〈外集二〉《王陽明全集》卷 20，第 783 頁。
[81]〈外集一〉《王陽明全集》卷 19，第 664 頁。
[82]〈外集一〉《王陽明全集》卷 19，第 664 頁。
[83]〈答人問神仙〉《王陽明全集》卷 21，第 805 頁。
[81]〈傳習錄〉《王陽明全集》卷 1，第 19 頁。

以儒家爲骨幹，爲大本大源；而參酌釋、道兩家之精神，取其精華，而構成陽明學說之學術背景。

第四章 陽明學概述及其影響

第一節 陽明學概述

陽明自幼得自父祖之遺風、家世環境之薰陶，造成其豪邁不羈之個性，其於明代詞章訓詁大不以爲然，至於支離滅裂珠積寸累之工夫，則更厭惡，故慕象山之俊偉，隻手掙脫朱子學之枷鎖，一舉衝決千餘年傳統思想之網羅，而獨創奄襲中國學術界數百年之姚江學派。且陽明以爲詩賦文章，僅能發其思緒情懷，不足以通達人生至道。兵法韜略，只足防敵禦侮，不足指導完整人生。佛氏學理，亦僅助人認識解脫，不足解決現實問題。道家之術，雖有補於養生，然不足以治世。餘如遊俠導引，要皆方技末術，更非人生至道。爰乃另闢蹊徑，謀尋人生真理。復因政治打擊，流亡蠻荒疾苦之境，困辱黯淡之前程，使其沉思痛省。舉凡五經、四書、孔孟言行、漢儒訓詁、程朱學理、象山學說、禪宗心法，皆時反復於腦際，經多年苦思，始豁然有得於聖賢之旨，而慨然有以身殉道之志。

陽明先生一生以講學爲志業，其最大之志願即在"爲天地立心，爲生民立命，爲往聖繼絕學，爲萬世開太平。"[1]陽明嘗云："今乎天下之不治，由於士風之衰薄；而士風之衰薄，由於學術之不明；學術之不明，由於無豪傑之士爲之唱焉耳。"[2]陽明以學術不明爲天下致亂之源，故願以道濟天下之溺。蓋其自幼秉彝特異，曾以當世間第一等人，做世間第一等事自任，雖屢遭挫折困阨，益堅其邁向聖人理想之素志。故能學承千聖之傳，道闡諸儒之祕。

由上，可見其思想形成，非出於任何傳授，乃是各種影響之互激下，沉思痛省，所生之一自悟，今依此線索，略述其學說要旨[3]如后：

---

[1]〈橫渠學案上〉《宋元學案》，卷 17，第 664 頁。
[2]〈送別省吾林都憲序〉《王陽明全集》，卷 22，第 884 頁。
[3]〈明代中後期的理學〉《宋明理學》章 5，第 241 頁。

一、心外無理

青年時之陽明曾受朱子之影響，嘗從事格物窮理之功夫，有次面對翠竹，冥思苦想“格”七天，非但無“理”可窮，反而累倒。從此，被“理”究在何處所困？後貶龍場驛，於艱困之下，端居默坐於靜一之中，思考聖人處此將何所爲，忽一夜大悟格物致知之旨，“始知聖人之道，吾性自足，向之求理於事物者，誤也。”[4]史稱爲“龍場悟道”。此即理本非存於外在事物，而於吾人心中，餘詳如後述。

陽明反對朱子之格物窮理說，陽明將“理”視爲道德原理。是以，學生提朱子之“事事物物皆有定理”與陽明“心即是理”思想之差別時，陽明云：“於事事物物上求至善，卻是義外也。至善是心之本體。”[5]陽明以爲朱子所言之事事物物皆有定理之理僅是“至善”之“義”。陽明以爲，至善作爲道德原理非存於外在事物，道德法則是存於內，事物之道德秩序來自行動者賦與其道德法則，如將道德原理視爲源於外在事物，此即犯孟子所批之“義外說”，即將“義”之道德原則視爲外在之誤。是以，人之窮理求至善，僅須於一己心上尋之。

〈傳習錄〉載陽明與其弟子徐愛之對話：

> 愛問：至善只求諸心，恐於天下事理有不能盡。先生曰：心即理也，天下又有心外之事、心外之理乎？愛曰：如事父之孝、事君之忠、交友之信、治民之仁，其間有許多理在，恐亦不可不察。先生嘆曰：此說之蔽久矣，豈一語所能悟！今姑就所問者言之：且如事父不成去父上求個孝的理；事君不成去君上求個忠的理；交友治民不成去友上民上求個信與仁的理；都只在此心。心即理也。[6]

---

[4]〈年譜一〉《王陽明全集》卷33，第1228頁。

[5]〈傳習錄〉《王陽明全集》卷1，第2頁。

[6]〈傳習錄〉《王陽明全集》卷1，第2頁。

陽明以為，若以“理”作為道德法則而言，格物窮理之哲學示意道德法則存於心外之事物，而實者道德法則並不存於道德行為之對象，如孝之法則並不存於父母之身，忠之法則亦不存於君主之身。此孝忠之理僅是人之意識經由實踐所賦與行為和事物。

“理”非唯涉及道德法則，亦關聯禮儀規範，於儒家傳統中向以禮即理之意。禮即社會生活中之禮儀規定與節文準則。心即理之思想於一般之性善論者尚可接受，但以“禮”為心之產物，則遇困境，因社會禮儀少有先驗，而更多賴於社會和人為。〈傳習錄〉載：

> 愛問：聞先生如此說，愛已覺有省悟處。但舊說纏於胸中，尚有未脫然者，如事父一事，其間溫清定省之類有許多節目，不亦須講求否？先生曰：如何不講求？只是有個頭腦，只是就此心去人欲，存天理上講求。…此心若無人欲，純是天理，是個誠於孝親的心，冬時自然思量父母的寒，便自要去求個溫的道理。夏時自然思量父母的熱，便要去求個清的道理。[7]

於儒家文化中，一則倫理原則經禮儀節文具體化，另則亦使社會生活之禮儀具倫理準則之義。從而“理”非唯泛指倫理原則，亦指據殊方所訂之行為。以陽明觀之，禮所示之行為方式和規定，其義原是使倫理精神之表現規範化，而此儀節本身若被異化為目的，忘其必先是真實情感之表現，則本末倒置。陽明以為，人要能保有真實之道德意識和情感，自然能選擇對應之適宜方式。因之，儀節當是道德本心之作用和表現。從而，於根源上，儀節構成之禮亦來自人心。尤有要者，“心即理”所示，儀節之周全並非至善之完成，動機（心）之善方是真善。

陽明云：

---

[7]〈傳習錄〉《王陽明全集》卷1，第2頁。

> 理也者，心之條理也。是理也，發之於親則為孝，發之於君則為忠，發之於朋友則為信，千變萬化，至不可窮竭，而莫非於吾之一心。[8]

此示，心即是理，於此義言，可表述爲“心之條理即是理”，亦是人之行爲之道德準則。因而，是人之知覺之自然條理於實踐中賦與事物以條理，使事物呈現道德秩序。是以，事物之“理”論其根源不在心外。將道德原則視爲人心固有之條理，以爲此條理是事物之道德秩序之根源，此乃倫理準則上之主觀意識。

據此，陽明提出：

> 心外無物、心外無事、心外無理、心外無義、心外無善。吾心之處事物，純乎理而無人偽之雜，謂之善，非在事物之有定所之可求也。處物為義，是吾心之得其宜也，義非在外可襲而取也。格者，格此也；致者，致此也。[9]

此對陽明而言，心外無“理”要在心外無“善”，善之動機意識是使其行爲具道德意義之根源，因而善來自主體而非外物，格物與致知皆須呈現此一至善之根源入手。

於“心即是理”或“心外無理”之“心”中，並非泛指知覺意識活動，陽明以爲：

> 要非禮勿視聽言動時，豈是汝之身目口鼻四肢自能勿視聽言動，須由汝心。……所謂汝心，卻是那能視聽言動的。[10]
>
> 心者身之主宰，……主宰一正，則發竅於目，自無非禮之視；發竅於耳，自無非禮之聽，發竅於口與四肢，自無非禮之言動；此便是“修

---

[8]〈書諸陽伯卷〉《王陽明全集》卷8，第277頁。

[9]〈與王純甫二〉《王陽明全集》卷4，第156頁。

[10]〈傳習錄〉《王陽明全集》卷1，第36頁。

身在正其心"。然至善者，心之本體也。心之本體，那有不善？如今要正心；本體上何處用得功，必就心之發動處才可著力也。[11]

陽明所主之心即理，此心非指知覺而言，"心即理"之心是指"心體"或"心之本體"而言，此心之本體亦即是從孟子至陸九淵之"本心"概念，彼非現象之自我，而是純粹道德主體。

二、心外無物

陽明據《大學》中"正心""誠意""致知""格物"之排列，對心、意、知、物作一定義：

身之主宰便是心，心之所發便是意，意之本體便是知，意之所在便是物。[12]

此四句之前兩句，顯受到朱子哲學之影響，朱子曾指心者身之主宰，又謂意是心之運用。陽明以己之理解，即心是一純粹自我之範疇，而意是一經驗意識之範疇。

於〈傳習錄〉載陽明與其弟子之答問：

愛曰：昨聞先生之教，亦影影見得功夫須是如此，今聞此說，益無可疑。愛昨曉思格物的物字即是事字，皆從心上說。先生曰：然。身之主宰便是心，心之所發便是意，意之本體便是知，意之所在便是物。如意在於事親，即事親便是一物，意在於事君，即事君便是一物；意在於仁民愛物，即仁民愛物便是一物，意在於視聽言動，即視聽言動便是一物。所以某說無心外之理，無心外之物。[13]

---

[11] 〈傳習錄〉《王陽明全集》卷 3，第 119 頁。
[12] 〈傳習錄〉《王陽明全集》卷 1，第 6 頁。
[13] 〈傳習錄〉《王陽明全集》卷 1，第 6 頁。

陽明此“意之所在便是物”之定義中，作爲意之所在之物有二，一是意所指向之實在之物或意識已投入其中之現實活動，一是僅作爲意識之中之對象。即是說，於“意之所在便是物”中並未規定物（事）一定是客觀、外在、現成，此意之所在可以是存在，亦可以是非存在，即僅是觀念；可以是實物，亦可以僅是意識之流中之對象。陽明謂“意”有其對象、有其內容，至於對象是否實在，並非重要，因其所指乃是意向行爲本身。

陽明曾肯定心外無物之“物”是指“事”而言，但從未明確將實在之物體（如山川草木）排除於心外無物此一範圍之外。因“物”之意，包括山川草木乃至人與萬物，故陽明心外無物說，須面對外界事物實在性之挑戰。〈傳習錄〉載：

> 先生遊南鎮，一友指岩中花樹，問曰：天下無心外之物，如此花樹，在深山中自開自落，於我心亦何相關？先生曰：你未看此花時，此花與汝心同歸於寂；你來看此花時，則此花顏色一時明白起來，便知此花不在你的心外。[14]

三、格物與格心

心外無理說與心外無物說，雖其意是意識與法則、事物之關係，但其目的欲由此引出一新之格物窮理論。

〈傳習錄〉下載陽明自述早年格竹之事：

> 先生曰：眾人只說格物要依晦翁，何曾把他的說去用？我著實曾用來，初年與錢友同論作聖賢，要格天下之物，如今安得這等大的力量？因指亭前竹子，令去格看。錢子早夜去窮格竹子的道理，竭其心思，至於三日，便致勞神成

---

[11]〈傳習錄〉《王陽明全集》卷3，第107頁。

疾。當初說他這是精力不足，某因自去窮格，早夜不得其理，到七日，亦以勞思致疾，遂相與嘆"聖賢是做不得的，無他大力量去格物了"。及在夷中三年，頗見得此意思，乃知天下之物本無可格者。[15]

龍場悟道是陽明格物思想之轉捩點，自青年時代對格物之困惑於龍場"大悟"中得到解決，亦標誌其與朱子格物說之殊別。龍場之悟既然否定向物求理，認爲外物本無可格，是以其積極結論必然是將格物窮理由外在事物引向主體自身，爲之而有心外無理、心外無物說，以通格物窮理爲心上做功夫之途。

既然格物不應向外求理，心即是理，意念所在即是所格之地，於是格物變成格心、求心，〈傳習錄〉載：

> 格物如孟子"大人格君心"之格，是去其心之不正，以全其本體之正。但意念所在，即要去其不正以全其正，即無時無處不是存天理，即是窮理。天理即是明德，窮理即是明明德。[16]
>
> 問格物，先生曰：格者，正也。正其不正，以歸於正也。[17]

陽明將"格"解爲"正"，即將不正糾正爲正："物"則定義爲"意之所在"。因而，"格物"即是糾正人心之不正，以恢復本體之正。據此釋，格物即是格心。是以陽明謂，意之所在便是物，"但意念所在，就要去其不正以歸於正"，即是格物。

---

[15]〈傳習錄〉《王陽明全集》卷3，第120頁。

[16]〈傳習錄〉《王陽明全集》卷1，第6頁。

[17]〈傳習錄〉《王陽明全集》卷1，第25頁。

四、知行合一

學者泛稱“知行合一”說爲陽明思想之核心，陽明與宋儒對知行之認知有別，於宋儒，知與行非唯有知識與實踐之別，亦可指兩殊之行爲（求知與躬行）。於陽明學中，知僅指主觀形態之知，其範圍較宋儒爲小。而行之範疇則較宋儒之使用爲寬，一者可指人之實踐行爲，另者可含心理行爲。

王陽明之知行觀可表述如下：

其一、知行本體

陽明之生問，人知對父當孝對兄當弟，卻不行孝行弟，知行明分，何謂知行合一？王陽明曰：“此已被私欲隔斷，不是知行的本體了。未有知而不行者，知而不行只是未知。”於宋儒之知行論中，真知者必將其所知之道德知識付諸行爲，從未有知而不行者。宋儒此思想是陽明知行合一說之先導，彼以爲“未有知而不行者，知而不行，只是未知”，[18]“知行本體”是陽明用此以代真知。

其二、真知即所以為行，不行不足謂之知

陽明知行合一說，即“真知即所以爲行，不行不足謂之知”。[19]不行不足謂之知，彼曰：“就如稱某人知孝、某人知弟，必是其人已曾行孝行弟，方可稱他知孝知弟，不成只是曉得說些孝弟的話，便可稱爲孝弟？”[20]對不行孝弟者，不能謂之知孝知弟，是以就道德評價言，知必然包含行。

其次，不行不足謂之知，亦泛指一般言，陽明曾謂：

> 知痛，必已自痛了方知痛；知寒，必已自寒了；知飢，必已自飢了，知行如何分得開？[21]
>
> 食味之美惡必待入口而後知，豈有不待入口而已先知食味之美惡者邪？……路歧之險夷，必待自親履歷而後知，豈有不待身親履歷而已

---

[18]〈傳習錄〉《王陽明全集》卷1，第4頁。
[19]〈傳習錄〉《王陽明全集》卷2，第42頁。
[20]〈傳習錄〉《王陽明全書》卷1，第4頁。
[21]〈傳習錄〉《王陽明全集》卷1，第4頁。

先知路歧之險夷者邪？[22]

陽明此說，作爲認識來源之討論，以人之認識來源於實踐而言可謂的論。

其三、知是行之始，行是知之成

陽明初提知行合一時，常言：

知是行之始，行是知之成。若會得時，只說一個知，已自有行在；只說一個行，已自有知在。[23]

此說是由動態之過程知知行相互聯結、相互包含之意。是以“知”中有行,“行”中有知，兩者是互相包含，知行是合一。

其四、知是行之主意，行是知之功夫

陽明說：“某嘗說知是行的主意，行是知的功夫。”[24]此說是批“說知行做兩個，亦是要人見得分曉，一行做知的功夫，一行做行的功夫”者，主無脫離行之獨立知之功夫，亦無脫離知之獨立行之功夫。

陽明此言是謂“行是知的功夫”，即知以行爲已之實現手段。是以，行不能無主意，故行不離知；知不能無手段，故知不離行。知與行是不可分離。

從“爲善”和“去惡”兩者觀之，陽明以爲，一念發動不善便是行惡，而一念發動爲善猶非行善。是以，僅有善之意念或對善之理解猶非知善、行善，唯有將善之意念落實爲爲善之行動，方是知善、行善。而人非有明顯之惡行方是行惡，僅有惡之念即是行惡。從爲善言，有行才是知；從去惡言，有不善之念便是行。陽明之知行觀是重“行”，若將其知行觀歸爲“一念發動即是行”則輕其知行觀之特色。

[22]〈傳習錄〉《王陽明全集》卷2，第42頁。
[23]〈傳習錄〉《王陽明全書》卷1，第4頁。
[24]〈傳習錄〉《王陽明全集》卷1，第4頁。

五、致良知

《大學》提出“致知”，陽明以爲致知之知即孟子所言之良知，因而將致知發揮爲“致良知”。致良知說是陽明心學思想於晚年更臻成熟之一形式。

孟子謂：“人之所不學而能者，其良能也。所不慮而知者，其良知也。孩提之童，無不知愛其親也，及其長也，無不知敬其兄也。”[25]據此說，良知是指人之不依於環境、教育而自然具有之道德意識與道德情感。“不學”示其先驗，“不慮”示其直覺，“良”即兼此二者而言。陽明繼承孟子之思想，彼謂：

> 知是心之本體，心自然會知，見父自然知孝，見兄自然知弟，見孺子入井自然知惻隱，此便是良知，不假外求。[26]

“自然”示良知非得自外界，將良知視爲主體本有之內在之特徵。

陽明尤重良知作爲“是非之心” 之意：

> 爾那一點良知，是爾自家底準則。爾意念著處，他是便知是，非便知非，更瞞他一些不得。[27]

> 孟子云“是非之心，知也”“是非之心，人皆有之”，即所謂良知也。[28]

> 良知只是個是非之心，是非只是個好惡，只好惡就盡了是非，只是非就盡了萬事萬變。[29]

良知非唯具有先驗之性質，而且具有普遍之品格，陽明

---

[25]〈盡心上〉《孟子》卷7，第319頁。
[26]〈傳習錄〉《王陽明全集》卷1，第6頁。
[27]〈傳習錄〉《王陽明全集》卷3，第92頁。
[28]〈與陸元靜〉《王陽明全集》卷5，第189頁。
[29]〈傳習錄〉《王陽明全集》卷3，第111頁。

以爲："自聖人以至愚人，自一人之心，以達四海之遠，自千古之前以至於萬代之後，無有不同。是良知也者，是所謂天下之大本也。"[30]良知作爲人之內在準則，是人人固有、個個相同。良知是吾人道德實踐之指針。

是以，致良知，一則指人應擴己之良知，達於極限，另則是指將良知所知實踐於行爲中去，更由內外兩者加強爲善去惡之道德實踐。

六、四句教

陽明晚年提出"四句教法"，此四句話爲：

> 無善無惡心之體，有善有惡意之動；
> 知善知惡是良知，為善去惡是格物。[31]

陽明去世前一年，嘉靖六年（西元一五二八年）秋，被任命赴廣西平息民亂，臨行前一晚，於越城天泉橋上應弟子錢德洪（字洪甫）、王畿（字汝中）之請，詳闡此四句宗旨之思想，史稱之"天泉證道"。錢、王二人對四句教發生爭論，王畿以爲心體與意、知、物是體用關係，心體無善無惡，意、知、物亦皆是無善無惡，是以其以爲四句教後三句當改爲"意即無善無惡之意，知即無善無惡之知，物即無善無惡之物"。即是說，心意知物皆是無善無惡，此稱爲"四無"。若依錢德洪觀之，意有善有惡，是以方須爲善去惡，否定意有善惡，即根本否定工夫，其對心體無善惡之說亦存疑，以彼觀之，說心體至善無惡可能更妥。此稱爲"四有"。爲此兩人請教陽明爲之證道，據載：

> 是日夜分客始散，先生將入內，聞德洪與畿候立庭下，先生復出，使移宴天泉橋上。德洪舉與畿論辯請問，先生喜曰："正要二君有此

[30]〈書朱守乾卷〉《王陽明全集》，卷 8，第 279 頁。
[31]〈傳習錄〉《王陽明全集》卷 3，第 117 頁。

> 一問，我今將行，朋友中更無有論證及此者。二君之見，正好相取，不可相病，汝中須用德洪功夫，德洪須透汝中本體。二君相取為益，吾學更無遺念矣。”
>
> 德洪請問，先生曰：“有只是你自有，良知本體原來無有。本體只是太虛，太虛之中，日月星辰風雨露雷陰霾噎氣，何物不有，而又何一物得為太虛之障？人心本體亦復如是，太虛無形，一過而化，亦何費纖毫氣力。德洪功夫須要如此，便是合得本體功夫。”
>
> 畿請問，先生曰：“汝中見得此意，只好默默自修，不可執以接人。上根之人世亦難遇，一悟本體即見功夫，物我內外一齊盡透，此顏子明道不敢承當，豈可輕易望人。二君以後與學者言，務要依我四句宗旨：無善無惡是心之體，有善有惡是意之動，知善知惡是良知，為善去惡是格物。以此自修，直躋聖位；以此接人，更無差失。”[32]

據陽明對德洪之釋可知，“無善無惡心之體”所論與理學之善惡無關，是謂心作爲情緒一心理之感受主體具有之無滯性、無執著性。是以陽明謂：“七情順其自然之流行，皆是良知之用，不可分別善惡，但不可有所著。”[33]

因之，四句教中無善無惡之思想討論是一與道德倫理不同之問題，指心對任何物皆不執著之本然特性，是人實現理想之自在境界之內在根據。其所指，即是周敦頤、程顥、邵雍等追求之灑落、和樂之自得境界，其中亦含有禪宗之生存智慧。

---

[32]〈年譜三〉《王陽明全集》卷35，第1306頁。

[33]〈傳習錄〉《王陽明全集》卷3，第111頁。

七、本體與功夫

陽明闡發四句宗旨之天泉證道中，提出一對概念，即“本體”與“功夫”。本體即指心之本體，功夫則指復其心之本體之具體實踐和過程。此言功夫多指意念上爲善去惡之功夫，本體則指至善無惡之道德本心。

陽明雖言四無之說不可輕易接人，但其於天泉橋證道中對四無、四有之分別肯定，開啓王學後來之分化，四無即重“本體”，鄙薄功夫之實，只求一悟心體；四有則重“功夫”，以本體爲虛，雖穩當切實，卻於向上一機終少透悟。陽明學後來之發展亦可說是以“本體”和“功夫”兩者之分歧而展開。

第二節　陽明學及其影響

陽明一生，正如一部思想史。先生歷驗儒、佛、道各家，終悟要道，重還儒家。遠紹“堯舜之正傳，孔氏之心印”，建立其思想之體系。溯自十五、六世紀之交，適爲吾國文化復興之時期。孔孟學說爲中國文化之動脈，思想之主流。惜自漢儒以迄清儒，或長於考證，或長於義理，或長於徵實，而於孔孟創業垂統，開物成務之精神，終覺未能施展。中世紀時，陽明誕生浙東，竭思力踐，慨然力追孔孟之舊觀。其於處困居夷之生涯中，洞澈本源之思維。發揮其內聖外王之工夫，倡“知行合一”與“致良知”之學，尤以思想精神影響中國近百年來學術文化，同時遠及扶桑，啓動明治維新，揭開日本現代思想史之序幕。 國父與先總統 蔣公一脈相傳之道統與力行哲學之宏規，亦由其說而致廣大極精微。於此可見，陽明不獨學承往聖之傳，道闡諸儒之秘，並將古代中國文化，注入新血輪，賦予新面目與新精神，啓發新時代，創造新世界。誠爲中國近代思想之最高峰，更爲文化復興運動之原動力。

一、對當時學界之影響

陽明之教，始從學者，僅郡邑之士而已。然其歿後，從遊與私淑者，遍及南北 儼然成爲明代學術之主流。其錚錚者，如錢緒山與王龍溪。蓋當時信奉王學者，隨處皆是，並設壇講學，時四方之士，來學者甚眾，以緒山與龍溪侵炙陽明最久，故能通其大旨，而後卒業於文成，堪稱王門之長老。黃梨洲於明儒學案中，則由地方區劃(浙中、江右、楚中、北方、粵閩、泰州)說明陽明學者之類別。其中以浙中、江右、泰州三者，最爲著明。此等學派所屬之人，當然均爲姚江陽明之信奉者，惟大同中仍不免有小異，故於師門之旨，不能無毫釐之差。況陽明以良知教門人，從不偏執於一，端視門人之慧根與習氣，絕不拘泥，故門下諸派衍生，乃必然之事。如陽明之高弟緒山(持四有)、龍溪(採四無)，基於陽明四句教之見解互殊，即其一例。又如現成良知之說，言之過易，而忽其涵養，衍至末流，變成狂禪，遂與陽明學之精神，相去日遠，是以江右王門起而正之，如東廓之戒懼，雙江之歸寂，念菴之主靜，即對見在良知之失而發。故姚江之學，雖風靡於二王(心齋、龍溪)，然至明末，其學大壞，至李卓吾出，其弊乃至其極。

由上所述，可知陽明學說，終成一龐大之學派，匯成一學術之巨流，上承宋儒之理學與心學，而成有明學術之重鎭，影響當時學界之深遠，絕非偶然。

二、對晚明學風之影響

陽明學說，本自成體系，體用兼顧，有無並重，本體與工夫俱攝，既開展又圓融之學理。唯所傳弟子，仁智見殊，取捨各異，孳衍紛歧，乃學術必然之現象也。陽明晚年曾以超越主客之境，而自客觀宏大之立場論良知，將其大旨要約爲“拔本塞源論”和“萬物一體論”，故其門下遂衍生爲現成派(左派)、歸寂派(右派)、修證派(正統派)。

綜觀良知現成派起論於王畿、王艮，重點在王艮和其亞流，改觀於羅近溪、耿天臺、周海門、何心隱、李卓吾等人。彼等之間，流行陽明曾說一語，“人人心中有聖人”。故主張頓悟，而排除漸修，雖亦講工夫，以求與本體契合，然所用工夫，卻直由本體入手，是以認定悟得本體即是工夫。如此，則輕視實際之修爲，而任由自己之性情、知解或心意去發展，結果則陷於任性而偏向私意，或空虛不切實際之弊端。傳衍至於末流，如心齋、龍溪之門徒，竟一味高談心性，廢書不讀，思想空洞，行爲放縱，晚明社會，道義之頹喪，綱紀之廢弛，學風之空疏，士氣之敗壞，未嘗不是此派流風所致。

而良知歸寂派，以聶雙江、羅念菴、劉兩峯及王塘南諸人爲代表，其主張自然以心體歸於寂靜爲宗旨。因之，缺乏陽明心學中活潑之生機，而較近於宋儒以靜爲主之性學。質言之，致良知之本旨，即立體達用，由寂靜之良知本體，而達活潑感發實用之效果。實者江右王門一派，無論是念菴之主靜、東廓之戒懼、或雙江之歸寂，其意皆在彌補浙中、泰州二王現成良知之弊端。

最後良知修證派，其代表人物爲接近程朱之錢緒山、鄒東廓、歐陽南野等人。此派乃針對現成派之流蕩與歸寂派偏靜之弊，予以矯正。強調陽明所主張之良知，即道德法則，亦即天理之說。陽明亦常謂："天即良知也，….良知即天也。"(傳習錄下)又謂："良知者，心之本體。"(傳習錄中)又謂："良知是天理之昭明靈覺處。"(傳習錄中)修證派頗能理解及體認此一精神。雖說歸寂派與修證派之流弊較少，但晚明學術思想發展之趨向，此二派反不如高蹈成習之現成派，盛行一時，因而導致陽明學說步向空虛之末流，此乃當時陽明由百死千難中鍛鍊出學問大道理，所始料未及者也！

三、對清初學術之影響

陽明學說或陽明思想衍發而成之姚江學派，對清初學術所產生之影響，可分三者言之：其一、陽明學本身之餘波，及後學對其修正，此時之學風，漸由空疏轉向健實之趨勢。其二、陽明學末流之弊端，引發出朱子學之再興起，於是有陸王與程朱二派之辯爭，而自然轉向作風較平實之程朱二派，學風由明而返於宋。其三、由相近而趨向相反之演變，即經學、小學、考證學之興盛，學風完全趨向於客觀與實踐。

茲就其一而言，姚江學派於晚明，固已趨向末流，弊端亦相緣而生，學者習於"束書不觀，游談無根。"因而形成空疏無用之學風，甚至社會、政治等流弊，一皆歸罪於彼。但陽明學繼起之後輩中，亦有人深知弊害之所在，而於思想內容上改弦更張，大加修正。如東林黨之領袖人物一顧憲成與高攀龍，皆倡格物，要在彌補空談之弊；後如劉宗周之倡慎獨，亦在挽救放縱之失。迄清初，姚江學派仍餘波盪漾，如河北有孫夏峰，陝西有李二曲，浙東有黃梨洲，彼等各自聚徒講學，宗奉陽明爲師，然皆有適度之修正。其中尤以梨洲爲中堅，非唯開創浙東學派，且對後來影響頗大。較晚出者，如江西之李穆堂等，可謂姚江學派之殿軍。

次就其二而言，因數百年來，學者好談性理，已積習成風，非朝夕可改，且晚明陽明學末流放縱，空疏等弊端，早爲學者所棄，而宋儒學程朱一派，學風較保守，又重視書本知識之硏習，易爲大眾所接受。雖說清初之孫夏峰、李二曲、黃梨洲諸人，仍能傳衍陽明學之餘緒，然皆略加修正，甚者對朱、王二派頗有調和折衷之傾向。後有專以程朱學之宗旨相標榜，而人格亦卓然可佩者，先後有楊園、陸桴亭、陸稼書、王白田等。

末就其三而言，清初頗多學者，當陸王派心學衰敝之後，自然趨向程朱一途。在經學、考證學未興盛前，程朱學是其間頗具勢力之一股潮流，亦可謂是明末清初以來學風演變過程中一段過渡橋樑。此後，便是經學與考證學全盛之時期，足以代表清代學術之精神。首開風氣者爲顧亭林，彼使學術界不再沉溺於理氣性命之玄談中，而轉以客觀立場去研究考察事物之條理，且指點出研究學問之方法，應勤於蒐集資料，並參驗耳聞目見，以求實證，開闢不少學術門類。由此可見其對清代學術，確具創發性與建設性之貢獻。

四、對近代思想之影響

滿清末年，因朝政之腐敗，國勢之積弱，復以列強之船堅砲利和侵略野心，使此老大之東亞帝國，倍受欺凌侵侮，割地賠款，喪權辱國，幾至瓜分豆剝之危機，尤自鴉片戰後，危機日甚一日。此時民間漸孕成一股革命思想，日益壯大，終匯成近代中國思想史上之一巨流，影響中國近代之政治、社會至深且鉅，因之，完成驚天動地之革命大業一推翻滿清，創建民國。

此次革命運動之成功，乃是革命思想鼓舞人心，如怒濤澎湃，有不可遏抑之勢，而激蕩此思想潮流之革命領袖 孫中山先生，一則承襲中國固有文化之道統，一則融合近代歐美之政治思想，復以其獨有之心得，創出三民主義之革命建國理想，終成近百年來中國思想界之巨擘，尤以“知難行易”之學說，對革命建國之心理建設，有積極性之貢獻。其後，先總統 蔣公繼承其志業，掃蕩北洋軍閥，完成全國統一，贏得抗戰勝利，非但事功上有輝煌之成就，於思想上尤能將 國父之革命思想發揚光大。

陽明思想對中國近代兩位革命思想家，皆產生程度不同之影響。就其對 國父之影響言，雖非正面、直接。且國父對陽明"知行合一"之理論，猶痛加抨擊，認爲與現代之科學精神不合，與日本維新之成功無關，此乃有待商榷、辨明之問題。實者，陽明之"知行合一"與 國父之"知難行易"，於精神上有相互貫通之處；且陽明之"致良知"之學說與 國父思想亦相合。因 國父倡"知難行易"學說之目的，在鼓勵國人實行，而陽明之"知行合一"學說，其主旨亦在提倡實行，兩者並無重大之差異。蓋 國父曾謂："以行而求知，因知以進行。"足見彼亦承認個人之知行合一。陽明以爲"行之明覺精察處，便是知；知之真切篤實處，便是行；所以知和行原來只是一個工夫。"國父所謂："以行而求知"是謂由行中求知，並求與知合一，此即陽明"行之明覺精察處便是知"之境界；而"因知以進行"一句，是謂由知進而求與行合一。又與陽明"知之真切篤實處便是行"一語有相同之處，且含陽明"知是行之始，行是知之成。"之精義，可見 國父亦認爲知行工夫是合一，彼亦常謂"能知必能行"其中即合知行合一之道理。由此觀之， 國父對陽明之"知行合一"說，雖曾批評，但仍不免有暗合之處，至於對"致良知"說，更是始終重視，時加闡揚。其於"社會主義之派別及其批評"一文中謂："強權固爲天演之進化，而公理實難泯於天賦之良知。"彼亦常主張，革命志士要憑天賦之良知，爲社會除不平，此正如陽明所謂："良知就是天理"。

陽明思想與先總統 蔣公之淵源很深，對其影響亦大，年十八，即從顧葆性先生研究陽明哲學，後留學東瀛，親睹日人用功之勤，更愛不釋手。因悟日本以彈丸之地，竟能致強，實乃陽明"致良知"與"即知即行"之哲學有以致之。蔣公自日歸國後，對陽明哲學，仍續研不輟，因覺 國父重行之精神與陽明哲學之本質，於行之意義並不相左。後來，蔣公將其研究心得一"力行哲學"公諸於世。其論證見解，頗多獨到之處。

第五章 儒學研究於中國

第一節 儒學思想於中國之產生及其影響

一、儒學於中國之產生

中國文化源遠流長，又特重一貫之傳統，儒學即是其中最能一以貫之之理論。從孔孟開始，儒者即以繼承堯舜自命，後儒更以承堯、舜、禹、文、武、周公、孔、孟相傳之道統自許，儒學究竟是如何產生、傳播、發展、演變與影響，對於認識和分析儒學之精神實質，有重要之意義。

於中國傳統文化之內涵，各家所見互殊：有以儒家文化爲代表或主幹；有以道家文化爲主幹；有以儒、釋、道三家文化爲主幹；或以中國歷史所建構，並於學術思想界有過影響之各思潮爲內容。凡此種種界說皆與界說者之價值取向相關聯。雖眾說紛紜，但均不否認儒家文化於中國文化思想中所生巨大、普遍之作用，尤以於政治文化和倫理文化中具主導地位。正因有此狀況，儒家文化與現代化之關係，成爲吾人所關注之焦點，文化論爭亦將問題聚焦於此。

儒學所提出之思想原則，成爲社會、政治、經濟、日常生活與人際交往之指針。儒學構建之理想模式，成爲眾人追求之社會和人生之典範。儒學弘揚之精神，積淀爲中華民族深層之心理和性格。儒學之產生、傳播、發展、演變，既是中華民族對自身文化傳統發展、創造之紀錄，又間接反映中國社會歷史發展之盛衰過程。

儒學是儒家之學說。儒家比儒學之外延要寬，儒學僅是以孔子爲首之儒學者所創立、提倡之思想理論。因之，儒家可指代儒學，儒學不等於儒家。《漢書．藝文志．諸子略》言："儒家者流，蓋出於司徒之官，助人君、順陰陽、明教化者也。游文於六經之中，留意於仁義之際，祖述堯舜，憲章文武，宗師仲尼，以重其言，於道爲最高。"後世對儒家之理解，要皆不出此說，即認爲儒家（儒學）是孔子所開創的，以六經爲依托，重仁義道德，尤重先王聖君傳統之學派。

孔子創立之此一學派被稱爲“儒學”，對此，自古即有各異之解釋，其一如：以東漢許慎爲代表，其於《說文解字》中說：“儒，柔也，數士之稱。從人，需聲。”以爲儒是一術士，即具有特定技能之人。後言顏師古注《漢書・司馬相如傳》亦說：“凡有道術皆爲儒。”清末俞樾承此觀點，於《群經評議》中說：“儒者，其人有技術者也。”彼等以爲，儒原本爲術士，即身懷特定道術、技能之人之通稱。其二如：以東漢人劉向爲代表，其以儒原是一官職，屬於“司徒”之類。此說據《周禮》。《周禮・大司徒》載“以本俗六安萬民”中，有“四曰聯師儒”。又《周禮・太宰》：“四曰儒以道得民。”東漢鄭玄注曰：“儒，諸侯保氏有六藝以教民者。”彼等以爲儒乃輔佐君王諸侯，貢獻安邦濟民之策，其弟子亦多爲巨室之家臣。

以上二說皆有所本，近世章炳麟則曰：“儒”有三義，稱之爲“達名”、“類名”和“私名”：“達民爲儒，儒者術士也。”“類民爲儒，儒者知禮樂射御術數六藝。”私名爲儒，則爲出於司徒之官之儒。“三科雖殊，要之以書數爲本”。[1]認爲儒既是術士之通稱，關於原始儒者之性質，依馮友蘭之見：“所謂儒是一種有知識、有學問之專家；他們散在民間，以爲人教書相禮爲生。”[2]因之，儒之前身是術士，以相禮爲職業，原爲貴族（官府）臣屬，後隨貴族沒落而入民間，於相禮之外，又以其文化優勢教書謀生。孔子整理六經，下學術於民間，遂將術士之儒整合爲師儒，形成中國古代思想史上頗重要之學派。儒之性質，於漢以前之典籍中，數《禮紀・儒行》描述得最爲詳細。其言道：“儒有席上之珍以待聘，夙夜強學以待問，懷忠信以待舉，力行以待取。”

概而言之，儒學由孔子創立，祖述堯舜，憲章文武，以弘揚六藝之精義爲矢志，但並非固守成規，而重其道統，是鞏固和促進古代社會之完善和發展之學說。

---

[1]〈原儒〉《國故論衡》卷下，第155頁。
[2]〈原儒墨〉《中國哲學史》，中華書局1961年新1版，附錄：第28頁。

二、儒學於中國之發展

孔子是中國文化之象徵，無人能否認，但儒家是孔子於春秋末年所創之一學派，當時僅是百家爭鳴中之一家耳。儒家創立之後，即受楊朱、墨翟之挑戰。至孟子之時代，“陽朱墨翟之言盈天下。天下之言，不歸楊，則歸墨”（《孟子・滕文公下》）。彼時大有楊墨平分天下之勢，於是孟子起而捍衛儒家學說。孟子對孔子由衷敬佩，自稱爲孔子之私淑弟子。孟子以“距楊墨”自任，認爲“楊墨之道不息，孔子之道不著”。彼又以“好辯”著稱，批“楊氏爲我，是無君也；墨氏兼愛，是無父也。無父無君，是禽獸也”（《孟子・滕文公下》）。經孟子之努力，儒家之地位得以提高。孟子本人成儒家之“亞聖”，儒學亦因此被稱爲“孔孟之道”。然至秦朝，儒家受更嚴峻之挑戰。秦始皇是一雄才大略之皇帝，爲中國統一立下不朽之功勳。彼不喜儒學而欣賞法家，曾讀韓非子後感慨曰：“寡人得見此人與之游，死不恨矣。”（《史記・老子韓非列傳》）之後，又納李斯之諫：焚書坑儒。於是，經書被焚，儒生被坑，儒家遭空前之浩劫。至漢儒家始遇好運。漢武帝採董仲舒之見，“罷黜百家，獨尊儒術”儒學首次成爲官學。至魏晉、隋唐，儒學再次受到考驗。挑戰來自道、佛兩家，雖非政治之迫害，而是思想之衝擊。道家談無，佛教說空，儒學之獨尊地位遭受侵蝕。至宋以朱子爲代表之儒家學者以澄清佛老之“異端邪說”、恢復孔孟之“聖人之道”爲己任，同時吸取佛老之思辨成果，最終形成儒學爲綱、三家合流之理學。至明清，理學中之程朱一派正式取得官方哲學之地位。

今試觀春秋戰國之社會變革，導致學術思想之空前繁榮，百家蠭起，各以其說售於世。儒學僅是先秦百家之一，並無特殊地位。墨家與儒家同稱顯學，道家闔捭時世，脫俗入聖，陰陽、名、雜、兵各呈其能，游說諸侯，由於法家強力宣揚。秦始皇即以法家思想爲指導統一天下。但法家刻薄寡恩，或有助於兼併，而不利於安邦。黃老之無爲，有利於漢初之恢復，雖符生民對秦法畏懼憎惡之心理，但不利中央集權之鞏固，儒學雖不適於亂世，對治世卻大有裨益。因之，漢以後，經統治者反復之篩選，終定儒學爲其指導思想，以鞏固和維護建立於血緣宗法之大一統社會。儒學由百家之一變爲獨尊之學說，對中國社會產生深遠之影響。

先秦孔子、孟子和荀子是儒家文化之開創和完善者。孔子以仁爲宗旨，注重人與人、人與社會之關係範式；孟子繼承發展孔子思想中之心性之學，確立道德心性主體之內聖成德之學；荀子則繼承發展孔子思想中之天人之學和外王事功之學，使儒家“仁”“性”“天”之理論體系得以建立。

兩漢至隋唐，適應於新之文化環境，產生經學儒學。秦始皇以法家之學治理天下，強秦隨即滅亡。漢初學者反省此一歷史教訓，以適應新之文化環境之需。董仲舒援陰陽家、名家、法家入儒，將各家思想整合，使原典儒學實現轉生，適應漢代大一統新形勢、新時代之需。從漢至唐，外來佛教文化和本土道教文化逐漸興盛。唐代於形式上採取儒、釋、道三教兼容並蓄之政策，以其文化之多元適應社會各階不同之需。三教相互詰難，亦相互吸收，促使學術之發展。然韓愈排佛批道，以恢復儒家復興運動，開宋明理學之端緒。

宋明時開創理學儒學。唐末五代十國之長期動亂，對儒、釋、道三教皆是嚴重之破壞，寺院經濟衰落，社會失序，道德淪喪，都需於新文化環境中重建，宋明理學家將儒、釋、道三家思想和合，實現儒家文化精神之轉生。理學之奠基者二程，自家體驗“天理”二字，開理學一代之學風。朱子和合周敦頤、邵雍、張載、二程之理氣、道器、無極太極、動靜之學，集理學中道學之大成，稱爲程朱道學或程朱學派。陸九淵與朱子相抗衡，主張心即理創立心學一派，王陽明解釋孟子和陸九淵之心性之學，提出“致良知”主張，集心學之大成，稱陸王心學，或陸王學派。王夫之承張載之氣哲學，提出“理在氣中”等思想，集張載以來氣學之大成。

理學儒學形態經由程朱、陸王、張王，而使傳統儒家理學文化理論建構趨於完備，影響日本、朝鮮、越南，且朱子學和陽明學成爲日本之顯學，朱子學成爲朝鮮、越南之顯學，從而形成儒家文化圈，影響深遠。

近代儒學是於西方文化以其船堅炮厲侵略之下，中國知識分子以及儒家學者於此刺激，於學習、融合西方文化之情境下，將西方自由、平等、博愛觀念引入儒學仁之思想，儒學表現爲新學之形態，稱新學儒學。其代表人物爲康有爲、譚嗣同等。

儒家文化精神於其發展之原典、經學、理學、新學等四階段，皆經衝突、融合而和合爲新之文化生命，而轉生爲每時代之所需， 適應新文化環境之儒學。此文化生命之轉生，亦是儒家文化精神生生不息之過程。

由以上回顧中可以發現，孔子創立之儒學於漫長之中國歷史中，確已表現其堅強之生命力。

三、儒學對中國之影響

前述儒學之產生、發展、演變、衰落之歷史過程，已作梗概敘述，今就宏觀之角度，試作揭示[3]：

其一，儒學是宗法社會小農經濟農業大國所產生之意識形態。其所提倡之仁愛觀念、孝悌倫理、人際和諧等思想和主張是宗法式社會特定生活方式之產物。儒學正是反映此宗法血緣關係社會特點之一文化形態，因而對秦漢以降之大一統傳統社會，能有穩定與和諧之作用；反之，由於社會之穩定與和諧，亦能爲儒學之發展提供有益之社會環境。亦即是中國儒學與小農經濟大一統國家之間相輔相成之關係。

儒學雖是人類文化與文明發展之成果，含可繼承之豐富思想成分，然並不適用於一切社會之永恒文化形態，作爲一理論形態，將隨社會經濟之崩潰、瓦解而漸趨衰弱。宋明理學是儒學發展、演變之最高理論形態，其之所以於清代漸趨衰弱，亦表現儒學由盛而衰之內在規律。明中葉以後資本主義萌芽對經濟之衝擊外，猶有外國資本主義之侵入對經濟之侵襲與改造。同時於西方先進文化侵入中國之後，相形之下儒學自身所暴露的陳腐與保守，愈使其不適應，是以儒學於清代日趨衰落，即成客觀之歷史必然。此中含一歷史發展之繼承關係，亦即經濟與儒學相互依存之關係。

雖儒學非適用於社會之永恒文化形態，然亦不能否認人

---

[3]〈結束語〉《中國儒學史》中州古籍出版社，1993 年版，第 846 頁。

類之智慧結晶與精神財富中，含有儒學思想之某些精華。誠然，中國儒學作爲一思想體系，有其鮮明之階級傾向與政治意識；反之，則無。或有思想範疇有民族特色與區域界限，或無。此即造成文化之積累與繼承，亦即是儒學能於中國古代長期存在，於現代中國社會以及某些發達之資本主義國家，某些後工業化國家發生一定之影響。

其二，儒學自身之歷史演變，其深度和廣度，其作用範圍日漸擴大亦呈一規律。儒學本來是魯文化之一，後傳播於中原，成爲中原文化，而後又成爲漢民族文化，在其歷史發展中被許多少數民族所接受與崇奉，是以吾等稱爲中國文化。儒學於國外之傳播亦相當久遠，據傳早於二千年前之漢代，即已傳至朝鮮、日本及歐洲國家，甚至於近代之朝鮮與日本，出現理學極盛之局，形成朝鮮與日本之朱子學與陽明學，日本之德川時期，朝鮮之李朝時期，官方曾奉行朱子思想。近一世紀來，愈多之外國人敬仰儒學，已成爲世界之"顯學"。儒學影響範圍之擴大，一則反映儒學自身發展、演變、成熟之歷史軌迹，表現其生命力；另則，亦說明其與人類歷史進程、與人類文化發展之密切關係。

儒學之發展與演變，表現爲由淺入深、由表及裏、由狹至廣、由偏而全、由發端至成熟之歷史過程，此反映儒學之內在調整機制之完善。正因儒學於理論深度與廣度之變化，其影響範圍方得以不斷擴大。非唯於中國文化體系中居主導地位，且於世上有更多人對儒家文化產生認同與共鳴，使其漸由中國文化進而擴展爲世界文化。

其三，儒學於百家爭鳴中發展，在與其他文化之相互衝擊、相互滲透中演進，此是儒學發展、演變又一規律表現。從儒學之內在結構及其發展、演變觀之，其具有多元、開放、寬容等特徵。正因此等特徵，使其理論結構和社會作用不斷發生變化，逐步適應不同社會群體之需要，對人生與社會於不同歷史時期提出之問題，給以不同之哲理說明與回答，此實際是儒學與其他各派思想文化於更高層次之綜合與融通，是儒學逐漸適應時代發展之過程。此是儒學發展、演變之一客觀規律。

其四，儒學對大一統傳統專制政體同時有維護與制約之社會作用。儒學之政治倫理：綱常名教，君君、臣臣、父父、子子尊卑等級制度等，於本質言，皆是爲維護君權、強化君權、鞏固傳統專制而設。尤以漢代儒學，吸取道、法兩家有關思想，並與陰陽五行學說相結合，神化儒學、製造"君權神授"、"天不變，道亦不變"之謬論，以神權論證君權，以天道論證人事，長期成爲維護專制政體之主導力量。唐代以後興起之宋明理學更是如此，其以"君爲臣綱、父爲子綱、夫爲妻綱"以及"存天理、滅人欲"等口號爲傳統政體作論證。但，另者，儒學之仁政學說，民本主義，重視文化教育等主張，對統治者之過分專制，亦起一定之限制與調解作用。儒家學說從仁政與民本主義出發，要求統治者與民同樂同憂，甚而"先天下之憂而憂，後天下之樂而樂"，要求不違農時，使民以時，輕徭薄賦。儒學反對暴政，認爲"苛政猛於虎"。要求君主時刻注意民心向背，以爲：得民心者得天下，失民心者失天下；以民爲立國之本，主張"民爲貴，社稷次之，君爲輕"。漢儒董仲舒倡言"天人感應"、"災異之說"。彼謂：

> 凡災異之本，盡生於國家之失。國家之失仍始萌芽，而出災異以譴之。譴之而不知變，乃見怪異驚駭之。驚駭之尚不知畏恐，其殃咎乃至。以此見天意之仁，而不欲害人也。（《春秋繁露，必知且仁》）

由此可見，董仲舒所唱"災異"、"譴告"之說，是以神學意識形式對君權之監臨，對君主於人世間失德、失政之一警告與懲罰，此乃對君權之一制約。試觀儒家之仁政原則，唐太宗貞觀初年對群臣言："主欲知過，必藉忠臣。…公等每看事有不利於人，必須極言規諫。"(貞觀政要，求諫第四)因太宗察納雅言，國較清明可證。

由上可知，儒學對傳統專制政體之維護作用是主要、基本，而儒學對傳統專制政體之制約作用是次要、補充。前者之維護作用雖有其歷史積極意義；但，後者之制約作用仍有其穩定、調整功能。是以，對儒學兩者作用雖給予不同之歷史評價，但彼等對傳統政體之長期延續，仍具影響力。熊十力謂：

> 殊不知，綱常之教，本君主所利用以自護之具，與孔子《論語》言孝，純就至性至情不容已處，以導人者，本迥忽乎不同。中國皇帝專制之悠長，實賴綱常教義，深入人心。此為論漢以後文化學術者，所萬不可忽也。綱常為帝者利用，正是鑿傷孝弟。(《原儒》) 序

總之，吾人以爲儒學對中國傳統專制非唯有維護與制約之不同作用，且於不同之歷史時期，各有其明顯與調整作用。要在顯現傳統文化予以後人之借鑑與影響。

第二節 儒學於中國之分期

文化發展之長河中，中國之儒學已成世界性之顯學，隨新世紀人類於尋求化解面臨之人與自然、人與社會、人與人、人自身心靈、不同文明之間衝突之道，儒學將愈被世人所關注，其價值和意義亦愈被世人所認知。因之，吾人萌發既向國人闡明儒學自身及其於世界之傳播和演化，亦向世人介紹儒學現有發展狀況和未來之方向，以求世人之關懷和闡發，並從中受到啓發和惠澤。

從理論類型觀之，可將中國儒學之發展，概分如後[4]：

一、原典儒學 其時限於春秋末期至秦統一之前，故又可稱先秦儒學。此是儒學之創立時期。孔子首先建構以一仁學爲核心之思想體系，描繪堯、舜、文、武、周公之理想社會，並指出通向此一社會之基本途徑。孟子發揚孔子仁學，並建立仁政理論及其人性論之基礎，力圖將心性與天命結合。荀子則從另一理路弘大孔子學說。如謂孟子重主體之內在自覺，則荀子重對人行爲之外在制約。彼等之理論，可謂是孔子學說中仁與禮之互異之展開。此一時期之儒學主要是基本理論之闡發，奠定儒學之基本理論格局。孔、孟、荀及其弟子之著述及秦漢之際托名於孔子和其弟子之著作，被後世儒學奉爲經典、文本，成爲後儒發揮其學說之基本依據。

二、經學儒學 其時限於漢代至唐代。自漢代董仲舒奏請漢武帝“罷黜百家，獨尊儒術”，儒學便於中國古代社會居於重要地位。先秦儒學之典籍被視爲一切學說之藍本。做爲儒學發展之第二階段，經學儒學之貢獻非唯是確立、整理儒學之經典，尤對原典儒學予以首次之銓釋。其一，其極力釐清原典文本之確切含義，進行之名物考證與文字訓詁，至今對理解儒學原典文本仍有重要作用。其二，其力圖引申原點文本所蘊涵之深層意義和核心精神，從形上抽引天人合一，從社會生活剝離三綱五常，並將兩者予以著力之渲染，奠定後儒發揮原典文本之基調。其三，其對原典文本作出首

---

[1]〈結束語〉《中外儒學比較研究》，東方出版社，第365頁。

次全面之理論論證，對原典文本之各種思想進行邏輯之整理，從而使儒學理論於思辨有所提升。

誠然，正如任何詮釋皆受詮釋者自身制約，經學儒學對原典儒學之釋亦具時代之烙印，是爲大一統之政治需要而作。因之，彼將上天所命之三綱五常視爲儒學之核心。

三、理學儒學 其時限於宋元至明清階段，亦是儒學於中國發展之最高時期。經學儒學之僵化導致儒學之衰落，魏晉玄學、隋唐佛學相繼興盛，孔孟之道之正統地位受極大衝擊。佛學高度之思辨對知識分子產生極大之吸力，其因果報應說又被民眾所接受，天命神學之綱常名教不再具絕對之權威。宋代儒者有鑒於此，起而反佛，以復興儒學爲職志。彼等吸收佛學之思辨成果爲原典儒學作不同於經學儒學之新解。其一，理學儒學注重形而上之探究，將儒學提至較高之思辨層次。理學各派之理論皆有其嚴密之邏輯結構，究心於形上與形下之溝通與關聯，建立本體論與倫理學、認識論與道德修養高度一致之理論體系。其二，理學儒學對原典儒學張揚之綱常名教重新作思辨之解釋與論證，使其權威絕對獲得理性之形上學之論證。其摒棄經學儒學之粗鄙神學因素，以理性之方式光大原典儒學之人文精神。其三，理學儒學對原典儒學之釋，未若經學儒學之重文字之釋，其不拘於原典之外在形式，而深掘原典中所蘊涵之義理。尤其是陸王一系，高舉人之主體精神之創發，爲儒學之發展注新活力。其四，理學儒學將原典儒學中之仁愛精神展現爲對人之終極關懷。非唯將人之安身立命植根于經邦濟民之入世生活，猶主通過對天理之透悟，由體用一源、顯微無間之路將人提升、超越，追求人之價值之永恒與本質之完善。其五，理學儒學繼承唐韓愈之思想，理出儒學發展是堯、舜、文、武、周、孔、孟、程朱之一貫道統，並提“人心惟危，道心惟微，惟精惟一，允執厥中”爲千古聖賢相傳相續之心法，從而確立儒學之傳統。

儒學發展至理學儒學幾已定型，其內部之發展始終未能超出其固有之理論框架，其影響中國社會近千年，發揮歷史作用。

四、新學儒學 其時限於鴉片戰爭至“五四”之前，又可稱近代儒學。清朝中葉以後，理學儒學已日趨沒落，漢學又興起，此雖言有清文化政策之因，然亦說明，儒學至理學儒學於中國社會已發展至頂點，從其內已無法突破其嚴密之體系。同時，近代中國之社會巨變已宣告理學儒學歷史使命之結束，其已不適時代之發展。隨西方學說之湧入，儒者發現與傳統儒學迴異之新學說並信此新思想文化與西方物質文化同具中國所缺之優越。是以，向西方學習成爲時尚，有學者以一己所接受和理解之新學（西學）重釋傳統儒學，尤其是原典儒學，從而產生一與傳統儒學互異之新之儒學－新學儒學。

新學儒學是以西方近代之思維方式、價值觀念解釋原典儒學。其一，其以西方之自由、平等、博愛否定傳統儒學所倡之綱常名教。彼以爲，傳統儒學制定維護五倫之所有道德原則中，唯朋友一倫符合平等之義，其餘皆“無復人理”。因之，近代儒者尤以維新學者將平等視作是人與人之間最基本之關係，否定君主專制，謀求建立一新型之社會秩序。其二，新學儒學否定並越經學儒學、理學儒學兩階段，認前者爲僞經，斥後者爲迂闊，而逕溯原典儒學，力圖對其作近代之釋。近代學者以儒學原典之基礎接受、理解近代新學（西學），並以其所理解之新學釋原典。因之，新學儒學將西方新學吸納於儒學原典之中，逕對原典之新解宣傳新學之精神。其三，新學儒學一反理學儒學重超越輕存有之思維定式，將目光關注於現實生活，致力於社會改造，經世利民。其將儒學對人之深切關懷落實於現實社會之解救，而非精神之超越與提升。是以，吸納近代自然科學之成果作爲其理論之依據，另者，又以近代科學思維方法取代傳統之領悟與直解。

五、現代新儒學 其時限於“五四”運動對傳統文化進行反思和批判之後，現代學者爲弘揚民族文化傳統而建立之現代儒學。新儒學之救國方案隨戊戌變法之失敗而告終。於思想文化界隨之而起一批判與否定傳統文化之思潮，此一思潮於“五四”時期發展至極，西方自由主義和馬克思主義學說崛然興起，成爲一新時尚。然均與傳統文化相異之新文化，且其興起之初對傳統儒學皆持否定。於此歷史背景中，部分學者爲維護民族文化之本根，扶大廈於既倒，起而復興儒學，經幾代黽勉以赴，現代新儒學已於中國和世界文化領域中成爲新之顯學。

其一，現代新儒學是儒學之復興。非唯溯源於原典之活精神，且明確宣稱是“接著宋明理學講”。現代儒者懷抱對民族命運之關切情愫，對儒學有極大之熱情甚或偏執，以爲儒學之生命智慧與理性超越精神是儒學蘊涵之不朽價值，人類文化發展的最高形式和歸宿，經脫胎後，可成現代社會之引領思想，且中國僅以儒學爲指針思想，方能避險西方已經出現之弊病而走向現代化。其二，現代新儒學復興儒學，非對傳統儒學之復歸，而是提升。其以“三統並建”、本儒學之“內聖”開新“外王”爲職志，即承近代學習西方之傳統，提倡科學與民主。因之，其主棄傳統儒學中之陳腐，納現代先進文化之果，實現儒學內容之更新。其三，現代新儒學特重形而上本體之探究，力圖重建儒學之本體之學。其於形下主接受科學知識論和現代民主思想，特重形上存有，尤以人之終極價值之尋根，並力圖以一新穎之理論，通形上與形下之隔閡。因之，其非唯構築理論邏輯之學說體系，且彰顯理學儒學之心性之學，並以之爲儒學之核心和正統。其四，和新學儒學之進路相左，同是以西方學說詮釋儒學，但因現代儒者對西方文化有較爲透徹之理解，彼等先是以現代西方學說理解、解釋儒學，後以儒學之理論闡發西方學說之根本精神。非讓儒學適應西方學說，而是以西方學說充實、提升儒學，再以儒學統率西方學說。

以上僅從儒學發展之角度所作之概括，而非對各時段實質和特點作論述。

第三節 宋明理學之流派及其代表者

宋明理學，或稱宋明道學，道學之名雖早於理學之名，但道學之範圍比理學小。北宋之理學於當時即稱道學，因南宋理學之分化，使得道學之稱僅適用於南宋理中之一派，至有明，則道學之名鮮有用之者。今吾人所稱之理學，是指宋明時代居主導地位之學術體系。此一體系又可分爲兩大支派：一是宋代占統治地位之道學，主要以二程(顥、頤)和朱子，史稱程朱學派。另一於宋代產生而於明代中期占主導地位之心學，代表者陸九淵和王守仁。

長期作爲傳統社會統治思想之儒學，發展至宋代已日趨陳腐僵舊，較難適應當時社會之思想要求。原來之儒家本體論亦已不能與佛、道兩家相抗衡。對原有體系之重整已成迫切之需。與此同時，宋代中央又需一統一思想以完成其思想之統治。於唐朝三教融合之基礎，儒學吸取佛學和道教思想，形成一新之學術思想－宋明理學。彼同時吸收傳統思想之養料和外來文化之精粹，是中國思想史上繼先秦諸子、兩漢經學、魏晉玄學、隋唐佛學之後形成又一思想體系，影響中國傳統社會長達六七百年。

宋明理學主要可分爲四階段：一、以韓愈、李翺爲代表之開啓階段；二、以北宋五子(周敦頤、張載、程顥、程頤、邵雍)爲代表之理學奠基階段；三、以朱熹、陸九淵爲代表之集大成階段；四、以王艮、李贄爲代表之理學解體階段。理學於不同之發展階段，皆有其各自之中心概念，但作爲儒家道統之繼承者，宋明理學所表現之特徵，卻開儒學之新風。

《宋史》‧〈道學傳〉謂：

> “道學”之名，古無是也。三代盛時，天子以是道為政教，大臣百官有司以是道為職業，黨、庠、術、序師弟子以是道為講習，四方百姓日用是道而不知。是故盈覆載之間，無一民一物不被是道之澤，以遂其性。於斯時也，道

學之名何自而立哉。

文王、周公既歿，孔子有德無位，既不能使是道之用漸被斯世，退而與其徒定禮樂，明憲章，刪《詩》，修《春秋》，贊《易》《象》，討論《墳》《典》，期使五三聖人之道昭名於無窮。故曰："夫子賢於堯舜遠矣。"孔子沒，曾子獨得其傳，傳之子思，以及孟子，孟子沒而無傳。兩漢而下，儒者之論大道，察焉而弗精，語焉而弗詳，異端邪說起而乘之，幾至大壞。

千有餘載，至宋中葉，周敦頤出於舂陵，乃得聖賢不傳之學，作《太極圖說》、《通書》，推明陰陽五行之理，命於天而性於人者，瞭若指掌。張載作《西銘》，又極言理一分殊之旨，然後道之大原出於天者，灼然而無疑焉。仁宗明道初年，程顥及弟頤寔生，及長，受業周氏，已乃擴大其所聞，表章《大學》《中庸》二篇，與《語》《孟》並行，於是上自帝王傳心之奧，下至初學入德之門，融會貫通，無復餘蘊。

迄宋南渡，新安朱熹得程氏正傳，其學加親切焉。大抵以格物致知為先，明善誠身為要，凡《詩》《書》六藝之文，與夫孔孟之遺言，顛錯於秦火、支離於漢儒，幽沈於魏晉六朝者，至是皆煥然而大明，秩然而各得其所。此宋儒之學所以度越諸子而上接孟氏者歟。[5]

傳統對宋明理學流派之說可分：如將宋代理學按地域分爲濂（周）洛（程）關（張）閩（朱），反映宋代理學主流發展之情況。或將理學概分爲"理學"和"心學"兩者。

然傳統之學術劃分，以今觀之，猶不能充分反映宋明理學內各種流派之分化，如宋代所說之道學要指二程與張載，而張載之思想即與二程迥異，其學少談理，亦不以理爲最高範疇，其學不能歸爲"理學"。是以，今按學術界之分法，

[5]〈道學傳〉《宋史》卷 427，中華書局標點本，第 12710 頁。

吾人可將宋明理學區分爲四派：氣學（張載爲代表）、數學（邵雍爲代表）、理學（程頤、朱熹爲代表）、心學（陸九淵、王守仁爲代表）。氣學針對隋唐盛行之佛教與道教崇尚虛空之學說，提出虛空即氣，氣爲宇宙之終極實在，從根擊佛老，爲儒家學說立一宇宙論之論證。數學則研究實在之宇宙和歷史之規律性，較氣學進一層。雖數學致力尋找宇宙、社會演進規律之努力，然"數"僅能反映宇宙歷史演化中興衰之週期，無法揭示世界之規律。氣學與數學之另一問題是，彼等於宇宙實體與宇宙規律之學說，皆未能與儒家之核心倫理原則結合。"理學"則將此倫理原則上升爲宇宙本體和普遍規律，再吸收、結合氣學、數學之重要成份，使儒學思想有更爲堅實之本體論基礎。"理學"雖將倫理原則提高爲宇宙本體和普遍規律，然於道德實踐，則忽視人作爲道德實踐主體之能動性。因之，心學反對理學之實踐論，以爲人之本心作爲道德主體，其自身即決定道德法則，突顯道德實踐中之主體性原則。元明時代，四學派仍各自發展，相互爭論、相互融合。"理學"和"心學"仍是其中居主導地位之流派。

宋明理學之代表者，北宋有周敦頤、張載、程顥、程頤及邵雍，傳統上稱爲北宋五子。南宋時主要爲朱熹、陸九淵，明代最有影響者是王守仁。由於"理學"、"心學"是宋明理學之主導思潮，是以習將理學之代表者概括爲"程朱陸王"。

宋明理學雖可分爲理論及實踐之不同派別，而此不同派別之學者被稱爲宋明理學，是因彼等具有共同之性質和特點，共同承擔並體現此一時代之精神。其特點包括：

其一、以不同方式爲發源於先秦之儒家思想提供宇宙論、本體論之論證。

其二、以儒家之聖人爲理想人格，以實現聖人之精神境界爲人生之終極目的。

其三、以儒家之仁義理智信爲根本道德原理，以殊方論證儒家之道德原理具有內在之基礎，以存天理、去人慾爲道德實踐之基本原則。

其四、先以具體之修養方法，後實踐"爲學功夫"而尤集中於心性之功夫。

今依學術界之見，將宋明理學區分爲四派[6]：

一、氣學派—張載

張載，字子厚，生於宋真宗天禧四年(西元一0二0年)，卒於宋神宗熙寧十年（西元一0七七年)。祖籍大梁（今河南開封)，生於長安。因久居陝西鳳翔府郿縣橫渠鎮講學，學者多稱橫渠先生。熙寧初任崇文院校書，熙寧末同知太常禮院，到官未久，謁告而歸，行至臨潼，卒於館舍。

史書謂："年二十一，以書謁范仲淹，一見知其遠器，乃警之曰：儒者自有名教可樂，何事於兵？"[7]范仲淹以張載於儒學可有更大作爲，便引其潛心《中庸》。自此張載於《中庸》之書，深造有得。不以此自滿，"又訪諸釋老之書，累年盡究其說，知無所得，反而求之六經"，[8]終對佛老於批評中立其氣本論哲學。

張載是一真正之哲學家，其一生窮神研幾，探索宇宙人生之奧秘。自視甚高之二程對其才學亦推崇備至，以爲"自孟子後，儒者都無他見識。"時人說其"以命世之宏才，曠古之絕識，參之以博聞強記之學，質之以稽天窮地之思"，此說並非過當。其作詩曰："芭蕉心盡展新枝，新卷新心暗已隨，願學新心養新德，旋隨新葉起新知。"[9]其一生思學並進，德智日新。其弟子爲其作之〈行狀〉中記述："終日危坐一室，左右簡編，俯而讀，仰而思。有得則識之。或中夜起坐，取燭以書。其志道精思，未始須臾息，亦未始須臾忘也"。[10]此是其一生嘔心瀝血、窮神知化之寫照。其哲學以《周易大傳》爲宗，閃耀智慧之光彩。其所提之儒家學者之使命與人生理想，代表新儒家學者之終極關懷與志向，於理學發展之歷史中極其重要。

---

[6]〈北宋理學的建立與發展〉《宋明理學》章2，第37頁。
[7]〈張載傳〉《宋史》，附錄，中華書局，第385頁。
[8]〈橫渠先生行狀〉《張載集》，第381頁。
[9]〈文集佚存·芭蕉〉《張載集》，第369頁。
[10]〈橫渠先生行狀〉《張載集》，第381頁。

（一）太虛即氣

張載思想中之最重是其哲學，其中又以虛空與氣之理最具特色，此一理亦是其哲學之基。張載謂：

> 太虛無形，氣之本體，其聚其散，變化之客形爾。[11]
>
> 太虛不能無氣，氣不能不聚而為萬物，萬物不能不散而為太虛。[12]
>
> 氣之聚散於太虛，猶冰凝釋於水，知太虛即氣，則無無。[13]

按此說，宇宙之形成分三層次：太虛⇄氣⇄萬物。太虛之氣聚而爲氣，氣聚而爲萬物；萬物散而爲氣，氣散而爲太虛。此兩相反之運行成宇宙之基。據此一思想，太虛、氣、萬物皆是同一實體之不同樣態，此物質實體“氣”於時空上皆是永恆。張載此一學說之建立，是針對佛道二家而建立之一儒家之本體論。

“太虛”一詞本指虛空，即廣闊之宇空，張載以爲，虛空並非是一絕對之空間，亦非是一一無所有之櫃，而是於其間充滿一無法感知之極稀之氣。是以宇宙是一無限之實在，其中僅有“幽明之分”，並無“有無之別”。就其觀之，傳統所謂有與無，皆是氣，彼將此稱爲“有無混一”。[14]

由哲學視之，張載之自然哲學無疑是氣一元論，其氣一元論是中國古代氣論思想之一完備之本體論。

虛空即氣說要在言“空”與“形”之關聯，張載又提“象”與“氣”之關係，彼謂：

> 凡可狀，皆有也。凡有，皆象也。凡象，皆

---

[11]〈正蒙・太和篇〉《張載集》，第7頁。
[12]〈正蒙・太和篇〉《張載集》，第7頁。
[13]〈正蒙・太和篇〉《張載集》，第8頁。
[14]〈正蒙・太和篇〉《張載集》，第8頁。

> 氣也。[15]

張載以爲，一切可被形容、摹狀者皆是實在之現象，一切現象皆是氣之不同表現。中國古代哲學之“象”與現代哲學中之現象有別，指形象及一切有形象者。張載又謂：

> 所謂氣也者，非待其蒸郁凝聚、接於目而後知之。苟健順、動、止、浩然、湛然之得言，皆可名之象爾。然則象若非氣，指何為象？[16]

此謂凡有狀態可形容，凡有動靜可分別，浩然廣大與湛然清澈之一切現象皆是氣，此“象”皆是氣之現象，即氣之表現。

據此思想，非唯虛空是氣，各有形之萬物亦是氣，所有皆具動和靜，有深和廣之現象皆是氣。“象”此概念具有感覺之對象之意義，亦即一切可感知之現象皆是氣。

（二）兩一與神化

張載論宇宙運行之變化，及其所謂“氣化”之問題。曾謂“由氣化有道之名”[17]。以“道”指氣化之過程，此見於後之理學發展中亦具影響。

張載將氣化分爲二，一是“變”，一是“化”。彼謂“變言其著，化言其漸”[18]，又謂：“變則化，由粗入精也。化而裁之謂之變，以著顯微也。”[19]著變是指事物之顯著運行，漸化指事物逐漸而細微之變化。“變”與“化”二者相連。張載於變化之理論，雖簡單，卻是理學早期本體論、宇宙論建構之基。

張載以事物之動靜之機，即一切運行變化之內在根源。

---

[15]〈正蒙・乾稱篇〉《張載集》，第62頁。
[16]〈正蒙・神化篇〉《張載集》，第16頁。
[17]〈正蒙・太和篇〉《張載集》，第9頁。
[18]〈橫渠易說・繫辭〉上《張載集》，第208頁。
[19]〈正蒙・神化篇〉《張載集》，第16頁。

而此事物自己運行之內在本性和根源，張載又稱爲“神”。與周敦頤一同繼承、發展《周易·說卦傳》“神也者，妙萬物而爲言者也”之思想。其宇宙論中，神非唯指變化之複雜和不固定，且指事物運行變化之內在本性，彼謂：

> 神，天德；化，天道。德，其體；道，其用。一於氣而已。[20]

此謂，“神”是指氣之內在本性，因而是體。“化”是指氣化之運行過程，因而是用。神和化皆是宇宙實體“氣”之兩面。又謂：“氣之性本虛而神，則神與性乃氣所固有，”[21]神爲世界運行變化之根源，是氣所固有。

張載非唯以其“神化”學說肯定運行根源來自世界自身，復以“兩一”學說揭示對立統一是此根源之具體內容。彼謂：

> 一物兩體，氣也。一故神，兩故化，此天之所以參也。[22]
>
> 兩不立則一不可見，一不可見則兩之用息。[23]
>
> 感而後有通，不有兩則無一。[24]

“一物兩體”是指每一事物皆含對立之兩方，彼稱：“兩體者，虛實也，動靜也，聚散也，清濁也，其究一而已。”兩體即虛實、動靜、清濁、聚散，此等對立之規定，成一統一體。

（三）性與心

---

[20]〈正蒙·神化篇〉《張載集》，第15頁。
[21]〈正蒙·乾稱篇〉《張載集》，第63頁。
[22]〈正蒙·參兩篇〉《張載集》，第10頁。
[23]〈正蒙·太和篇〉《張載集》，第9頁。
[24]〈正蒙·太和篇〉《張載集》，第9頁。

張載謂：

> 由太虛，有天之名；由氣化，有道之名。合虛與氣，有性之名；合性與知覺，有心之名。[25]

張載以爲，太虛之氣具有湛一本質是宇宙之本性，太虛之氣聚而爲氣，氣聚爲人，人之本性根源於太虛之本性，是以彼謂：

> 天性在人，正猶水性之在冰，凝釋雖異，為物一也。受光有大小、昏明，其照納不二也。[26]

人雖有別，然皆稟受太虛之性，此本性不受氣質之昏明所蔽，"天所性者通極於道，氣之昏明不足以蔽之"[27]因人之本性根源於太虛，是以說"性者萬物之一源，非有我之得私也"[28]

張載謂："湛一，氣之本，攻取，氣之欲。""口腹於飲食，鼻舌於臭味，皆攻取之性也。"[29]"湛一"是太虛之氣之本性，"攻取"是氣之屬性，此兩性構成人之現實屬性。湛一之性體現於人表現爲仁義理智，"仁義理智，人之道也，亦可謂性"。[30]攻取之性體現於人則指飲食男女等自然屬性。

除湛一之性、攻取之性外，張載又言"氣質之性"。彼謂：

> 形而後有氣質之性，善反之則天地之性存焉。故氣質之性，君子有弗性者焉。[31]

---

[25]〈正蒙・太和篇〉《張載集》，第9頁。
[26]〈正蒙・誠明篇〉《張載集》，第22頁。
[27]〈正蒙・誠明篇〉《張載集》，第21頁。
[28]〈正蒙・誠明篇〉《張載集》，第21頁。
[29]〈正蒙・誠明篇〉《張載集》，第22頁。
[30]〈張子語錄〉中《張載集》，第324頁。
[31]〈正蒙・誠明篇〉《張載集》，第23頁。

“天地之性”即太虛湛一之性，“氣質之性”是指氣積聚爲形質而後具有之屬性。張載所謂“氣質之性”與作爲氣之欲之攻取之性有別，於人而言，“氣質之性”指人之稟性，如剛柔緩急等。彼謂：

> 人之剛柔、緩急，有才與不才，氣之偏也。天本參和不偏，養其氣、反之本而不偏，則盡性而天矣。性未成則善惡混，故亹亹而繼善者斯為善矣。[32]

是以又謂：“剛柔緩速，人之氣也，亦可謂性。”[33]將氣質之性簡稱爲“氣”，彼謂：

> 性猶有氣之惡者為病，氣又有習以害之，此所以要鞭辟至於齊，強學以勝其氣習。其間則更有緩急精粗，則是人之性雖同，氣則有異。[34]

由此可知，張載頗重“成性”之觀念。張載觀之，人具有天地之性，又有氣質之性和攻取之欲以及善惡之習，如此，則非每人皆能“成性”，即充分實現己之本性。唯有以德勝氣，以理制欲，以性統習，人方能“反本”“成性”，“惡盡去則善因以成，故曰繼之者善、成之者性也”。[35]

（四）窮理與盡心

《易傳》中提出窮理盡性以至於命，張載亦重窮理以盡性之說。彼謂：“萬物皆有理，若不知窮理，如夢過一生。”[36]其談天地之理謂：“若陰陽之氣，則循環迭至，聚散相盈，

---

[32]〈正蒙・誠明篇〉《張載集》，第23頁。
[33]〈張子語錄〉中《張載集》，第324頁。
[34]〈張子語錄〉下《張載集》，第330頁。
[35]〈正蒙・誠明篇〉《張載集》，第23頁。
[36]〈張子語錄〉中《張載集》，第321頁。

升降相求，絪緼相揉，蓋相兼相制，欲一之而不能，此所以屈伸無方。運行不息，莫或使之，不曰性命之理，謂之何哉？”[37]又謂理之客觀性，謂“理不在人皆在物”[38]，又謂，“窮理亦當有漸，見物多，窮理多，從此就約，盡人之性，盡物之性”[39]。此言，窮理是手段，盡性是目的，是以彼謂“先窮理而後盡性”[40]

張載提“變化氣質”“勝其氣習”說。彼謂：

> 德不勝氣，性命於氣；惟勝其氣，性命於德。窮理盡性，則性天德、命天理。氣之不可變者，獨死生修夭而已。[41]

彼以爲人須看輕嗜欲，否則徇物喪心，人即“化物”，而“滅天理”[42]彼主張人須修養，要“立有教，動有法，晝有爲，宵有得，息有養，瞬有存”[43]以爲一切活動皆是心之表現，時須修己，不能稍懈。

張載又言“盡心”，彼謂：

> 人本無心，因物為心。若只以聞見為心，但恐小卻心。今盈天地之間皆物也，如只據己之聞見，所接幾何？安能盡天下之物？所以欲盡其心也。[44]

因而，如將思維限於個體感官直接接受之現象範圍之內，人對事物之瞭解和知識即狹小有限。是以，要對宇宙和萬物有所瞭解，就須擴展己之思維，超越感官之局限，以發

---

[37]〈正蒙‧參兩篇〉《張載集》，第 12 頁。
[38]〈張子語錄〉上《張載集》，第 313 頁。
[39]〈橫渠易說‧說卦〉《張載集》，第 235 頁。
[40]〈橫渠易說‧說卦〉《張載集》，第 234 頁。
[41]〈正蒙‧誠明篇〉《張載集》，第 23 頁。
[42]〈正蒙‧神化篇〉《張載集》，第 18 頁。
[43]〈正蒙‧有德篇〉《張載集》，第 44 頁。
[44]〈張子語錄〉下《張載集》，第 333 頁。

揮思維之能動作用，此即是盡心，亦稱“大心”。彼謂：

> 大其心則能體天下之物。物有未體，則心為有外。世人之心，止於聞見之狹，聖人盡性，不以見聞梏其心。……見聞之知，乃物交而知，非德性所知。德性所知，不萌於見聞。[45]

由此可知，人之知識既須以見聞爲基礎，又要不爲感覺經驗所局限。且張載更注重理性思維，彼謂“德性所知，不萌於見聞”。

（五）民胞物與

張載以大心之知作爲對宇宙人生之深刻思考，既包“窮神知化”，又括“體天下之物”之直覺體會，亦正以此思考和體會建立其〈西銘〉“民胞物與”之精神境界。於張載之著作《正蒙》末篇〈乾稱〉之始有段文字，題爲〈訂頑〉，又稱〈西銘〉。二程以爲，〈西銘〉代表孟子後儒家之卓見。

> 〈西銘〉說：
>
> 乾稱父，坤稱母，予茲藐焉，乃混然中處。故天地之塞吾其體，天地之師吾其性。民吾同胞，物吾與也。大君者，吾父母宗子；其大臣，宗子之家相也。尊高年，所以長其長；慈孤弱，所以幼吾幼。聖合其德，賢其秀也。凡天下之疲癃殘疾，惸獨鰥寡，皆吾兄弟之顛連而無告者也。於時保之，子之翼也。樂且不憂，純乎孝者也。違曰悖德，害仁曰賊，濟惡者不才，其踐行惟肖者也。……富貴福澤，將厚吾之生也。貧賤憂戚，庸玉女於成也。存，吾順事。沒，吾寧也。[46]

---

[45]〈正蒙・大心篇〉《張載集》，第24頁。
[46]〈正蒙・乾稱篇〉《張載集》，第62頁。

〈西銘〉是欲解決如何由己觀宇宙，如何運用此對宇宙之見視己與社會之關係。換言之，此對宇宙之知中，宇宙之一切無不與己有直接之關聯，一切道德活動皆是個體應實現之義務。此亦即“視天下無一物非我”之具體內容，此即“天人合一”之境界。

於此萬物一體之境界中，個體之道德自覺大大提高，其行爲亦獲更高之價值。而己之生與死、貧與富、賤與貴，於廣大之宇宙流程中實微不足道。生命是屬於宇宙，生即應對天地奉行孝道，死亡使人永遠安寧，貧賤使人發憤，富貴得以養生，人應將有限之生命投入於“爲天地立心，爲生民立命，爲往聖繼絕學，爲萬事開太平”[47]之大業中。

二、數學派－邵雍

邵雍，字堯夫，生於宋真宗祥符四年（西元一0一一年）死於宋神宗熙寧十年(西元一0七七年)，因賜謚“康節”，故後人稱康節先生。先祖居河北範陽，父徙共城(今河南輝縣)青年時“冬不爐，暑不扇，日不再食，夜不就席者凡數年”[48]邵雍年三十時，再徙洛陽。史載邵雍“初至洛蓬蓽環堵，不庇風雨，躬樵爨以事父母”，“歲時耕稼，僅給衣食”(《宋史・道學一・邵雍傳》)。生活雖清貧，但怡然自得，名其居曰“安樂窩”，自號安樂先生。

邵雍少時慷慨欲求功名，發憤讀書，飽覽經史；又曾周遊各地，考察齊、魯、宋，鄭廢墟；於是深達世變，潛心學問，以悟“道”爲事。共城令李之才聞其好學，授之以“河圖、絡書、宓羲八卦六十四卦圖像”。雍自受道家影響，更絕意仕進，“玩心高明，以觀夫天地之運化，陰陽之消長；遠而古今世變，微而走飛草木之性情，深造曲暢，庶幾所謂不惑：”(《宋史・邵雍傳》)

雍所著述，有《皇極經世書》、《漁樵問對》及詩集《伊

---

[47]〈近思錄拾遺〉《張載集》，第 376 頁。

[48]〈邵雍傳〉《宋元學案》卷 9，第 367 頁。

川擊壤集》等

邵雍之思想有二：其一，其思想有一象數派授受之源，南宋時朱震說："陳摶以先天圖授種放，放傳穆修，修傳李之才，之才傳邵雍。"[49]此學統特重"數"故邵雍之學人多稱之爲"數學"。其二，其思想之另一特色是，與周敦頤倡孔顏樂處相呼應，其倡"安樂逍遙"之精神境界。此二者，受道教之思想影響頗大。

（一）元會運世

於曆法言，一年有十二月，一月有三十天，一天有十二時辰，因之一自然年中有十二個月，三百六十天，四千三百二十時。邵雍以爲，此曆法僅是一小年，因此曆法對年以上之單位和進位皆毫無所涉。邵雍爲說明宇宙大之演化和歷史大之變遷過程，發明一大年之曆法。

此大年之曆法之基本思想是，由於十二時（辰）爲一天，三十天爲一月，十二月爲一年，因之，曆法之進位是十二、三十、十二、三十、十二、三十……不斷交替。據十二與三十交替進位之計算，邵雍提出，十二時爲一天，三十日爲一月，十二月爲一年，三十年爲一"世"，十二世爲一"運"，三十運爲一"會"，十二會爲一"元"。此一元可說是一大年，一宇宙年，此一元有十二會、三百六十運、四千三百二十世，一十二萬九千六百年。一元十二會，用子、丑、寅、卯、辰、巳、午、未、申、酉、戌、亥十二地支記名，一會三十運，以甲、乙、丙、丁、戊、己、庚、辛、壬、癸十天干重複三次記名，其餘各進位逢十二、三十亦皆分別用地支、天干算記。

如前所說，"元"並非宇宙年之終極期限，據前述之進位，猶有三十元爲一"元之世"，十二元之世爲一"元之運"三十元之運爲一"元之會"，十二元之會爲一"元之元"。是以一"元之元"是一更大之週期，含一十二萬九千六百元。

自然年之計算是據地球對於日、月相對運動之週期軌跡

---

[49]〈漢上易傳表〉《漢上易傳》，上海古籍出版社，第5頁。

作之時間計算，並不具宇宙演化和歷史演變之意。而邵雍之大週期計算法卻正說明宇宙演化與歷史演變，彼以爲，每一元之數盡，及一十二萬九千六百年滿，舊之天地毀滅，新之天地產生，此過程循環無窮。而一“元之元”滿，及一十二萬九千六百元滿，則宇宙生更大之變化。是以其自認爲此一“經世”之數，揭示宇宙演化之週期性規律。誠然邵雍爲理論上之完備，以爲非唯於自然年之上猶可進位到世、運、會、元，於時（辰）下猶可分爲分、秒等，如一時爲三十分，一分爲十二秒等。

邵雍之上述思想明示，宇宙是無限，而宇宙之無限過程是由十二萬九千六百年爲週期之單元不斷重複循環所構成。於每一週期之單元中，事物皆經歷發生、發展，終歸於消盡，而於下一週期之單元中重複開始。吾人今所生存之此一階段乃宇宙無限時間序列中之一片斷，邵雍之思想表示，宇宙之發展有“數”配其間，因之，“數”實際是宇宙演化之最高法則。彼謂：

> 數者何也？道之運也，理之會也，陰陽之度也，萬物之紀也，明於幽而驗於明，藏於微而顯於管，所以成變化而行鬼神者也。[50]

“數”非唯定宇宙、歷史變化之週期歷程，且亦定宇宙萬物之品類。其將“太陽”、“少陽”之數定爲十，“太陰”、“少陰”之數定爲十二；“太剛”、“少剛”之數爲十，“太柔”、“少柔”之數爲十二。由此可得，剛陽之數爲四十，稱爲太少陽剛之本數；陰柔之數爲四十八，稱爲太少陰柔之本數。本數分別乘以四，可得太陽少陽太剛少剛之體數一百六十，太陰少陰太柔少柔之體數一百九十二。

邵雍以“數”作爲宇宙及其本質之規定，並以同一原則處理聲音、易圖等。是以其學術被稱爲“數學”。

---

[50]《皇極經世書》卷2，第100頁。

（二）以物觀物

從邵雍將其著作定名爲〈觀物篇〉可知，“觀物”是邵雍思想之一重要觀念。

“觀物”是對自然世界之觀察、瞭解，實者更指人對身處其中之全世界之態度和覺解。邵雍謂：

> 夫所以謂之觀物者，非以目觀之也。非觀之以目，而觀之以心也。非觀之以心，而觀之以理也。[51]

此說明，觀物非是對外物之感性直觀，亦非謀求感性反映外物。是以此觀非用目觀，而用心觀。邵雍謂：“以目觀物，見物之形；以心觀物，見物之情；以理觀物，見物之性。”[52]感性僅能知事物之外形，心智僅能知事物之變化，唯有以理，即一定之精神境界，方能保有事物之本性。此即是說，人之精神境界非唯對己之人生和精神發展有關，同時亦影響人心之認識功能。

邵雍又謂：

> 夫鑑之所以能為明者，謂其不隱萬物之形也。雖然，鑑之能不隱萬物之形，未若水之能一萬物之形也。雖然，水之能一萬物之形，又未能若聖人能一萬物之情也。聖人所以能一萬物之情者，謂其聖人能反觀也。所以謂之反觀者，不以我觀物也。不以我觀物，以物觀物之謂也。以物觀物又安有我於其間哉！[53]

鏡能顯萬物之形而不隱蔽，此乃鏡之明。聖人之所以能如此，是因聖人不以我觀物，而以物觀物。

---

[51]〈觀物篇〉《皇極經世緒言》卷6，中華書局聚珍仿宋版，第26頁。
[52]〈觀物篇〉《皇極經世緒言》卷6，中華書局聚珍仿宋版，第26頁。
[53]〈觀物篇〉《皇極經世緒言》卷6，第26頁。

所謂以物觀物，即是順應事物之本性、狀態，不以己之好惡摻雜於對待事物之態度之中，邵雍謂：

> 以物喜物，以物悲物，此發而中節者也。[54]
>
> 不我物則能物物，聖人利物而無我，任我則情，情則蔽，蔽則昏矣。因物則性，性則神，神則明矣。[55]
>
> 以物觀物，性也；以我觀物，情也。性公而明，情偏於暗。[56]

以物觀物，是要人於認知、觀照、體驗、實踐以及社會活動中，不有任何基於“我”之情感、要求、意見參於其中。“無我”即是要“因物”，即順應事物，“以物觀物”與程顥所言之“情順萬物而無情”、“廓然而大公，物來而順應”“聖人之喜以物之當喜，聖人之怒以物之當怒，是聖人之喜怒不繫於心而繫於物也”一致。

（三）陰陽體性

邵雍亦提出一宇宙發生與宇宙構成之理論。其以“太極”爲宇宙之本體，又稱之爲“道”。彼謂：

> 太極一也，不動生二，二則神也。神生數，數生象，象生器。[57]
>
> 太極不動，性也；發則神，神則數，數則象，象則器，器則變。[58]
>
> 道生天地萬物而不自見也，天地萬物亦取法乎道矣。[59]

---

[54]〈觀物外篇〉《皇極經世緒言》卷 8 下，第 26 頁。
[55]〈觀物外篇〉《皇極經世緒言》卷 8 下，第 27 頁。
[56]〈觀物外篇〉《皇極經世緒言》卷 8 下，第 16 頁。
[57]〈觀物外篇〉《皇極經世緒言》卷 7 下，第 23 頁。
[58]〈觀物外篇〉《皇極經世緒言》卷 7 下，第 23 頁。
[59]〈觀物外篇〉《皇極經世緒言》卷 7 上，第 16 頁。

以天地生萬物，則以萬物為萬物。以道生天地，則天地亦萬物也。道為太極。[60]

邵雍以為，太極或道是宇宙之本源，太極或道是不動，又是不可見，乃是一普遍之形而上實體，亦是萬物產生之根源。邵雍猶隱約表示，於其理解中，太極亦是宇宙之本性，亦是萬物取法之規律。所謂太極生二，即生陰陽。陰陽相互作用，就有神妙之功能，即有決定萬物過程和品類之數，亦即有萬象與萬物，於是事物即依數之規定不斷變化。邵雍之此一思想，與周敦頤之說相近，唯其所理解之太極非氣，而是性。此思想後為胡宏、朱熹所承。與二程相比，邵雍所言之太極、道較多作為宇宙之形而上之根據，而並未賦予其倫理法則之品格，此乃理學後來發展中不被視為主流之原因之一。但其上述思想和與此思想相關之易學思想對後之朱子有較大之影響。

三、理學派—二程、朱熹（詳第二章第一節）

程顥，字伯淳，生於北宋仁宗明道元年（西元一０三二年），死於北宋神宗元豐八年（西元一０八五年），河南伊川人。與其弟程頤並稱“二程”，因兩人長期於洛陽講學，傳統稱彼等之學派為“洛學”。程顥年輕時舉進士，後任縣主簿、縣令、著作佐郎。神宗時王安石變法，程顥任太子中允權監察御使里行，後改簽書鎮寧軍節度判官、太常丞、知扶溝、監汝州酒稅等職。元豐末哲宗即位，召為宗正寺丞，未行，以疾終，死後葬於伊川，時潞國公太師文彥博題其墓表，稱“明道先生”，其後學者皆尊為“明道先生”。

程顥和程頤是“道學”（即理學）之創始人，彼等以其學說將孟子後中斷一千四百年之儒學道統承接。彼等以“理”為最高哲學範疇，強調道德原則對個人和社會之意義，注重內心生活和精神修養，形成一代表新風氣之學派。傳統將兩宋正統理學視為由四學派代表，即二程之師周敦頤

---

[60]〈觀物外篇〉《皇極經世緒言》卷7上，第23頁。

（濂）、二程（洛）、與二程相互影響之張載（關）和繼承二程學說之朱熹（閩），可知二程思想代表兩宋理學之主流。

程顥死後，程頤爲其作〈行狀〉中云："先生爲學，自十五六時，聞汝南周茂叔論道，遂厭科舉之業，慨然有求道之志。未知其要，汜濫於諸家，出入於佛老者幾十年，返求諸六經，而後得之。"[61]與張載同，程顥所走此一"汜濫出入"而後"歸本六經"之路亦是宋明時諸多理學家思想發展之常途。

程顥青年時就學於周敦頤，周敦頤"令尋顏子仲尼樂處，所樂何事"[62]，後程顥再度從周敦頤請益，彼曾云："自再見周茂叔後，吟風弄月以歸，有吾與點也之意。"[63]〈論語〉中記載，孔子曾問諸生各言爾志，或曰欲當管理國家事務之吏，唯有曾點曰：其理想適於大自然之美好風景中歌舞郊遊、悠然自得，孔子因加嘆賞"吾與點也"[64]。由周敦頤之人品吾人可知，周敦頤曾引導程顥脫世俗名利，而求自得之精神生活，程顥有詩曰："雲淡風輕近午天，傍花依柳過前川，時人不識余心美，將謂偷閒學少年。"[65]

程顥平生未著書，其講學語錄與程頤之語錄合編爲《河南程氏遺書》，另有詩文若干卷。

（一）天理與道

如謂宋初三先生時，儒學復興思潮是以"文"與"道"之關係，則二程時，是以"經"與"道"之關係。是以二程謂："今之爲學者歧而爲三，能文者謂之文士，談經者謂爲講師，惟知道者乃儒學也。"[66]"今之學者有三弊，一溺於文章，二牽於訓詁，三惑於異端"[67]，又謂："後之儒者，莫不以爲文章，治經術爲務。文章則華靡其詞、新奇其意，

---

[61]〈明道先生行狀〉《二程集》卷11，第638頁，中華書局，1981。
[62]〈遺書〉《二程集》卷2，第16頁。
[63]〈遺書〉《二程集》卷3，第53頁。
[64]〈論語・先進〉《四書章句集注》卷16。第169頁。
[65]〈偶成〉《二程集》卷3，第476頁。
[66]〈遺書〉《二程集》卷6，第95頁。
[67]〈遺書〉《二程集》卷18，第187頁。

取悅人耳目而已。經術則解釋辭訓，較先儒短長，立異說以爲己工而已，如是之學，果可至於道乎？”[68]二程創追求“知道”之“道學”正是以文章、訓詁、佛老爲主。

二程欲“知道”之“道”是指儒家之精神傳統。韓愈已指出，佛有佛道，儒有儒道，儒家之道於歷史上由文、武、周公傳至孔、孟，而孟子之後，儒家之道便失傳。二程接此聖人之道及以求聖人之道爲內容之學問，即是“道學”。程頤說：

> 周公沒，聖人之道不行；孟軻死，聖人之學不傳。道不行，百世無善治；學不傳，千載無真儒。……先生（程顥）生千四百年之後，得不傳之學於遺經，志以斯道覺斯民。[69]

道學即是講道求道之學，此道又稱理或天理。二程重視並發展“理”之學說，程顥曾說：“吾學雖有授受，天理二字卻是自家體貼出來”[70]“理”是二程思想之核心，宋明理學繼承二程對“理”之重視，此乃後人將此一時期新儒家稱爲理學之原因。

程顥謂：“有道有理，天人一也，更不分別。”[71]此言其所體認之天理是一貫通自然與社會之普遍原理，此普遍原理是天人合一之基。又謂：“道之外無物，物之外無道，是天地之間無適而非道也。”[72]此言道和物永不相離，離道無物，離物無道，道普遍存於宇宙事物之中。

程氏兄弟所以提天理說，和彼等於思想方法上特重形上與形下之區分有關。《周易・繫辭》說“形而上者謂之道，形而下者謂之器”，在中國哲學之發展中，不同時代之哲學家對此語有不同之解讀。程顥說：

---

[68]〈為家君作試漢州學策問三首〉《二程集》卷8，第580頁。

[69]〈明道先生墓表〉《二程集》卷11，第640頁。

[70]〈外書〉《二程集》卷12，第424頁。

[71]〈遺書〉《二程集》卷2，第20頁。

[72]〈遺書〉《二程集》卷4，第73頁。

〈繫辭〉曰：“形而上者謂之道，形而下者謂之器”，……陰陽亦形而下者也。而曰道者，惟此語截得上下最分明。元來只此是道，要在人默而識之也。[73]

此言凡是物質、具體之物皆屬於“形而下”，是“器”；凡是普遍、抽象之物皆屬於“形而上”，是“道”。感性存在之物是形而下，唯有以理性方能掌之物是形而上。天地、萬物、陰陽皆是形而下之器，事物之規律、本質、共相方是形而上之道。程顥以爲，區分普遍與特殊，區分理和物、道和器，是哲學之方法。彼言，〈繫辭〉中“一陰一陽之謂道”此語未能分清道和器，因陰陽是氣，是形而下之存在，不能被稱作道。僅“形而上者謂之道，形而下者謂之器”方“截得上下最分明”，方將感性之具體和抽象之一般本質劃清。“道”或“理”非感性之直接存在，而是理性思維之對象，非憑感官直接認識，是以說“要在人默而識之也”。程顥亦言：

形而上為道，形而下為器，須著如此說。器亦道，道亦器，但得道在，不論今與後，己與人。[74]

亦即是說，從思維之對象言，哲學欲區分抽象和具體，但又須知，以實際之存在言，道與器非截然而分之獨立實體，道不離器，器不離道，道即在器之中，器之中必有道。因而“道之外無物，物之外無道”，事物之本質、原理、法則即在事物之中，人之認識即是要於人倫日常中見道，於具體之事物上認識宇宙之普遍原理。

二程哲學中之“天理”既指自然之普遍法則，又指人類社會之當然原則，天理之意本身即表現天人合一。因天理是

[73]〈遺書〉《二程集》卷11，第118頁。

[74]〈遺書〉《二程集》卷1，第4頁。

一普遍之原理，適用於自然、社會和一切具體事物之存在與發展，儒家傳統之天人合一思想於此"天人一理"說中覓得新之形式。從思想之本質觀之，程顥之自然規律、社會法則、人生準則是統一，人類社會之各法則是宇宙普遍原理之一局部表現。此體系既有虛構和臆造，亦包人類認識之合理之內涵。

（二）渾然與物同體

於程顥之語錄中，論"仁"之語錄有二，後之道學家特推崇之：

> 仁者以天地萬物為一體，莫非己也。認得為己，何所不至？若不有諸己，自不與己相干。如手足不仁，氣已不貫，皆不屬己。[75]
>
> 學者須先識仁。仁者渾然與物同體，義、禮、智、信皆仁也。識得此理，以誠敬存之而已，不須防檢，不須窮索。若心懈則有防，心苟不懈，何防之有？理未有得，故須窮索。存久自明，安得窮索？此道與物無對，大不足以明之，天地之用皆我之用，孟子言"萬物皆備於我"，須反身而誠，乃為大樂。[76]

先秦儒家之仁學尤重博施濟眾之人道主義和克己復禮之道德修養。程顥觀之，此仁學猶非"仁"之最高境界，彼以爲，博施濟眾僅是仁之"用"（表現），猶非仁之"體"（根本）。仁之本是一最高之精神境界，此境界即是"與萬物爲一體""渾然與萬物同體"。程顥此說與周敦頤言尋孔顏樂處同，欲顯示儒家思想中對最高精神境界之追求。

"仁"之此境界之基本特徵，是要將己和宇宙萬物視爲一體，將宇宙每一部份視作與己有關。是以一真正有"仁"

---

[75]〈遺書〉《二程集》卷2，第15頁。
[76]〈遺書〉《二程集》卷2，第17頁。

之人，必然是“與物同體”。“莫非己也”。

（三）定性說

張載曾以書問於程顥，表示“定性未能不動，猶累於外物”，程顥因覆書作答，後之道學家稱程顥之答書爲〈定性書〉。朱子曾示其生，〈定性書〉中之“定性”實者是指“定心”[77]，此釋正確。除其中無關之內容，可以知，〈定性書〉所論之主題是經修養之方以實現人內心之安寧與平靜。

依張載之說，內心平靜之障礙來自外物之干擾，造成意念之動盪，而根絕外物之干擾又難。程顥所謂定，並非使內心停止活動，亦非使內心僅集中於自我意識，更非對外物不作任何反應。彼謂：

> 夫天地之常，以其心普萬物而無心；聖人之常，以其情順萬物而無情。故君子之學，莫若廓然而大公，物來而順應。……苟規規於外誘之除，將見滅於東而生於西也。
>
> 與其非外而事內，不若內外之兩忘也。兩忘則澄然無事矣。無事則定，定則明，明則尚何應物之為累哉？聖人之喜，以物之當喜；聖人之怒，以物之當怒。是聖人之喜怒，不繫於心而繫於物也。是則聖人豈不應於物哉？烏得以從外者為非，而更求在內者為是也？[78]

“廓然大公”是指消除個人之私心雜念。人應接事物，亦應有情感，但情感應順應事物之自然狀態。聖人之“無情”僅是未從私我利害所發之情感，其情感順應於事物之來去，則一切由己之利害而產生之失望、不安、煩惱、苦悶、怨恨等不寧心境皆可免。如此之境界即是“定性”之境界，是以彼謂，定非只靜不動或不接外物，“所謂定者，動亦定，

---

[77]〈程子之書一〉《朱子語類》卷 95，第 2441 頁。
[78]〈答横渠張子厚先生書〉《二程集》卷 2，第 460 頁。

靜亦定，無將迎，天內外。”[79]

程顥之定性之方，“主內外兩忘”，其核心是超越自我。此修養之方承孟子“不動心”之意，取道家和佛教之心理修養。

〈定性書〉此自然順應超越自我之修養方法亦體現於程顥之格物說，彼謂：“致知在格物，物來則知起，物各付物，不役其知，則意誠不動，意誠自定則心正，始學之事也。”[80]物各付物及情順萬物，以物之當喜怒而喜怒，即能達定而不動之境界。此境界亦稱無我之境界，“以物待物，不以己待物，則無我也”。[81]

（四）誠敬與和樂

由程顥之〈識仁篇〉觀之，其修養之方爲“誠敬”。但其對敬之理解與程頤有所不同。程頤主張之敬，是內心之敬畏和外表之嚴肅。而程顥則言謹畏嚴肅，難免失於拘謹，未能達自由活潑之精神境界。因之，一者言“誠”之積極涵養，以爲以誠敬存養，不必處處防檢。另者，主用敬之時，宜“勿忘勿助”，勿過分著力。孔子曾說“居處恭，執事敬”，[82]程顥補說：“執事須是敬，又不可矜持太過”。[83]

因程顥爲避免敬之拘束妨礙安樂，是以倡要“放開”，對其生謝良佐曰：“既得後，便須放開，不然卻只是守。”[84]是以程顥：“謂敬爲和樂則不可，然敬須和樂。”[85]理想之境界是敬樂合一，任何對敬之強調以致傷害心之自然平和皆不足取。

（五）性與心

程顥曾謂：“上天之載，無聲無臭。其體則謂之易，其

---

[79]〈答橫渠張子厚先生書〉《二程集》卷2，第460頁。
[80]〈遺書〉《二程集》卷6，第84頁。
[81]〈遺書〉《二程集》卷11，第125頁。
[82]〈論語・子路〉《四書章句集注》卷13，第201頁。
[83]〈遺書〉《二程集》卷3，第61頁。
[84]〈遺書〉《二程集》卷3，第59頁。
[85]〈遺書〉《二程集》卷2，第31頁。

理則謂之道，其用則謂之神，其命於人則謂之性。”[86]《中庸》說 “天命之謂性”，程顥對性之見來自《中庸》。

性是天所“命”，即天賦，亦即生而自然具有，因而程顥肯定“生之謂性”之說，彼謂：

> “生之謂性”，性即氣，氣即性，生之謂也。人生氣稟，理有善惡，然不是性中元有此兩物相對而生也。有自幼而善，有自幼而惡，是氣稟有然也。善固性也，然惡亦不可不謂之性也。蓋生之謂性，“人生而靜”以上不容說，才說性時，便已不是性也。凡人說性，只是說“繼之者善”也，孟子言人性善是也。夫所謂“繼之者善”也者，猶水流而就下也。皆水也，有流而至海，終無所污，此何煩人力之為也？有流而未遠，固已漸濁；有出而甚遠，方有所濁；有濁之多者；有濁之少者。清濁雖不同，然不可以濁者不為水也。如此，則人不可以不加澄治之功。故用力敏勇則疾清，用力緩怠則遲清，及其清也，則卻只是元初水也。亦不是將清來換卻濁，亦不是取出濁來置在一隅也。水之清，則性善之謂也。故不是善與惡在性中為兩物相對，各自出來。[87]

程顥曾云：“人心惟危，人欲也。道心惟微，天理也。惟精惟一，所以至之。允執厥中，所以行之。”[88]《尚書》〈大禹謨〉“人心惟危，道心惟微，惟精惟一，允執厥中”，此四句於《尚書》中之原意不清。理學由道德修養之，以爲前兩句是指道德意識與感性慾望之交織，後兩句則指存理去欲之法，使此言具明確之倫理內涵和工夫意義。

近代學者以爲，程顥與其弟於史上合稱“二程”，朱子

---

[86]〈遺書〉《二程集》卷1，第4頁。

[87]〈遺書〉《二程集》卷1，第10頁。

[88]〈遺書〉《二程集》卷11，第126頁。

將其兄弟之學說合稱“洛學”，實者二程之差別頗大。學者以爲，二程之差別即後來“心學”與“理學”之差別，以爲程顥是“心學”之源，程頤是“理學”之頭。的確，程顥比其弟程頤，更重內向之體驗，而輕外在之知識。但程顥未若南宋心學之代表陸九淵主心即是理，亦未若明代王陽明主心外無理，其對內向體驗所追求之精神境界與程頤不同，而此境界之不同，並非南宋“心學”與”理學”之根本分歧。

程頤，字正叔，生於宋仁宗明道二年（西元一0三三年），死於宋徽宗大觀元年（西元一一0七年）。程頤是程顥之弟，僅少程顥一歲。年十四、五歲時，同程顥受學於周茂叔。年十八上書仁宗，勸以王道爲心，並求召對，面稟皇上一陳所學，然未實現。著名學者胡瑗於太學主教，以〈顏子所好何學論〉試諸生，程頤亦爲文一篇，胡瑗得其試卷，大驚，聘爲學官。二十七歲時廷試報罷，遂不再參加科考。治平、熙寧年間，大臣屢薦，自以爲學不足，不願爲官，是以年屆五十，仍僅一介“布衣”、“處士”。

程顥死後程頤始出仕，元祐元年（西元一0八六年）“以布衣被召”，任崇政殿說書。時哲宗初即位，年僅十餘歲，程頤從一介平民充任皇帝講官，稍具影響。程頤以皇上之師自居，無所顧避，遂遭同朝之士猜忌。元祐二年差管勾西京國子監。

程頤之性格與程顥迥異，程顥溫順和平，程頤則嚴毅莊重，二程之弟子曾說，大程饒有風趣，而小程“直是謹嚴”，稱道古今之“程門立雪”，非唯說楊時敬師之誠，亦與程頤平日之嚴謹有關，據程頤之門人說，其晚年“乃更平易”，但終究未及程顥之氣象從容。

（一）理與氣

《周易・繫辭》：“一陰一陽之謂道。”指陰陽之對立統一是宇宙永恆之規律。程頤對此語另作別解：

> 一陰一陽之謂道，道非陰陽也，所以一陰一

陽，道也，如一闔一闢謂之變。[89]

離了陰陽更無道，所以陰陽者是道也。陰陽，氣也。氣是形而下者，道是形而上者。[90]

此乃以爲，“一陰一陽之謂道”此言含陰陽與道之相互關係。彼以爲，一陰一陽是指氣之無間之循環過程，道則是指一陰一陽開合往來過程之內在根據。

因而，一者，程頤如同程顥，堅持道不能離陰陽，形上形下非空間分別之不同實體，另者，以氣之往來運行，其中有一支配其運行之規律作爲內在根據。程頤此以”所以一陰一陽“之釋道之思想，將道作爲二氣運行之根據和規律，於此一新意上將＜繫辭＞傳統之說，解爲理與氣之關係，此對宋明理學之理論思維之發展，具一促進之作用。

張載曾對佛老二氏哲學之“體用殊絕”提反對之論，後程頤更發展此一思想，其於《程氏易傳》之序中云：

至微者，理也；至著者，象也，體用一源，顯微無間。[91]

程頤此一思想，就易學本身之意言，是指周易深奧之義理存於紛然之卦象之中，理於象中，即象識理，離象無理，理是象之理，象是理之象。

由哲學言之，此思想具更廣之義。程頤曾說：“至顯者莫如事，至微者莫如理，而事理一致，微顯一源，古之君子所以善學者，以其能通於此而已。”[92]亦即是說，＜易傳序＞中所說之象亦泛指現象與具體事物。理無形無象，微妙不可見，是以說“微”。具體事物著象分明，可直接感知，是以說“著”。

程頤此處所言之體，是指事物內部深微之原理和根源，

---

[89]〈遺書〉《二程集》卷3，第67頁。
[90]〈遺書〉《二程集》卷5，第162頁。
[91]〈易傳序〉《二程集》卷8，第582頁。
[92]〈遺書〉《二程集》卷25，第323頁。

用是指世界之各各現象。“體”“用”此一對範疇之間，於中國哲學中，有第一性與第二性之不同，體是第一性，用是第二性。體決定用，用依賴體，由此而言，程頤之理體事用說有唯理之傾向。

張載之氣一元論哲學中，太虛之氣聚而爲氣，氣聚而爲萬物；萬物散而爲氣，氣散而又歸於太虛，宇宙是聚散交替之永恆循環，氣作爲構成宇宙之物質材料，唯有形態之轉變，而不消滅。於程頤視之，由宏觀言，物質和運行皆不消失，無論何時宇宙中皆有物質和運行，但程頤以爲，就宇宙構成之材料言，非循環，而是生生，具體之氣皆是有生有消。

程頤以爲，若以張載之說，一事物之亡，僅形變，而非消，此與宇宙之生不一，彼謂：

> 天地之化，自然生生不窮，更何復資於既斃之形、既返之氣以為造化？…..天之氣亦自然生生不窮。[93]

此說，有生便有死，有盛必有衰，有往則有來。宇宙於本質言非循環，而是日新、生生：一事物死，組成此一事物之氣亦漸消盡於無。新之事物是由宇宙新生之氣聚合而成，非由原聚合舊事物之氣重新結聚造成。

新之氣何以生？從何而生？程頤視之，氣之漸消漸生，是宇宙間時刻發生，此自然之過程，氣之漸生根源於宇宙固有之必然。宇宙之“道”即是生生不窮之根源。程頤說：“道則自然生萬物。”“道則自然生生不息。”其將生生不窮之作用歸之於道，而以爲氣是漸生漸消。

（二）動靜與變化

程頤以爲，陰陽之氣相摩相推，日月運行，寒暑往來，剛柔變化，萬物終始，自然之造化是一永無休止之流程，彼謂：

---

[93]〈遺書〉《二程集》卷15，第148頁。

> "動靜無端，陰陽無始，非知道者，孰能識之！"[94]

周敦頤雖曾言"一動一靜，互爲其根"，但因其言"太極動而生陽，靜而生陰"，未將宇宙發生論與本體論區分，按此宇宙發生論，陰陽之發生似乎有一開始。從哲學言，程頤所主是一本體論，因之對其而言，動和靜，陰和陽，既未開始，亦未終結，宇宙並非從一原始中逐漸演化而來，宇宙之對立統一和陰陽變化，是一永恆之無盡過程，據此，其批老子云："老氏言虛而生氣，非也。陰陽開闔，本無先後，不可道今日有陰，明日有陽。如人有形影，蓋形影一時，不可言今日有形，明日有影，有便齊有"。[95]此亦言陰陽二氣無先後，此無先後並非言陰陽二氣同時產生，而是指陰陽二氣是永恆之存在，因之老子以先有虛無，後方生氣之思想爲非。程頤以爲，唯有從無限之意義上認識宇宙之實在和宇宙之運行，方是"知道"者。程頤於運行不滅和物質永恆之思想體現出較高之思維。

程頤亦承《周易》之思想，肯定"變"之普遍和永恆，彼謂"凡天地所生之物，雖山岳之堅厚，未有能不變者也，故恆非一定之謂也，一定則不能恆矣，唯隨時變易，乃常道也。"[96]即謂，宇宙間一切事物，不論大小，皆處於永恆之變化和運行之中，凡物皆變。不變即不能長久，宇宙之永恆正是於此不斷之運行和變化中得以保持，因之恆則必變，不變不能恆，非但自然界如此，人類社會亦如此，不斷有所改革，有所變易，方是永恆之規律。

於動和靜中，一者，程頤言二者"相因"，彼謂"動靜相因而成變化。"[97]即以爲二者是相輔相成，動靜之互相依賴、互相交替、互相聯結而成一切運行變化，另者更言

---

[94]〈經說〉《二程集》卷1，第1029頁。
[95]〈遺書〉《二程集》卷15，第160頁。
[96]〈周易程氏傳·恆卦〉《二程集》卷3，第862頁。
[97]〈程氏經說〉《二程集》卷1，第1029頁。

"動":

"一陽復於下,乃天地生物之心也。先儒皆以靜為見天地之心,蓋不知動之端乃天地之心也,非知道孰能識之!"[98]

此天地之心指主宰天地之根本原則,依此說觀之,動靜二者之中,非靜,而動乃爲根本,方現宇宙生生不已之根本規律。

程頤更進一層論事物之運行,彼謂:

"屈伸往來只是理, ……物極必返,其理須如此,有生便有死,有始便有終。"[99]

程頤以爲,任何事物之存在和運行,皆處於不斷變化之中,任何運行不能僅有往沒來,僅有屈沒伸。正如晝夜交替,盛便有衰,生便有死,往便有來。事物運行至極,必爲另一對立之狀態所替代,"物極必返"乃世界之基本法則,其於《程氏易傳》中謂:"物理極而必反,故泰極則否,否極則泰。….極而必反,理之常也。然反危爲安,易亂爲治,必有陽剛之才而後能也。"[100]又謂:"物理極而必反也。以近明之,如人適東,東極矣,動則西也,如升高,高極矣,動則下也。既極,則動而必反也。"[101]猶謂:"物極則反,事極則變,困既極矣,理當變也。"[102]事物之發展恆向對立轉化,此規律不以人之意志爲轉移。

程頤以爲,於社會生活中,人應據物極必反之律,定己之行,社會之反危爲安,易亂爲治,皆需人發揮主動,以促事物向好之方向轉化。

---

[98]〈周易程氏傳·復卦〉《二程集》卷2,第819頁。
[99]〈遺書〉《二程集》卷15,第167頁。
[100]〈周易程氏傳·否卦〉《二程集》卷1,第762頁。
[101]〈周易程氏傳·睽卦〉《二程集》卷3,第894頁。
[102]〈周易程氏傳·困卦〉《二程集》卷4,第945頁。

程頤肯定對立之普遍，彼謂：

> “道二，仁與不仁而已，自然理如此，道無無對，有陰則有陽，有善則有惡，有是則有非，無一亦無三。”[103]

世上無論何物皆有其對立，無對立之“一”或超越對立之“三”皆不存，猶謂：“理必有對待，生生之本也。有上則有下，有此則有彼，有質則有文。一不獨立，二則爲文，非知道者，孰能識之！”[104]有一現象，必存與其相反之另一現象，對立是普遍，是必然，亦是自然，此對立正是生生變化之根源，又是宇宙變化之基本法則，唯有真知此法之人方能解此普遍之對立。程顥於此與程頤同，程顥謂：

> 天地萬物之理，無獨必有對，皆自然而然，非有安排也，每中夜以思，不知手之舞之，足之蹈之也。[105]

程顥謂：“萬物莫不有對，一陰一陽、一善一惡，陽長則陰消，善增則惡滅。斯理也，推之其遠乎！”[106]程顥雖未釋其見此一規律之普遍而手舞足蹈。或許此是由某一真理所感受之不可名狀之鼓舞和衝動。

儒家之對立觀念，一者是由對世界廣泛現象所作之觀察而來，另者是從社會生活之各現象總結而來。吾人知儒家之陰陽對立觀念，非唯是對自然之觀察，更是對社會之理解，方能識此思想之真意。

（三）性理與氣質

先秦時之哲學家曾對人性善惡有所討論。孟子之性善

---

[103]〈遺書〉《二程集》卷 15，第 153 頁。

[104]〈周易程氏傳·賁卦〉《二程集》卷 2，第 808 頁。

[105]〈遺書〉《二程集》卷 11，第 121 頁。

[106]〈遺書〉《二程集》卷 11，第 123 頁。

說謂人具有先驗之道德理性，荀子之性惡論謂自然情慾是人之本質。程頤作爲理學之創始人提一重要之思想，此即以儒家之“理”定人性，發展儒家之性善論，形成理學具有特色之人性論。彼謂：“性即理也。所謂理，性是也。”[107]於中國哲學中，“性”本是指人之族類本性或事物之本質屬性，“理”是指事物之必然法則和社會之道德原則。程頤以爲性即理，實者是以社會之道德原則爲人類永恆不變之本性。程頤視之，先驗之道德理性決定道德法則，且是宇宙之根本規律。

程頤之人性論非唯謂“性即理”，受程顥、張載之影響有關，彼亦重“氣”對人性之影響，彼謂：

> 性即是理，理則自堯舜至於塗人，一也。才稟於氣，氣有濁清，稟其清者為賢，稟其濁者為愚。[108]

人所稟之氣有清濁，此清濁影響人之賢愚，“賢愚”之概念包含道德水準之意，因之，決定人之善惡非唯有“性”且亦有“氣”。

（四）持敬

“敬”是程頤所倡修養方法之一，於《周易》中曾提“敬以直內，義以方外”。二程皆重儒家傳統中“敬”之思想。然二程之見有所不同。概言之，程顥以誠與敬並提，程頤則僅言敬，其所謂主敬是整齊嚴肅與主一無適，要人於外在之容貌舉止與內在之思慮情感兩者同時約束自己。

程頤謂：“儼然正其衣冠、尊其瞻視，其中自有個敬處。”[109]又謂：“非禮勿視聽言動，邪斯閑矣。”[110]“動容貌、整

---

[107]〈遺書〉《二程集》卷22，第292頁。
[108]〈遺書〉《二程集》卷18，第204頁。
[109]〈遺書〉《二程集》卷18，第185頁。
[110]〈遺書〉《二程集》卷11，第26頁。

思慮，則自然生敬”[111]“無他，只是整齊嚴肅，則心便一，一則自是無非僻之奸，此意但涵養久之，則天理自然明。”[112]程頤曾專作視聽言動四箴，警省自己和學者從視聽言動規範自己。

敬之外在修養指舉止容貌之整齊嚴肅，敬之內在修養指閒邪克私，而敬之內在修養即是“主一”。彼謂：“主一無適，敬以直內，便有浩然之氣，”[113]“敬只是主一也。主一，則既不之東，又不之西，如是則只是中；既不之此，又不之彼，如是則只是內。存此，則自然天理明。”[114]又謂：“敬者，主一之謂敬；所謂一者，無適之謂一。且欲涵泳主一之義，一則無二三矣。”[115]主一即是專心於一處，無適即是用心於一處時，不要同時又三心二意。是以，主一即是要將注意集中於意識之養善閒邪，對別物無所用心。

程頤之所以提“主一”，是因對困擾宋明多數理學家之“思慮紛擾”而言，〈遺書〉載：

> 呂與叔嘗言：患思慮多，不能驅除。曰：……虛器入水，水自然入，若以一器實之以水，置之水中，水何能入來。蓋中有主則實，實則外患不能入，自然無事。[116]

“患思慮多、不能驅除”是理學家於修養中常遇之問題，此問題言，宋明理學之精神修養遠不止於道德意識之培養，猶涉及何以控制意識，於理學中，對此有不同之解答，如程頤之〈定性書〉主順其自然，但程顥之說則指“外物之來”調整對於外物之反應，程頤之主一則兼指靜而未接物時意識之控制。程頤謂“有主則實”，其意即謂“若主於敬，則自然無紛擾，譬如以一壺水投於水中，壺中既實，雖江湖

---

[111]〈遺書〉《二程集》卷15，第149頁。
[112]〈遺書〉《二程集》卷11，第123頁。
[113]〈遺書〉《二程集》卷15，第143頁。
[114]〈遺書〉《二程集》卷15，第149頁。
[115]〈遺書〉《二程集》卷15，第169頁。
[116]〈遺書〉《二程集》卷1，第8頁。

之水，不能入矣。”[117]唯心保持敬畏之狀態，思慮之紛擾即可自除。

“靜”是佛、道兩家精神之核心。內心之平靜是宋道學追求之境界。理學中程顥言動亦定、靜亦定之修養方法，對後之理學家有所影響。程頤以主敬爲宗旨，但不排斥“靜”，唯非以“主靜”爲宗旨。彼以爲，“敬則自虛靜，不可把虛靜喚作敬”[118]主敬自然內心平靜、無紛擾，但靜本身並非敬，更非敬之唯一內容。程頤以爲，調息養氣可衛生療疾，但非聖學求道之事，神住氣住之說是佛道入定之法，而此法亦須以心爲主。因之求道之要在養心。是以程頤以爲，關鍵猶在主敬：

> 有言養氣可以為養心之助，曰：敬則只是敬，敬字上更添不得。[119]

由此觀之，爲學之方唯主敬，而非主靜，將靜置於敬之上則非。敬可生靜，而靜不能生敬。養氣非獨力之爲學方法。

（五）涵養與致知

《中庸》說“喜怒哀樂未發謂之中，發而皆中節謂之和”，二程頗崇《中庸》，尤重其中和之說，據二程之說，“中”表本然之善，求“中”之方即涵養之法。程頤有言：“若言存養於喜怒哀樂未發之時則可，若言求中於喜怒哀樂未發之前則不可。”[120]又言“於喜怒哀樂未發之前，更怎生求？只平日涵養便是。涵養久則喜怒哀樂發自中節。”[121]中是未發，是以不能於已發中求。又因中是未發，不能於未發中“求”，人僅於未發時涵養，如此方能保有未發之中，並保證已發之和。

---

[117]〈遺書〉《二程集》卷18，第191頁。
[118]〈遺書〉《二程集》卷15，第157頁。
[119]〈遺書〉《二程集》卷2，第27頁。
[120]〈遺書〉《二程集》卷18，第200頁。
[121]〈遺書〉《二程集》卷18，第201頁。

未發之存養或涵養，亦即是靜中之主敬，程頤曾言，“未感時”之工夫僅是敬以直內，[122]彼猶言：“敬而無失，便是喜怒哀樂未發之謂中也。敬不可謂之中，但敬而無失，即所以中也。”[123]是以，歸根程頤仍是“主敬”，彼謂：“若未接物，如何爲善？只是主於敬，便是爲善也。”[124]所謂“涵養須用敬”皆是指未發之函養作爲靜中功夫仍要“理會得敬”。

〈大學〉中“格物”“誠意”“正心”等八個條目，道學特重〈大學〉，彼等將此八條目作爲建立修養工夫之思想基礎。程頤尤重“格物”之釋，其格物論經朱子之發展成爲宋明理學中最具影響之知識理論。

程頤以爲，“格，猶窮也。物，猶理也。猶曰窮其理而已也。”[125]其將“格物”之意釋爲窮理，是其於理學史上之一大貢獻，即是說，作爲〈大學〉之功夫即是要窮究事物之理，如此，即將理學之天理說與知識論相連。程頤以爲，格物之物無分內外：

> 問：格物是外物，是性分中物？曰：不拘。凡眼前無非是物，物物皆有理，如火之所以熱，水之所以寒，至於君臣父子間皆是理。[126]

因物無分於內外，是以窮理之方法、途徑亦多，彼謂：

> 凡一物上有一理，須是窮致其理。窮理亦多端：或讀書講明義理；或論古今人物，別其是非；或應接事物而處其當，皆窮理也。[127]

程頤以爲：“致知在格物，格物之理，不若察之於身，

---

[122]〈遺書〉《二程集》卷15，第151頁。
[123]〈遺書〉《二程集》卷2，第44頁。
[124]〈遺書〉《二程集》卷15，第170頁。
[125]〈遺書〉《二程集》卷25，第316頁。
[126]〈遺書〉《二程集》卷19，第247頁。
[127]〈遺書〉《二程集》卷18，第188頁。

其得尤切。”[128]又謂：“求之性情固是切於身，然一草一木皆有理，須是察，” “語其大，至天地之高厚；語其小，至一物之所以然，學者皆當理會。”[129]

程頤一生律己待人甚嚴，其一生“舉動必由乎禮”，“進退必合乎儀”，“修身行法，規矩準繩，獨出諸儒之表”。其生前有人對其言曰，“先生謹於禮四、五十年，應甚勞苦”，彼答曰：“吾日履安地，何勞何苦？他人日蹊危地，此乃勞苦也。”[130]可見其以道德規範嚴格要求、約束自己，實踐自己之理念和思想。

四、心學派－陸九淵、王守仁(詳第四章第一節)

陸九淵，字子靜，生於宋高宗紹興九年（西元一一三九年），死於宋光宗紹熙四年（西元一一九三年），江西撫州金溪人。曾講學於貴溪象山，自稱象山居士，故以象山先生傳名於世。是宋明理學中“心學”一派之開創者。

陸九淵個性較強，據載，少年時即不滿於程頤之論。年十幾其讀書筆記中，即寫道：”宇宙便是吾心，吾心即是宇宙。”[131]此乃其後來之哲學之宗旨。

象山之思想雖早熟，但直至三十四歲方及進士第。此年省試，考官是知名學者呂祖謙，呂祖謙讀其答卷，始而擊節稱賞，繼而讚嘆不已，謂同官云：“此卷超絕有學問者，必是江西陸子靜之文。”[132]南宋孝宗淳熙中除國子正，遷敕令所刪定官。淳熙十三年（西元一一八六年）轉宣義郎，改主管台州崇道觀，後返江西，於象山築精舍講學。光宗紹熙初，知荊門軍，頗有政績，但僅年餘，卒於任上。

陸九淵從不著書，從講學中對其生徒發施影響。言辭鋒銳，善於辯說，具天賦即席闡發義理之能力，吸引諸生聚其

---

[128]〈遺書〉《二程集》卷17，第175頁。
[129]〈遺書〉《二程集》卷18，第193頁。
[130]〈遺書〉《二程集》卷1，第8頁。
[131]〈年譜〉《陸九淵集》卷36，中華書局，第483頁。
[132]〈年譜〉《陸九淵集》卷36，第486頁。

門下。與兄陸九齡因同於家鄉講學，合稱“江西二陸”。

陸九淵學術活動與朱子同期，但與朱子學說互殊。孝宗淳熙二年（西元一一七五年）夏，呂祖謙邀朱子和陸九淵等學者聚於信州鉛山鵝湖寺，討論學術異同，即著名之“鵝湖之會”。陸九淵有詩云：“墟墓興哀宗廟欽，斯人千古不磨心。涓流積至滄溟水，拳石崇成泰華岑。易簡工夫終久大，支離事業竟浮沉。欲知自下升高處，真僞先須辨只今。”[133]以己之主張爲久大之易簡工夫，將朱子之“格物致知”喻爲支離事業，引起激烈辯論。朱、陸之晚年，彼等猶因周敦頤學說中之“無極”、“太極”而生爭論。因朱子和陸九淵分別代表南宋之兩不同學術流派，彼等之分歧與爭論深深影響此後理學之發展。

（一）本 心

“本心”是理解陸學之主要之觀念。陸九淵謂：

> 孟子曰“所不慮而知者，其良知也。所不學而能者，其良能也。”此天之所與我者，我固有之，非由外爍我也，故曰“萬物皆備於我矣，反身而誠，樂莫大焉。”此吾之本心也。[134]
>
> 仁義者，人之本心也。孟子曰“存乎人者，豈無仁義之心哉”，又曰“我固有之，非由外爍我也”，愚不肖者不及焉，則蔽於物欲而失其本心。賢者智者過之，則蔽於意見而失其本心。[135]

陸九淵以爲，任何人皆有先驗之道德理性，其稱之爲本心，此本心提供道德法則、發動道德情感，故又稱仁義之心。因本心是每人先天具有，是以是不慮而知、不學而能之“良”心。

---

[133]〈鵝湖和教授兄韻〉《陸九淵集》卷25，第301頁。

[134]〈與曾宅之〉《陸九淵集》卷1，第5頁。

[135]〈與趙監〉《陸九淵集》卷1，第9頁。

陸九淵之本心思想源於孟子。孟子提出："人之所不學而能者，其良能也；所不慮而知者，其良知也。孩提之童無不知愛其親者，及其長也，無不知敬其兄也。"[136]孟子以爲親親是仁，敬長是義，人先天地具有仁義之心，此先天之仁義之心即良心、良知，孟子又稱爲"本心"。孟子以爲不道德行爲之源在於人喪失此本心、良心，"雖存乎人者，豈無仁義之心哉？其所以放其良心者，亦猶斧斤之於木也。"[137]放其良心者"此之謂失其本心"。[138]本心並非抽象或隱蔽之神秘實體，本心即是人之道德意識和情感，故孟子又謂："惻隱之心，仁也；羞惡之心，義也；恭敬之心，禮也；是非之心，智也。仁義禮智非由外爍我也，我固有之也，弗思之耳。"[139]陸學之思想全以孟子上述思想爲基，陸九齡鵝湖詩"孩提知愛長知欽，古聖相傳只此心"亦清楚表明此點，陸九淵對楊簡亦明示，本心即孟子之四端。[140]

從孟子至陸九淵，本心指先驗之道德意識，此說謂道德意識是每人心之原本，其存於任何時代任何人,是永恒和普遍。

陸九淵哲學中之"本心"即是倫理學所說之良心，其以良心全不賴於學習和社會生活，但具超時代之普遍性，於道德生活中發揮決定作用。

（二）心即是理

於陸九淵之論述中,常以本心簡稱爲心，彼謂："此心此理，我固有之，所謂萬物皆備於我，昔之聖賢先得我心之所同然者耳。"[141]此固有、皆備之同然之心是指本心，而非一般之思慮知覺之心。彼又謂："人孰無心，道不外索，患在戕賊之耳、放失之耳。古人教人不過存心、養心、求放心。此心之良，人所固有，人惟不知保養而反戕賊放失之耳。"此

---

[136]〈孟子、盡心上〉《四書章句集注》卷7，第319頁。
[137]〈孟子、告子上〉《四書章句集注》卷6，第257頁。。
[138]〈孟子、告子上〉《四書章句集注》卷6，第258頁。
[139]〈孟子、告子上〉《四書章句集注》卷6，第259頁。
[140]〈年譜〉《陸九淵集》卷36，第487頁。
[141]〈與侄孫濬〉《陸九淵集》卷1，第13頁。

“人孰無心”之心亦是指本心良心而言。尤值注意者，放心之說，並非人之本心失去，僅是蒙蔽之結果，放失僅是指功能之喪失，並非心體之喪失。在屢爲人所引之答李宰書中謂：

> 人非木石，安得無心？心於五官最尊大。〈洪範〉曰：“思曰睿，睿作聖。”孟曰：“心之官則思，思則得之，不思則不得也，”又曰：“存乎人者，豈無仁義之心哉？”又曰：“至於心，獨無所同然乎？”又曰：“君子之所以異於人者，以其存心也，”又曰：“非獨賢者有是心也，人皆有之，賢者能勿喪耳。”又曰：“人之所以異於禽獸者幾希，庶民去之，君子存之。”去之者，去此心也，故曰“此之謂失其本心”。存之者，存此心也，故曰“大人者不失其赤子之心”。“四端”者，即此心也。“天之所以與我者”，即此心也。人皆有是心，心皆具是理，心即理也。所貴乎學者，為其欲窮此理，盡此心也。[142]

於陸九淵思想中，“人皆有是心”等皆是指“本心”此所謂之“心即理”亦是指本心即理。於孟子，理是人心之所同然，但理無宇宙規律與社會規範之意。陸九淵則以爲本心自身即是道德原則之根源，因而本心即是理，本心之理與宇宙之理同。因之，在以心爲本心、理爲道德準則之意內，“心即理”之說方可理解。

然一般之知覺主體之意上，陸九淵以爲心有邪正，如：

> 學者問：荊門之政何先？對曰：必也正人心乎。[143]

彼以爲：“人生天地間，氣有清濁，心有智愚，行有賢

---

[142]〈與李宰〉《陸九淵集》卷11，第149頁。
[143]〈語錄〉上《陸九淵集》卷34，第425頁。

不肖。”[144]此處之心有智愚亦指心有邪正。彼反對道心人心爲二心，以爲克念作聖是心，罔念作狂亦是心。此於陸九淵之學說中，“本心”與“心”有別。在以本心爲道德主體則彼承孟子，而以心爲一般知覺主體，則與朱子同。

爲深解陸九淵之心即理思想，猶須對陸學中“理”進行必要之分疏。陸九淵謂：“此理乃宇宙所固有。”[145]又謂“此理在宇宙間，固不以人之明不明、行不行而加損”[146]此明示陸九淵承認宇宙之理之客觀性，承認宇宙之理之客觀存在不受人之思維和行爲之影響。陸九淵猶謂：“此理塞宇宙，誰能逃之。順之則吉、逆之則凶。”[147]“此理在宇宙間，未嘗有所隱遁，天地之所以爲天地，順此理而無私焉耳。人與天地並立而爲三極，安得自私而不順此理哉？”[148]“此道塞宇宙，天地順此而動，故日月不過而四時不忒，”[149]表明陸九淵亦承認理具有普遍之必然性。人與天地萬物皆不能逃理之制約，不能違此一普遍規律，順理而動，方能保持宇宙與社會之正常運行。陸九淵猶以爲：“塞宇宙一理耳，學者之所以學，欲明此理耳。”[150]“宇宙間自有實理，所貴乎學者，爲能明此理耳。”[151]

以上表明，不論“理”是道德法則或是普遍規律，陸九淵並不以爲天地之理是人心所生。“充塞宇宙”表示理於宇宙間之普遍存在。理既存在於人心，又普遍存在於天地之間，彼謂“萬物森然於方寸之間，滿心而發，充塞宇宙，無非此理”[152]，“是極是彝，根乎人心，而塞乎天地”[153]此皆是言內心之道德準則與宇宙普遍之理同，而非指宇宙之理是人心之產物。理之客觀性、必然性、普遍性、可知性是陸九

---

[144]〈與包詳道〉《陸九淵集》卷6，第80頁。
[145]〈與朱元晦〉《陸九淵集》卷2，第28頁。
[146]〈與朱元晦〉《陸九淵集》卷2，第26頁。
[147]〈易說〉《陸九淵集》卷21，第257頁。
[148]〈與朱濟道〉《陸九淵集》卷11，第142頁。
[149]〈與黃康年〉《陸九淵集》卷10，第132頁。
[150]〈與趙泳道四〉《陸九淵集》卷12，第161頁。
[151]〈與包詳道〉《陸九淵集》卷14，第182頁。
[152]〈語錄〉上《陸九淵集》卷34，第423頁。
[153]〈雜說〉《陸九淵集》卷22，第269頁。

淵所不能否認，唯有知此，方能理解陸九淵“心即理”之思想。

（三）論格物與靜坐

北宋以來以二程爲主之理學思潮特重《大學》之“格”物“致”知。程頤以窮理釋格物，此一思想於學術界影響較大。陸九淵對格物之說亦受其影響，如彼謂：

> 格，至也，與窮字、究字同義，皆研磨考索以求其至耳。[154]

其以“格”之意即是窮究至極，此釋與程朱同。〈語錄〉載：

> 先生云：“・・・・・・・致知在格物，格物是下手處。”伯敏云：“如何樣格物？”先生云：“研究物理。”伯敏云：“天下萬物不勝其繁，如何盡研究得？”先生云：“萬物皆備於我，只要明理。”[155]

陸九淵亦以“格物”爲工夫下手處。然陸九淵之格物說與程朱異，其考究之理並非外在事物之規律，彼謂：

> 復齋家兄一日見問云：“吾弟今在何處做工夫？”某答云“在人情、事勢、物理上做些工夫。”復齋應而已。若知物價之低昂與夫辨物之美惡真偽，則吾不可不謂之能，然吾之所謂做工夫，非此之謂也。[156]

陸九淵所謂於物理上作功夫，並非指程朱窮物之所以然

---

[154]〈格矯齋說〉《陸九淵集》卷20，第253頁。
[155]〈語錄〉下《陸九淵集》卷35，第440頁。
[156]〈語錄〉上《陸九淵集》卷34，第400頁。

之功夫，亦非指讀書窮理之功夫，彼曾謂：“且如‘弟子入則孝，出則弟’，是分明說與你入便孝、出便弟，何須得傳注？學者疲精神於此，是以擔子越重。到某這裡，只是與他減擔，只此便是格物。”[157]陸學反對經典傳注，倡踐履之易簡工夫，因之其格物說與朱子互殊。

此殊要在陸學中格之對象是萬物皆備之“我”，此我實者即是心，彼謂：

> 格物者，格此者也。伏羲仰象俯法，亦先於此盡力焉耳。[158]

此“格此者也”亦是指格心，因之其格物是指先立乎其大之修身正心，彼以爲此乃學問之大本。非唯格物是格此心、窮盡此心皆備之理，致知亦是不失其本心（敬齋記），窮理亦是“窮此理”，盡心亦是“盡此心”（與李宰書），皆是要於“心即理”之心做功夫，保存、養護此本心。因陸學理解中之窮理是指道德法則，又主心即是理，從而決定陸學工夫論是以發明本心而展開。

陸學頗重以靜坐發明本心。朱子曾指陸學之修養方法是“不讀書，不求義理，只靜坐澄心”[159]，陳淳亦言“象山教人終日靜坐以存本心，無用許多辨說勞攘”[160]，葉適亦云：“初朱元晦、呂伯恭以道學教閩浙士，有陸子靜出，號稱徑要簡捷，諸生或立語已感動悟入矣，以故越人爲其學尤眾，雨並笠、夜續燈，聚崇禮之家，皆澄坐內觀。”[161]此皆說明，陸九淵將靜坐澄心作爲其存心工夫。據其弟子記載：

> 先生謂曰“學者能常閉目亦佳。”某因此無事則安坐瞑目，用力操存，夜以繼日，如此者半月。一日下樓，忽覺此心已復澄瑩，中立竊

---

[157] 〈語錄〉下《陸九淵集》卷35，第441頁。
[158] 〈語錄〉下《陸九淵集》卷35，第478頁。
[159] 〈孟子二〉《朱子語類》卷52，第1264頁。
[160] 〈北溪學案〉《宋元學案》卷58，第2232頁。
[161] 〈胡崇禮墓志銘〉《葉適集》卷17，第338頁。

> 異之，遂見先生。先生目逆而視之曰：“此理已顯也。”某問先生：“何以知之？”曰：“占之眸子而已，”因謂某曰：“道果在邇乎？”某曰：“然。……”[162]

由此明陸九淵確有靜坐之體驗，於其學實踐中以靜坐體驗作爲體道明理之法。

（四）尊德性而後道問學

淳熙二年（西元一一七五年）夏，由呂祖謙召集，朱子、陸九淵兄弟等相會於江西信州鵝湖寺，討論學術異同，史稱“鵝湖之會”。據與會者記述其大略：

> 鵝湖之會，論及教人，元晦之意，欲令人泛觀博覽，而後歸之約。二陸之意，欲先發明人之本心，而後使之博覽。朱以陸之教人為太簡，陸以朱之教人為支離，此頗不合。先生更欲與元晦辯，以為堯舜之前何書可讀？復齋止之。[163]

陸學此見，以《中庸》之言謂，即始終以“尊德性”對“道問學”之優先性。尊德性是本，道問學是末，道問學須從於尊德性，以孟子之言，則是要“先立乎其大者”。

〈語錄〉載：

> 朱元晦曾作書與學者云：“陸子靜專以尊德性誨人，故遊其門者多踐履之士，然於道問學處欠了。某教人豈不是道問學處多了些子，故於某之門者踐履多不及之。”觀此，則是元晦欲去兩短、合兩長。然吾以為不可，既不知尊德性焉有所謂道問學？[164]

---

[162] 〈語錄〉下《陸九淵集》卷 35，第 471 頁。
[163] 〈年譜〉《陸九淵集》卷 36，第 491 頁。
[164] 〈語錄〉上《陸九淵集》卷 34，第 400 頁。

依陸九淵觀之，經典和知識之習未能增其道德，因而無獨立之價值和意義。

陸九淵非唯以讀書窮理是末而非本，且以爲嚴格遵循行爲之規範亦非學問之根本。吾人知之，程頤之說頗重外在行爲之規範，講非禮勿聽言動，陸九淵以爲：

> 今世論學者，本末先後，一時顛倒錯亂，曾不知詳細處未可遽責於人，如非禮勿視、聽、言、動，顏子已知“道”，夫子乃語之以此，今先以此責人，正是躐等。[165]
>
> 近有議吾者之：“除了‘先立乎其大者’一句，全無伎倆。”吾聞之曰：“誠然”。[166]

發明本心是先立其大，行爲之詳，義理之精，皆是在先立其大之基以維持、保養此心，將爲學精力集中於讀書以盡精微，或躬行以盡禮文，皆是本末倒置。

（五）收拾精神，自作主宰

某次陸九淵與生論如何作一道德高尚之人，生謂：“非僻未嘗敢爲。”即不作任何不道德之行爲。陸九淵謂：“不過是硬制在這裡，其間有不可制者，如此將來亦費力，所以要得知天之所予我者，”[167]此言，若僅克己之欲不作違德之事，單是一強制，猶未將道德之行爲變爲主動之行爲，而由強制變爲自覺，則須知人人具有天賦之本心。陸九淵觀之，道德境界之提高，在於發揮道德主體之能動性。

基此，陸九淵曾謂：“明得此理，即是主宰，真能爲主，則外物不能移，邪說不能惑。”[168]又謂：“請尊兄即今自立，正坐拱手，收拾精神，自作主宰，萬物皆備於我，有何欠

[165]〈語錄〉上《陸九淵集》卷34，第398頁。
[166]〈語錄〉上《陸九淵集》卷34，第400頁。
[167]〈語錄〉下《陸九淵集》卷35，第440頁。
[168]〈與曾宅之〉《陸九淵集》卷1，第4頁。

闕！”[169]自主、自立皆是指人應樹其主體之道德自覺，使本心良心成意識之主宰，則邪說外誘皆無由動搖。

陸九淵以爲，其注重發明本心，自作主宰之學承孟子之有本之學，彼以爲朱子一派“終日營營，如無根之木，無源之水，有採摘汲引之勞，而盈涸榮枯無常”，[170]其所嚮往和提倡則是孟子所謂之“源泉混混，不捨晝夜，盈科而後進，放乎四海，有本者如是”[171]之學問。彼謂：

> 涓涓之流，積成江河，泉源方動，雖只有涓涓之微，去江河尚遠，卻有成江河之理。若能混混，不捨晝夜，如今雖未盈科，將來自盈科。・・・然學者不能自信，見夫標末之盛者便自慌忙，捨其涓涓而趨之，卻自壞了，曾不知我之涓微卻是真，彼之標末雖多卻是僞，恰似擔水來相似，其涸可立而待也。[172]

此即陸九淵鵝湖詩“涓流積至滄溟水”，“真僞先須辨只今”之意。

陸九淵發明本心之本源之學旨在爲人之道德行爲找一取之不盡、用之不竭之內在源泉，以獲道德之自覺與自主。陸九淵尤反道德缺乏主體之意識，即“自暴自棄”，所謂自作主宰亦是要人樹其道德主體。彼以孟子之學是”病其自暴自棄，則爲之發四端”[173]“孟子當來，只是發出人有是四端，以明人性之善，不可自暴自棄”，[174]其一者以本心具足，一者倡導自主，自主又稱“收拾精神，自作主宰”。

（六）義利之辨

---

[169]〈語錄〉下《陸九淵集》卷35，第455頁。
[170]〈與曾宅之〉《陸九淵集》卷1，第6頁。
[171]〈孟子・離婁下〉《四書章句集注》卷4，第194頁。。
[172]〈語錄〉下《陸九淵集》卷34，第398頁。
[173]〈與邵叔誼〉《陸九淵集》卷1，第2頁。
[171]〈語錄〉上《陸九淵集》卷34，第396頁。

陸九淵有弟子傅子淵、陳正己兩人，陳問：“陸先生教人何先！”傅曰：“辨志”。陳問：“何辨？”傅答：“義利之辨。”陸九淵聞此對話，說：“若子淵之對，可謂切要。”[175]

志是指意識之動機，是一主觀之範疇，從心學觀之，行爲是否具有道德價値，逕決於行爲發生之動機，即意識所依據之原則。所謂辨志即是要分辨意識活動之動機是以何原則決定。儒家常言，人須以“義”立志，即以“義”爲支配行爲之動機。

宋孝宗淳熙八年（西元一一八一年）春，陸九淵至南康訪任知南康軍之朱子。朱子請陸登白鹿講席，爲諸生講《論語》中“君子喻於義，小人喻於利”一章。陸九淵闡明其對義利之辨之見。

陸九淵言，決定一人是否是有之德人（君子）或無德之人（小人），非在其表面行爲，而在其內心動機。彼舉例言，一人終日習聖賢之書，此行雖好，但其讀書之動機若僅爲求科舉功名，即非君子。陸九淵舉此例切中不少學者之心病，是以聽之者皆爲之悚然動心。陸九淵其後亦言：“某觀人不在言行上，不在功過上，直截是雕出心肝。”亦即言，一人是小人或是君子，要在“辨志”，即辨察其決定行爲之動機原則。

所謂義利之辨是在道德評價和道德人格之分野，並不排斥任何建功立業之行爲。如對儒家言，富民強國本身並無須排斥，須排斥者是利己之動機。

陸九淵之說於當時具相當之影響，然其死後其所代表之“心學”相對於“理學”而言，趨於沉寂，至明中期，由陽明之倡始重振。其與朱子學之分歧要在於：陸言尊德性，朱言道問學；陸講心即理，朱主性即理；陸重明心，朱重格物。此等分歧亦可謂非唯朱陸兩人之分歧，而代表宋明理學自身之互異。

---

[175]〈語錄〉上《陸九淵集》卷 34，第 398 頁。

第六章 儒學研究於朝鮮

第一節 儒學思想於朝鮮之傳播及其影響

一、儒學於朝鮮之傳播

儒學是以孔子爲中心之哲學思想。儒學思想對中華文化及世界文化之發展，皆曾留深記，尤以東亞韓日等國，據史籍所載，儒學傳入朝鮮，經朝鮮學者之理解消化，儒學已深融於朝鮮傳統文化之中，且已具其民族特色之儒學。

儒學由中國傳至朝鮮，始於秦末漢初(約西元前一九五年)，正值戰亂之際，燕人衛滿帶領千餘難民歸化朝鮮，古朝鮮王準"信寵之，拜以博士，賜以圭，封之百里，令守四邊"[1]翌年(西元前一九四年)衛滿聯合反國王之政治勢力，驅逐準王，奪取王位，國號仍謂朝鮮，史稱"衛滿朝鮮"，政令衣冠，悉依舊制。

西元前一0九年，漢因與衛滿朝鮮右渠王有隙而有征衛滿朝鮮之戰，經一年，漢滅衛滿朝鮮，於其舊地設樂浪、臨屯、真番、玄菟等郡，史稱漢四郡。因之，中國古代文化之傳入朝鮮，可溯至衛滿，即西元前一九四年，甚或更早。彼時之漢之文物制度與學術思想已全盤移值、輸入。而非始於高句麗小獸林王二年(西元三七二年)建立太學，模仿中國制度。更往上溯，據《三國志・魏略》載：衛滿朝鮮時代，燕昭王二十九年(西元前二八三年)，朝鮮侯王與燕已有外交往來。[2]從漢字之東傳，可推知儒學思想之傳入、習得。如由"忠"字而知人臣事君當忠之理；由"孝"字而知人子事親之道；由"信"字而知人人當守之義。於三國時代[3]太學中已有儒學經典與忠孝思想之教授，對國家體制之建立，家庭倫

---

[1]〈朝鮮列傳〉《史記》卷55，第1986頁。〈魏志・東夷傳〉《三國志》卷30，第850頁。

[2]〈魏略〉《三國志》卷30，第850頁。

[3]三國時代是指從四世紀初至七世紀中葉之高句麗、新羅、百濟三國鼎立之時代。

理之約制，深具影響，是以忠孝思想易被接納。

儒學獲國家承認並傳播，是於朝鮮三國(高句麗、百濟和新羅)之時，最早受儒學思想是與中國接壤之高句麗。據《舊唐書·東夷列傳》記載，高句麗於小獸林王二年（西元三七二年）已建立儒學教育機構“太學”和“扃堂”。“太學”乃是高句麗學府之最，授“五經”、“三史”等儒家典籍。唯收貴族子弟，以培養國家官吏。於地方則設“扃堂”，以招地方貴族和平民子弟。學習五經、三史和射御等。

百濟從建國之初便受儒學，至四世紀儒學教育機構已備。《舊唐書·東夷百濟》:“其書籍有五經子史，又表疏並依中華之法”。百濟近肖古王二十九年（西元三七五年）名儒高興獲得博士稱號。而儒學博士王仁則將《論語》等儒家經書傳至日本。

新羅地處朝鮮半島南端，於朝鮮三國中發展較遲。西元六世紀儒學於新羅盛行。西元五0三年依中國方式改稱王號，亦按儒家方式換國號和年號。善德女王八年（西元六三九年）勸獎留唐學儒，培養眾多儒學者。

儒學思想於朝鮮三國之迅速傳播和普及，爲正處於建立和發展之三國統治秩序提供其思想利器，並爲朝鮮文化之形成及發展，生潛移默化之效。

二、儒學於朝鮮之發展

朝鮮自古與中國爲鄰，中國之儒學入朝，蓋可以四期分述之。(一)古朝鮮及三國時期所傳入之漢代五經思想。(二)統一新羅及高麗前期所傳入之隋、唐文學之儒學思想。(三)高麗後期及朝鮮前期所傳入之宋代性理學之朱子思想。(四)朝鮮後期所傳入之清代實學思想。

(一)古朝鮮及三國時期（西元前二世紀～西元七世紀）所傳入之漢代五經思想

據《舊唐書》、《三國誌》等載，中國古代文化傳入朝鮮之歷史可溯至西元前二世紀。至三國時期則正式以國家之規模引進儒學並應用於國家之政治與教育文化等，此時期長達千年之久，可稱爲儒學之傳播時期。

三國時代，高句麗、新羅、百濟三國鼎立，除彼此之爭戰外，對中國殖民之漢四郡等外來民族，亦展開對立抗爭，此時文化乃呈現古代社會固有之土俗文化和以樂浪爲主之中國系大陸文化二大支流。因之，內有三國相互衝突，外有北方漢族、南方倭族之抗爭，經此考驗，反而促其種族自主意識之覺醒與古代國家之發展。

高句麗位於朝鮮半島北部，與中國接壤。百濟位於半島西南，隔西海與中國對峙，早即輸入中國文化。新羅位偏半島東南，須經高句麗、百濟輸入中國文化，故於三國初期，文化、政治難免落後。另者，高句麗輸入中國北朝系統文化，形成純樸、強勁之文化。而百濟接受南朝系統文化，形成浪漫、細緻之文化。

概觀三國時代思想之同時，尤須注意三國古代國家建設發展過程中，中國儒學思想中內含之自主精神與抵抗意識。由古代部族社會學習團結精神，培養韓民族之智慧和勇氣；由春秋大義，學會國際外交中弱者抵抗強者之外交原理。此乃春秋戰國時代，始傳入之漢朝經學思想，使韓民族受到中國思想之影響；此影響非局限於政治，舉凡禮俗、法制、文字等皆造成影響，使三國時代脫離原始文化，造成文化發展之新紀元。尤以透過漢文內含之儒學思想，學得一己人倫理與國家倫理；是以三國時代人之生死觀、民族觀、國家觀亦從以前淡漠之意識中蛻變而成確實、系統之自我民族思想。

1、高句麗之儒學

蓋語言和文字於民族文化形成中，扮演重要角色。古代韓民族雖有固有語言，但似無文字。是以漢文之傳來，於韓民族文化史中，具劃時代之貢獻。倘若訓民正音創制前之數千年，韓民族無文字，亦無漢文傳來，則其文化必停滯於原始狀態。且漢文之傳入，文字中蘊含之思想與感情亦必隨之。語云："文者道之器"良有以也。

而今雖將語學與思想分門別類，但儒家經典以漢文記錄，而其根本價值則在儒家思想，故漢文與儒學實有不可分之關係，漢文之傳來即反映儒學之傳來。

高句麗小獸林王二年(西元三七二年)設太學、頒律令，即仿中國之學制與法制，亦可見其內部發展已趨成熟及必要性。又如近世紀出土之"廣開土大王碑"[4]詳載當時信仰與政治理念，碑文記載東明王昇天之時，顧命世子儒留王，囑"以道與治"，此遺命傳至十七代之廣開土大王。此中乃是以"道"制而非以"力"治，此道乃意味孔孟思想中之"帝王之學"，早於開國始祖東明王前已傳入，並被活用。

高句麗之社會組織中有君王、豪族大家、庶民下戶之身分之別，而貴族與賤民之職份亦異；唯賴貴族不足以禦外侮，故有集訓未婚男子稱"扃堂"；此未婚青年團體與新羅之"花郎徒"[5]性格類似，但新羅之"花郎"屬貴族團體，而高句麗之"扃堂"則屬賤民團體。

由此可見高句麗"扃堂"爲教育機關之同時，亦是爲對應非常時之武藝訓練所。於平時從事農商並兼修文武，一旦有事，則全民皆兵。因之，不論大學或扃堂，皆以教授儒學經典爲主。

2、百濟之儒學

百濟與高句麗皆源於韓半島北方之夫餘，其始祖爲溫祚王，持續六、七百年後，亡於羅唐聯軍，據二十五史《周書·異域傳》載"百濟者，其先蓋馬韓之屬國，夫餘之別種。"所謂馬韓、辰韓、弁韓是於三國(高句麗、百濟、新羅)時代之前，與中國文化接觸不多，蓋襲固有習俗，差曉禮儀。然其後國家禁令與法制，頗多受箕子"八條禁"[6]之影響，又其祭祖先崇宗廟，對"蘇塗"[7]亦甚爲重視。另百濟已使用中國曆法，以寅月歲首"夏曆"爲主，此曆法對農耕、海洋生活、統治百姓、建全體制等具重大意義。

百濟之建國，乃北方夫餘族支南下漢江而建，故與高句麗、新羅先有鞏固基盤者異，北抗高句麗，近交新羅，遠交

---

[4] "廣開土大王碑"為高句麗於西元四一四年所製碑文，分四十二行，每行四十一字，總計一七二二字，詳載古代高句麗之古代信仰和政治理念。

[5] 花郎徒"除謀求個人人格完成之同時，亦非單純之教育或修養團體，為另具軍事、國防機能之團體。

[6] 箕子於周武王滅殷時避於韓，後成為朝鮮王，頒有八條法禁。

[7] "蘇塗"乃祭山川之所，每年春秋二祭，祈免災厄。

中、日，圖謀因應，是以具專制之國家性格，然其中央至地方之制度，悉依中國周、漢之體制。故觀其建國之初即受儒學影響，至四世紀近肖古王二十九年(西元三七五年)名儒高興獲“博士”稱號，而儒學博士王仁則將《論語》、《千字文》等儒家經書傳至日本。

由此可知中國之儒學思想，提供百濟治國原理，並扮演人間教養及倫理道德之角色。後又將此文字學術東傳日本，啓發日本古代文明，亦對後來日本學術界造成莫大之影響。

3、新羅之儒學

新羅乃今以“慶州”爲中心之廣闊平原，南與弁韓、北與高句麗、馬韓爲界。高句麗從建國初始，即以征服者蓬勃之姿，活絡部族聯盟。尤以“兩極之調和”前，始終充滿衝突與不安。因之，兩極之世界觀，乃高句麗之哲學思想本質。而百濟之表現，適與高句麗相反，追求極致之調和，是以謂高句麗是尙武之對峙精神，百濟則崇文之調和精神，乃構成其調和世界觀之哲學本質。新羅則以文武兼全完成兩極之調和。新羅即非勇武之一方，亦非文弱之一方，唯堅持其和而不流之妙理，終能超越時空，獲致創造性調和之機能。如高句麗之貴族主義，百濟之庶民性格，於新羅則成一調和。

新羅開國王朴赫居世之“赫”字爲“明亮”、“紅色之太陽”之意，爲象徵明亮之物，故人君除爲政治領導者外，亦兼具某種宗教性格。又如南海次次雄爲新羅第二代之君主，新羅之方言中“次次雄”乃爲“巫”之意，此乃意味宗教與政治一致下所產生之最高理想指導者。因之，其“共同之意識”及“敬天之思想”逐漸發展爲新羅之“和白制度”。[8]

古代三國中，新羅文化發展較遲，高句麗與百濟早期即接受中國文化，並輸入文字及書籍，並與中、日建立外交關係，尤以儒、佛之傳入日本，對當時造成相當之影響，然對新羅之衝擊較晚。新羅初無文字，有待與高句麗、百濟接觸後，漢文方由兩國傳來，始有文字之記。[9]如今尙存之金石碑

---

[8]〈新羅傳〉《唐書》載：“官凡十有七等。事必與眾議，號曰：‘百合’，一人異則罷。”

[9]〈東夷傳〉《梁書》載：“無文字，刻木為信，語言帶百濟而後通焉。”

文“廣開土大王碑”“真興王巡狩碑”，若無漢字之輸入，則此貴重之文化遺產，[10]將無法留傳下來。

新羅於文化之接觸與發展，時機雖較高句麗、百濟略遲，但如考其碑文，可知當時已對儒學經典有相當之理解，並具相當之文章功力。又如新羅之原始信仰隨國家體制之完成，制度組織之完備，及中國文化之流入，儒、佛、道之傳入而其價值觀亦漸變遷。由此推之，其民風土俗定位之前，隨文化之發達，認識人性之尊嚴，並反映於人之行為及意識之中，無不受儒學之影響。

(二)統一新羅及高麗前期(西元七世紀～西元十世紀)所傳入之隋、唐文學之儒學思想

新羅統一高句麗和百濟(西元六六八年)，此於韓國歷史首先之國土統一。三國同語，同樣接受並吸取儒學和佛學同質之文化屬性，而今克服近七百年之反目與糾紛，建立一統之民族文化傳統。

漢字和漢學何時傳入新羅，雖不明確，然據《三國史記・奈勿尼師》所載，西元四世紀左右，即奈勿王二十六年(西元三八一年)，前秦王苻堅問新羅使臣“卿言海東之事，與古不同，何耶？”觀之，可推測在此之前，既有往來，而漢字與儒學經典亦早已傳入。

於此時期，儒學傳入新羅，對其接受過程雖不明確，然自六世紀始；新羅於主體實踐中已吸取儒學思想，其國號名稱即立足於儒學之理念。新羅智證王四年(西元五０三年)大臣提議國名統一為“新羅”。其旨趣是以《周易》為基礎。所謂“德業日新”是由《周易》中之“君子進德修業”(乾卦文言傳)之文句和“日新其德”(大畜卦彖傳)之文句聯結而成。《周易》自古以來，即為儒學要典，文獻意為君子、聖王對內致力道德修養，對外安撫百姓，以闡明統治者德治政治之王道思想。

---

[10]柳承國〈三國時代之儒學〉《韓國儒學史》，章1， 第43頁。

1、統一前之整備和儒學基礎之形成

新羅從智證王以來，爲統一新羅於國家制度整備已作扎實功夫，以迎興隆期之到來。如法興王和後繼之真興王之新羅統治，一則奠定三國統一之基礎，一則內燃統一之意志。

(1) 德治政治理念之樹立

法興王統治期間(西元五一四年度～西元五四0年)，中央置兵部，頒律令，制百服，設官職，定年號。至真興王時期(西元五四0年～西元五七六年)持續推展，如摩雲嶙碑文所載：

> 帝王建號，莫不修己，以安百姓。然聯歷數當躬，仰紹太祖之基，纂成王位，竟身自慎，恐違乾道。又蒙天恩，開示運紀，冥盛神祇，應符合天，因斯四方拓境，廣獲民土，鄰國誓信，和使交通。…於是，歲次戊子秋八月，巡狩管境，訪採民心，以欲勞賚，如有忠信精誠，才超察厲，勇敵強戰，為國盡節有功之徒，可以賞爵，以彰勛效。

由上真興王二十九年(西元五六八年)所製碑文中，頗多引儒學經典語句，以示國王本身之王道精神。

(2) 依春秋史觀建立之歷史意識

真興王統治業績中，不容忽視者，厥爲記錄新羅過往之歷史，令修《國史》，今雖亡佚，然其記善惡，以褒貶，作爲後世鑒借。據大阿餐居柒夫於《三國史記》真興王六年(西元五四五年)條之見云：

> 國史者，記君臣之善惡，示褒貶於萬代，不有修撰，後代何觀。[11]

以善惡作爲準繩，記錄君臣之褒貶，並以此作爲借鑒和

[11]〈新羅本紀第四〉《三國史記》真興王六年(西元五四五年)條。

教訓，述其歷史意識所建之春秋史觀。

(3) 花郎制度之創設和其理念之實踐

真興王於社會風氣形成高潮之背景下，創設花郎制度。真興王二十三年(西元五六二年)加耶叛亂，王命伊餐異斯夫往伐。彼時懇求從軍，一道而來之花郎、裨將斯多含，自請打先鋒，後遂得勝，時年僅十五、六，因風貌出眾，志氣方正，時人推舉爲花郎，王雖重賞婉拒，後與武官郎結爲知己，友人因病亡故，斯多含悲痛萬分，七天後亦亡，年方十七。

從斯多含之精神中，可窺其真心愛國、愛百姓、清廉正直和對親友之篤厚信義。換言之，此乃修己、安民之儒學實踐理念之具體體現。早期中國春秋管鮑之交所傳“士爲知己者死”，今於新羅花郎得其驗證。

真興王由花郎制選拔國家人才，使花郎與郎徒互相研修道義，學習歌舞，探尋勝景，至成才之後，再選優者上薦朝廷。據金大問於《花郎世紀》中云：

> 賢佐忠臣，從此而秀，良將勇卒，由是而生。[12]

總之，花郎徒在培養高潔之心志，豁達之氣質，陶冶心身如一，言行一致等人格，以研修儒學實踐倫理所講之道義，作爲精神教育之基礎。非但如此，新羅人從儒教中撿出“忠孝”思想，從佛教中撿出“諸惡莫作，諸善奉行”之教誨，從老莊中挑出“處無爲之事，行不言之教”之教訓，使之成爲一綜合體。

(4) 由忠孝發展之護國獻身精神

此外，關於花郎道之世俗五戒，吾人可經由貴山與帚項之例，觀其精神與氣質。兩人爲真平王家鄉部落之一對好友。彼等相議論：“我等期與士君子游，而不先正心修身，則恐不免於招辱，盍聞道於賢者之側乎。”[13]當時適值圓光

[12]〈新羅本紀第四〉《三國史記》真興王三十七年春條。
[13]〈新羅本紀第四〉《三國史記》真平王二十二年(西元六００年)條。

法師自隋歸，留住加悉寺，授予世俗五戒，即事以忠，事親以孝，交友以信，臨戰無退，殺生有擇，並囑踐履中不可疏忽。兩人未明殺生有擇之意，法師特示之擇時擇物。

若謂斯多含和武官郎爲新羅之花郎道精神，則貴山與帚項爲明示花郎道之理念，並付諸實踐者。換言之，此一涵養，此一精神，欲使自我道德之內在修養，轉化爲外在護國愛民之心志二者兼備。

2、高麗前期之儒學

韓國儒學史中，比其前之三國時代與其後之朝鮮時代，高麗時代之儒學，居一特殊之位。猶中國儒學大別爲漢代之儒學與宋代之儒學。而今吾人常稱漢學爲舊注，宋學爲新注或新儒學，兩者有其時代性之差異。

高麗時代宋學之傳來，即忠烈王時(西元一二七五年～西元一三０九年)，朱子學之輸入，非唯對高麗時代，並對全韓之思想有重大之轉換與影響。故高麗時代之儒學思想史，有朱子學傳來之前與傳來之後之別。

(1) 高麗前期之儒學概觀

一般泛稱高麗太祖(西元九一八年～西元九四三年)至元宗(西元一二六０年～西元一二七五年)爲前期；前期分太祖(西元九一八年～西元九四三年)至十七代仁宗(西元一一二二年～西元一一四六年)爲儒學興盛期；前期再分十八代毅宗(西元一一四六年～西元一一七０年)至二十四代元宗(西元一二六０年～西元一二七五年)爲儒學衰落期。

高麗時代前期受唐學術文化、後期受宋學之影響。中國漢代之儒學，乃以儒學爲中心之經學思想爲主，唐代則融合儒、佛、道三教，而具有文學之性格，宋學則表面排斥老、佛，而將儒學往哲學深化，而爲宋代之性理學。

如言高麗朝之思想特徵，則可謂儒、佛、道三教與古神道思想之互融無礙。此與後之朝鮮朝之排佛崇儒，除朱子學外全視爲異端，及與前之三國時代儒、佛、道三教鼎立、併行者皆異，而是將異質互融發展之時代。

高麗時代思想雖云融合三教，卻各自活用於不同領域。佛教爲抽象之神學，道教是以大自然爲探求之對象，而儒教則是於人間與社會中，活用於政治、教育、倫理之領域；綜觀全高麗史，儒教隆盛時，政教亦隆盛，反之，亦然。

(2) 高麗太祖之統治理念與儒學

高麗太祖王建統一混亂之後三國後，爲維持國家之統一與安定，非唯致力於政治、軍事之安定與強化，尤著力於思想，由太祖之《訓要十條》[14]可窺其大略。

太祖之《訓要十條》含攝佛教、道教及民間信仰，並活用儒教之政治原理、教育觀念等。《訓要十條》所現之各思想，非從宗教信仰立意，而從收拾民心、確立綱紀、發展國家建設大業著眼。故其目的乃是求政治之安定，期達國富民安之目標。

由此可知，太祖非唯於政治、教育等應用儒學並深刻體會儒學之精神。

(3)成宗之文化政策與崔承老之時務策

高麗朝歷代君王中，最尙儒教，深體儒學精神，將學術與文化實踐於政治者，首推第六代之成宗(西元九八二年～西元九九七年)。

當時元老儒臣崔承老(西元九二七年～西元九八七年)以理念與哲學進言成宗。如高麗太祖之建國理念《十訓要》中所見太祖融合儒、佛、道及原有之土俗信仰，活用於高麗王朝，而維持其發展，但至第六代成宗時，輸入以儒學爲中心之中國漢唐制度與文化，對所有之制度予以再修訂。

如《高麗史節要》中所見："成宗天性嚴正，氣宇寬廣，制定法律制度，崇尙獎勵節義，求賢者，愛百姓，於政有成。"[15]。

崔承老天資聰慧，喜學問，長於文章，年十二時，太祖曾傳見，使讀《論語》，對其天稟英敏，讚賞有加，後屢委以重任。由崔承老之上疏，可知其學問與識見之超卓，泛習儒典，深具政治哲學與現實之洞察力。尤以「時務策」二十

---

[14]《訓要十條》乃高麗朝太祖予子孫之遺訓，太祖二十六年(西元九四三年)召親信重臣朴述熙傳述者。內容見於《高麗史》或《高麗史節要》。

[15]《高麗史節要》卷2，成宗條。《高麗史節要》共三十五卷，為高麗(西元九一八年～西元一三九二年)之編年史，收有《高麗史》所缺之史料，由春秋館編纂。

八條，今存二十二條仍存於高麗史。其十一條：

> 華夏之制，不可不遵，然四方習俗，各隨土性，似難盡變，其禮樂詩書之教，君臣父子之道，宜法中華，以革卑陋，其餘車馬衣服制度，可因土風，使奢儉得中，不必苟同[16]

崔承老主張雖須輸入本質、普遍之文化，但須對土俗、民族之文化有所保留，此乃文化政策上之重要論說。

崔承老於成宗元年(西元九八二年)進言「時務二十八條」，而於成宗八年逝去。今考《高麗史》成宗世家，李齊賢曾讚成宗曰：

> 成宗立宗廟、定社稷，贍學以養士，覆試以求賢，勵守令、恤其民、賫孝節、美其俗，每下手札，詞旨懇惻，而以移風易俗為務。[17]

如李齊賢之言，成宗採儒學之文化政策，尤重政治、教育與道義。成宗在位雖僅十六年，年三十八結束其短暫之生涯，然其治績，於高麗一代之政策、理念皆造成頗大之影響。故成宗乃高麗歷代帝王中，最尚儒教，深體儒學，堪稱踐行制度之改革者。

(三)高麗後期及朝鮮前期(西元十三世紀～西元十五世紀)所傳入之宋代性理學之朱子思想

由高麗初期太祖至六代成宗之儒教哲學思想，幾全承新羅末期儒、佛、道混合之儒教。但，儒學作爲究新羅衰亡之因，實現新王朝高麗之創業、守業所需之政治哲學，其文物制度、科舉制度和教育制度、土改制度等，無不與太祖之《十訓要》和崔承老之《時務二十八條》及金審言之《封事》有

---

[16]鄭麟趾・金宗瑞等《高麗史・列傳》崔承老條，「時務策」第一條。
[17]《高麗史節要》卷2，成宗大王十六年末，李齊賢之讚辭。

關，此乃傳統儒學思想繼承之線索。

高麗中期，由於與低俗迷信信仰關連之密教、風水、圖讖等盛行，帶來社會風俗之紊亂。復以連串之內憂外患，如十七代仁宗(西元一一二三年～西元一一四六年)權臣李資謙、妙清之亂，十八代毅宗(西元一一四七年～西元一一七0年)武臣鄭仲夫之亂，十九代明宗(西元一一七一年～西元一一九七年)賤民亡伊之亂、金沙彌之亂，二十三代高宗(西元一二一四年～西元一二五九年)契丹、倭寇、蒙古入侵，二十四代元宗(西元一二六0年～西元一二七四年)三別抄(高麗崔氏執權時之軍隊)之亂，因連年動亂，文化亦呈衰頹現象。

1、高麗末之社會與學風之變遷

如將朱子學傳來(西元一二七五年)之前之高麗社會分為前期(太祖至仁宗為儒教興盛期、毅宗至元宗為武臣專橫、內憂外患之儒教衰落期)，後期(忠烈王至恭讓王)。以考察各期儒教之興衰，前期以崇儒政策振興文教，發展儒學；後期則武臣集權專擅跋扈，儒學沉滯。試觀《高麗史》可知梗概：

> 毅王季年，武人變起，玉石俱焚，其脫身虎口者，逃遯窮山，蛻冠帶而蒙伽梨，以終餘年，若神駿悟生之類是也。其後國家稍復文治，雖有志學之士，無所於學，皆從此徒而講習之，故臣謂學者從釋子學，其原如此。[18]

2、高麗末性理學之引進和吸收

至今學界言及性理學之引進，蓋以朱子學之引入為言，始自“十三世紀，安珦、白頤正等人最初從元朝學習朱子學歸來。”[19]

朱子學雖是性理學，但性理學非限朱子學而言，蓋性理學之名，或稱理學、心學、程朱學、陸王學、宋學、明學等，因南宋朱子集其大成，明代王陽明作較大之變動，亦及興於

[18]鄭麟趾・金宗瑞等《高麗史・列傳》李齊賢條。
[19]鄭麟趾・金宗瑞等《高麗史・列傳》卷19。

唐末宋初，盛行於明代之儒學。是以性理學是經漫長歲月形成之思想，而非僅指朱子學。

朱子學除指唐末宋初至南宋之性理學外，北宋學者(周敦頤、張載、邵雍)，尤其至程顥、程頤已趨成熟。故吾人於探尋韓國性理學時，亦不宜停留於南宋朱子之性理學，宜應顧及以前及北宋性理學之關係與否？尤應考慮高麗與北宋之間文化之交流。

由此觀之，十一世紀前半期崔冲(西元九八四年～西元一0六八年)之學問傾向，其自辦學堂，以「九齊學堂」命名，教育弟子，門人曰崔公徒。九齊即指樂聖、大中、誠明、敬業、造道、率性、進德、大和、待聘等，大部皆出自《中庸》或其他儒學經典有關，從上事實推測，九齊名稱和性理學之關連，絕非偶然。

高麗末期之社會風潮，因陷入佛老思想，過分之神秘中，而帶來社會頹廢思想之盛行，故民族、國家，皆須賴新學風以振興之。自元代隸屬下解脫之高麗，謂其自主之獨立性，以朱子學倫理之合理要素，於社會國家振興文化之活力，扮演更積極之角色，亦是宋學於高麗末期受歡迎之原因。

高麗社會之儒學者中，最先理解及力說朱子學者爲安珦，安珦《晦軒實記》曰：“我早就在中國見到了朱晦庵的著作，朱晦庵闡明了聖人之道，排斥禪佛之學的功勞不亞於孔子。”[20]或謂最初引入朱子學是白頤正，據《高麗史》謂“元宗復位之時，白頤正去了元，……那時程朱學才在中國流行，尚未進入我國(東方)。頤正在元學成歸來。”[21]姑暫不論如何理解引入，宜應注意其思想機能和影響，並觀其學者群與學問傾向所形成之學風方是正途。

安珦門生雖達數百人，然研究性理學(朱子學)而今留名者屈指可數，僅白頤正、辛蕆、權溥、禹倬等四人。**22**實者，自稱晚年仰慕朱子，自號晦軒之安珦，雖稱先驅，但對朱子學之理解，仍屬有限。與其謂其傳記有朱子學之造詣，不如

---

[20] 安珦《晦軒實記》。

[21]鄭麟趾・金宗瑞等《高麗史・列傳》白文節條。

[22]《東國文獻錄》及《東國名賢言行錄》安文成公條。

謂其詩文更爲傑出，其設“贍學錢”復興太學之業，評價更高。據《高麗史》載：“時程朱之學始行中國，未及東方，頤正在元，得而學之。東返，李齊賢、朴忠佐首師受孝珠(頤正)。”又如權溥，除出版《四書集注》，傳播朱子學之業績外，並未言及其他。辛蕆除“很早進入九齊，潛心朱子學研究，後來成爲名儒”外，其餘不得而知。從禹倬起有較具體之推測。謂初通經史，尤深於易。當伊川易說傳來，無人理解，獨禹倬能解。其後並授生徒以易說，由是性理學始得傳播。朴忠佐亦是如此，其廣爲人知者唯“好讀易，老年仍不罷讀。”

李賢齊之學問所知稍詳。李賢齊本白頤正之門人，又是權溥之婿。髫齡既諳朱子學，年二十八後即滯留元京萬卷堂，多次與學者交，並與姚燧、閻復等知名朱子學者游，故其研究所得《益齋亂藁》、《櫟翁稗說》成爲當代文豪及漢學者之代表，亦爲朱子學引入先導者之一。因之，朱子學界以李齊賢作爲分水嶺，實不爲過。[23]

李齊賢門下之李穡父子於高麗末以儒學爲代表(儒宗)出現，頗引注目。蓋因此時知名之學者(朱子學者)，皆爲其親炙或私淑之弟子，或直接、間接受其影響學而有成者。尤以高麗末、朝鮮初之鄭夢周、李崇仁、權近、鄭道傳等學者。由此可見，朱子學界之形成是於李齊賢之後，尤是以李穡爲中心之學界宜謂是正規。

學風之轉換亦同。彼時朱子學風之形成亦從李齊賢方步正途。李齊賢《櫟翁稗說》謂：

> 不幸到毅宗末年掀起了武人(鄭仲夫)之亂，玉石不分，要殺掉所有的學者，幸免於難的學者都隱迹山中，除去冠帶，削髮為僧，以度餘生。神駿、悟生等就屬這種。以後，國家漸用文治，儒生們雖有學之意，也苦於無處可學，不得不進山尋找削髮為僧的學者，向他們

[23] 韓國哲學會編〈高麗後期性理學的引進和吸收〉《韓國哲學史》(中)篇10，章1，第93頁。社會科學文獻出版社，1996。

> 學習。因此開創了向僧人學習章句的先河。就是現在殿下如果真要辦學校，提高六藝，闡明五教(五倫)，重申先王之道，誰會背著真儒去追隨僧，放棄實學而熟習章句呢？今後，只弄詞章之輩要成為明經行修之士[24]

此正說明當時只盛行曾爲國教之佛教，儒學因武人之亂而停滯。此與忠烈王所憂慮，爲科舉詞章而一偏之儒學，又極力主張經史教育是一致。是以李齊賢力諫應重儒教，與其只重詞章之理解、章句之訓詁，不如注重實學。此時之實學即朱子學。朱子學者比之佛教或老莊之出世、隱遁之性格，或徒具華麗虛飾之詞章，若從朱子學者所具之五倫，乃至禮之思想，稱爲實學，誰曰不宜。

爲取得立足朱子學所謂實學成果，李齊賢引程朱《易經》之“敬以直內”尤重敬以修德，彼謂：

> 應放棄浮誇，用力篤實，以好古之心，求新民之理，行而不惰，戒欲速不達，身體力行其心得，先人後己。[25]

由此可知朱子學學風之轉換始於李齊賢，韓國朱子學於李齊賢後方步入正軌。據此以觀，朱子學之單純引入，實者以李齊賢之朱子學而告段落，是以，以後朱子學雖局限於高麗末，誠亦李氏之功。

3、朝鮮初性理學之開展

進入朝鮮朝，朝鮮初之性理學與高麗朝之性理學絕非全然無關。雖換王朝，但性理學界並無清算或重新開始之現象。因朝鮮初，尤以草創之代表者，皆曾活躍於高麗末之性理學者。如李穡、鄭道傳、權近等。彼等皆經麗末、鮮初之性理學，因之，麗末、鮮初之性理學具有傳統之連續繼承性

---

[24]李齊賢《櫟翁稗說・前集》章13。
[25]李齊賢《益齋亂藁》成王條。

質。

質言之，兩者仍有區別，進入朝鮮朝後，因性理學作爲統治理念，具國教地位，所謂“官學”。高麗朝之性理學，和當時占國教地位之佛教共存，而朝鮮則形成對立。而此官學之條件，終使鮮初之性理學發揮高麗朝所無之機能，尤以鄭道傳之徹底“排佛論”即是一例。

鮮初對性理學本身之研究，可以權近爲代表，亦是於高麗朝之性理學傳統上，方有可能達到一定之研究深度。因此，才能以鄭道傳基於性理學之排佛論實現性理學之統治之外在條件。果若此，可謂權近對性理學純粹之理論研究有所貢獻，從而對鮮初性理學之研究，具定向、嚮導之作用。

(四)朝鮮後期(西元十六世紀末～西元十七世紀初)所傳入之清代實學思想

十六世紀末(西元一五九二年～西元一五九五年)朝鮮王朝經壬辰、丁酉倭亂，將王朝劃爲前、後之分界。此時王朝內經士禍形成士林政治之基軸，出現朋黨、政爭，社會綱紀鬆弛，民不聊生，處此環境，因而有革弊之代表者栗谷李珥產生。另南方之日本，結束長期之分裂，由豐臣秀吉實現武力統一。北方之努爾哈赤統一滿洲各部落並繼續擴張。面對周邊之局勢，朝鮮王朝似無對策，只能任其土崩瓦解。尤以壬辰倭亂，虛弱更形顯現。

如謂壬辰戰後，朝鮮社會內部孕育實學思想潮，是實學產生之溫床，則西歐資本主義文化及清朝文物制度之傳入，則如春雨催化其生長和繁茂。

當時，朝鮮社會之思想領域，經朱子學之發展和深化，已漸臻成熟。朱子學已成爲正統理念，性理學得以蓬勃發展，退溪李滉和李珥之精闢理論出，使其哲學思考達於頂峰。試若道學思想與社會現實能取得平衡則天下太平；反之兩者失衡，危機立現。由是生民察覺正統理念與變化現實之間差距，喚起正統理念之外解決現實問題之覺醒，故朝鮮後期之實學乃應運而生。

談及朝鮮後期實學派之形成，宜注意當時社會現實變化及當時思潮多樣之事實。朝鮮後期實學派發生之背景，宜與同朝鮮前期相較，與正統道學區別之陽明學、西學、考證學等新學風於十七世紀前後傳至朝鮮半島。對此學風，道學派之基本立場立足於正統，採拒絕態度，而實學派則予以全然接受，此乃兩者之差異。

1、實學派對正統道學派之立場與態度

實學思想發生初期，其根基扎於道學，乃不容否認之事實。道學被確立爲正統理念後，全部經典教育皆採朱子學派之注釋。因之，朝鮮社會之儒學者，無一不是朱子學之經學哲學體系培訓而出。因此實學派之人物非以否定道學爲出發，而是肯定道學之正統性，且認識道學派態度有現實之局限性，從而提出實學之問題(如經濟、制度、產業等)意識。首先反省其判斷之動機，檢驗其現實效用之態度。是以其判斷之根據不再賴性理學之邏輯形式，而是以經驗實用之合理態度，故實學派之哲學基礎逐漸脫離道學派之性理學體系。

2、實學派與陽明學派間之關係

道學派自李滉後，確立其批判陽明學之立場[26]朝鮮時代南彥經、李瑤以後陽明學曾於知識分子中流傳，但形成陽明學派卻是在後期之鄭齊斗之後。尤以陽明學對朱子學之規範形式採批判態度，對實學派產生刺激作用。道學派對陽明學基本上採排斥立場，與此相反，實學派無論肯定與否？對陽明學表現較多之關心。雖說朝鮮後期實學派之發展並非陽明學之影響，但卻形成理解陽明學之另一特徵。實者，清朝之實學派曾批明末之陽明學派，進而又批朱子學派，而發展起來。且陽明學之知行合一論，旨在克服由知行之距離產生之朱子學派之矛盾，因而成爲鼓勵實學派實踐精神之理論。

3、實學派與西學之連貫性

從十七世紀初始，經中國不斷輸入西洋之科技和天主教信仰之知識，對此作出最敏感反應者爲實學派。道學派囿於正統立場，對異質性之思想和文化形態堅持其保守和排他之態度。另者，西學非唯於實學派發展中提供重要契機，且對

---

[26]李滉〈傳習錄・論辯〉《退溪文集》卷41。

實學派確立哲學根本立場產生重要影響。是以實學派經由西學早即認識近代文化方式揭示之歷史潮流。

4、實學派與考證學之關係

清朝之實學後來向經學和史學考證研究發展，對朝鮮後期實學派之影響，頗具作用。吾人可謂考證學之客觀及實證性之研究態度開闢實學派脫離義理論及性理學，對經典之解釋獲得新理解之道路。然考證學對經學產生之影響較爲有限則是事實。但其方法激發實學派欲客觀接近自身歷史、地理或文獻之研究有所貢獻。

綜觀朝鮮實學思潮產生於十七世紀至十九世紀多事之秋。同樣，作朝鮮思想史分期之壬辰戰後，朝鮮思想領域不再是朱子義理學一統之天下，陽明學、考據學、西學之傳入以及實學之興起，形成多樣局面。實者，從正統道學中分化之實學，其與朱子學之區別在於正統義理學對十七世紀前後傳入之陽明學、考據學、西學等採排斥與拒絕之態度，而實學則採肯定與寬容之態度，並吸收其積極因素，以豐富實學之內容。由此可知，實學派之哲學基本立場，乃不時吸收多種思想，同時對解決所處社會問題之關心。換言之，實學派之哲學立場是不以形而上爲前提之演繹，而是據現實意識和實用要求，不斷反省和實驗，藉以把握經驗性之具體現實。

實學思想之發展，歷經經世致用，利用厚生與事實求是三段。[27]今列舉實學派之代表如韓百謙、柳馨遠、李瀷、朴世堂、李家煥、洪大容、朴趾源、李睟光、安鼎福、李圭景、許筠、趙憲、朴齊家、丁若鏞、金正喜、崔漢綺等，以知其脈絡。

三、儒學對朝鮮之影響

以孔子爲中心之教學思想，即儒教之源頭。最初由中國傳至朝鮮，並於高句麗(西元三七二年)時建立太學、教育子弟、模仿制度等。是以儒學思想之傳韓，則遠從衛滿朝鮮(西

[27]李甦平〈朝鮮實學〉《中國、日本、朝鮮實學之比較》章 4，第 197 頁。安徽人民出版社，1995。

元前一九０年～西元前一０八年)，漢四郡(樂浪、臨屯、真番、玄菟)以來，漢朝之文物制度與學術思想已被移植、輸入。當時有樂浪人王景，於漢明帝(西元五八年～西元七五年)時因治水有功，被封爲廬江太守，其人非唯通易，對天文、術數無不擅長，可見早於樂浪時代，能通中國典籍已爲數不少。若更往上溯，則知衛滿朝鮮與燕國已有往來，從當時漢字之傳入推測，儒學思想亦已被傳入、習得。如經由"忠"字、"孝"字、"信"字等知人臣、人子、友朋間當守之道。於三國時，此忠效思想與孔孟儒學，對國家體制之建立與家庭倫理之維繫，有其重要意義。

中韓兩國鄰地相接，尤以中國儒學入韓之後，分四段進行：其一、三國時代傳入之漢代五經思想。其二、統一新羅和高麗前期傳入之隋、唐文學之儒學思想。其三、高麗末葉、朝鮮初期傳入之宋代性理學之朱子思想。其四、朝鮮後期傳入之清代實學思想。朝鮮朝經壬辰(西元一五九二年)、丙子(西元一六三六年)之亂，國內衰退，其後英祖(西元一七二五年～西元一七七六年)、正祖(西元一七七七年～西元一八００年)力圖振作，自柳馨遠、李瀷、丁若鏞等實學派造成之新學風，反對空疏之宋明理學，隨西學之傳來，接觸近代西歐文明，而造成實事求是之新學風。

儒學雖言自孔子始，但非謂孔子之前全無，如不留意隨歷史流傳下之傳統思想與生活風俗，則無法知其真髓。因之，孔子繼承前人之文化思想，反對無生命徒具形式之事物，反對不誠、無創意，徒以形式禮法與文字教授之儒者。蓋孔子所立之基本精神，乃在養成人之處世能力和文化向上發展之力量，亦即所謂儒學精神。如此，於個人可完成個人之人格，於社會則顯現正義與秩序，於民族則可確保民族之自主，無一不是仁道與中和之圓滿完成。張君勱曾言：

> 所謂儒教，並非意味著一種老式的教育制度，反之，所謂"近代化"一語，是公認從老舊的事物到新事物的變遷，而能適應新的環境之意。但是，如追溯儒教哲學的根源來看，無

疑的儒學乃是以理性的自由性、知性的發達、深思熟慮的作用、探求分析的方法等確實的原理為基礎。如果所言為實，則儒教思想的的復活，將可導引新的思想方法，而成為中國近代化的基礎[28]

又《論語・爲政篇》曰：

子張問：十世可知也？子曰：殷因於夏禮，所損益可知也。周因於殷禮，所損益可知也。其或繼周者，雖百世可知也。

於此，所損益者，乃隨時代而變遷者，而萬古不變乃人間之本性，是以孔子曰："吾道一以貫之"即示吾人非固執於原則之規範，要在洞悉實況，予以權宜之處理。尤以孔子"時中之道"爲吾等於歷史意識與實學價值之判斷提示新契機，證諸韓國自三國(高句麗、百濟、新羅)以至統一新羅、高麗、朝鮮之儒學轉換，無不是賴儒學之權變、時中而解決者，故經由疏理儒學演變之脈絡，追踪儒學東傳之軌迹，比較中韓兩國儒學之異同，透視儒學於近、現代之進程中之作用，展望儒學未來之前景。

---

[28] 張君勱〈Modernization of China and Divaval the Philosophy of the Confucian School〉亞細亞問題研究所主辦之近代化研討會論文。

第二節中朝朱子學之比較

一、朝鮮朱子學之發展

十三世紀末元世祖忽必烈(西元一二六0年～西元一二九三年)時朱子學(泛稱程朱理學)始傳入高麗(西元一二七五年，忠烈王時)。朱子學經百年之傳播，至十四世紀末李朝建立(西元一三九三年)，始成爲正統思想。此後五百年間，朱子學對朝鮮之深遠影響，爲歷代所無法抗衡者。

朝鮮朱子學之發展，可分三期：(一)引進傳播期，(二)發展興盛期，(三)衰退沒落期。[29]

(一)引進傳播期

安珦

安珦(西元一二四三年～西元一三0六年) 首將朱子學引進高麗者，爲忠宣王之寵臣，曾扈從忠宣王入元，得以接觸程朱理學。歸國後於太學講授朱子學。據《高麗史》載：“晚年常掛晦庵先生像，以致景慕，遂號晦軒。”[30]又提兩班官吏捐贈“贍學錢”，用以恢復儒學教育。安珦又謂：“夫子之道垂憲萬世，臣忠於君，子孝於父，弟恭於兄”[31]興學養賢即在傳授儒教，推行三綱五常之倫理。

其後有忠宣王之侍臣白頤正(西元一二四七年～西元一三二三年)爲安珦弟子，滯元大都十餘年，一則研習朱子學，一則攜回朱學典籍。據《高麗史》載：“時程朱之學始行中國，未及東方。頤正在元，得而學之。東還，李齊賢、朴忠佐首先師受孝珠(頤正)。[32]”

禹倬

禹倬(西元一二六三年 ~西元一三四二年)，爲另一早期朱子學之傳播者，與安珦、白頤正爲同代學者，曾任成均館祭

---

[29] 謝寶森〈朝鮮朱子學發端淺探〉《中國哲學》輯10，第95頁。北京三聯書店，1983。

[30]鄭麟趾・金宗瑞等《高麗史・列傳》卷18。

[31]鄭麟趾・金宗瑞等《高麗史・列傳》卷18。

[32]鄭麟趾・金宗瑞等《高麗史・列傳》卷19。

酒，據《高麗史》載："通經史，尤深於易學，卜筮無不中。程傳初來東方，無能知者，倬乃閉門月餘，參究乃解。教授生徒理學始行。"[33]

由上可知，十三世紀末，高麗朝之式微，而代表其思想領導地位之佛教，日趨腐化墮落。促使救亡圖存、維繫人心之文人，自元引進朱子學，早期之先驅者有安珦、白頤正、禹倬等人，開啓高麗朱子之先河，誠然，彼等於介紹程朱理學之著作，功不可沒。然其傳播，僅止上層，影響有限。及至十四世紀，高麗末、朝鮮李朝初、王朝交替，是高麗朱子學廣泛傳播之時，其代表之理學者有李穡、鄭夢周、鄭道傳、權近等人之系統之研究、獨到之發揮，分由道德、政治、經濟和哲學等對佛教展開批駁，爲李朝開國後朱子學至十五、六世紀之興盛，確立統治地位，奠定理論基礎。

李穡

李穡(西元一三二八年～西元一三九六年)號牧隱，師承高麗名儒李齊賢。年少時，以高麗史節書狀官入元，後得元翰林稱號，歸國後，官至宰相。據《高麗史》載："以興起斯文爲己任，學者皆仰慕。掌國文翰數十年，屢見稱中國。"[34]李穡之前，傳授朱子學蓋以私淑個別爲多，及至李穡任成均館大司成時，盛況空前，才子輩出。又據恭愍王十六年(西元一三六七年)載："重營成均館，以穡判開城府事兼成均大司成，增置生員，擇經術之士金九容、鄭夢周、朴尙衷、朴宜中、李崇仁皆以他官兼教官。先是館生不過數十，穡更定學式，每日坐明倫堂，分經授業。講畢相與論難忘倦，於是學者塵集相與觀感。程朱性理之學始興。"[35]其後精研朱子學而有創見發揮者如鄭道傳、權近等，多出其門下。著有《牧隱集》凡五十五卷。

鄭夢周

鄭夢周(西元一三三七年～西元一三九二年)號圃隱，少好學不倦，研究性理，深有所得，與李穡齊名；歷任成均館博

---

[33]鄭麟趾、金宗瑞等《高麗史・列傳》卷22。
[34]鄭麟趾、金宗瑞等《高麗史・列傳》卷28。
[35]鄭麟趾、金宗瑞等《高麗史・列傳》卷28。

士、司藝、司成、大司成，爲高麗儒者兼重臣。據《高麗史》載：“倡鳴濂洛之道，排斥佛老之言。講論惟精，深得聖賢之奧。”[36]尤以對朱子學之闡發，爲當代人所折服。《高麗史》又謂：“時經書至東方者，唯《朱子集注》耳，夢周講說發越，超出人意，聞者頗疑。及得胡雲峰（炳文）《四書通》，無不吻合，諸儒尤加嘆服。”[37]李穡盛讚鄭夢周謂：“夢周論理，橫說豎說，無非當理，推爲東方理學之祖。”[38]後以朱子學正脈自居之理學家，如李滉、宋時烈等於追溯朱子學源流時，亦以鄭夢周爲宗師始祖。其於宰相任內，推行朱子學不遺餘力，又謂：“夢周始令世庶，仿朱子家禮，立家廟奉先祀”，“又內建五部學堂，外設鄉校，以興儒術。”[39]著有《圃隱集》七卷。

鄭道傳

鄭道傳(西元一三三七年～西元一三九八年)號三峰，高麗辛禑王(西元一三七五年～西元一三八八年)時，因反對權臣李仁任親元之策，遂流放會津。“結廬三角山下講書，學者都從之。常以訓後生闢異端爲己任。”[40]恭讓王(西元一三八九年～西元一三九二年)亦表彰其“倡濂洛之道，排斥異端之說，教誨不倦，作成人材，一洗我東方辭章之習。”[41]部分學者推崇之曰：“鄭道傳發揮天人性命之淵源，倡鳴孔孟程朱之道學，闢浮屠百代 誑誘，開三韓千古之迷惑，斥異端息邪說，明天理正人心，吾東方真儒一人而已。”[42]鄭道傳是高麗兩班改革之干城，亦是李朝開國思想理論之奠基者。著有《三峰集》十四卷、《學者指南圖》等。

權近

權近(西元一三五二年～西元一四0九年)號陽村，高麗朱子學先驅權溥之子，與鄭道傳並稱爲李朝初期朝鮮朱子學之

---

[36]鄭麟趾、金宗瑞等《高麗史・列傳》卷30。
[37]鄭麟趾、金宗瑞等《高麗史・列傳》卷30。
[38]鄭麟趾、金宗瑞等《高麗史・列傳》卷30。
[39]鄭麟趾、金宗瑞等《高麗史・列傳》卷30。
[40]鄭麟趾、金宗瑞等《高麗史・列傳》卷32。
[41]鄭麟趾、金宗瑞等《高麗史・列傳》卷32。
[42]鄭麟趾、金宗瑞等《高麗史・列傳》卷33。

雙壁。其思想前期受李穡之影響，後期則受鄭道傳之影響，故於政治之表現，先採溫和改良，後轉激進改革。其見解反映於為鄭道傳之著作序文和注中。著有《五經淺見錄》、《入學圖說》等。李朝時期所刊行之四書五經注釋書中，溯源蓋皆出自權近之《五經淺見錄》，此乃繼其父倡議出版《朱子四書集注》後，以朱子學觀點闡釋五經之重要理學著作。《入學圖說》則為朝鮮一部最早理解朱子學之入門書，其影響甚至遠及日本。

綜觀李穡、鄭夢周、鄭道傳及權近等早期朱子學之代表者，其生平、經歷、學術思想、政治觀點或不盡同，但其基本思想之傾向卻是一致。今試觀之：[43]

其一，反對"出世"，主張"入世"，注重實際。

對佛老之"觀空寂滅"、"離世絕俗"之道，原為朱子學所反對。而早期朝鮮朱子學家，生逢新舊王朝交替之際，弊端百出。李穡、鄭夢周等身為朝廷命官，無不以衛社稷，扶君王為己任，當此國家多故，機務浩繁，亟思治亂有為之時，獨能埋首書齋，不忘家國之中興乎？

其二，維護儒家"道統"，排斥"佛老異端"。

朱子學原從佛、老吸取精華，用以改換儒家之倫理道德、哲學思想，藉以挽救僵化衰敗之儒學。故採"明反暗偷"之法，讓儒處於獨尊之位。其中以鄭道傳之《佛氏雜辨》排佛最烈，由維護傳統秩序始，指向佛教背棄三綱五常之倫理道德。指責佛教"倡無父無君之教"，"成不忠不孝之俗"，"毀我三綱五常之典。"[44]

其三，以三綱五常為理亂治世之本，革除弊端，重整秩序。

高麗朱子學家之理想政治，即是依三綱五常之則，行封

---

[43]謝寶森〈朝鮮朱子學發端淺探〉《中國哲學》輯10，第95頁。
[44]鄭麟趾、金宗瑞等《高麗史・列傳》卷33。

建家長等級之制，強化以王權爲中心之中央集權。主張“存天理滅人欲，則可以共新於理化，”[45]實者，要求百姓能安於現狀。另勸統治者切莫“驕淫侈肆於富貴之餘，荒淫漫遊於危亂之際。”[46]故唯有革除舊弊，推行新法，方能復先王之舊，以革近代之弊。

其四，堅持“大義名分”，主張“親明事大”。

高麗朱子學家依儒家教義，以漢族皇帝方是“真命天子”，中國是“天朝上國”，鄰近小邦宜臣服“大國”恪守“華夷之別”乃天經地義，“夷不可亂華，下不可犯上”是當然之理。故彼等堅持反對當權者“親元疏明”，而力主“親明排元”蓋此以“小事大”之論雖屬荒謬，然卻有助高麗擺脫蒙古之干涉和奴役，並可睦鄰，對付倭寇，有利朝鮮休養生息之機。

概而言之，從朝鮮早期朱子學家主張入世、排佛、改革和尊明觀之，高麗朱子學乃適合當時所需。因之，其被要求改革之新進兩班者利用，成爲其改朝換代之思想憑藉，新王朝制定政策之理論基礎，影響社會之大，絕非偶然。

(二)發展與盛期

李朝建立後，內部出現以開國功臣爲核心之勳舊派和以地方書院受朱子學之士林派。

士林派以朱子學爲其理論依據，揭露勳舊派之權謀私醜，亦批燕山君之專橫；而握國家大權之勳舊派蔑視士林派，並伺機報復。因之，自西元一四九八年起半世紀中，曾發生多次“士禍”。挑起“士禍”者，蓋皆勳舊大臣或燕山君，而其受害者有金宗直、金宏弼、趙光祖、李彥迪等士林學者，彼等爲實現王道政治，在與勳舊和暴君 抗爭中，歷盡艱辛，乃至被害。然經反復較量，士林派終於驅逐勳舊之保守勢力，取得勝利。彼等以朱子學爲理論依據，經實際應用，擴大朱子學之影響，爲其發展、興盛奠定理論和社會之

---

[15]鄭麟趾、金宗瑞等《高麗史・列傳》卷29。
[16]鄭麟趾、金宗瑞等《高麗史・列傳》卷20。

基礎。

稱之爲後起士林之李滉、李珥等人，吸取前期士林之經驗教訓，非唯繼承和發揮以往士林之業績，且集中朝諸儒之大成，使朝鮮朱子學發展至於頂峰。[47]

李滉

李滉(西元一五0一年～西元一五七0年)字退溪，是十六世紀朝鮮李朝時期(約當明中葉)之朱子學大師，上以繼絕緒，下以開來學，使孔孟程朱之道，於中國式微之時，卻煥然復明於朝鮮，使朱子學於彼邦重獲新生。退溪對諸說異同，曲暢旁通，折衷於朱子，形成獨具特色之退溪學體系。後來退溪學於東方對於儒學有繼往開來、承先啓後之歷史地位，成爲李朝五百年間佔主導地位之思想體系，且遠播日本，弘揚新儒學於東方，對東方文化及其哲學之發展，具推動之作用。終其一生，學問和官職並行，哲學上則奇大升之四七論爲體系，倫理上以敬之實踐而達其巔。

今試觀《朱子書節要》序文：

> 晦庵朱子，挺亞聖之資，承河、洛之統。就其全書而論之，地負海涵，雖無所不有，而求之難得其要。至於書札，則各隨其人才稟之高下，學問之淺深。審證而用藥石，應物而施爐錘。或抑或揚，或導或救。或激而進之，或斥而警之。心術隱微之間，無所容其纖惡。義理窮索之際，獨先照於毫差。規模廣大，心法嚴密。其所勉勉循循而不已者，無間於人與己。故其告人也，能使人感發而興起焉，不獨於當時及門之士為然。雖百世之遠，苟得聞教者，無異於提耳而面命也。竊不自揆，就求其尤關於學問而切於受用者，表而書之，凡得十四卷。視其本書，所減者殆三之二。夫人之為學，必有所發端興起之處，乃可因是而進。書札之言，其一時師友之間，講明旨訣，責勉工程，非同

[47]張立文、李甦平等〈朝鮮儒學研究〉《中外儒學比較研究》章3，第149頁。

> 於泛論。何莫非發人意而作人心也。昔聖人之教，程、朱稱述，乃以論語為最切於學問，其意亦猶是。今人之於此，但務誦說，而不以求道為心，為利所誘奪也，此書有論語之旨，而無誘奪之害，將使學者感發興起，而從事於真知實踐者，舍此書何以哉！[48]

讀其序文，可知退溪爲學之梗概，要在主於心術隱微與夫躬修實踐之際，而不喜爲泛論，其意可見矣。另觀其自作墓碣云：

> 生而大癡，壯而多疾，中何嗜學，晚何叨爵，學求猶邈，爵辭愈嬰，進行之跲，退藏之貞，深慚國恩，誠畏聖言，有山嶷嶷，有水源源，婆娑初服，脫略眾訕，我懷伊阻，我佩誰玩，我思古人實獲我心，寧知來世，不獲今兮，憂中有樂，樂中有憂，乘化歸盡，復何求兮！[49]

讀其墓碣，無不讓人肅然起敬。退溪論學，重在對聖賢經訓，先儒遺言，慎密體會，篤實踐行。至於空談騁說，最所切戒。其平日與朋輩釋理氣，辨心性，凡所闡發，率多類此。惟晚年與奇明彥論七情四端異同，往復數四，或引爭議。要之，此非退溪爲學精神所繫。偶有未照，亦未足以病退溪也。[50]

今漢城成均館大學所印行之《退溪全書》有〈文集〉四十九卷，〈別集〉、〈外集〉各一卷，〈續集〉八卷，〈自省錄〉一卷，〈四書釋義〉、〈啓蒙傳疑〉外，又有〈宋季元明理學通錄本集〉十一卷，〈外集〉一卷等。

李珥

李珥(西元一五三六年～西元一五八三年)字叔獻，號栗

---

[48]李滉〈文集〉《退溪全書》卷42。
[49]李滉〈墓碣〉《退溪全書》。
[50]錢穆〈朱子學流行韓國考〉《中國學術思想史論叢》(七)，第399頁。

谷，生時退溪年三十六。栗谷年十九染禪，越年知其非。二十三歲於禮安之陶山謁見退溪，問道後求道心更堅。同年以《天道策》狀元及第，此《天道策》非唯國內有名，且名揚明朝。歷任內外要職，亦曾奉使明京。

宋時烈(尤菴)紫雲書院廟庭碑銘序有："栗谷嘗南遊，訪退溪李先生，辨論義理，退溪多從其說。"語。退溪生前，栗谷屢與通函，質疑問難，今試舉兩則如次：

栗谷〈上退溪先生問目〉有云：

> 以性情言之，則謂之中和。以德行言之，則謂之中庸。游氏之說當矣。然而"致中和"云者，以性情包德性而為言也。中庸之中實兼中和之義云者，以德行兼性情而為言也。非若饒氏之說，以致中和、踐中庸分內外工夫，如是之支離也。夫大本達道者，性情也。立大本，行大道者，德行也。子思子明言"致中和則天地位焉、萬物棄焉"，豈其無養外工夫，而便致位育之極工耶？[51]

退溪答書曰：

> 饒氏中和、中庸分內外之說，再承鐫誨，猶恐公之訶叱人或太過也。饒氏只云內外交相養之道，若隔截內外，各作一邊工夫，何有於交相養義耶？來諭既曰以此包彼，又曰以彼兼此，亦豈非內外交相養意思乎？以愚言之，來說與饒說無甚相遠，而於饒獨加苛斥，無乃饒不心服也耶？[52]

竊參雙方往復，亦可窺退溪、栗谷兩人性情與其爲學所

---

[51]〈上退溪先生問目〉《栗谷集》卷5。
[52]〈退溪答書〉《退溪集》卷14。

重之相歧處。大抵退溪主篤行，栗谷好明辨。退溪謂栗谷說與饒說內外交相養無大相遠。栗谷不主張分性情、德行爲內外，故僅用‘彼此’，避用‘內外’字。雙方性格不無相異，因之，其爲學之路脈與精神，亦由此可見矣。然其所定〈東湖問答〉、〈萬言封事〉、〈人心道心說〉、〈時務六條啓〉等皆爲論述內聖外王之道。於革除時弊，著有獻替，堪稱實學思想之嚆矢。

又如“四七論辯”標志朝鮮朱子學之成熟。以“四七論辯”爲中心之心性、性情論和道德修養論，始終是論辯之主題。李滉以朱子“四端是理之發，七情是氣之發”之命題，李珥反之，以“四端七情”均是“氣發而理乘之”。類此以李滉、李珥爲中心之兩大學派，進行以心性情及道德修養之論辯長達三百年之久，亦是朝鮮朱子學之特徵。

李珥著有《栗谷集》十一卷、《聖學輯要》五卷、《擊蒙要訣》、《箕子實記》等書。今漢城成均館大學有《栗谷全書》二十三卷。

(三)衰退沒落期

朝鮮自十六世紀末至十七世紀初，前後五十年間，歷經壬辰(西元一五九二年)丙子(西元一六三六年)兩次之戰亂，大量土地荒蕪，人民離鄉背井，國家財政困窘，貧富懸殊。然處此內憂外患之際，統治者無視於國家之危亡，仍沉溺於“黨爭”，再者，李朝前期之“士禍”不斷，反成後來士林派內部朋爭之禍根，更甚已往，學界唯尙空談，儒士安寂山村，以逃避現實。至此，朱子學由社會改革推進者，變爲既得利益之維護者，加之統治者與百姓間諸事日趨激化，朝鮮朱子學已失其生機，李珥等有志之士，蹶然奮起，極國家社會於腐敗危亡之中，是以“經世致用”、“利用厚生”之實學新思潮自然應運而生取而代之。

二、中朝朱子學之異同

中朝兩國之朱子學既有頗多相似之處，又各有不同之特徵。今由宏觀視其異同：

(一)中朝朱子學之同

朱子學於中朝兩國傳統文化中皆具要津。自古儒、佛、道、法、墨等學派，於中華傳統文化各起作用。然由孔孟至程朱之漫長歷史中，儒學向居主導地位，爲傳統文化之主流。

據文獻記載，朝鮮尤爲明顯。三國時期相繼吸收中國之儒、佛、道三教，出現三教並存之局。自統一新羅至高麗是佛教極盛時期，有名聞海內外元曉、義天、知納等名僧，於信仰則非佛教莫屬。但於政治、經濟、文化教育、倫理道德等各領域，則儒學始終占統治地位。實因朝鮮朱子學深融於朝鮮文化之靈魂與血脈之中，而亦成其傳統文化之主流。

朱子既是思想家，又是教育家。故其繼承和發揮儒學思想和教育傳統，約近五十年從不間斷。每至一處，必先整頓縣學、州學，創辦書院，制定學規，編撰圖書，造就才俊。

朝鮮朱子學者，繼往開來，承先啓後，於孔孟程朱之教育理念多所發揮，培養人才，提高傳統文化之素質。其代表者如李滉、李珥等均爲一時之選，與朱子同樣，既是思想家，又是教育家。

李滉於任地方官吏期間，爲振興書院，曾向朝廷提出創設白雲洞書院，特賜予扁額、書籍和學田等，此皆仿白鹿洞書院之舉。並曾撰《通文四學諭志》、《答黃舉書論白鹿洞規集解》等著作。

李珥亦頗重視教育，編有《小兒須知》、《擊蒙要訣》、《鄉約解說》、《聖學輯要》、《學校模範》、《學校事目》等教育專著。由此觀之，其根本思想雖是儒學，尤以程朱之道學爲基。修己乃在消極明哲保身，實者常以積極修己、治人和立言(教育)，彼曾自言："所謂真儒，進則行道，以使百姓安享太平，退則教化萬世，使學者猛醒。"[53]

栗谷之性理教育學說，概如前述，其所處之時代，正值朝鮮朝之中衰期，尤以接連之"士禍"，儒者喪失出仕勇氣，盛行隱遁山林，埋首修己。栗谷則倡力行，將學問之功

---

[53]李珥〈東湖問答〉《栗谷全書》。

效放於經世與務實，爲近代化思想提供必要之思想準備。

除此之外，於提倡德治、民本和道德修養等亦有頗多相似之處。

(二)中朝朱子學之異

朱子學產生或傳播之歷史背景相異。朱子學產生於中國傳統社會後期，而朝鮮則傳播於傳統社會前期。由於歷史互異，中國朱子學者順應統治者之需求，爲統治者辯護，亦成既得利益之擁護者。如朱子學之先行者，周敦頤、程顥、程頤等人，彼等崇尙三代，堅持傳統，反對王安石之變法，朱子亦批王安石之變法。

與此相左，朝鮮朱子學者反對保守，提倡改革。於兩朝交替時期，朝鮮朱子學者鄭道傳等人，以朱子學爲理論依據，推翻高麗朝，建立李朝。李朝建立後，朝鮮朱子學者(士林派)，將“理欲”觀用於反對當權貴族之“殘民”和“兼併”上。改革派鄭道傳指出，盜賊實非人欲所致，而乃“饑寒切身，不暇顧禮儀，多迫於不得已而爲之耳。”[54]士林學者李彥迪亦批動舊派之“侈欲爲危亡之本”[55]。朝鮮朱子學之代表李珥於闡明百姓起義時曾云：“赤眉、黃巾，豈是天性好逆者哉，此皆齊民之不堪塗炭者耳。”[56]

從朱子學與佛、道及其他學派觀之，中朝朱子學亦有明顯差異。

其一，朱子雖反對佛教，但爲維護儒學綱常名教，而吸收肯定佛教之部分思辨成果，以爲佛教之誤在人倫。彼謂：“釋氏只見得皮殼，裡面許多道理，他卻不見。他皆以君臣父子爲幻妄。”[57]

朝鮮朱子學者，非但從維護“三綱五常”批駁佛教，且從哲理抨擊佛教神學之荒謬。其代表者如鄭道傳。與鄭氏同時代之朱子學者朴楚謂：“鄭道傳發揮天人性命之淵源，倡

---

[54]鄭道傳《三峰集》卷28。

[55]李彥迪《晦齋集》卷7。

[56]李珥〈諫院陳時事疏〉《栗谷全書》卷3。

[57]黎靖德《朱子語類》卷94。

鳴孔孟程朱之道學，闢浮屠百代之誑誘，開三韓千古之迷惑。斥異端息邪說，明天理而正人心，吾東方真儒一人而已。”[58]

其二，從對道教之關係觀之，中國朱子學對道教亦持批判態度，以維護朱子學之獨尊地位。但道教自東漢晚期起，經兩晉、南北朝得以再發展，至隋、唐、宋、元更興盛，構成中國儒、釋、道三教之一。

朝鮮道教，雖於三國時和儒、佛相繼傳入，但未興盛。至李朝時，於朱子學獨尊下，眾多朱子學者從批評角度試觀道教。因之，朝鮮對道教之研究，雖持續至李朝末期，但終未出現名副其實之獨立道家。

其三，從對其他學派之關係觀之，亦有明顯差異。中國朱子學對其他學派亦持批判態度。但宋元明清時，朱子學雖占主導之位，然以陳亮爲首之永康學派、以葉適爲首之永嘉學派及陸王心學派則同時並存。各學派可自由論辯，甚者，陽明心學興盛後，於有明流行長一百五十年之久。

與此相異，朝鮮朱子學於“破邪顯正”之大纛下，將漢學、陽明學、東學等各學派均視爲“異端”、“邪教”，對彼等施壓，因而阻各學派之自由發展。

三、朱子學對朝鮮之影響

朱子學傳入韓國，當自安珦始，高麗朝時，以經學儒術位至宰相，前有崔承老(沖)，後有安珦。安珦晚年極慕朱子，至畫像以祀之，又仿朱子之號晦菴，而自號晦軒，可見其仰慕之深。安珦弟子白頤正從元得程朱之書，才正式將程朱之學傳入東國。安珦另一弟子權溥請刊行朱子之《四書集註》，以廣傳性理之學，朱子之學方爲韓國學者所重。恭愍王於兵亂之後，創立成均館，選鄭夢周等爲學官，每日坐明倫堂，相與論難，當時傳入之理學經籍，僅朱子之《四書集註》而夢周所講多新意，後又得胡炳文之《四書通》竟多與脗合，是以共推爲東國理學之宗祖。夢周傳之於吉再，吉再傳之於金淑滋，金淑滋傳之其子宗直，宗直傳之

---

[58]鄭麟趾、金宗瑞等《高麗史・列傳》卷33。

金宏弼、鄭汝昌，金宏弼又傳之趙光祖。理學既日漸光大然宗直得罪於小人，引起戊午士禍，禍及泉壤，其弟子金宏弼、鄭汝昌等四十多人皆被慘禍；趙光祖亦因勇於用世，見嫉於姦邪，又引起己卯士禍，一時名流大賢，坐黨籍，被罷出竄死者，不計其數；朝鮮儒學經此浩劫，正如北宋時之有元祐黨案，南宋時之有慶元黨禁，終不能壓抑程朱理學之傳布。後有李彥迪，曾中宗比於南宋之真德秀。李退溪稱其“精詣之見，獨得之妙，最在於〈與曹忘機書〉；其書闡吾道之本源，闢異端之邪說，貫精微，徹上下，粹然一出於正，深玩其意，莫非有宋諸儒之緒餘，而得於考亭者尤多也。”可見朱子對其影響之大。繼李彥迪之後，退溪爲一代儒宗，與金宏弼、鄭汝昌、趙光祖、李彥迪並稱“五賢”，韓人奉之進享文廟。李栗谷之石潭日記曰：“退溪之學，因文入道，義理精密，一遵朱子之訓；諸說之異同，亦曲暢旁通，而莫不折衷於朱子。”朱子之學所以能大行於韓，退溪之功最大。

鄭之雲撰有〈天命圖〉，退溪曾與商榷討論，有“四端理之發，七情氣之發”之分析語句，奇大升首與論難，作〈四端七情分理氣辨〉，退溪與大生往復辯難之後，成渾又以朱子人心道心或生或原之論，與退溪四端七情理氣互發之說，旨義相符，與栗谷相商榷，栗谷又於《聖學輯要》中撰〈心性情說〉，後來學者就此一論題紛爭不已，只是後儒忽視於體認省察之工夫，紛紛於枝葉分歧之議論，說愈繁而惑愈甚，恐非退溪發明提示之本意。[59]

與退溪同時，有曹植、徐敬德、李恆、金麟厚等皆以治程、朱學，號爲儒宗；惟曹植肥遯，不免於曠蕩玄邈；徐敬德好異，每喜論氣數成敗；李恆要約，長失於顓固自是；金麟厚博雅，兼及於翰墨餘枝；談及堂廡之大，門庭之盛，終不如退溪、栗谷天資超邁，而敢於臧否，其意氣發揚處過於退溪，而懇篤平實處不及退溪，當時儒學東西分黨，栗谷力言其害，及其病篤，猶不忘國事，可謂儒學豪傑之士。蓋朱子之學於韓國，普受尊信，初分嶺南、畿湖，對退溪、栗谷

---

[59]高明〈朱子學對中韓兩國儒學的影響〉，第 215 頁。第三回《東洋文化國際學術會議論文集》成均館大學校，大東文化研究院，1980。

各有所尊，繼則有老、少論之睜，有湖、洛派之爭，有京、嘉派之爭，學術之論爭原爲促進學術進步之動力，然若涉及意氣，甚而至於政爭，動搖國本，則非國家之幸。[60]

朱子學對朝鮮影響之深，遠超以往。就其作用觀之，從其傳入至興盛時期爲止，朝鮮朱子學對社會歷史發展起推動之作用。朱子學一傳入即被掌握於以鄭道傳爲首之改革派之手，同時又配合握有軍權之李成桂一派，爲推翻高麗和建立李朝而奔走呼號。於李朝建立初期，以鄭道傳爲首之朱子學者，推行一系列之政治、經濟、軍事制度等改革。朝鮮朱子學者之主要目的在於擺脫社會危機，重整傳統秩序。朱子學正式成爲改朝換代、重整傳統秩序之思想依據。

李朝建立後，士林派以義理之學、三綱五常爲準繩，抨擊勳舊勢力之土地兼併和窮奢極侈，提倡王道，改革時弊等主張。彼等一旦登科，即以改革時弊爲己任，無朱子學於朝鮮之發展成熟，作理論之準繩。

李退溪和李栗谷等朝鮮理學大師，據當時實況，運用知子學之政治、社會思想，所提系列主張，爲朱子學內部之自我反思及實學思想、近代化思想之產生，亦提供必要之思想準備。

是以從其理論思維之發展觀之，朝鮮朱子學並非中國朱子學之單純移植和運用，而是於朝鮮特定之歷史下，予朱子學添新之生機。[61]

所幸朱子之學受許(慎)鄭(玄)之薰陶，對漢儒章句，訓詁考據之學探研透徹，對漢儒義理了解，根柢深厚；又集周、邵、張、程(明道、伊川)諸子之大成，對宋儒之象、數、理、氣、心、性之學研幾探微，深得其奧妙；兼具漢宋儒者之長，是以能由並時儒者中脫穎而出，成爲元、明、清三代儒學之重心，且亦成爲韓國儒學之主流。

惟中、日、韓三國朱子學之信徒，大都僅得朱子之一體，或從四書、五經之章句、訓詁用工夫，或從典章、制度之考證、纂輯用工夫，或專從太極、運會圖說、表解用工夫，或

---

[60]高明〈朱子學對中韓兩國儒學的影響〉，第224頁。

[61]張立文、李甦平等〈中外儒學比較研究〉章3，第156頁。

專從理、氣、心、性之闡述、講論用工夫，鮮能知本、尋源、明體、達用、格物、窮理、躬行、實踐等如朱子然。其於朱子思想有所發明，又如韓儒李星湖所謂："自宋以還，儒學轉深轉隱，一字兩字之義，深究極討，辨說盈篋，人便汨汨沒沒，又不免急於知而緩於行。……然而後於朱子許多人必各有許多說……卻去窮詰於同異得失，而無暇乎及他，亦世教所以每下也。朱子晚年亦以門人之繳繞文義爲憂，此正吾輩所當深慮。"[62]既然"繳繞文義"，"窮詰於異同得失"，"急於知而緩於行"，則其所闡述之朱子思想唯空洞虛靈之理論，而無補於修、齊、治平之實際；復以"窮詰於同異得失"，而致引意氣與門戶之爭，使儒學分裂，實違孔子"君子知而不同"之遺訓，促使儒學之衰微。吾人遇此世衰道微之際，窮兵黷武之時，宜將朱子所承受東方聖人孔、孟之傳統，以愛人救世爲主旨，以明德新民爲途轍，以修己安然爲方針，以內聖外王爲目標，將修身、齊家、治國、平天下之大道和格物、致知、正心、誠意之至理，宣揚於世，豈僅韓儒之光，實乃世人之福也。[63]

---

[62]李瀷《星湖僿說》韓奎章閣藏瞞，刊年未詳。
[63]高明〈朱子學對中韓兩國儒學的影響〉，第225頁。

第三節 中朝陽明學之比較

一、朝鮮陽明學之發展

(一)陽明學之東傳

陽明學傳入朝鮮是於十六世紀初、中葉。適值朱子學成爲政治思想之主流，亦即所謂“官學”之時。此時朱子學已脫離客觀、普遍之經世致用精神，而淪爲主觀、特殊之傳統政治思想用以掌控其政治、社會、文化之依據。彼時朝鮮學術中，程朱學派又分爲主理、主氣兩派，理念互異，論爭亦烈，而此爭執又與政治相互影響，終成黨派之學術系譜。復由“士禍”所起之黨派分歧，至朝鮮宣祖八年(西元一五七四年)東人、西人之分黨對立。肅宗九年(西元一六八三年)又有南人、北人，老論、少論各派，亦即所謂“四色黨派”之形成，對政治、社會、學術、文化等戕害甚大。計由東西分黨至四色黨派形成期間長達百年，在此獨尊程朱之年代，仍有部份朝鮮學者潛修陽明之學，彼等以陽明學批駁現實政治及社會非理現象，而主張以陽明學改革社會、政治之弊端。此即朝鮮程朱學派(保守派)與陽明學派(開化派)對峙之起因。朝鮮初期陽明學者(如南彥經、李瑤、張維、崔鳴吉等)之思維，即脫離朱子學之理論羈絆，而以陽明學取而代之。至其何以選擇陽明學，蓋因陽明學較佛家、道家有經世致用之思想，與朱子學同屬儒家一脈。唯思以新面目之陽明學更替舊傳統之朝鮮儒學耳。[64]

質言之，朝鮮初期陽明學者之儒家求新精神，於英祖元年(西元一七二五年)之前，皆因黨派及當權者之刻意阻撓而無法發揮其理想。直至英祖實施“蕩平策”後，又值有清之文物制度與西洋新思潮傳入朝鮮，因新潮之衝擊，陽明學得以發揮學問之特性，非但適用於當前之現實社會，且至朝鮮末之國難期，實具鼓吹民族啓蒙意識之功。

[64]鄭德熙〈前言〉《陽明學對韓國的影響》，第2頁。文史哲出版社，1986。

由上可知，陽明學傳至朝鮮約在李朝中宗(西元一五０六年～西元一五四四年)、明宗(西元一五四六～西元一五六六年)年間。此時於朝鮮之學術史上，正是程朱學之全盛時期。尤以朝鮮大儒李退溪，一意奉持朱子學。因朱子學之獨盛，致李朝五百年間，專尚朱說。凡禮儀、政治、學術等，皆一本朱說爲準。如是朱子遂爲國家、社會、家庭、乃至個人之模範導師。[65]適此時傳入之陽明學，以反朱說爲倡。擁護程朱學之退溪及其門人，力斥陽明學爲異端邪說，此其初入朝鮮受阻之因。

李朝中期之學術界，是程朱學之天下，亦猶退溪學之天下。若從其內考之，則退溪屬東人之嶺南學派，其所持之主理說，與西人之畿湖學派所持主氣說相左。故雖同屬朱子學，但於接受、發展之過程，卻形成兩派對立之現象。由此觀之，朝鮮程朱學至於退溪時，已內化於韓國本身之學術思想中。尤以退溪入政壇後，退溪學即變成官學。由是之後，除維護主理學說外，餘者皆在排斥之列。

退溪學派之異學觀，可遠溯宋儒之異學觀，宋儒早年多潛心道、佛，其後卻極力排斥二家爲異端。二程及朱子皆謂佛、老之害，至廢三綱五常。另者朱、陸二學對立，故朱子及其門人對象山之學，亦以“狂學”、“異端”視之。因之，此反陸學之態度，亦出現於朝鮮時代之退溪學派。雖退溪遺集中未見系統性批判，但其反陸反王之片段，卻隨處可見。[66]

退溪爲主理派之宗主，極力批駁主氣派之學者，而主氣派即是接受象山學與陽明學之學者。退溪曾批主氣派之宗主徐敬德(號花潭，西元一四八九年～西元一五四六年)之“一氣長存說”與後起南彥經之“陽明學之主氣說”。

> 花潭公所見於氣數一邊路熟，其為說未免認理為氣，亦或指氣為理者。故今諸公亦或狃於其說，必欲以為亙古今常存不滅之物，不知不

---

[65] 李能和〈朝鮮儒界之陽明學派〉《青立學叢》25 輯，第 107 頁。

[66] 李退溪〈退溪言行拾遺〉《退溪集》。

覺之頃，已隘於釋氏之見，諸公固為非矣。[67]

退溪指摘花潭所言之亙古今常存不滅之氣，乃誤以理爲氣。因退溪以爲理是根本、永恆；氣則不定、有限。是以與張橫渠、徐敬德之“陰陽無始無終”之說不同。退溪曾云：

> 氣有生死，理無生死之說，得之。以日光照物比之亦善，然日光猶有時而無者，以有形故也。至於理，則無聲無臭，無方體，無窮盡，何時而無耶。[68]

退溪曾深研“氣”之有限性與“理”之無限性，故尤重“理無限量，惟氣有量，有形故也。”[69]

退溪亦批南彥經之“虛靜微妙的是氣的湛寂，是先天的體。生動充滿的是氣的流行，是後天的用。”[70]以爲此“氣一元說”是受陳白沙與王陽明之影響。

退溪與朱子同主於經驗之事務中理、氣不相離亦不相雜，是以無理即無氣，無氣即無理。

由上所述，可知陽明學東傳朝鮮之後，所遇之學術趨勢與政治環境有密切關聯。尤以陽明學之學術性格，頗具改革現實政治之挑戰精神，故爲程朱人士所忌諱。陽明學傳入初期被當權之程朱學者視爲異端，且大加排斥，但陽朱陰王者漸多。鄭寅普先生於《陽明學演論》(外)曾謂：

> 在朝鮮根本沒有陽明學派。陽明學歷來被視為異端邪說，只要有人將其書放在桌上，別人就已經準備聲討他為亂賊了。雖然一、二學者研究陽明學，但卻不敢張揚於外。因此若說在朝鮮沒有陽明學派，確屬事實。朝鮮只有晦庵

---

[67] 李退溪〈答南時甫書〉《退溪集》。
[68] 李退溪〈答鄭子中別紙〉《退溪集》。
[69] 李退溪〈李咸亨心經質疑〉《退溪集》。
[70] 李退溪〈靜齊記〉《退溪集》。

> 學派而已，幾百年之間，不管是什麼人都接受晦庵之學，冀以求取功名。所以整個朝鮮王朝全部是晦庵學派，甚至連標舉晦庵學為一學派，都成沒有必要的事。但是若以學問為晉身之階，則容易流為虛文偽飾。而陽明學無視於舉世之排斥詆毀，只以吾心為一切善惡是非之標準，而著重於內觀自省，這才是真實無妄的根本血脈。所以縱使沒有所謂的陽明學派，而其最高貴的學問，則無人不知。[71]

陽明學東傳朝鮮之後，有主理、主氣兩派之學者，形成迥異之態度，前者可稱爲斥王學派(如李滉、趙穆、柳成龍、韓元震等)；後者可稱爲贊王學派(如南彥經、李瑤、許筠、張維、崔鳴吉等)。

李滉

李滉(西元一五０一年～西元一五七０年)，字退溪，慶北安東郡陶山人，生於“士禍”動盪之中，一生可謂正値多事之秋，以爲當官享榮華，不如研究學問，多次辭官歸里，亦歿於此時。年四十三觀《朱子全書》曾謂：

> 此書(朱子全書)之行於東方，絕無而僅有，故士之得見者蓋寡。嘉靖癸卯(明世宗二十二年，西元一五四三年)中，我中宗大王命書館印出，臣滉於是始知有是書而求得之，猶未知其為何等書也。因病罷官，載歸溪上，得日閉門靜居而讀之，自是漸覺其言之有味，而其義之無窮，而於書札，尤有所感焉。[72]

自此專研朱子，主要論著有《聖學十圖》爲其哲學思想之體系，年五十六完成七大冊十三卷之《朱子書節要》。其後另有《啓蒙傳疑》、《宋季元明理學通錄》、《陶山記》、《伊

---

[71] 鄭寅普〈朝鮮陽明學派〉《陽明學演論》(外)第148頁。三星美術文化財團出版部，1981。
[72] 李退溪〈朱子書節要序〉《退溪集》。

山書院記》、《答奇高峰書辨四端七情》、《心無體用辨》等書，除視朱子學爲正統外，餘皆少寬容，其《王陽明傳習錄辨》即是此例。由此可知，陽明學東傳朝鮮之時，退溪正以朝鮮朱子學之儒官支配朝鮮學界，力斥陽明學。誠如李丙燾先生所謂：

> 王書之東來也，最初著為文字以加一棒者，除退溪外，未聞他人焉。退溪可謂王學排斥之第一先鋒也。自是以還，退溪門下人，尚矣勿論。其他儒者，類多效之。攻斥不遺餘力。即使王學不能有地步於半島學界，益驅學人入於朱子學之單一窩中矣。噫！退溪之責，豈不大乎！然而其一派則如退溪之斥王學，為一大功業。[73]

退溪於〈王陽明傳習錄辨〉及〈白沙詩教傳習錄抄傳因書其後〉二文中，對陸、陳、王所批之辭。[74]幾爲日後朝鮮李朝程朱學者攻陸、王之指針。

自退溪批陽明學起，其門人進而斥陽明學爲異端邪說。其代表者如後述。李栗谷稱退溪爲“儒宗”；趙穆、金誠一稱其爲“東方第一人”；張志淵稱其“闡明正學，啓導後生，闡明孔、孟、程、朱之道的唯一者”；文一平稱其“如果佛宗是元曉，儒宗就是李滉”……。由此觀之其學術地位爲中、日、韓三國所矚目，絕非偶然。

趙穆

趙穆(西元一五二四年～西元一六0六年)字月川，爲退溪之高徒，一意護持師說，其答退溪書云：

> 白沙、陽明，其詞語，皆不類程朱門氣象。而若陽明則甚可駭怪。微先生力辯，幾乎惑亂

---

[73]李丙燾〈陽明學的東來與退溪之辯斥〉《白樂濬博士回甲紀念國學論叢》，第803頁。漢城思想界社，1955。

[74]李退溪〈雜著〉《退溪集》。

人矣。[75]

李能和先生於〈朝鮮儒界之陽明學派〉一文曾謂月川僅附和師說，別無新見，彼謂：

> 月川斥白沙為禪學，陽明為頗僻，是乃附和其師之說，而亦言朝鮮儒學之真相。或拘於象數，昧於理氣，馳心窈冥，蓋亦自認主外不主內之弊者也。[76]

柳成龍

柳成龍(西元一五四二年～西元一六０七年)，字西厓，與退溪同鄉，爲李朝之大政治家與大學者，年十七即謄寫《陽明集》，視爲傳家珍寶[77]。後與趙月川同列爲斥王派之先驅，爲退溪門人之傑出者。年二十八，以聖節使、書狀官兼司憲府監察，遠赴中國燕京學習，並講論儒學。批陽明之〈主心說〉、〈良知〉、〈知行合一〉、〈致良知〉等說。[78]然皆不出其師說耳。

韓元震

韓元震(西元一六八二年～西元一七五０年)字南塘，主張"人物性異"而其所著《禪學通辨》與《王陽明集辨》爲批陸、王之作。首引陽明"致良知"云：

> 吾心之良知，即所謂天理也，致吾心良知之天理於事事物物，則事事物物，皆得其理矣。致吾心之良知者，致知也，事事物物皆得其理者，格物也。[79]

---

[75]趙月川〈答退溪先生書〉《月川集》。

[76]李能和〈朝鮮儒界之陽明學派〉《青立學叢》25輯，第112頁。

[77]金吉煥〈陽明學之排斥〉《韓國陽明學研究》章1，第26頁。

[78]柳成龍〈雜著〉《西厓集》。

[79]王陽明〈傳習錄〉《王陽明全集》卷2，第45頁。

繼而批陽明之說爲“異端之說”然又無一定之見，其〈雜著〉云：

> 良知與天理對言，則心而非理也，其以良知為天理者，蓋亦心即理之說也。然若與人欲對言，則良知即是天理之所發，而非人欲之所行矣，故致此良知，亦不失為循理之學。而但陽明所謂良知，非良知之真，故不免為異端之學耳。且前既以格物為致知誠意用力處，今又以格物為致知之效，則此於自家之說，亦未有一定之見矣。[80]

對陽明所說大學之道，亦有異見。以陽明不識“敬”字，缺乏操存涵養之功。[81]

綜上可知，陽明學東傳朝鮮，正値朱子學當道之時，尤以明中葉學風傳承之可能，及朱子集注之四書五經同爲中、韓兩科考科目，故斥王論辨亦極類似。因而朝鮮以退溪爲中心之儒者，以陽明學爲異端邪說及斯文亂賊而大加排斥，此乃歷史之必然發展，誠不足爲怪矣。

(二)朝鮮陽明學之萌芽

朝鮮中期，關心陽明學且研究陽明學之朝鮮儒者，於朝鮮王朝之朋黨政爭下，始終處於劣勢。於學術界中，李退溪之主理說，甚而使主氣說之學者無立足之地，則陽明學之發揚更無庸論矣。然至宣祖、仁祖年間(西元一五六七年～西元一六四九年)此風漸改。一者因壬辰(西元一五九二年)倭亂、丙子(西元一六三六年)胡亂，國家風紀大壞，負責平亂之程朱當權儒者，束手無策。一者若干初期之陽明學者，如南彥經、李瑤、許筠、張維、崔鳴吉等，確信唯有陽明學能平治國亂，因而提出國亂對策論，[82]但當權程朱儒者，仍不採納。顧自陽明學東傳後，接納與排斥不斷重演終歸步上折衷之

---

[80] 韓元震〈雜著〉《南塘集》。
[81] 韓元震〈雜著〉《南塘集》。
[82] 金吉煥〈陽明學之歷史的展開〉《韓國陽明學》章2，第53頁。

途。其間朝鮮王學之轉捩，在於宣祖不滿程朱學者之固守不變，而對陽明學寄予較大厚望。

朝鮮孝宗迄英祖年間(西元一六五０年～西元一七七六年)亦即鄭齊斗(西元一六四九年～西元一七三六年)於朝鮮正式成立陽明學體系之前，不論朝鮮諸儒接納與否？皆對陽明學理論之了解不深，此乃其共通之處。

南彥經

南彥經(西元一五二八年～西元一五七四年)字東岡，出身於朝鮮主氣派之大宗徐敬德門下，登仕後，又出入與徐敬德對立之退溪門下，因而常與退溪等當時名流論爭心性問題。壬辰倭亂時，出領義兵，其後乃於東西黨爭中占有西人之要津，爲早期接受陽明之健將。據朝鮮《宣祖實錄》二十七條載："朝鮮最初治陽明學者乃南彥經、李瑤也。"

彥經爲韓國陽明學之先導者，後因批退溪而遭革職。在野時仍續研陽明之學。有關其生平及學譜、思想等，蓋付闕如，且其遺稿多於胡亂時燬於兵燹[83]，今另據劉明鐘先生之《韓國之陽明學》亦云：

> 南彥經與洪仁佑(恥齋，西元一五一五年～西元一五五四年)皆曾受陽明學，但南彥經之東岡文集失傳，洪仁佑之〈恥齋遺稿〉又被日人今西龍攜走，存亡未知，是以吾人僅能由《退溪全書》中所載，推定彥經之學耳。[84]

彥經自青年即與退溪往來，於兩人書札中，退溪屢勸彥經勤勉爲學，並戒其勿從事異端。若推溯兩人之學術關係，可由退溪與花潭間之辯難，退溪警曰：白沙與陽明學具有異端性，而要極力闡明程朱的正學。[85]於《退溪全書》中，有退溪之〈答南時甫書〉。南彥經之信存於"靜齋記"。依其

---

[83] 尹南漢〈南彥經之生涯、思想與陽明學問題〉《朝鮮時代之陽明學研究》章 4，第 138 頁。

[84] 劉明鍾〈陽明學受容的學者〉《韓國之陽明學》章 2，第 47 頁。

[85] 尹南漢〈南彥經之家系及其生涯〉《朝鮮時代之陽明學研究》章 4，第 143 頁。

內容，可知其持主氣說。其內容如下：

> 氣之湛寂，而理與之同體，天下之大本是也。氣之流行而莫不恰有好處，有物則有是用也。湛一清明之體，流行恰好之用，莫非理氣之合一者也。[86]

彥經謂理與氣是同體，實者，彼主氣是天下之大本，立於主氣之位，逕對退溪所持“理主氣從”說提異說，而與陽明之言近似，陽明云：

> 理者，氣之條理；氣者，理之運用。無條理，則不能運用；無運用，則亦無以見其所謂條理者矣。[87]

此乃否定理之超越，亦主氣說。另者彥經據陽明“心即理”說，曾謂：“涵養體察，吾家宗旨。天理人事本非二致，善矣。”[88]又謂：“所云慎獨爲日用親切工夫。”[89]此皆與陽明所主謹獨、慎獨、誠意諸說一致。退溪知彥經受白沙、陽明之影響，故勸之曰：

> 所謂用力者，無意而已，無欲而已。夫無意無欲，乃聖者事，一超恐難到此地位。詳此段語，意微有禪味，得無看白沙傳習未面有少中毒耶。[90]

由此亦可徵知彥經學之取向退溪不同。

---

[86] 李退溪〈靜齋記〉《退溪集》。
[87] 王陽明〈傳習錄〉《王陽明全集》卷2，第62頁。
[88] 李退溪〈答南時甫書〉《退溪集》。
[89] 李退溪〈答南時甫書〉《退溪集》。
[90] 李退溪〈答南時甫書〉《退溪集》。

李瑤

李瑤(西元？年～西元？年)字慶安令，是彥經早期弟子。[91]對其陽明學思想體系，今亦無從詳知，唯於朝鮮《宣祖實錄》中，稍見其思想梗概。宣祖之時，正逢朝鮮歷代諸王中，為動盪艱危之最。如壬辰倭亂、四色黨爭，內憂外患，接踵而至。宣祖深感程朱之學不能經世治國，而李瑤奏言陽明之學為克弊良方，頗得宣組賞識。據《宣祖實錄》云：

> 上曰：'今日講對，予觀其人，多讀古書，不為鄙野矣。'成龍曰：'其學尊信南彥經矣。'上曰：'渠極陳所學，而如王陽明書釋氏書，無不知之云矣。其人多讀書，似非庸眾人也。'[92]

因先祖曾與李瑤論究陽明之學，故對陽明之學大為改觀。彼時弘文館諸儒曾加激評，甚者引退溪之言："若使此人者，得君而行其志，則未知其禍，孰烈於秦也。"其詳曰：

> 第聞瑤之所論，盛稱守仁之學，以亂聖聽，臣等不勝驚怪之至。守仁之學，合仙佛而為一，以假吾儒之名，而其心，強狠自用；其說，張皇震耀。至曰不思善不思惡時，認本來面目；至曰神住氣住情住。而仙家所謂長生久視之術，亦在其中……。守仁之學，實祖象山，而其誕妄自恣，反經非聖，抑有甚焉。先臣李滉之言曰：'若使此人者，得君而行其志，則未知其禍，孰烈於秦也。'[93]

由此語可知李瑤倡陽明之學，以治國平亂，卻不容於當政之程朱大儒，而大加抨擊。如柳成龍奏言"致良知是偽

---

[91] 李能知〈朝鮮儒界之陽明學派〉《青立學叢》25輯，第116頁。
[92] 朝鮮《宣祖實錄》二十七條。
[93] 朝鮮《宣祖實錄》二十七條。

言”：

> 成龍曰：‘今日請對何事耶？’上曰：‘今日請對，予觀其為人（指李瑤），多讀古書，不為鄙野矣。’成龍曰：‘其學尊信南彥經矣。’上曰：‘且渠極陳所學，而如王陽明書，釋氏書，無不知之云矣。……其人多讀書，似非庸眾人也，渠以為中朝心學之人，欲訪問而見之，陽明格致之說亦言之矣。若使陽明為今日經略，則此賊可以蕩掃矣。’成龍曰：‘陽明之學，異於象山，陽明多有運用處矣。’上曰：‘陽明才高，我國才質卑下之人，不可學也，其所謂常常顧心之說是也。’成龍曰：‘其心則無準則之心。’上曰：‘其意以為本領先正心，事事當正云。’成龍曰：‘古人云，儒主理，禪主心，道主氣，此說極好。蓋主理故以為事物有當然之理，主心故以為光明而終有猖狂自恣之蔽。’上曰：‘陽明之曰，致良知’成龍曰：‘此言偽矣。’上曰：‘陽明言孝之理，在於吾心豈以親身之存歿而有異乎。’成龍曰：‘葬之以禮、祭之以禮，皆是孝之道，而各有攸主，豈可如是言之，如陽明少時，不讀一字，而但欲致良知，每事豈能周知乎。’[94]

雖柳成龍向宣祖奏言陽明學之猖狂自恣之蔽，然宣祖卻以朝鮮才質卑下之人，不可學陽明學以對之。

許筠

許筠(西元一五六九年～西元一六一八年)字蛟山，有鑑於朝鮮程朱學之禮教體制過於僵化，無視於人之本性及天賦之平等。因之，極力揭露朱子之嚴肅、虛僞，提倡人道，痛斥嫡庶之別。與明李卓吾並稱反體制叛逆而之雙璧。尤以所著

[94]朝鮮《宣祖實錄》二十七條。

通俗小說《洪吉童傳》對社會制度之改革、社會平等之建立、拓展海外交通之思想等，頗具改革啓發之意。

許筠此改革之思想，同時亦反映陽明“人人都可做堯舜”之主張。蛟山非難程朱學者云：

> 當今之僞學者，輒空談性理，縱亦以完成伊尹、傅說、周公、孔子之事業為其職志，但彼等量才適性，事業未成，又不能收拾殘局，因之遭世人譏諷。此乃“私”字之著。噫！偽者盈亂世，致君王棄儒學，此乃偽私者之罪，真儒曷至此乎？[95]

如前所述，可知南彥經與李瑤，雖被稱爲初期朝鮮陽明學者，唯明斥程朱之學，標舉陽明學之優勝處耳。然許筠卻與前二者異。由其實際體驗，反對程朱體制，被視爲叛逆。然彼非唯接受陽明學，且避吸收佛、道、天主之思想，故其著述對韓國近代思想之啓蒙，頗具影響。

張維

張維(西元一五八七年～西元一六三八年)字谿谷，爲金長生之門人。是朝鮮十七代王孝宗妃仁宣王后之父，大文學家兼朝廷命官。彼時天下皆信程朱，而斥陸王。唯谿谷挺身維護陽明之學。其所著《谿谷漫筆》，對朝鮮陽明學之研究極具貢獻，甚者朝鮮陽明學之樹立者—鄭齊斗等，亦皆受其影響。其《谿谷漫筆》痛斥朝鮮無真學者，雖學程朱，僅以口耳爲尙耳。以此慨嘆當時固陋頑冥之學風。張維曾指陽明學與禪學之異。彼謂：

> 陽明白沙論者並稱以禪學，白沙之學誠有偏於靜而流於寂者，若陽明良知之訓，其用功實在專在於省察擴充，每以喜靜厭動為學者之戒，與白沙之學絕不同。但所論窮理格物與程

---

[95] 許筠〈學論〉《許筠全書》。

朱頓異，此其所以別立門徑也。[96]

由此可知，谿谷以人爲主體，理解事事物物，與程朱學先究對象之理(即物窮理)，再究人之心體者迥異，而與陽明學先究人之心體(即良知)，甚爲近似。因之，谿谷雖爲朝廷親屬，卻能以學者之客觀研究陽明學之真諦，而不理政界之論爭，誠屬難得。[97]

崔鳴吉

崔鳴吉(西元一五八六年～西元一六四七年)字遲川，與谿谷爲同時代人，亦治陽明學。遲川是仁祖"丙子胡亂"(西元一六三六年)被視爲主和派之代表者。[98]彼時戰和兩派相持不下，遲川超越程朱名分論，爲保宗社與民生，主講和。此與陽明之臨難處變類似。因遲川對陽明學之心體尤切，其與友人書云：

本來面目，只於恍惚間，看得依稀，此乃工夫未熟而然也，汝能覺得如此，亦見日間點檢省察之功，深可喜也。陽明書云：'心本為活物，久久守著，亦恐於心地上發病，此義見得親切，自家體驗分明，故其言如此。'[99]

本來面目是心體，即良知。心學要在將自身之心不斷檢點、省察，而復其本來面目，如此即可爲堯舜，此乃陽明學之基本精神所在。綜上可知，陽明學於朝鮮，一者爲時局國難之需要，另者爲學者對程朱學風之厭倦，復以其反關自省之故，漸被部份朝鮮學者所接受。至其形成及其流變，容後詳述。

(三)朝鮮陽明學之形成及其流變

高麗末年，社會及政治風氣，因受崇佛政策之影響，日

---

[96] 張谿谷《谿谷漫筆》卷1。
[97] 李能和〈朝鮮儒界之陽明學派〉《青立學叢》25輯，第121頁。
[98] 金吉煥〈陽明學歷史的展開〉《韓國陽明學研究》章2，第57頁。
[99] 崔鳴吉〈寄其子後亮書〉《遲川集》。

趨委靡。且寺院爲自身之安全，訓練僧兵以求自衛，對政治、社會、經濟影響甚鉅。當時，性理學者鄭夢周(圃隱，西元一三三七年～西元一三九二年)欲重整社會秩序，特於高麗首都開城置五部學堂，並於各地創設鄉校，藉以振興儒教。後夢周及其黨羽因擁高麗王氏政權，而被李成桂刺死。李氏易姓革命後，成爲朝鮮五百年政權之締造者。夢周雖失敗於政治，然其氣節與義理卻成李朝五百年儒者之精神支柱。李朝遵夢周之策，以排佛崇儒爲其教化之理想。因之，夢周之程朱學統，乃成李朝文化之基石。

程朱自夢周始發展，至退溪達於巔峰。但因朝鮮中期當政之程朱學者卻使朝鮮政治、社會趨於腐敗。因之，部份朝鮮儒者乃開始接納陽明學，採陽明學之改革、現實性。至夢周之第十一世孫鄭齊斗時，終樹立韓國之陽明學體系，於韓國學術史上居一席之地。

1.陽明學派之樹立者—鄭齊斗

自朝鮮中葉陽明學東傳韓國之後，皆處於陽朱陰王之下。至朝鮮十四代宣祖掌權後，方拒程朱學之末流，而對陽明學付予關懷。因明使臣萬世德之介，陽明方得入祀文廟。又因壬辰倭亂，明將宋應昌等講述王學，使朝鮮儒者南彥經、李瑤、張維、崔鳴吉漸納王學，而與以退溪爲中心之反叛對峙。終於朝鮮末之顯、肅宗兩代(西元一六六0年～西元一七二0年)煥發韓國陽明學之光。

鄭齊斗

鄭齊斗(西元一六四九年～西元一七三六年)，字士仰，號霞谷，是右議鄭進城之孫。年八十八，歷朝鮮仁祖、孝宗、顯宗、肅宗、景宗、英祖六朝。 陽明學東傳時，朝鮮中期程朱學之巨儒有三：即李退溪、成守琛、李栗谷。陽明東傳之初，退溪偏東人，至朝鮮末，已成諸儒宗主。成守琛之學統傳至尹拯，而爲少論宗主。李栗谷之學統傳至宋時烈，而爲老論宗主。老論之學風，力主傳統之程朱學派；少論之學風，尙實踐、惡性理、重知行合一，而與陽明一脈相通。於此時代背景下，以鄭齊斗之門閥論，上與王室貴胄聯姻，下與名流世家爲友，而其自身又是西人名家子弟。是以齊斗初期學譜與西人名門(南彥經、張維、崔鳴吉)及少論名家有關。肅宗時代，老論派掌權，宋時烈與其黨羽將反朱學者入罪。彼時齊斗之師傅少論派之朴世采與尹鑴亦因變更朱註，而以斯文亂賊處囹圄。[100]

鄭齊斗之學問生涯可分三期：

第一期：自幼年至四十歲，朱學轉王學期，即受朱子學，年弱冠由科舉入政界，對當時朋黨政治及程朱學派漸感不滿。年而立始批朱子學支離，日傾陽明學。齊斗謂朱學與王學旨趣，皆是將先秦儒家哲學精神一心法恢復並發揚，因而引起程朱學者，斥爲異端。鄭氏亦以程朱學者之說爲非，蓋兩者均以承先秦儒學爲正脈。程朱之學對人性、天理、人欲、人心、道心、性命諸問題，重其理念，方法之思辯。陽明學則以簡易直截，捨程朱學之思辯，而以知行一元掌其實踐精神。[101]

第二期：四一至六十歲，自政界退隱專治陽明學。齊斗不惑之前，即悉陽明學肇基之本。至此始樹陽明學諸理論(心即理、致良知、知行合一)之體系。其師朴世采著〈王陽明學辯〉批齊斗信奉異學。齊斗則以其陽明學真髓之作〈學辯〉、〈存信〉二文駁之。尤以主一存養及心性之說，皆引自陽明之《傳習錄》，而〈存言〉則以陽明學之立場樹其自身之心性學體系。

第三期：六一至八十八歲，內王外朱時期。齊斗與政治絕緣，遁世江華島，授徒治學。及至景宗、英宗期間(西元一七二一年～西元一七七六年)，少論派登場，齊斗又應英祖之召出仕。與前退隱治學迥異，又因書生使命感，而與現實妥協，故主內王外朱，或謂此乃朱學、王學統一之時，然終以王學爲主。

總之，齊斗之學術生涯，乃因出身世族，而與政治聯結。後西人勢頹，漸脫程朱學之虛名，而專治社會所需之王學。及至景宗、英祖，少論得勢，雖暫回歸現實，然仍以王學爲務。故其霞谷學派之形成，實亦韓國陽明學派之形成。但因

---

[100] 尹南漢〈霞谷學—韓國陽明學之成立〉《朝鮮時代之陽明學研究》章5，第202頁。
[101] 金吉煥〈霞谷之陽明學〉《韓國陽明學研究》章3，第88頁。

霞谷之陽明學僅爲家學，直至朝鮮末之實學時期，其真諦才得發揚。故謂陽明學傳至朝鮮一百五十餘年後，霞谷出現，方樹立韓國之陽明學體系。而此體系具朝鮮程朱學轉變爲實學與開化思想之過渡，聯繫、共通之特性。故知齊斗之學問性格與朋黨政風關連，具備現實妥協與現實改革結合。即經專治朱學、王學，融合朱學、王學三段，而成自身之聖學體系。

2.陽明學之繼承者—江華學派

鄭齊斗之學問事業，隨少論之政治起伏而迭經數變。少論處優勢時，則主外朱內王，傾於官學之程朱學；少論處劣勢時，則轉具改革現實制度之陽明學。雖說齊斗之學術生涯，具現實妥協之色彩，然其脫離朝鮮傳統儒學之程朱體制，而接受陸王新學風之傾向，此轉變卻影響朝鮮實學家之出現。江華島因地處孤壤，與漢城隔離，爲不滿現實政治之學者隱居處所。當地生徒群從於齊斗，而成一獨特之新學風。蓋齊斗江華學非唯陽明學耳，將其自身之朱、王合一之儒學體系授之後學。江華學派乃齊斗弟子所組成，以江華島爲中心，專研陽明學之學派。又因齊斗之故，世稱霞谷學派。是以“江華學”與“江華學派”實則有別。江華學派之形成，乃因朝鮮政治之黨爭，政界失勢之少論家族移居江華島，與齊斗家族聯姻，而其子孫受齊斗陽明學之影響，而傳承朝鮮陽明學之學派。其中概分：迎日鄭氏齊斗一門；全州李氏匡明一門；平山申氏大羽一門。彼等皆不喜政治，潛心學問。

3.陽明學之折衷者—實學派

洪大容

洪大容(西元一七三一年～西元一七八三年)，字湛軒，湛軒思想之形成中，燕(北京)行爲其轉捩。彼曾謂，受限於地域，拘與習俗，心中鬱悶，亟思解脫，尋找新思維。其〈毉山問答〉言之甚詳：

> 道術之失由來已久。孔子逝後諸子亂之，朱子門下，眾儒惑之。稱其功而忘其理，誦其言

> 而失其意。正學之扶植實由矜心，邪說之排斥實由勝心，濟世之仁政實由權心，明哲保身實由利心。如此四心相異，其意日失，天下漸趨虛妄如東流之水。[102]

〈毉山問答〉中，湛軒以當時俗儒和舊道學家之原形，塑造“虛子”經具新思維“實翁”之批，表明其立場，並借實翁之口歷數“食色之惑”“利權之惑”、“道術之惑”、並指“道術之惑”可以亂世，以此批當時思想之墮落。

對道學派之斥邪衛正論或王道論等，湛軒亦知彼等陷於矜心、勝心、權心、利心而遭扭曲。湛軒提“欲聽道，濯舊聞，却勝心”，故唯有棄舊念，方能得真理之客觀。

湛軒批拘於朱學體系之閉塞經學，其謂：

> 東儒之崇奉朱子，實非中國之所及，雖然惟知崇奉之為貴，而其於經義之可疑可議，望風雷同，一味掩護，思以箝一世之以焉。[103]

湛軒主以朱子學作客觀評價之對象，因之，對朱子學之注釋，提出多處質疑。如有關理氣論，宋時烈主應以理視《孟子・浩然》之心解釋，湛軒則主理、氣不能混爲一談。並反對“心即氣”贊同荀子“心即君”，又提出“同即理，異即氣”之理氣概念，堅持“理即仁”之樸素觀念，[104]由此以示脫離朱子學理氣之體系。

湛軒對自然科學之理解和關心是受漢譯西學書及李瀷之影響。其謂：“以人視物，人貴物賤；以物視人，物貴人賤；以天視之，人與物均等”，故其“以天視物”已脫離基於儒教道德規範之自然觀。

湛軒將學問分爲義理之學、經濟之學、詞章之學。對三者之關係，其謂：“義理無，則經濟流於功利，詞章陷於浮

---

[102] 洪大容〈毉山問答〉《湛軒書》。

[103] 洪大容〈乾淨錄後語〉《湛軒書》。

[101] 洪大容〈心性問・四書問辯〉《湛軒書》。

藻，焉能稱學問；經濟無，則義理無施處；詞章無，則義理不明。如此三者去其一，則無學問可言，而義理豈非其根本乎？”[105]

湛軒將義理學、經濟學和詞章學並列互補，且將義理置於根本。確認義理學及道學之地位，同時提出經濟（經世）學與詞章學存在之理，從而擺脫道學偏頗之學風，主張學問之多元。另從歷史及社會觀之，其亟欲擺脫以中國為中心之“華夷論”而主“域外春秋論”。

朴趾源

朴趾源(西元一七三七年～西元一八０五年)字仲美，號燕巖，

如謂湛軒之科學精神是立於其思想基礎，則燕巖經小說以示其對現實社會意識之批判，乃理所當然。燕巖於其小說《馬駔傳》、《積德先生傳》、《廣文者傳》等作品中贊美平民之高尚品德，諷刺兩班(文班、武班)之僞善道德，可見其早欲擺脫身分制度、改革僵化道德秩序。

年四十四得機燕行，駐足夏宮熱河，擴展其對清朝文化風情之見聞。復與十五年前去燕之湛軒交流，形成融會清朝文化之北學派。其於〈熱河日記〉中提“五妄”之說，[106]及“五審”之說，[107]以明其對清朝社會和歷史之深刻洞察力。

清朝將朱子學作爲官學乃其表象，實者藉此統治漢人耳。“彼觀中國大勢，先占其道，使天下之口如含馬銜，無敢稱滿夷者”，又謂：“騎天下士大夫之頸，抑扼其喉，撫其背，士大夫受其愚弄脅迫，於禮文條目孜孜以求，不能自省。”[108]因之，清藉編龐大之《古今圖書集成》和《四庫全書》籠絡士子，明藉纂《永樂大典》壓制思想，如出一轍。

---

[105] 洪大容〈吳彭問〉《湛軒書》。

[106] 朴趾源〈熱河日記〉《燕巖集》。“五妄”即炫耀門第，標榜衣冠，行動無禮，稱中國無文章，嘆漢人無壯士。

[107] 朴趾源〈熱河日記·黃教問答〉《燕巖集》。“五審”即從清帝於熱河逗留，觀其遏制蒙古之心；從其將西香僧王奉為皇師，觀其安撫西藏之意；從所有文章皆為歌功頌德，觀其受壓抑漢人之苦心；從取消漢人與滿人所有筆談，觀其施行禁法之心；從奢侈品與古董之氾濫，觀其太平景象。

[108] 朴趾源〈熱河日記〉《燕巖集》。

朴趾源雖關心清翰學術對訓詁學及考證學方法之理解，然尤重朱子學及其遏制思想自由之作用。由此可知趾源藉理解清翰政治社會及歷史觀之現實立場，而將此意識滲於北學派。

另者，趾源亦有頗強之滅清義理意識。彼謂："聞清陰(金尚憲)之名則發指脈張，雖有言於口而不得發，幾欲滯塞。"彼由北京之行，得識清文化利用、厚生之價值及其實用精神。是以彼不言義理論與北學論之異，反藉北學論將義理論由感情引至現實，此乃其思想之特色。

朴齊家

朴齊家(西元一七五０年～西元一八０五年)號楚亭，為庶出，主張改革科舉制度，曾三度赴燕，回國後，著《北學議》繼洪大容、朴趾源之學風，確立北學論。重申北學派對清之態度，並提出利用厚生論，認識現實之實學基礎，可謂集北學論之大成者。其《北學議》要在指出中國風俗"可以行於本國，便於日用"，"為之之利與不為之弊"[109]由此可見《北學論》吸取中國文化之範疇與追求實用之目的。

朴齊家知國家之弊，在於貧困，解決之方，唯有思想與制度之改革，故主"經世致用"與"利用厚生"。然朝鮮朱子學者反對商利，並視為卑賤。其救弊之方唯有陶汰只知科舉不事生產之儒生，方能振興產業經濟。而楚亭此一改革思想，一時尚難見容於朱子學者，且其拒"理學"，視"理學"為不具實用性。但於"誠意"則主無自欺，"自欺"是"欺天"，天則存於"心"，而"慎獨"、乃"誠意"之本。彼謂：

> 古人何嘗不窮理？而理學之名，起於宋。蓋自誠意之前，已窮物理。初學後生，高談性命，至有與晉世清談並稱之識。夫老莊玄言，何嘗非至理。但不急於實用耳。[110]

---

[109]朴齊家〈附北學義〉《貞蕤集》。
[110]朴齊家〈附北學義〉《貞蕤集》。

又謂：

> 慎獨之義，與兄同學，先以勿欺為主，九容九思為第一也。[111]

又謂：

> 意者心之一端，心者意之全體，故誠意在正心之先。意者，自內而發，故慎其獨。忿懥好樂等，皆由外而入，則形於事矣。故始言心字，先後當如是矣。然誠意未盡前，亦有正心時節，未必待誠意之後。[112]

由上可知，以朴齊家為中心之北學派實學中，所言之“誠意”、“慎獨”、“正心”亦即陽明所說之“良知學”，故謂朴齊家最富濃厚之陽明學色彩，其思想對朝鮮開化派之影響尤大，[113]是以能成為近代韓國政治精神之價值標準。

李瀷

李瀷(西元一五七九年～西元一六二四年)字子新，號星湖，李朝肅宗、英祖之學者，為大司憲李夏鎮之子。幼少博覽群書，文具巧思。年二十四，志斷科舉，於家自學力行，為士林所重，雖受召為官，然絕意仕進，晚年以研究經傳著書為多。朝鮮末，實學分而為三(陽明學派、星湖學派、北學派)，李瀷為星湖派之代表者。彼時政治思想均淪為程朱學之虛名主義。李瀷以實學者而採陽明學之實用性。卻駁陽明之“知行合一”說，彼謂：

> 人謂小學先大學，便是行先於知。余謂小學，學於先知，然後方得。知先於行，與此相

[111] 朴齊家〈答燕生〉《貞蕤集》。
[112] 朴趾源〈北學議〉序《燕巖集》。
[113] 〈北學議外編·尊周論〉《貞蕤集》朴齊家謂：“苟利於民，雖其法出於夷(指滿清)，聖人將取之，而總中國之故哉。”

> 似，若曰知與行，非二物，則思與學之間，豈復有殆罔之矣。[114]

星湖以爲就學問言，可以身爲學，又可以心爲學。是以“學”皆是“行”。孝弟是“身之行”，讀書窮理是“心之行”。故有“先知後行”，有“先行後知”。

朱子於《中庸》二十章嘗謂：“故君子尊德性而道問學，致廣大而盡精微，極高明而道中庸。溫故而知新，敦厚以崇禮。”又謂：“尊德性，所以存心而極乎道體之大也；道問學，所以致知而盡乎道體之細也。二者修德凝道之大端也。”星湖對此說則駁曰：

> 蓋尊德性，更不須言功夫次第，惟道問學有許多條理也。致廣大，博學也；博則恐泛濫而不能精察。極高則恐過高而失中。其旋得旋失，或得少為足，皆可戒也。[115]

星湖此駁朱子之“尊德性”及“道問學”，將“存心”及“致知”兩分，而主張“尊德性”及“道問學”兼行，此則與陽明“道問學即所以尊德性也”無異。

丁若鏞

丁若鏞(西元一七六二年～西元一八三六年)字美庸，號茶山，與猶堂等。正祖十三年(西元一七八九年)登文科第，受正祖信任，承旨爲官，朱私淑星湖李瀷，後好西洋之書，純祖元年(西元一八０一年)其兄丁若鐘因奉天主教，遭處死罪，彼亦流亡慶尙道康津，純祖十八年歸京。茶山於經、史、子、集無不通，擅文章，識見高，人稱近代考證學之泰斗。另於法律、農政、水利、天文、曆象等實利之學亦兼善，以經世濟民爲志，教民治術，民敬慕之。

茶山反對朱子將《大學》八條目分爲格物致知誠意正心，視格物重於誠意，蓋天下之物甚多，若待格物致知，然後誠

---

[111] 李瀷〈經史門・知行合一〉《星湖僿說》。
[115] 李瀷〈經史門・道問學〉《星湖僿說》。

意修身，則爲時已晚，是以彼謂：

> 天下之物，浩穰汗滿，巧歷不能窮其數，博物不能通其理，……欲待此物之格，此知之致，而後始乃誠意，始乃修身，則亦已晚矣。[116]

茶山以爲不必分格物致知誠意正心，僅“誠意”即可“成己成物”，是以又謂：

> 中庸曰：誠者物之終始，始者成己也。終者成物也。成己者修身也，成物者化民者。然則修身原以誠意為首功。從此入頭，從此下手，誠意之前，又安有二層工夫乎？[117]

由此可見，茶山與陽明所言“大學之要，誠意而已”見解相似。另者茶山謂明中葉陽明學被視爲異端，其因在於“致良知”三字。彼謂：

> 凡立一句話為宗旨者，皆異端也。為己，君子之學也，聖人嘗言之矣；楊氏之為己，一字為宗旨，則其弊為拔一毛，而成異端矣。尊德性君子之學也，聖人嘗言之矣；陸氏尊德性三字為宗旨，則其弊為弄精神、頓悟，而成異端矣。良知之學，何以異是？[118]

又如朱子對“忠”、“恕”之詮釋，是主推己及人之先知後行之見，茶山則於陽明之“知行合一”以爲“忠是良知之未發”“恕是良知之已發”，由此可見實學者之重實踐德目“恕”。

總之，身爲朝鮮實學思想濫觴之陽明學派、星湖學派，

---

[116] 丁若鏞〈茶山集〉《與猶堂全集》。
[117] 丁若鏞〈茶山集〉《與猶堂全集》。
[118] 丁若鏞〈茶山集〉《與猶堂全集》。

當時皆處在野。唯北學派以當權派主張利用厚生之實踐思想。雖三派性格、學問特性互異，然其學問之共同目標則一—經世致用，是以有思想之交流、互相攝取之長處，為韓國學術史建立所謂之“實學期”。

4、陽明學與朝鮮末之啟蒙者－啟蒙派

韓國之學術思想，開化思想是繼實學思想之精神而生。十九世紀中葉，日本佔領朝鮮，從此門戶開放，漸與西方資本主義之思想、教育、文化接觸，而進入開化期。[119]此後“開化”之概念，於“開物”言，即是產業之近代化，於“化民”言，即是國民意識及知識之近代化。以恢復國權之開化運動，[120]西元一八九四年，中日之戰於朝鮮爆發後，日方獲勝。西元一九0四年，日俄之戰，日本又勝。此後，日本佔領朝鮮，西元一九0五年訂第二次日韓協約，西元一九一0年韓國成為日本之殖民地。因之韓國之民權與國權被日本奪取。此時，全國之恢復國權運動，隨之而興。彼時朝鮮之民族啓蒙運動，仍由朝鮮李朝之程朱學脫胎而出之新思想、新觀念。亦是由陽明學、實學、西洋學、程朱學所融合而成韓國開化精神之主流。當時之民族啓蒙運動之領導者以朴殷植、鄭寅普、宋鎭禹等為代表，彼等皆以陽明學之“知行合一”思想為民眾啓蒙精神之基礎。

朴殷植

朴殷植(西元一八五九年～西元一九二五年)，號謙谷，朴殷植是位陽明學者、民族史學家、實學改革家，壯年時曾經歷中日、日俄之戰，及日韓合併等之歷史悲劇，對弱小民族切膚之痛，感受特深，是以又被稱為獨立運動之先驅。於其眾多著作中，與陽明學相關之代表作如《儒教求新論》和《王陽

---

[119] 大眾啟蒙運動者徐載弼先曾於西元一八九六年六月三十日之〈獨立新聞〉創刊號言：“開化為在人間的思考及行動上，排除了外飾的、虛偽的，隨實狀的思考及行動，這就是“實事求是”。開化之語源是由“開物成務”《易經・繫辭傳》及“化民成俗”《禮記・學記》而來。”

[120] 姜在彥《韓國之開化思想》言：“韓國之開化運動分為三階段：第一階段(西元一八七0年～西元一八八四年)是以開明的兩班(文班、武班)為中心的開化運動期；第二階段(西元一八九六年～西元一八九八年)是以大眾政治活動為中心的開化運動期；第三階段(西元一九0六年～西元一九一一年)是以國權恢復運動為中心的開化運動期。”

明先生實記》而其民族獨立之實踐哲學乃由良知學演譯而出。

朴殷植曾先後發表以陽明學之實踐性為思想核心《儒教改革》、《儒教求新論》等，以駁空性之儒教(假程朱學)，且為富國強兵計，更應輸入新文化與新科學；為從日本手中恢復國權，革新衰微不振之程朱學之儒學精神。殷植以朱子學雖為聖門之學，然庶民之智，有所不及，故不宜作為民族啓蒙之思想，宜以簡易直截之陽明學精神方能力改時弊。謙谷《朴殷植全書》曰：

> "蓋朱子之學，地負海涵，無所不賅，其有功於聖門甚大，垂惠於後學甚多，曷敢妄哉！曷敢論哉！然，後之儒者，於朱子之聰明、魄力、勤篤，無窺及其匯涘，年紀忽已蹉跎，卻未有實地見得及實地成就，其如之何？朱子曰：眾物之表裏精粗無不到，而吾心之全體大用無不明矣。今日，吾人為學，眾物之表裏精粗無不到境地，吾心之體用無不明。人生一世，光陰幾何？雖然終生用力，卻無卒業期限。學問之卒業期限無，如何做得事業之餘日有？此為學者所無可能。"[121]

朴殷植於《儒教求新論》批當時儒學之弊有三：其一、儒教精神唯帝王將相方有，缺少於人民社會中普及之精神，因之須以民眾儒教予以改良求新；其二、儒教未若佛教、基督教之發展，乃因教化、活動之消極；其三、朱子學之支離、深奧不適於當今之學子，宜以簡易直截之陽明學予以革新及普及。

朴殷植以為現代科學日新月異，而各學術、事業經緯萬端，支離漫汗之朱子學，徒使學子深以為苦，不及陽明學之切要直接。而陽明"致良知"學是直指本心、超凡入聖之

---

[121]朴殷植〈自強能否之問答〉《朴殷植全書》。

路。“知行合一”是於“心術之微”處緊切省察。對學子裨益較多，合於現實社會之革新體制。由實踐知行合一之工夫，發現天人合一之道之淵源。殷植乃曰：“良知”是心之主人，悟得“良知”而爲行，即是真理之本體。

朴殷植謂陽明學之特徵爲“民智之發達及民權之伸張”。彼處於朝鮮實學期與近代社會之過渡期(即開化期)，是以悟得必須排斥徒具虛名之假程朱學體制，而須以陽明學之“因時制宜”來啓蒙民族，進而接受西歐之“社會進化論”故有《王陽明實記》之著述。

總之，朴殷植以陽明學爲儒教求新之主要思想，並於愛國啓蒙運動期間，以大同思想爲恢復國權思想基礎之一。但其所主之愛國大同主義，却因日人之壓制，而成民族之地下思想，亦成西元一九一九年三月一日民族獨立運動之精神支柱。

鄭寅普

鄭寅普(西元一八九三年～西元 ？)號爲堂、薝園，西元一九一0年留學於中國，研究東洋學，並籌組同濟社，獻身民族獨立運動。西元一九一八年先後於延專、梨專等校任教，以朝鮮史爲辨正，述說陽明精神，並兼時代日報、東亞日報論說委員講授民族魂，西元一九四八年自日光復後，就任國立大學長，西元一九五一年任首屆監察委員長，西元一九五五年(南北韓戰爭)七月十八日，「6.25 動亂」北遷之後，自此下落不明。

寅普之代表作《陽明學演論》後記云：“正告自本師李蘭谷(建芳)先生受斯學之大義，同好宋古下(鎭禹)闡揚斯學之苦心，深表感謝，雖朴謙谷(殷植)九泉永隔，質之宜當無恨，附記。”

由此可知，其思想受鄭齊斗假朱子學及革新之實踐精神影響甚深。

寅普《陽明學演論》概分：第一章爲論述之緣起，第二章爲陽明學是什麼？第三章爲陽明本傳，第四章爲大學問、拔本塞源論，第五章爲陽明門徒及繼起諸賢，第六章爲朝鮮陽明學派，第七章爲後記。綜觀其內容之旨趣，蓋虛名主義及虛飾主義之假朱子學無法解世局之難，而應以“實心”、“實事”之陽明哲學破民族之昏聵，而進於世界變局之中。

寅普斥朝鮮之程朱學者爲“假行”“虛學”“而主”“實學”其基本哲學實由陽明學之“心即理”、“知行合一”、“致良知”而得。

寅普爲江華學派之最後代表者，亦爲朝鮮後期陽明學者之一。其身處韓國政治思想史之開化期及民族精神史之啓蒙期。爲恢復國權需民族自強，爲與世局並進，需實心實學。藉此以知韓國民族思想啓蒙期陽明學之地位。

宋鎭禹

宋鎭禹(西元一八九０年～西元一九四五年)號古下，由寅普對“同好宋古下(鎭禹)闡揚斯學之苦心，深表感謝”，始知古下亦是陽明學之研究者。然因古下於陽明學之研究，遍尋無著，唯有從東亞日報社論，窺其朝鮮主義，亦即光復精神。

西元一九四五年十二月三十日，韓民黨首席總務兼前東亞日報社長宋鎭禹，被恐怖分子韓賢宇、金義賢等殺害。彼等標榜民族主義，主張依左右派合作之祖國統一，但事與願違，以殺害政界領袖爲警告，故擬殺呂運亨、朴憲永之前，先殺宋鎭禹。

西元一九四五年十二月三十一日，東亞日報社論標題〈失去了柱子！民族的今日一哭〉，可謂「8.15 光復」後之犧牲者。

茲引述東亞日報當日社論：“先生之風度和生平，恨在此無法詳述。一言以譬之，先生乃一徹底意志和信念之人，非唯憂國家、愛民族，並恪守信念，砥礪節操之人。”此信念與節操，無非受陽明學之影響所養成。

宋鎭禹曾於西元一九二五年八月二十八日至九月六日於東亞日報社論分十次刊登〈世界大勢和朝鮮的未來〉一文。據此資料推測其所主張之良心、生命的爆發、自由、平和、生存之保障，皆與陽明思想有關。尤値一提者，西元一九三０年二月十二日東亞日報社論，其標題爲〈良心的自由和人格的權威〉一文。此文作者佚名，然其論說，頗近陽明。當時謙谷朴殷植已逝，唯爲堂鄭寅普和古下宋鎭禹兩先生，同爲報社社論委員。然據文章中所談之進化論，推知爲古下宋鎭禹蓋無疑矣。其文謂：

> “人格是什麼？其標準又是什麼？黃金嗎？權力嗎？才操嗎？不是。黃金、權力、知識、才操什麼都不是。只有良心的自由而已。所謂良心的自由便是人格的標準。以良心自由時，就有人格，要不然沒有人格，人格等於是良心。因此，若從人中拿掉良心，就如拿掉人格之人，只不過是會呼吸之生物而已。宇宙之變化和生物之進化，都是必然的。但唯一不變的鐵則，就是良心的自由就是人格的標準。”

由上結論可知，爲民族之前途，力主陽明之實用主義思想，而痛斥虛假之朝鮮程朱體制。是以吾人可說朝鮮實學期是陽明學之遁世期。至開化期西歐資本主義、帝國主義思潮進入朝鮮，黨派、虛名之程朱學日益破壞，與黨派、現實不同流合污實學家、陽明思想家、反成開化思想之主流，尤以陽明學之現實改革思爲民族獨立思想奠基。提醒民族之自覺與反省，進而主張全民族參與恢復國權之運動。終在西元一九一九年三月一日，發生民族獨立運動。西元一九四五年八月十五日，獲得國權恢復。而朝鮮五百年儒學主流之程朱學體制，終被社會中潛伏之陽明學及實學等改革精神所打破。此歷史之真諦，亦是韓國近代政治思潮，頗值記載之一頁。

二、中朝陽明學之異同

陽明學是由明王守仁所創，其思想正如錢德洪所言，學問有三變，教亦有三變。據云：有“五嗜好”，一講俠義，二善騎射，三好文章，四迷仙道，五信佛教。後遇吳與弼之門人一齋樓諒方轉向學儒。

德洪於《刻文錄敘說》言及前三變、後三變云：

> 先生之學凡三變，其為教也亦三變：少之

> 時，馳騁於辭章；已而出入二氏；繼乃居夷處困，豁然有得於聖人之旨，是三變而至道也。居貴陽時，首與學者為"知行合一"之說；自滁陽後，多教學者靜坐；江右以來，始單提"致良知"三字，直指本體，令學者言下有悟，是教亦三變也。[122]

德洪所謂學之三變，是指陽明由雅好辭章至建立心學體系之思想發展軌迹，而非王學發展和演變問題。而教之三變，則指陽明形成其思想體系後之發展變化，是屬於吾人所論述之王學之發展和演變問題。依錢氏之見，王學之發展是經由知行合一至靜坐，再至致良知三段。另與錢氏同，黃宗羲亦主前三變是指陽明仁創立王學前之思想變化，後三變是指創立王學後之思想變化。然其後三變即王學之發展演化，又和錢氏不一。錢氏將"致良知"之提出視爲王學體系之最後完成，而黃氏則以陽明在揭"致良知"之教之後，猶有一居越時期所操益熟、所得益化之發展時期。就如今人陳來先生於《有无之境》一書所言："表明致良知的提出，決不是《孟子》與《大學》的簡單結合，與他經歷了複雜事變所獲得的深刻的個人體驗密切相關，是他自己的生存智慧的昇華，是心靈經歷艱苦磨煉發生的證悟。"[123]

明武宗正德十六年(西元一五二一年)陽明提"致良知"說。因而，陽明學之根本是致良知說即心知、人情、欲望等之知、情、意三要素，致良知係指生命力之完全發揮及其實現。其侍上磨練，仍重知、情、意之自然存在，此乃爲尊重先驗，並發揮先天之良知。

《傳習錄》謂："良知只在聲色貨利上能得致良知，精精明明，毫髮無蔽，則聲色之交，無非天則流行矣。"[124]

如上所述，聲色貨利是於先驗之情與欲中領悟出自然法則之作用。且將感情之自然活動稱爲良知之作用。將知、情、

---

[122]〈刻文錄敘說〉《王陽明全集》卷 41，第 1574 頁。

[123]陳來〈良知與致良知〉《有无之境》章 7，第 164 頁。北京人民出版社，1991。

[124]〈傳習錄〉《王陽明全集》卷 3，第 122 頁。

意之自然活動，歸咎於惡，此與朱子學之本意相左，於論點而言亦有本質之區別。

如謂朱子之論點是“相應”，則陽明之論點是“相即”。朱子以爲居敬與窮理相應，心與理相應，而陽明則以爲“心即理”，“體即用”，“道即器”，“器即道”。然陽明死後陽明學分成左右兩派，左派之三巨擘(龍溪王畿、心齋王艮、汝芳羅近溪)，左派之尤者卓吾李贄等，將陽明之自由無限誇大，當彼等將心稱爲理，則其理無法排除渾然一體之理想欲，而成爲“必潛於心的東西”。

故於“心即理”和“性即理”之抗衡下，心之情意部分，亦只能稱爲渾然一理，其作爲“人之自然”向良知之固有性和“滿街都是聖人”發展。而此自我之心態，將情意和心知，皆貶低爲“假”，即僞善，從而使“真”顯現。良知即真之原理，排斥僞道學，虛假之態度至李贄而達於高潮。在朝鮮李朝，則自許筠始由張維、崔鳴吉、鄭齊斗、李忠翊、洪大容、李建芳等人繼承，將其當成攻擊朱子學徒虛假之武器。

中朝陽明學有其相同之處。王陽明繼承孟子之“萬物皆備於我”之心本論和“良知”、“良能”之先驗論及陸九淵之“人皆有是心，人皆具是理，心即理也”[125]之思想，予以系統化和結合一己之思考，建立以“心即理”、“致良知”、”知行合一”爲主之心學體系。

理解陸學之主要觀念在於“本心”陸氏謂：

> 孟子曰：‘所不慮而知者，其良知也。所不學而能者，其良能也。’此天之所與我者，我固有之，非由外鑠我也，故曰‘萬物皆備於我矣，反身而誠，樂莫大焉。’此吾之本心也。[126]
>
> 仁義者，人之本心也。孟子曰：‘存乎人者，豈無仁義之心哉！又曰：‘我固有之，非由外鑠我也’，愚不肖者不及焉，則蔽於物欲而失

---

[125] 陸九淵〈與李宰〉《陸九淵集》卷11，第149頁。

[126] 陸九淵〈與曾宅之〉《陸九淵集》卷1，第5頁。

其本心。賢者智者過之，則蔽於意見而失其本心。[127]

朝鮮性理學者圃隱鄭夢周(西元一三三七年～西元一三九二年)爲欲建社會秩序，於高麗首都開城建學堂，創鄉校，藉以振興儒學教育。因擁立高麗王氏政權，而被李成桂刺殺。李成桂於易姓革命後，成爲朝鮮五百年政權之諦造者。夢周雖失敗於政治，然其氣節與義理，卻成李朝五百年學者之精神支柱。因之，夢周之程朱學統，乃成李朝文化之基石。

程朱學自夢周發軔，至退溪達於巔峯。然朝鮮中期程朱學者卻使朝鮮政治、社會趨於腐敗。因之，部份朝鮮儒學者，始乃接納陽明學之改革性與現實性。至夢周十一世嫡孫齊斗，終樹立韓國之陽明學體系。

朝鮮陽明學之代表鄭齊斗等人，於批朱子學之餘，進而發揮陽明之"心即理"、"致良知"、"知行合一"說之合理性，並結合朝鮮實際，建立一己之心學理論體系。二者皆歸宗於主體理學派。

陽明心學形成明中葉，彼時社會諸象空前激化，風氣不正，朱子學日趨空疏，失去控制人心之作用。自理論淵源云，陽明學上接孟子，近續陸九淵。而其現實之目的，則是革朱子學之弊，救理學之頹，破心中之賊，重塑綱常名教之權威。

與此類似，朝鮮至十七世紀，李朝政治紛亂，內部明爭暗鬥，朝鮮朱子學亦漸失生機。反成朋黨之爭之理論工具。是以鄭齊斗等人試圖以陽明學替代朱子學，以挽國家之危亡。二者皆具有相同之理論和現實意義。

中朝陽明學於認識論上言，皆循"知行合一"之思想。程朱主張"知先行後"，將知行兩分，其末流割列知行，重知輕行，甚至只知不行，理論脫離實踐，形成空疏學風。陽明力革此弊，首創"知行合一"說，以爲知行是功夫之兩面，知中有行，行中有知，兩者不能分離，亦無先後。王夫之批其以知爲行，銷行於知，實者，知行合一之理論，非偏重行不能離知，而是強調知不能離行，知必見之於行方爲真

---

[127]陸九淵〈與趙監〉《陸九淵集》卷1，第9頁。

知，故重道德之實踐，要人“在事上磨練”，言行一致，表裏如一。

朝鮮陽明學者，均喜“知行合一”說，尤重行之意義。鄭齊斗以爲禮、樂、射、御、書、數等諸“行”，皆是陶冶心性之良方。[128]朴殷植贊賞陽明學之實踐精神。“蓋天下只有只而不行之人，斷無純然無知之人，而惟其不行故，不得爲知耳。”[129] 此言可謂對陽明“知行合一”說之深化與補正。

陽明是“心”一元論者，但其所提“理者，氣之條理，氣者理之運用”、“太極之生生即陰陽之生生”等。[130]李贄、劉宗周、黃宗羲等陽明後學者皆引氣之範籌，並朝氣本論偏移。

朝鮮陽明學者，自初始傳入者南彥經至朴殷植皆屬主氣論。鄭齊斗以周敦頤、程頤之理氣相即論，反對李退溪之理無限、氣有限論。“周程曰：太極陰陽動靜相生，陰陽無始，動靜無端，此天道之生生不息也，豈獨其氣生生不息，而其神生生不息也。”[131]同現其理論發展傾向。

中朝陽明學亦有頗多相異之處。中國陽明學形成於朱子學漸流於空疏，失其人心之際，崛起不久即得官方認同與支持，形成較大聲勢，流行長達一百五十年。朝鮮陽明學則從其傳入伊始，即被視爲異端邪教而受正統朱子學之壓制，未若中國陽明學之得以興盛和發展。

中國陽明學，於明代中葉之後，發展迅速，弟子遍及大江南北，分爲浙中（錢緒山、王龍溪）江右（聶雙江、羅念菴）泰州（王心齊、羅近溪）學派，從各自之學術視角，開拓陽明學。

與此相比，朝鮮陽明學因正統之朱子學壓制，未能充分發展，唯以家學之形式勉強延續，因之，其影響和理論思維之發展，遠不及中國。

---

[128]鄭齊斗〈存言〉《霞谷集》(二)，第32頁。

[129]朴殷植〈王陽明實記〉《朴殷植全集》卷中，第26頁。

[130]王陽明〈傳習錄〉《王陽明全集》卷2，第62頁。

[131]鄭齊斗〈存言〉《霞谷集》(二)，第46頁。

中國朱子學和陽明學之間，雖相互對峙，但其倫理思想卻可互補，構成理學思想之總體。陽明特作〈朱子晚年定論〉，以示其學與朱學之一致。與此相左，朝鮮朱子學雖暴其內在弊端，但仍有其生機和較大之政治勢力，因而，朝鮮陽明學始終處於受壓抑，並形成朝野之政治對立。因之，朝鮮陽明學從其傳入初始，即對朱子學全面批駁，以圖保己，此乃朝鮮之陽明學有別於中國之陽明學。

三、陽明學對朝鮮之影響

朝鮮陽明學，雖未若中國陽明後學所成波瀾壯闊之社會思潮，其影響亦未及中國。然其對朝鮮社會和文化之發展，亦產生深遠之影響。

朝鮮陽明學者以為須對朱子學提反駁之見，方能為己爭得一席之地。是以甘冒身戮族滅之危，於對朱子學持續之批判中，接受陽明之“致良知”、“知行合一”等思想，並付諸實際。尤以對陽明“良知”說，所生之平等觀念，促使對朱子學之反思、懷疑，直予反對，終對朝鮮朱子學之日趨衰亡起開道之作用。

實者，朝鮮王朝開國後之前半期，社會制度漸趨完備，為國家指導理念之儒學益形隆盛。而性理學與理學之隆盛，可謂完成韓國思想史之精華。但至朝鮮中期，自“壬辰倭亂”(西元一五九二年)至“丙子胡亂”(西元一六三六年)之間，邊境外族屢次入侵，造成國土荒廢，社會失序，面臨崩潰，而為時代理念之儒學思想亦遭遇難題。於朝鮮前期，為國家統治理念，並具權威之朱學體系至此已失其機能，且日趨退化。反之，於朝鮮後半期，對所發生之狀況、所處之局面，能予適切提示其解決者－“陽明學”與“實學”乃應運而起。

由於屢遭外族入侵，國土流離，因之，人民之生活，國家之財政，均極窮乏。為解此困局，國家施行“大同法”、“均役法”、“還穀法”等政策，圖救生民於塗炭，救國家於困窘。雖受朝鮮前期之士禍，卻奠士林政治之基，而此立基卻崩於“倭亂”前後，從事政爭之黨派與朝鮮末掌權戚族之手。朝鮮雖曾致力拯民救國之策，但因綱紀毀廢，利欲風行，廉吏斂迹，貪官横行，徒有改革之策，亦皆束手。朝鮮後期非無性理學之傳承，實因處於混雜之現實中，更見性理學派之強勁理論。

如此性理學之展開，使朝鮮儒學之傳統，延續至朝鮮末。故不論“陽明學”之傳承或“實學”之發展，皆立基於性理學之根本，否則其不知朝鮮思想史與儒學思想亦明矣。

朝鮮思想史之前後期，向以“壬辰倭亂”、“丙子胡亂”爲分水嶺。提供韓國與外國接觸之另一契機。此期輸入之思想文物，要以中國傳來之“陽明學”，西洋文物與清朝學風。即至朝鮮末期，陽明學始終無法成爲正統思想之主流，僅爲少數家學相傳，間接發揮些許之影響耳。由於西勢東漸，西洋科技與天主信仰經中國傳入，對朝鮮思想史起莫大之衝擊。傳統之朱子學首表排斥，並起嚴重之思想衝突。傳統之朱子學首表排斥，並起嚴重之思想衝突。由傳統思想而來之排斥，可謂是一本能之自我防禦、自我確信，由此而構成自主意識。直至朝鮮末，西洋武力威脅加重時，爲民族之生存，自成具體之民族意識。

另者，對社會現實之關心，及受清朝實證學風之刺激，在野之士林興起新學風，此即所謂之“實學”。實學者或無政治實權，或爲低階官吏，終未能使其學風或主張逕行於社會之改革。

“陽明學”於接受理論批判之同時，仍由部分“少論”[132]家系傳承。“西學”則以畿湖“南人”爲中心，雖受排斥，卻繼擴張勢力，表面觀之，雖不能與朱子學之正統挑戰，然卻使朱子學內面之權威動搖。“實學”則開拓經濟、制度、技術、生產等現實問題之新知識，進而提出與朱子學體系相反之見解，發揮其批判、改革之精神。

由此可知，陽明學對朝鮮實學起促進之作用。朝鮮實學者皆或多或少受陽明學之影響，反對朱子學之清談空論，主

---

[132]李朝從燕山君(西元一四九五年～西元一五０六年)至朝鮮末期哲宗(西元一八五０年～西元一八六三年)之三百六十年間，黨派政爭不斷，其代表者分為老論、少論、南人、北人四黨。

張實事求是、經世致用。如朝鮮實學家貞蕤朴齊家於劉宗周之"以慎獨爲宗旨"之思想影響下，開展其一己之誠意、慎獨學。彼謂："學者之事，雖萬端思量，莫有先於慎獨，無慎獨，則雖治國平天下，皆假也。"[133]又從朝鮮實學家之文藝作品中可見其受陽明學之思想影響。如朝鮮實學文學家燕巖朴趾源從其漢文小說《兩班傳》、《許生傳》、《馬駔傳》等作品中，可見其受中國陽明後學者何心隱、李贄等人之思想影響。另從陽明學對朝鮮愛國文化運動亦有重要影響。朝鮮愛國文化運動領導者之一謙谷朴殷植於〈再與日本哲學士陽明學會主幹東敬治書〉中云："陽明是活用孔孟之學者也，貴國諸賢又活用陽明之學者也。故維新豪傑多是姚江學派，其實效之發展，優於支那者遠甚。"從此觀點視之，殷植謂："余敢斷言曰：東西道學界，唯王學爲獨一無二之法門。"[134]進而，彼以爲東方文明與西方文明隨時代而發展變化，彼等於世上所處之地位亦相互轉化。殷植又謂："過去的十九世紀與現今的二十世紀，是西洋文明大發達的時期，而將來的二十一世紀，則是東洋文明發達之時期。吾孔子之道豈終墮地哉？必有將次全世界大顯其光輝之時期也。"[135]

總之，陽明思想於明中葉東傳朝鮮後，並成爲改革開化之思想，予以朝鮮朱子學固執過時之思想啓發革新、現實之作用。

---

[133]朴齊家〈答書〉《貞蕤文集》卷4。
[134]朴殷植〈王陽明實記〉《朴殷植全書》。
[135]朴殷植〈儒教求新論〉《朴殷植全書》。

第七章 儒學研究於日本

第一節 儒學研究於日本

一、儒學於日本之傳播

中國儒學於他國家之發展，其體系最爲完善，並長期成爲傳入國社會意識核心之國家，除朝鮮即數日本。中日兩國有極深之文化淵源，儒學自傳入日本後，非唯影響日本社會生活之各層次，影響日本社會歷史之發展，且深透於日本古老之文化傳統之中，成爲其文化傳統之重要內涵。吾等常謂：日本民族是一善於吸收外來文化，又長於創造運用傳統而不爲傳統所桎梏之民族。對日本民族而言，儒學於歷史上曾是外來文化，如今則已積澱爲傳統文化之重要內容。反觀吾國面臨傳統與現代之困擾時，或許具攻錯、省察之啓示。

日本儒學雖是以中國儒學爲母體，於中國儒學之推動下生長與發展，然須適應日本獨特之社會、文化，作必要之轉形，否則無法植根。因而，日本儒學並非中國儒學之翻版，而是既影響於日本文化，又經日本文化改造之中國儒學之變形物。是以中國儒學之所以能於日本繁衍發展，日本所以能對儒學承傳轉化，其因歸結於日本島國文化之特質。就某意義上而言，唐代以後，日本社會意識是作爲中國儒學之響應，隨中國儒學之變遷而變遷。但儒學於日本之發展，又絕非對中國儒學之簡單重復，而與日本固有之民族精神相糅和，從而形成自己之文化特色。正因此等之差異，近代以後，同受儒學影響之日本和中國便此殊途。實者，島國文化之特徵即開放。所謂開放，是既對外來文化開放，亦對本民族固有傳統開放。一民族爲實現現代化之能力，非唯表現其吸收之成果，亦表現其篩選傳統文化之能力。故其篩選須立基於時代之需求，突破傳統之束縛，方能形成現代化之民族文化。

(一)儒學東渡(大和時代)

中國儒家經典依《古事記》、《日本書紀》載，是經朝鮮傳入日本。對此，成書於西元七二0年之日本首都正史《日本書紀》曾載：在應神天皇十五年(西元二八四年)八月，朝鮮半島的百濟國王派遣一個名爲阿直歧的人，送來兩匹良馬。阿直歧能讀中國經典，於是太子菟道稚郎子便拜他爲師。應神天皇曾問阿直歧："還有沒有比你高明的博士？"阿直歧回答說："有個叫王仁的，很高明。"應神天皇隨即派人去百濟邀請王仁。應神天皇十六年(西元二八五年)二月，王仁來日。太子菟道稚郎子又拜王爲師，學習中國典籍。成書於西元七一二年之日本首部歷史和文學著作《古事記》亦有類似記載，尤更具言王仁攜《論語》十卷和《千字文》一卷。[1]《記》、《紀》之上述傳說，是有關中國儒家經典和漢字傳入日本之最早記載。

若照《日本書紀》之紀年，則應神天皇十六年相當於西元二八五年。是以部份日本和中國之學者，以《記》、《紀》上述傳說爲據，認爲三世紀末，《論語》等儒家經典已由王仁帶至日本，是中國儒學東渡扶桑之始。然《古事記》和《日本書紀》並非信史。一般以爲，《日本書紀》中雄略天皇(約於五世紀末在位)紀之前之內容，皆有待驗證。如有天皇在位長達一0一年，令人難以置信。是以部份日本學者經應神天皇十六年有關記事，與紀年可靠之朝鮮《三國史記·百濟記》相對照，則應神天皇十六年應是西元四0五年。[2]、如此，則中國儒學傳入日本之始，非三世紀末，而是五世紀初。又與《論語》同時攜入之《千字文》係中國南朝梁武帝(西元五0二年～西元五四九年在位)命周興嗣所作，是以西元三世紀末不可能有《千字文》亦明矣。

中國儒學思想傳入日本之史實，迄今有跡可查僅存四件。一是轉錄於中國正史《宋書·倭國傳》中之倭王武(蓋爲

---

[1]《古事記》稱阿直歧為阿知吉師，稱王仁為和邇吉師。詳見《日本書紀》應神天皇十五年條和《古事記》應神天皇條。

[2]丸山二郎《日本書紀研究》篇2章02，第100頁至265頁，吉川弘文館，1955年。

雄略天皇)之上表文。是西元四七八年(宋順帝升明二年)呈順帝，以流利之漢字駢文寫成。頗具儒味，但恐非日人作品，而係流寓日本之漢人所書。另三件是以漢字書寫之金文。據此推論，至遲在五世紀，中國儒學思想經由中國移民於驚濤駭浪逕傳日本，或由阿直歧和王仁等百濟人經朝鮮半島傳入日本列島。西元六世紀時，百濟仿漢五經博士傳授儒學於日本，然其影響僅少數皇室或貴族，一般民眾則無緣。

(二)早期日本儒學(飛鳥、奈良、平安時代)

早期日本儒學是指五世紀初傳入日本直至平安時代(西元七九四年～西元一一九二年)末期之日本儒學而言，中日兩國學者均未予以重視，彼等將其視爲江戶時代(西元一六0三年～西元一八六七年)儒學之前史而略述耳。蓋因此一時期之日本儒學未若江戶時全盛之日本儒學出現頗多系統之儒學理論著作，且與中國儒學相較，亦無創造性之發展，尙未表現出日本特色。此一時期之儒學思想僅散見於天皇詔敕等政治文獻、律令等法令條文、《記》、《紀》等歷史著作和學者之漢詩文中。而此階段對日本文化之影響雖不及江戶時代之儒學，然卻超越其他時代之儒學。散於政治文獻、法令、歷史著作與漢詩文中，世代相傳於博士學官家，於中央至地方之各級學校中講授傳習，正是日本早期儒學之存在形式。尙無日本特色而有明顯模仿痕跡，恰爲日本早期儒學之特徵。

其次就日本早期儒學之傳播體系言，自大化革新(西元六四五年)直至十二世紀後期，日本一直存有完整學校系統。中央京城設有大學寮，地方則設有國學，此外另有大學寮別曹和私學。此等學校既是培養官僚之教育機構，又是日本儒學之傳播體系，其教學之主要內容，皆是儒家經典。蓋多模仿中國唐代，但模仿中亦有取捨。從其取捨即可得知儒學傳授於日本古代教育中之重要地位。

於奈良、平安時代之幾百年間，數以萬計之日本青年於上述各類學校中誦讀《論語》、《孝經》及其他儒學經典。儒學是彼等知識教養和衣食榮祿之源，此乃儒學知識由宮廷傳至更多官宦之家。七世紀至十二世紀之日本學校教育體系，實者即早期日本儒學之傳播體系。此一教育體系之興廢及其所表現之特徵，自然亦反映早期日本儒學之興衰及其特徵。

二、儒學於日本之發展

七世以後之中國儒學之“天命”觀和“王土王民”、“德治”、“仁政”等思想，對日本之統治者深具影響力。然隨著日本“公地公民”制和天皇制中央集權之瓦解，而莊園制和從保衛莊園起家之武士階層逐漸興起。財富與權力亦向新興武士階層轉移。十二世紀末，關東武士源賴朝於鎌倉建幕府，日本封建社會進入新階段(日本史學家稱“中世”)。鎌倉幕府(西元一一九二年～西元一三三三年)和室町幕府(西元一三三六年～西元一五七三年)實際掌握日本之中央權力。天皇地位雖存，但已形同虛設。

(一)儒學成為禪宗附庸(鎌倉、室町時代)

由於武士階層之興起和以天皇爲首之朝廷和中央、地方貴族之式微，亦因早期日本儒學自身之弱點，曾扮演天皇制中央集權思想之儒學，其影響亦顯著削弱。復以自西元八九四年起，日本停止遣唐使之派遣，僅借助商人來往輸入少量中國書籍，維持似斷若續之文化思想聯繫。儘管中國新儒學於宋代興起，但其新說並未波及日本。日本儒學又缺乏外來思想之刺激；儒學作爲博士之世襲家業，唯固守漢、唐舊注，尚存餘緒耳。由此可見鎌倉時代初期儒學之一斑。

當時日本思想最具影響是佛教。佛教傳入日本後，於宗教信仰領域漸居統治地位。奈良時代之佛教以“鎭護國家”爲使命，是國家佛教。而平安時代之佛教則以控制莊園經濟之權門貴族爲依託，是貴族佛教，尤以天臺宗和真言宗爲最盛。進入鎌倉時代後，與貴族關係密切之法相宗、三論宗、天臺宗和真言宗等相繼衰落，而淨土宗、淨土真宗、禪宗和日蓮宗等新教派日益興起和普及。其中，禪宗於武士階層中影響最大鎌倉幕府之實際掌權者，如北條時頓、北條時宗和北條貞時，曾先後於鎌倉建專修禪宗之建長寺、圓覺寺，篤信禪旨。此後建長寺、圓覺寺、壽福寺、淨智寺、淨妙寺等五大禪寺，被稱爲鎌倉“五山”。至室町時代，足利氏將軍又於京都建南禪寺、天龍寺、相國寺、建仁寺和東福寺五大禪寺，被稱爲京都“五山”，與鎌倉“五山”遙相呼應。隨禪宗之流行所攜之副產品，即宋學於日本之傳播。

禪宗是中國本土之佛教宗派。是中國南北朝之玄學和佛學交匯之產物，既不同於中國其他佛教宗派，更和印度佛教有別。禪宗認爲人之本心即佛，佛即本心，因而主張“不立文字，教外別傳；直指本心，見性成佛。”禪宗佛教煩瑣之教義和長期之苦修歸於簡易，允諾“頓悟”而“立地成佛”，於唐代中期以後，風靡中國。十二世紀末和十三世紀初，由榮西和道元傳入日本後，又受日本武士階層之歡迎。

(二)儒學之全盛和日本化(江戶時代)

繼織田信長(西元一五三四年～西元一五八二年)和豐臣秀吉(西元一五三六年～西元一五九八年)德川家康(西元一五四二年～西元一六一六年)繼續進行統一日本之活動。西元一六０三年，被命爲征夷大將軍，建立江戶幕府。重新歸於統一之江戶時代(西元一六０三年～西元一八六七年)是日本封建社會之晚期(日本史學家稱“近世”)。

進入江戶時代後，儒學擺脫對於佛教禪宗之從屬，開始獨立發展，而奠其於日本之全盛時期。

藤原惺窩(西元一五六一年～西元一六一九年)脫離禪門轉向儒學並還俗，是日本儒學走向獨立之象徵代表。藤原惺窩是名門貴族藤原氏冷泉家之後裔，七歲即剃髮入故鄉之景雲寺。十八歲時，其父兄於戰亂中喪生，乃隨其母至京都，入禪宗五山之一之相國寺爲僧。此後，惺窩既學禪，又習儒，又接觸中國之老莊思想。惺窩即在此氛圍中，成長爲具有豐富儒學教養之名僧。

然何力量促使惺窩脫離禪宗而轉儒學？或許與來自朝鮮朱子學之影響有關。西元一五九０年，朝鮮國使一行訪京都。惺窩拜會，並以詩文贈答。朝鮮使節中之書記官許箴之云：“子釋氏之流而我聖人之徒，拒之尚無暇，反爲不同道者謀，豈非犯聖人之戒而自陷異端。”[3]許篋之是朝鮮朱子學派(李退溪學派)之一員。嚴別禪儒，視惺窩爲不同道，故使長期生活於禪儒一致習氣中惺窩受到刺激。西元一五九六年，惺窩企圖渡明，遇風浪未成行。又於京都遇朝鮮戰俘，亦是李退溪學派之朱子學者，始纂《四書五經倭訓》，以宋學之見注解，顯與傳統相抗，是創舉，更標誌惺窩向儒之轉變。類此脫禪入儒，影響深遠，亦象徵日本思想界新時代之來臨。

由於惺窩企圖使儒學擺脫佛教之從屬地位，因而，雖傾向朱子學，但亦不排斥陸(九淵)王(陽明)學，亦不忽視舊儒學漢唐訓解之作用。彼謂：“周子之主靜，程子之持敬，朱子之窮理，象山之易簡，白沙之靜坐，陽明之良知，其言似異而入處不別。”[4]藤原惺窩重視儒學各流派之共同性，是爲更明確區隔儒佛。其後惺窩門下之著名儒者，如林羅山、松永尺五、堀杏庵、那波活所等，對造成日本儒學之全盛期，實具主導力量。

是以日本儒學得以獨立和朱子學受到尊崇，非唯惺窩和羅山等儒者一己之思辨和努力，亦非江戶幕府之將軍德川將康等人之好學，實乃日本社會歷史發展之需要，尤以幕藩體制統制者之需要。[5]

三、儒學對日本之影響

日本儒學是從中國儒學中吸取滋養，以中國儒學之發展爲原動力而逐步成長，然因日本民族於吸收作爲外來文化之中國儒學思想時，需經分辨、選擇、淘汰、排斥、消化等過程，作爲接受主體之日本文化之固有特色，及日本社會發展需要所發揮之制約作用，決定選擇與消化之取向。

中國儒學與同時代之西方哲學相較，較不熱衷於抽象本體論之探討，而注重於人生哲學與人之修養研究。日本儒學

---

[3] 阿部吉雄〈藤原惺窩と朝鮮儒學〉《日本朱子學と朝鮮》章1，第48頁，東京大學出版會，1971年。

[4]朱謙之〈京師都子學派〉《日本的朱子學》章2，第180頁。

[5]王家驊〈儒學的全盛和日本化〉《儒學思想與日本文化》章4，第72頁。

較之中國儒學則更疏於抽象之世界觀思考，此或與日本文化之直觀性有關。

中國之原始儒學以倫理、政治學說爲中心，如孔子所謂“道”，主要指“人道”。子貢謂：“夫子之言性與天道，不可得而聞也。”(《論語・公冶長》)，此表明孔子並未將外在自然和內在人性心靈之形上學作爲其思考之主題。然至戰國後期，則形成超越感覺與經驗，經自然、社會、人生之儒家世界觀。形成於戰國後期之《易傳》謂：“形而上者謂之道，形而下者謂之器。一陰一陽之謂道，”(《易繫辭上》)，此所謂“道”是指超感覺與經驗，且爲萬事萬物根本之規律而言。“陰”、“陽”此相左又互補之力之滲透、推移和運動。此即有關世界觀之抽象哲學思考。彼等仍與特定之人之感性條件、時空、環境和生活直接或見接相聯繫。

西漢董仲舒將《易傳》之世界觀、戰國時代陰陽家之五行宇宙和儒家之仁義禮智信結合，講“天地之氣，合而爲一，分爲陰陽，判爲四時，列爲五行。”（《春秋繁露，五行相生》）並五常配合五行，構成一統一之宇宙論圖式。至宋，程、朱等理學家吸收與改造佛教，尤以華嚴宗和禪宗之精巧之世界觀和認識論，及道教之宇宙化生說，由本體論、宇宙論爲儒家之人性論、倫理學建構抽象之哲學基礎，終形成中國思想史上規模宏大，分析精緻的思辨哲學體系－“理學”。

日本之儒學則有所不同，除《古事記》和《日本書紀》受中國《易傳》和《淮南子》等之影響，曾對宇宙生成及其演變有過推測外，奈良、平安時代之早期儒學，主要以儒家之政治思想，而罕有世間觀之抽象思考。鎌倉、室町時代，朱子學雖已傳入日本，但其是爲佛教之附庸，亦罕見儒學之獨立之抽象世界觀思考。進入江戶時代，日本儒學離佛教而獨立，此爲日本儒學者展開獨立之理性思維創造條件。然彼等對宋明理學中思辨甚強之本體論之“理”，仍將其理解爲與經驗事物相聯繫之自然規律與道德準則，而非形上學之世界之本體存在。江戶時代日本儒學之鼻祖藤原惺窩及後來之山崎闇齋皆將此性理作爲日常之修養或人生問題對待，而非將其視爲形上學之問題。

對江戶時代儒學之傾向，日本學者相良亨曾概言之：“江戶時代的日本人以儒教為媒介所進行的思考留給日本人的精神遺產，雖說不是全部，但首先或基本上是使他們自覺地認識到人們在現實社會中應遵循的道德倫理。”[6]

日本儒學何以較中國儒學更為疏於抽象之世界觀思考？就奈良、平安時代之早期儒學而言，或許與日本是文化後進國，抽象思維未熟有關。對中國儒學之抽象之世界觀思考難於理解，不感興趣，乃極其自然也。

但與中國儒學不同，日本多數儒學者並未忽視感覺經驗，亦未輕視“經世之學”和科學技術。日本早期儒學者少涉認識論。直至江戶時代始有探討此問題。自日本朱子學派觀之，於林羅山之後，分為“主知博學派”和“體認自得派”。“主知博學派”(如安東省庵、貝原益軒、新井白石、室鳩巢、五井蘭州、中井竹山、中井履軒、佐久間象山等)較重經驗知識。該派之朱子學者為數不少，其力量可與重視“向內用功”之“體認自得派”(如崎門學派、大塚退野等)相頡頏。日本古學派之儒者亦重經驗知識。如山鹿素行曾批宋代學者謝上蔡“聞見之知非真知”，荻生徂徠則以為“格物”即習熟和力行。

中國儒學具強大包容力，於不斷吸收、融化諸家思想過程中發展。而日本儒學則長期與佛教、神道等其他思想共存，實者是日本文化之多元共存性格之表現。亦反映日本於接受外來文化時，尤重保存固有文並將其相互融合之傳統。茲略述儒家思想對日本文化之影響如後：

(一)政治

1、大化革新與周孔之教

中國儒學之“天命觀”、“王土王民”和“德治”、“仁政”思想，為日本大化革新提供指導性之政治理念，蓋以領導者皆富於儒學教養。如中臣鎌足和中大兄皇子拜南淵請安為師，向南淵學“周孔之教”並將中國儒學之政治思想奉為圭臬。西元

[6]宇野精一等編《東方思想的日本型展開》，第288頁。

六四五年六月十四日，中大兄皇子和中臣鐮足經密謀發動宮廷政變，弑蘇我入鹿，圍蘇我蝦夷，迫其自焚。推輕皇子即位爲孝德天皇，命中大兄爲皇太子，中臣鐮足爲內臣，進行政改，史稱“大化革新”。

2、建武中興與朱子學

自十二世紀末關東武士首領源賴朝於鐮倉建立幕府，任征夷大將軍後，日本成爲公家(朝廷)與武家(幕府)對峙之局。皇室之政治、經濟、急劇衰落，幕府將軍成爲日本之實際統治者。後於十四世紀三十年代，公武對比，曾有短暫逆轉。當時後醍醐天皇(西元一二八八年～西元一三三九年)，趁鐮倉幕府權力衰退之際，聯合反幕武士推翻幕府，一度恢復天皇親政。史稱“建武中興”，以後醍醐天皇爲首之朝廷勢力，曾以朱子學之名分論作爲鼓勵反幕之思想利器。

3、尊王攘夷與明治維新

十九世紀六0年代發生之明治維新，是日本步向近代資本主義之開端。因幕末日本民族之當務之急是對外以維護民族獨立，而非對內爭取自由與民主權利。在此特殊歷史環境中，提出“尊王攘夷”之思想。西方之資產革命是於思想啓蒙運動下發生，而在日本則需要於資產革命後補行思想啓蒙運動。況此幕末之尊王攘夷思潮與後期水戶學派之尊王攘夷論或吉田松陰等尊攘派志士之尊王攘夷論，在內容、實質和歷史作用上亦不可一概而論。

(二)法律

1、式目家法之儒家精神

鐮倉幕府第三代執權北條泰時(西元一一八三年～西元一二四二年)於貞永元年(西元一二三二年)爲武士政權所制定之成文法典稱《貞永式目》，雖與律令法典有異，然亦滲有儒家精神。

《貞永式目》雖是鐮倉幕府之根本法典，但因過於簡單，無法解決複雜之法律問題。故除原有之《養老律令》外，另有公家法和本所法兩法系，以補《貞永式目》之不足。然皆繼承律令和式目以來之法律傳統，即法律與道德未分離之儒家式法律之道德化傳統。

2、江戶法規之道德因素

江戶時代諸法規之淵源是《德川成憲百條》。據聞爲江戶幕府第一代將軍德川家康所編定，意欲傳諸子孫，作爲爲政執法之準則。其中大部分爲法律性規定，餘者雖非法律，卻表現儒家思想之爲政原則和道德訓誡。通觀《德川成憲百條》，儒家之“仁政”、“德治”思想和“五常”、“五倫”之道德訓誡仍居重要地位。其後之幕府諸法亦皆其延長，並繼承其儒家之精神。

3、明治民法之家族制度

明治維新以前之日本法律，主要受中國法律之影響。以義務爲本位，混淆道德與法律，民法與刑法無別，重身份不重契約，立法行政司法不清，維護家族主義。明治維新後，由於日本資本主義之發展，傳統之法律體系與法律觀念，已不能適應時代之需求。因需以權利爲本體之法律體系，而權利則是與獨立個人利益相聯繫。是以從日本之傳統法律體系和法律觀念中，無法發展出以權利、契約、自由、平等爲基本價值之近代法制，故須移植古羅馬法基本精神之歐洲近代法制。如說明治維新前是移植中國法律，則明治維新後是移植近代歐洲法。

(三)道德

1、忠信與倫理道德

中國儒家思想傳入日本之前，早期日本尚未受儒家“忠”、“孝”、“信”等道德觀念之影響，亦無“吾日三省吾身”之自我道德修養。而中國儒家之道德觀念與原則，是於中國古代之物質生活和社會條件下所產生，而日本則尚未具備之情況，其影響當然有限。是以道觀念之轉變與外來道德觀念之移植，仍需漫長之過程。即使大化革新後，日本人雖熱衷於全面吸收中國文化，然於道德之實踐，仍以日本固有之道德觀念與原則在發揮實效。

2、**忠孝與等級身份**

日本傳統社會於平安時代後期，尤以進入鐮倉、室町時代，而有貴族與武士之身份區別。至江戶時代，社會被區分爲士、農、工、商，貴族與武士雖屬同等階級，但因社會物質生活、人與人之關係不同，其道德觀亦不同。故江戶時代始有武士道之說。十一世紀後方有源氏和平氏兩大武士集團，然其內部之人際關係，一是主從關係，一是家族關係。而規範此兩者之道德觀念即對主君之“忠”和對親長之“孝”。

(四)宗教

1、**原始神道與儒學**

日本之民族宗教是神道，其中佛教和基督教是外來宗教，是以當代日本人之宗教信仰可謂多元。

日本神道第一期—西元六世紀後，日本民族固有之宗教信仰尚未形成一己之理論教義時。

日本神道第二期—平安時代(西元七九四年～西元一一九二年)至鐮倉、室町時代(西元一一九二年～西元一五七三年)已形程一己之理論教義。

日本神道第三期—江戶時代(西元一六０三年～西元一八六七年)神道漸脫佛教，其教義主要受宋學之影響。

日本神道第四期—江戶時代後期，一些國學者主張從神道中剔除佛教、儒學之影響，以恢復日本神道之古來面目爲號召。

日本神道第五期—

治維新後至二次世界大戰前(西元一八六七年～西元一九四五年)神道與國家權力相結合，成爲國家神道。

2、神儒佛三教合一

原始神道雖受儒學和佛教之影響，然形式上尚具獨立之地位，並未明顯從屬於儒學和佛教。十五世紀末，被譽爲"日本無雙之才人"之公卿一條兼良(西元一四0二年～西元一四八一年)提出較北畠親房更爲系統之神、儒、佛三教一致說。

3、江戶之儒學神道

日本之陽明學者熊澤蕃山曾論及神道。熊澤與日本朱子學者林羅山之間雖有歧見，但卻與林羅山一致，認爲唯有借助儒學理論，方能說明神道之真義。熊澤認爲儒學之智、仁、勇三達德與日本神道之鏡、玉、劍三神器相通。蓋鏡以爲智之象，玉以爲仁之象，劍以爲勇之象。實者熊澤是以宋學理論爲日本神道立哲學之基。

(五) 文學

1、儒學實用文學觀

中國儒學重實用之文學觀，是指文學從本質而言乃社會生活之反映。文學品是作家對社會生活之情感態度與理解評價。由此意言之，文學是再現與表現之統一。任何文學作品皆蘊含作家之審美意識，於是產生其對人類之審美教育作用。文學作品非唯消極反映世界，就其社會功能言，文學是交織技巧與實用之功能。是以中國儒家之廣義文學觀認爲，包括純文學詩詞歌賦在內所有文章皆屬文學範疇。故重實用是中國儒家文學觀之精髓與根本特徵。

2、勸善懲惡之影響

文學作品是社會生活之反映，而社會生活包含道德生活，文學作品是社會人所創作，是其對生活之反映和道德之評價。《詩大序》之"經夫婦，成孝敬，厚人倫，美教化，移風俗"全是指文學之道德目的與功能。以文學作品來"勸善懲惡"對日本文學之發展亦具深遠之影響。

(六) 史學

1、傳之萬葉以為鑑

中國古代之學術領域中，史學之地位僅次於經學。修史之受重視，是因歷代統治者皆皆知名山之業可以傳之後世，且歷史著作承擔重要政治使命。其既可總結歷史經驗，足爲當代之統治者鑑戒，又可爲一己之統治製造歷史依據或爭取正統地位。中國儒家以歷史爲鑑影響政治，進行道德教育之思想，卻爲日本傳統社會之公私史家奉爲圭臬。

2、傳統觀念正統論

中國孔子於禮崩樂壞、諸侯勢凌周天子之春秋時代，曾提"正名"思想。就政治表面言即"君君、臣臣、父父、子子"(《論語・顏淵》)。《春秋》和《左傳》皆繼承和發揮孔子之"正名"思想，維護周天子名義上之宗主地位。日本歷史之特異之處，在於雖無王朝更迭，但有皇室內爭。如十三世紀中期，天皇統治徒有虛名，實權掌於鎌倉幕府。皇室爲爭天皇繼承權，逐形成以後深草天皇爲首之持明院系統和龜山天皇系統爲首之大覺寺系統。最初，鎌倉幕府採中立，由兩派交替繼承後來卻成南北朝對立。北畠親王是忠於南朝之重臣，其所撰《神皇正統記》即在於說明南朝之正統性，而此即移植自中國儒家之正統論。[7]

---

[7] 王家驊〈儒家思想對日本文化的影響〉下篇《儒家思想與日本文化》第 197 頁。

第二節　中日朱子學之比較

一、日本朱子學之發展

據傳平安朝末葉，寬平六年(西元八九四年，唐昭宗乾寧元年)八月雖議定廢遣唐使，然商賈船舶之往來，仍甚頻繁。五代時日僧爲巡拜天台、五台之聖迹而渡海者不少。北宋時正當日本藤原氏執政，抱閉關之策，故往來者唯宋船，至南宋時值日本武門興隆之時，平清盛奬勵海外貿易，而宋代之學術文化，亦正應新興武家之需。因之，日本史籍所載來宋僧亦以南宋爲多，南宋以後日本來宋僧多數爲尋新佛教禪宗、淨土宗而來，當時接踵相望，乃此時期之特色。

朱子學傳入日本究於何時？由何人所傳，眾說紛云：或謂垂水廣信、或謂玄慧、或謂岐陽、或謂俊芿、或謂圓爾、或謂一山……莫衷一是。況朱子學之傳入，非唯二、三僧儒之功，以自然、漸次傳播，蓋可斷言。

江戶時代(西元一六０三年～西元一八六七年)後，宋學始漸脫佛教禪宗之束縛而獨自發展，進入其於日本之全盛時期。

所謂“儒學之全盛時代”，乃指德川幕府慶長八年(西元一六０三年)第一代將軍家康創設幕府於江戶起至明治元年(西元一八六八年)前而言，此德川幕府將近三百年間，因倡導新儒學，廣蒐我經籍，公私文庫林立，學者鑫出並作。由是彝倫道德，典章制度亦漸臻完善，甚或定爲國教，盛極一時，影響遠及今日。

宋學以朱子、陸九淵之哲學爲主。其中朱子之哲學思想被稱爲“朱子學”。陸九淵之哲學後經明王陽明之闡發，被稱爲“陽明學”。無論如何，兩者於德川之江戶時代，皆有長足之發展，形成日本之朱子學和日本之陽明學。

朱子學經年累月由“渡日僧”或“入宋僧”等傳入，復經藤原惺窩和林羅山之開創，而達於全盛時期。歷來學者從不同之觀點視之，是以形成諸多學派，今據日本學者井上哲次郎之《日本朱子學派之哲學》概分：京都朱子學派、江戶朱子學派、土佐朱子學派、水戶朱子學派等五派；[8]另據中國學者朱謙之之《日本的朱子學派》則分：京都朱子學派、海西朱子學派、海南朱子學派、大阪朱子學派、寬政以後朱子學派、水戶朱子學派等六學派。[9]現依兩者所分舉其要者介紹如後：

[8]〈附錄〉《日本朱子學派之哲學》，第685頁。
[9]〈日本朱子學派之哲學〉《日本的朱子學》，第169頁。

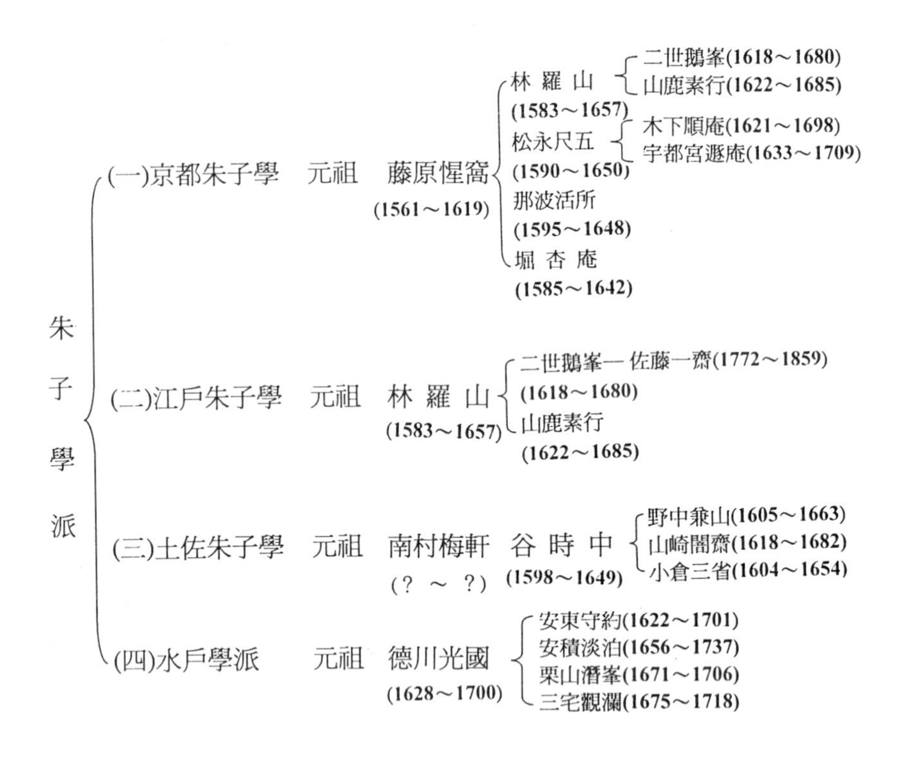

參考井上哲次郎《日本朱子學派之哲學》第685頁

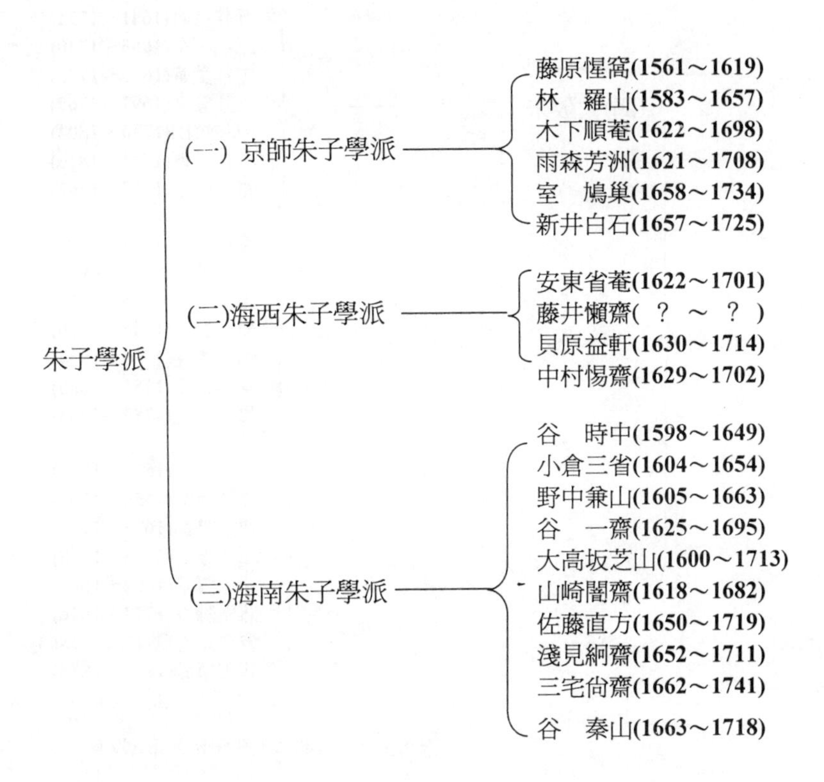

參考朱謙之《日本的朱子學》第169頁法

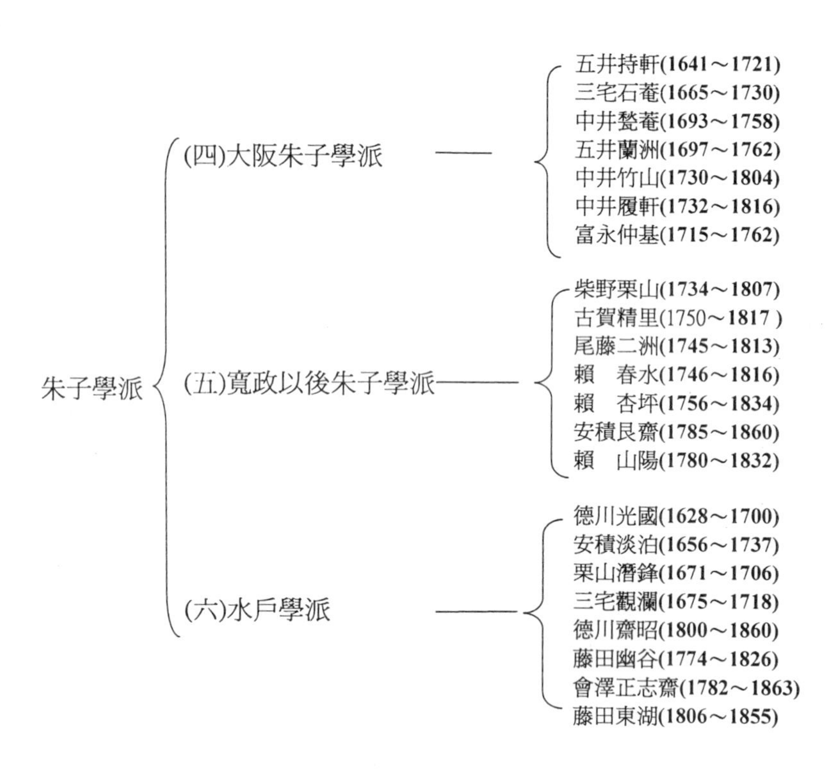

參考朱謙之《日本的朱子學》第169頁

(一)京師朱子學派

京都朱子學創於惺窩，其門下人才輩出，江戶初期朱學興盛，力不可沒。尤以林羅山出任幕府儒官，朱子學成爲幕藩體制之理論基礎，以正統名分嚴君臣之關係，身分之差等爲封建統治之支柱，具社會安定之力量，因興於京都，後雖出任江戶儒官，因稱京師學派，而不稱江戶學派。

藤原惺窩

藤原惺窩(西元一五六一年～西元一六一九年)。日本朱子學之開創者藤原惺窩是名門貴族藤氏冷泉家之後裔，名肅、字斂夫，號惺窩，播摩國(今兵庫縣)三木郡細川村人。七八歲時入景雲寺爲禪僧，年約三十歲棄佛，歸朱子學，惺窩棄佛歸儒之一要因，是受朝鮮李朝朱子學之影響。朝鮮李朝前半是朱子學之黃金時代。西元一五００年朝鮮通信使許箴之是李朝朱子學之權威代表李退溪門下三傑之一——柳希春之高徒，且"儒佛不同道"之故，許箴之作《柴立子說》送於惺窩。文中道："子釋氏之流，而我聖人之徒。方當距之不暇，而反爲道不同者謀焉。無乃犯聖人之戒，而自陷於異端之歸乎。"[10]文中又云"儒佛不同道"之見，對習於禪儒一致風氣之惺窩言，是一大衝擊。此後，西元一五九八年其與豐臣秀吉侵朝俘擄之姜沆相會。姜沆亦是一造詣較深之李退溪學派之朱子學者。惺窩仰慕其學識，向其請益朱子學，西元一五九九年，惺窩因姜沆之助，完成《四書五經倭訓》，此是日本首部以朱子觀點解釋《四書五經》之著作。

惺窩著有《惺窩文集》五卷、同《續編》三卷、《和歌集》五卷、餘如《文章達德錄》、《逐鹿評》、《寸鐵錄》等書。[11]從《四書五經倭訓》之編纂表明惺窩從佛教轉入朱子學，開日本朱子學一代新風。惺窩於日本朱子學史上之貢獻是朱子學擺脫禪學之束縛，步上獨立發展之途。

---

[10]〈藤原惺窩與朝鮮儒學〉《日本朱子學和朝鮮》，章1，第50頁，東京大學出版社，1971。
[11]王家驊《日中儒學の比較》，章3，第145頁，東京六興出版社 1988。

林羅山

林羅山（西元一五八三年～西元一六五七年），名忠，字子信，號羅山。是藤原惺窩之高足，祖籍加賀（今石川縣），後徙紀伊（今和歌山縣）。是德川時代一重要之政治家，哲學家和思想家，亦是脫佛入儒之學者。十八歲時讀《朱子集注》，心服之，於是聚徒講解朱注。二十二歲時慕惺窩高明，拜其爲師。從此，學業精進，成爲惺窩門下一流名儒，二十三歲時經惺窩推薦，謁見幕府將軍德川家康。席間，羅山應家康詢問，辨析中國古事，規諫日本朝綱，頗中家康意，以此爲契機，羅山入幕府統治之階，歷仕家康、秀忠、家光、家綱四代將軍。自此，羅山協助家康以幕藩制和朱子學，整頓日本之政府機構和意識形態，使之制約和影響德川前期人民生活之領域。羅山於幕府將軍之庇護下，經鎖國、嚴密之思想取締，排斥朱子學以外之“異學”，使其成爲德川文化之骨幹，並終生致力於維護朱子學爲官學之獨尊地位。林羅山將儒學從明經家[12]和僧侶手中鬆綁，使朱子學於德川幕府之統治思想中，具有歷史之貢獻。

羅山著有《羅山文集》七十五卷、《詩經》七十五卷，其餘校訂整理有百餘部之多。

松永尺五

松永尺五（西元一五九０年～西元一六五０年）京都人，名遐年，字昌三，號尺五。

尺五爲俳諧名人松永貞德之子，與林羅山、那波活所、堀杏菴等並稱惺窩門下“四大天王”。官至金澤藩儒官，博聞強識，主講大學，加賀侯禮遇尤甚，後於京都開“講習堂”、“春秋館”，從遊者五千餘人，人才輩出，如木下順菴、宇都官遯菴、貝原益軒等，皆親炙其門，而成江戶儒學之一源流。

順菴曾作五古頌禱詩一首：

先生何為者？諄諄說典常。董帷春晝靜，韓

[12]王家驊《日中儒學の研究》，章4，第174頁，東京六興出版社1988。

> 槃秋夜長。白鹿近仙洞，三鱣落講堂。游戲或詩賦，餘波溢文章。豈只諸生福，真是大明祥。大哉賢哲志，百世可流芳。[13]

遯菴於尺五卒後卅三年忌辰賦詩云：

> 先生學術建元勳，往昔門人聚若雲；三十年來追遠日，獨披荒草問孤墳。[14]

由上可略觀其師生之誼。

尺五著有《五經集注首書》、《四書事文實錄》、《春秋胡傳集解》、《小學集說抄》、《本朝文粹》等書。

木下順菴

木下順菴(西元一六二一年～西元一六九八年)京都人，名貞幹，字直夫，號順菴，又號錦里，敏慎齋，通稱平之允。

幼喜翰墨，時稱“神童”，長入尺五之門，專攻性理之學，勤苦淬勵，學行大進，業成屏於東山授徒，講學二十餘載，聲明大振，爲世所仰慕，其門下成德達材之士，如新井白石、室鳩巢、雨森芳洲、祇園南海、榊原篁洲、南部南山、白井滄州、三宅觀瀾、服部寬齋、松浦霞沼等十人號稱“木門十哲”。官至幕府儒官，後應五代將軍綱吉之聘，任職侍講，方移江戶，爲儒教之全盛時期，綱吉又爲儒教之黃金時代。蓋幕府獎勵學問，厚遇碩儒，有以致之。

其學問文章據原念齋《先哲叢談》所述：

> 物徂徠曰：“錦里先生者出，搏桑之詩皆唐矣。”服南郭曰：“錦里先生實為文運之嚆矢，雖其詩不甚工，首唱唐。”又聞先生恒言，非熟讀《十三經注疏》，則不可謂經矣。由此觀之，所謂古學亦先生為之開祖。[15]

---

[13]〈松永尺五〉《漢學者傳記集成》卷1，第28頁。

[14]〈松永尺五〉《漢學者傳記集成》卷1，第30頁。

[15]〈木下順菴〉《先哲叢談》卷3，第15頁。

蓋知順菴於日本文運之闢，有助成之功。惟稱其爲古學之祖，則與物徂徠、太宰純等純文辭之學，卻有區別。順菴爲篤信朱子之人，其兼重古訓，並不與其尊信孔孟程朱之說衝突。其〈述懷詩〉云：

> 滔滔儒流天地始，發源太極少人窺。羲黃堯舜百王祖，孔孟程朱萬世師。敬直義方宜守靜，博文約禮豈求奇？東夷小子空勤苦，佛法千年涵四維。

又〈題朱子詩〉云：

> 遺經千歲決群疑，義理精微抽繭絲。仰止鵝湖論舊學，確乎鹿洞定新規。百王著鑒編綱目，四子階梯錄近思。頓悟金谿何足貴，泗源嫡派舍君誰？

又與當時在日明儒朱舜水過從甚密。《恭靖先生遺稿》中有〈與朱舜水書〉九篇、謝〈朱舜水書〉四篇、〈復朱舜水書〉三篇等。

順菴著有《錦里文集》、《班荊集》等書。

雨森芳洲

雨森芳洲(西元一六二一年～西元一七０八年)京都人，或云伊勢人。芳洲名東，字伯陽，號芳洲。

年十七、八來江戶，從學木門，順菴稱爲後進領袖，因其舉薦，仕對馬侯掌文書，接應外邦，甚爲外人所重。朝鮮趙壽億有〈贈留別詩〉云：

> 絕海誰奇士？芳洲獨妙譽。能通諸國語，且誦百家言。落拓寧非數，才華盡有餘，明朝萬里別，回首意何如？

芳洲七十又六作〈書示〉云：

> 錢帛不欲，官職不願，不附勢，不養高。所嗜者豆腐，所安者綿禣，所好者棋，所待者死。靈台內，只有此幾件事而已。

可見其雖落拓，卻安於天命。生死了然於胸，《橘窗茶話》云：

> 人身之有少壯老死，猶如天地之有春夏秋冬。[16]

視死生如晝夜，生時即當盡生之理，是以至死不忘求學，學爲人之道，〈橘窗茶話〉云：

> 余謂聖人只說死生如晝夜也。[17]
>
> 余平素揭示書生曰："學者所學為人也"；自以為一生所得，只有此一句。[18]

又誡諸生道："士希賢，賢希聖，聖希天，蓋義理無窮故也"[19]因義理無窮，是以廣包並容，對佛者取寬大態度，但不動搖其"孔孟爲標，程朱爲準"之立場。彼謂：

> 夫至理之所，見識明而本心正，則天下無可廢之學，亦無可退之術。兼容並包，統會融通，咸可以為修治平之資。今夫芫菁斑貓，殺人之物也，醫官猶收之於藥笥；彼其惡而斥之固是也，然收而藏之，亦未必非也。[20]

---

[16]《橘窗茶話》卷上，第 27 頁。
[17]《橘窗茶話》卷上，第 27 頁。
[18]《橘窗茶話》卷上，第 1 頁。
[19]《橘窗茶話》卷上，第 28 頁。
[20]《橘窗茶話》卷上，第 32 頁。

又謂其三教之見曰：

> 僕不肖竊立三家斷案曰："天惟一道，理無二致；立教有異，自修不一。"一生所得，惟有此十六字耳，未知果然耶否耶？[21]

芳洲尤重大義名分倡尊王思想，曾作〈論國王事書〉譴責同人新井白石，蓋當時白石尊幕府過於尊王，乃直言諫諍，稟如秋霜烈日，令人感佩。餘如大寶說、文質論、論武、武國論等，頗具愛國主義色彩。

芳洲著有《橘窗文集》二卷、《橘窗茶話》三卷、《芳洲口授》一卷等書。

室鳩巢

室鳩巢(西元一六五八年～西元一七三四年)江戶人，名直清，字師禮、汝玉。通稱新助，號鳩巢、滄浪、駿台。幼嗜文籍，不知倦息。年甫十五，仕加賀侯，西游於京都，入順菴之門，群推爲木門高弟，後由新井白石之薦，出任幕府儒官，爲八代將軍吉宗之侍講，墨守朱子學，深惡世之好立異者。倡導擁護幕府之思想，其《六諭衍義大意》、《五倫五常名義》等書，皆奉幕府之命而作。

鳩巢和闇齋之見相左，以爲闇齋比朱子，猶"螢燭之於太陽，涓流之於江海"。彼謂：

> 若山崎逃禪歸儒，尊朱氏而黜百家，嚴師道而誘後生，其有裨於斯道，有不可誣者，亦近世豪傑之士也。….然聞山崎氏自處太高，待人太嚴，少含弘之度，不容人過失，其授受之間，無能平心虛懷，從容委曲，以盡彼我之情，此其所短也。[22]

---

[21]《橘窗茶話》卷下，第13頁。

[22]〈答游佐次郎左衛門二〉《前篇鳩巢文集》卷8，第10頁。

又答〈鈴木貞齋書〉云：

> 僕向者以為山崎氏之學，專於理一而略於分殊者，知有君臣之大義，不知湯武放伐與君臣之義並行而不相悖；知敬義有內外之分，而不知不可以“修身”以上為“敬以直內”，以“齊家”以下為“義以方外”，此其大者也。[23]

鳩巢排擊古學派之山鹿素行，亦反對山崎闇齋神道思想，然卻以孔孟程朱之道，表明其立場。彼謂：

> 若直清之愚，惟知遵孔孟之道，學程朱之學而已，誓以此終一生，以為天下之道莫尚焉。司馬溫公不喜釋老曰：“其微言不能及吾書，其誕吾不信也。”直信竊取以為法。凡諸非聖賢之道者，不願學焉，亦庸人安故之情也。今足下稱山崎氏則登之於元明巨儒之上，以為朱子後一人，又推尊神道，則加之於聖人之道之上，以為我國之至貴，此皆曠世不聞之言，非夫信耳不信目者所及也。直清能毋駭乎？然足下為當世醇儒，吾徒之所取諮決，而其為神道左袒如此，直清能無失望乎？[24]

鳩巢以儒家之見，倡忠義，講名教，效忠幕府，貶抑朝廷。獨排眾議(佐藤直方、荻生徂徠、太宰春台等皆著論評擊)禮贊赤穗四十七人爲義人義士，公論始定，實以鳩巢爲始。今日舞台劇“忠臣藏”，此即後來日本忠臣義士典型，及武士道之精神標竿。

鳩巢著有《獻可錄》、《國喪正義》《駿台雜話》、《太極

---

[23]〈鈴木貞齋書〉《後篇鳩巢文集》卷8，第100頁。
[21]〈附錄〉《日本道學淵源》卷4，第52頁。

圖述》、《鳩巢先生文集》等書。

新井白石

新井白石(西元一六五七年～西元一七二五年)江戶人，名君美，字在中，號白石、錦屏山人，學朱子學於木下順菴。後由順菴之薦，任甲府德川綱豐之儒臣。

白石生而聰慧，三歲能書，六歲能誦。及長器資宏偉，才負經綸，洽聞多識，通和漢古今之典故。後綱豐(家宣)爲第六代將軍，白石爲幕臣，輔弼家宣，開所謂“正德之治”。竭力於政教之合一。及德川吉宗爲八代將軍，白石退休，專心著述，以朱子學之合理主義立場，確立實證性之學風。其於歷史、語言亦有精湛之研究，曾著《西洋紀聞》和《採覽異言》兩書，而爲蘭學之開祖。

白石哲學著作中，其〈鬼神論〉尤能代表日本當時儒者對神、靈魂、宗教最開明之作。蓋鳩巢於其《駿台雜話》曾言：《鬼神之德》、《聖人之誠》、《妖由人興》及《飛驒山之天狗》四篇，大要本於《易經·觀卦》“聖人以神道設教”、《中庸》之以“誠”爲神與宋儒以鬼神爲陰陽五行之氣，而歸結於《論語·述而》“子不語怪力亂神”，與左傳所云：“妖由人興”。白石之鬼神論與鳩巢一致，雖非無神論，然卻代表儒家合理主義之傾向。彼引孔子之言答質問者，如“未之生，焉知死？”“敬鬼神而遠之”等語。故於“鬼神”二字釋之如下：

> 神、祇、鬼其名各異，而同為陰陽二氣之巧妙的作用，通稱為鬼神。所謂陰陽二氣，原來是一氣之屈伸。氣伸則為陽(例如春夏)，歸而屈則為陰(例如秋冬)，更於陽之中亦有屈伸(陽中之陽與陽中之陰)，陰之中也有同樣現象。(陰中之陽與陰中之陰)這二屈伸之往來，謂之二氣之良能(張橫渠說)；但陰陽自身不是鬼神，而鬼神乃其屈伸之奇妙作用，所以說“鬼神陰之

靈，神者陽之靈”（《禮記注疏》）[25]

蓋白石〈鬼神論〉中所引諸家之說，不出朱子學之範圍，否定怪力亂神，以儒教立場排斥佛教，誠朱學之守護者。

要之，白石思想之獨立性，正好給予人道主義與合理主義適當之調和。其偉大較之十七、八時世界之思想家，毫無遜色。故其於漢學精深之素養，於言語學崇高之見識，於歷史學銳利之觀察，均獨步當時。尤以於鎖國之下，能旁注西歐之事務，喚起下一代之新精神，奠定後來研究西洋學問之根基，彌足珍貴。

白石少負大志，常自誦曰：“大丈夫生不得封侯，死則何面目見閻羅。”祇南海作哭詩云：“生逢聖世應無恨，死作閻羅足有爲。”蓋其平生之言之最佳寫照。

白石著作除《新井白石全集》外，共七十九種，一百九十三卷，分七大類(歷史、地理、語言、外交、軍事、文學、哲學)等。

(二)海西朱子學派

藤原惺窩所傳之京師學派，留於京都則發展爲木門學，有所謂木門十哲；往江戶則發展爲林氏家學。儼然成爲思想界之主流。是以惺窩所傳京師二派外，於海西(今九州)之地，亦有獨倡朱子學者，如筑後之安東省菴，早歲雖從松永爲師，受明儒朱舜水影響尤大。又如筑後之藤井懶齋、筑前之貝原益軒，其學蓋非由師授，或轉學多師，皆海西之人。餘如益軒弟子中村惕軒，雖是京都人，但受海西學派之學，皆宗朱學，尤重實學、孝道，因泛稱海西學派。

安東省菴

安東省菴(西元一六二二年～西元一七０一年)筑後(今福岡)人，名守約、守正，字魯默、子牧，號省菴、恥齋。經學宗程朱，師事松永尺五、朱舜水。爲日一特出學者，明儒朱舜水來長崎，困窮不能支，省菴師事之，贈祿一半，自

---

[25]〈鬼神論〉原集《新井白石全集》冊6，第1頁。

奉甚薄，親友咸非笑諫阻之，省菴恬然不顧，惟日月讀書樂道而已。其高誼至今猶爲後世傳爲美談。

省菴初從尺五學，尺五歿後五年，從游舜水，是以學益進而行益修。其一生孜孜不倦、深服北宋康節先生，以文事知名，佐柳川藩主，運籌有功，然卻謙卑敦篤，不騖虛名，宜乎伊藤東涯稱其爲關西巨儒。今試觀其詩、文數則，以見其爲人。《先哲叢談》云：

> 我無才無德，汝與諸生勿為我撰年譜、行狀、行實、碑銘、墓銘及文集序等。[26]
>
> 我生愚魯不如人，自許居常慕隱淪。為善近名本非善，志仁役物亦何仁！種花靜觀有開謝，酌月朗吟作主賓。至樂知從自然得，隨時舒卷任天真。[27]
>
> 〈上朱先生書〉云：
>
> 竊聞萬物之生，莫貴乎人，人之為業，莫貴乎儒，儒者之道乃修身齊家治國平天下，以配神明，而可以參天地之化者也。苟不志於此，其生徒為天地之疣贅耳。[28]

又如：

> 屢辱賜書，心不能安，何惠愛之至於是也？取與之道，君子所重，況先生聖賢之徒，守約雖愚，何幸忝列門下，若非其義，非其道，則奉者受者猶之匪人。先生之意，雖窮而弗受不義之祿，豈以守約區區微忱所奉為不義之祿乎？[29]
>
> 〈夢朱先生并序〉云：

---

[26]〈與男元簡遺訓〉《先哲叢談》後編卷1，第7頁。

[27]〈南學遺訓〉《海南朱子學發達之研究》章1，第53頁。

[28]〈安東省菴其人其學及其詩〉《華學月刊》期47，第25頁。

[29]〈安東省菴其人其學及其詩〉《華學月刊》期47，第26頁。

> 舜水先生歿於茲五載，時時夢見之，每於睡覺，未嘗不涕淚溢枕，謹想莫非先生之靈充滿於天地之間，感而遇之使然歟？此蓋吾不能忘之所致歟？昔先生賜書云："萬里音容夢寐通"，今乃"泉下音容夢寐通"追慕曷勝，聊賦小詩云："泉下思吾否，靈魂入夢頻，堅持魯連操，實得伯夷仁。沒受廟堂祭，生為席上珍，精誠充宇宙，道德合天人。"[30]

省菴一生以文事為人所知，然於戎馬倥傯之際，其帷幄之功，超乎群人。所謂"有文事者，必有武備。"省菴可謂兼具。非惟高義為絕世所無，其學亦為世所罕匹，而性淡泊謙讓，由告其男守直之遺訓可見一斑。

省菴學問雖屬朱子學系統，然由其平生懷抱實脫朱子學偏狹範圍，而步朱舜水不守一家之自由學風。且省菴於世界觀則近素樸傾向，與貝原益軒同，乃得力於羅整菴，亦可說是海西學派之共同特色。省菴著有《求是錄》、《愚得集》、《困知記》、《初學問答》、《恥齋漫錄》、《省菴文集》、《理學要抄》等書。

貝原益軒

貝原益軒（西元一六三０年～西元一七一四年）筑前(今福岡)人，名篤信，字子誠，通稱久兵衛，號益軒、損軒，筑前福岡侯侍醫寬齋之子。為海西學派之巨擘，是日本《近世畸人傳》中人物。貞享、元祿(西元一六八四年～西元一七０三年)前後，儒學名家之奇言奇行不少，惟中江藤樹與貝原益軒兩人獨以德行稱。益軒幼就兄存齋讀書，中年入京，以博學名重海內，專講程朱之學，著作甚豐。平生好遊天下奇勝名區，足迹遍全國。

益軒思想凡三變，少時苦學而無所主，年十四讀醫書，略通方劑，且好讀佛書，後好陸王。仲兄告之以浮屠之非，一旦悟其過，而終身不好佛，自是始知聖人之道可尊而深信

---

[30]〈安東省菴其人其學及其詩〉《華學月刊》期47，第27頁。

之。此是其思想轉變之第一期。但於此時期受陸王之影響，及至讀陳清瀾(名獻章)之《學蔀通辨》，遂棄陸王之學，一變而爲純然朱子學派之人物。《益軒先生年譜》記：

> 先生嘗好陸王，且玩讀王陽明之書數歲，有朱陸兼用之意。今年始讀《學蔀通辨》，遂悟陸氏之非，盡棄其舊學，純如也。先生謂《尚書》、《論語》是聖人所書，以此正陸王之說，則大有所齟齬，而覺所歸向大異。由是益信濂、洛、關、閩之正學，直欲訴洙泗之流，專心致志，晝夜力學不懈，至忘寢食。[31]

此乃益軒三十六歲時事。其《自娛集》中有〈讀朱子書辨〉云：

> 後世之學者知經義者，皆朱子之力也。然則後學之於朱子也，有罔極之思。...吾輩不逮之質，雖不能窺其藩籬，然心竊嚮往之，故於其遺書也，尊之如神明，信之如蓍龜。[32]

又作〈異學誹朱子辨〉云：

> 朱子誠是真儒，可謂振古豪傑也。…後之學者，講習於經義，討論於道理，而所以為學者，皆是依於朱子開導之功，故古今天下之學者，無不以朱子為階梯。[33]

年四十著《小學句讀備考》，其書後稱：

> 程朱之書，航海傳於我者，蓋三百餘年於此

---

[31]〈貝原益軒詩〉《日本朱子學派之哲學》章 2，第 267 頁。
[32]〈自娛集〉《益軒全集》冊 3，第 227 頁
[33]〈自娛集〉《益軒全集》冊 3，第 256 頁

> 矣，然而〈小學〉、〈近思錄〉之行於世也，未備於二紀，真為可恨焉。我曹幸生於今時，而得見此書而講習之，當徒事空文而不能體心行身，則不幾於侮聖賢者乎！[34]

此是其思想轉變之第二期，於此期間，仍不能只信而無疑。彼謂：

> 予幼年誦朱子之書，尊其道，師其法，服其教，然於其所不解，則致疑思而審擇，未嘗阿所好，是欲僕他日之開明耳。[35]

益軒晚年有〈大疑錄〉二卷之作，向崇朱子之人，竟敢有排斥宋儒之說：

> 宋儒之子孔子....雖稱有繼往開來之功，而不能無偏僻蔽固之病，同異得失之差，故其說間有與聖言睽違者，亦當然之理也，故程朱雖賢哲，豈可得與孔子同班乎？然則於其說也，學者亦當知所取擇也。[36]

益軒晚歲對周敦頤、二程、朱子皆有所疑，此乃其思想轉變之第三期。是以吾人對其思想之研究，不能錯失晚年之〈慎思錄〉與〈大疑錄〉。

益軒之思想體系，即於晚年，亦受宋儒之影響，若由朱子學之批駁中，去其可疑。實者，仍極重孔孟，尊程朱爲道學之正統。其於〈大疑錄〉卷上云：

> 孔子之後，傳聖人之教，而學到至處者，特孟子一人而已矣。蓋由有三幸也，一曰以其命

---

[34]〈小學句讀備考書後〉《益軒全集》冊 2，第 624 頁
[35]〈大疑錄〉卷上《日本倫理匯編》冊 8，第 211 頁。
[36]〈大疑錄〉卷上《日本倫理匯編》冊 8，第 214 頁。

> 世之才也，二曰其生也近聖人之世也，三曰其所處近聖人之居也。孟子之後，周程張及司馬，並是賢哲，有功乎斯道之人，而程朱之所傳，最得其正。其學術亦比之諸儒，特廣大精詳，可為後學之模範。故孟子之以後，程朱之功甚高矣，而朱子之功最大矣。然則孔孟之後，惟此二子，誠可以為知道之人，學者之所當為宗師也。[37]

益軒之學雖得力於朱子之格物，實者亦受橫渠〈西銘〉之影響。橫渠之學雖極嚴密，但仍不免於不切事實，是以益軒更取羅整菴(欽順)之說，反陽明，擁程朱而主理氣合一。其〈大疑錄〉云：

> 明王陽明是天下之英才，一時之人迷溺於彼學者，滔滔皆是，比之晉人之清談，其害太過，羅整菴與王陽明同時之人，以陽明為非，而與彼論辨，可謂聰明英俊之人也。羅順欽之學，其說不阿於宋儒。其言曰："理只是氣之理。"又曰："理須就氣上認取。"竊謂宋儒分開理氣為二物，其後諸儒，阿諛宋儒，而不能論辨。只羅氏尊程朱而不阿其所好，其所論最為適當，宋季以下元明之諸儒所不言及也。可謂豪傑之士也。如薛瑄、胡居仁二子，雖為明儒之首稱，然其所見不及欽順遠矣。[38]

綜觀益軒一生，讀書著書，至老不倦，"吾非有大過人，唯爲學之功無間斷耳"[39]如所著《大和本草》是日本本草學之開基，《筑前土產志》從化石論地殼之之變遷，類此關於自

---

[37]〈大疑錄〉卷上《日本倫理匯編》冊 8，第 210 頁。

[38]〈大疑錄〉卷上《日本倫理匯編》冊 8，第 22 頁。

[39]〈慎思錄〉卷 6《日本倫理匯編》冊 8，第 203 頁。

然現象之研究，格物窮理之工夫，實受朱子學中之優良成分之影響。其思想超越宋儒之處亦即在此，蓋因以此經驗之科學知識爲基礎，故敢於反對古代之神話傳說。益軒雖疑宋儒，但仍以朱子學之立場反對古學派。是以太宰春台〈讀損軒先生大疑錄〉，極稱其"博聞洽見，海內無比"。益軒認爲天地間消息盈虛之理，皆是自然而然，提倡尊德樂道，以爲人心有本然之樂，因之只要天機流行，便無入而不自得。是以一獨學老死，而能怡然自樂，非隱君子之德行表現而何？益軒又是日本教育家之原祖，所著有益通俗之書，隱然形成社會教育之一大勢力。

益軒著書達九十八部，二百四十七卷，年逾耳順猶著述不斷，如《和漢名數增補》、《自娛集》、《筑前續風土記》、《大和俗訓》、《自警編》、《大和本草》、《樂訓》、《養生訓》、《慎思錄》、《大疑錄》等書。

中村惕齋

中村惕齋(西元一六二九年～西元一七0二年)阿州(今德島縣)人，名之欽，字敬甫，小字仲二郎，號惕齋。少長於布莊之家，不喜浮靡，唯篤實是務，世居市廛，惕齋厭其喧囂，遷於閒靜之處，杜門讀書，論學談文之外，不與人交際，終其身幾過隱居之生活。一生崇程朱之學，頗有所得，且精通天文、地理、度量衡、禮典、樂律等，與益軒學風相近。於《周易》中，悟相反相成之道，於道問學上卓有著績，聲名遠揚，宜乎鳩巢於〈中村氏五經筆序〉贊之曰：

> 聞洛下宿儒有中村惕齋先生，隱居講經於家，一皆崇尚朱子，其於《五經》、《論》、《孟》等書，皆有筆記，篤學之人也。其後惕齋已歿，京師之學大變，今三十年猶使人感慕先輩之風而不能自已。

當時伊藤仁齋講古學於京師，一世震撼，唯惕齋相侔，《先哲叢談》卷四載道：

> 惕齋少伊藤仁齋二歲，頡頏齊名，當世稱曰惕齋難兄、仁齋難弟。[40]

又《先哲叢談》〈自題詩〉一首，詩曰：

> 利名雙字胡為者？億萬民生俱策驅。耆耄棄材懵世計，考槃林曲永言娛。[41]

由此可見惕齋之爲人。其《講學筆記》爲學說之重心，惕齋最重“仁”“德”，以“孝”爲行仁之本，論死生以孝爲準，此乃海西學派之特色，然鮮能超出益軒所倡朱子學之範疇。惕齋亦是經驗之自然研究家，如作《律尺考驗》一書，將和漢古今十種之尺對比考驗，而辨其異同。與日本本草學之創始者益軒於日本科學思想之啓發有所獻替。

惕齋著書五十餘種，如《姬鑒》、《女大學》、《姬鏡》、《講學筆記》、《五經筆記》、《四書筆記》、《四書鈔說》、《讀易要領》、《三器通考》、《三器考略》、《慎終疏節》、《追遠疏節》、《本朝學制考》等書。

(三)海南朱子學派

海南學派是南村梅軒於室町末期於土佐(今四國)地方所傳之朱子學派，亦稱南學派，初傳於僧侶間，至梅軒門下三叟(忍性、如淵、天質)之一天質之徒谷時中，方脫禪而獨立。爲使生徒能解，以日常生活與土佐當地特色，形成一獨特之學風。門下如野山兼山、小倉三省、山崎闇齋等皆一時之選，尤以崇朱學之名分，富尊王之精神，形成崎門峻毅學風，影響後世頗大，雖其末流傾於偏狹固陋，然於儒學史上，卻占一席之地。

谷時中

谷時中(西元一五九八年～西元一六四九年)土佐(今高知)人，名素存，字時中，通稱大學，後稱三郎佐衛門，號鈍齋。

---

[40]〈中村惕齋〉《先哲叢談》卷4，第16頁。
[41]〈中村惕齋〉《先哲叢談》卷4，第16頁。

幼時住吾川郡之真常寺，從親鸞派僧天室學，剃髮號慈冲。

時中丫角穎悟，神宇超儁，早年已漸釋氏之非，然未得學之總攝，泛濫佛老，後聞南村梅軒，適從程朱之訓，百方千端，訪求其書，始得《語》《孟》集注、《學庸章句》、《朱子文集》等。慚愧浮屠廢棄人倫，於是又蓄髮還俗。

《先哲叢談後編》載：

> 時中訪求經籍，時喪亂之後，僅脫干戈，文運未開，獲書最難，而況高智南州之僻邑，搜索無他術，求之平安，若浪華，若長崎，積年之久儲藏之。以其服事田畝，家本不貧，以購買書籍之故，饒資富財，為之蕩盡。[42]

時中於思想轉變後“倡程朱學於土佐，當時稱之南學，從遊甚眾”；[43]其學風“深慕許魯齋薛敬軒等，爲存養踐履之實行，篤學縝密，厚重拘束，一身動靜周旋，平常尤謹”。[44]其性剛毅嚴峻，然對鄉里農夫小民則循循善誘，親爲闢稼穡之道，以謀民利，於土佐地區教育之普及有所貢獻。其弟子如野中兼山、小倉三省及山崎闇齋等，皆受朱子學嚴肅之影響，尤以闇齋之“剛毅威重，師道甚嚴”，[45]守之不渝。

時中著有《素存文集》六卷、《語錄》四卷。

小倉三省

小倉三省(西元一六0四年～西元一六五四年)土佐(今高知)人，名克，字政義，通稱彌右衛門，號三省，與兼山同出時中之門，學術旨趣近似，同仕土佐侯。兼山富政治之才，識見超凡，然過於明察，雖建功立業，以至奢靡與諸大夫不和，被譏而自殺身亡，而三省則坦懷虛襟，政尚寬厚，人比之於子產。《先哲叢談後編》云：

---

[42]〈谷時中〉《先哲叢談後編》卷1，第2頁。
[43]〈谷時中〉《先哲叢談後編》卷1，第2頁。
[44]〈小倉三省〉《先哲叢談後編》卷1，第3頁。
[45]〈小倉三省〉《先哲叢談後編》卷1，第3頁。

> 兼山資性剛斷，英特勇往，儼果自行，不敢顧傍慮後，故其闢山野，荒蕪海濱、廣瀉，變磽确為膏腴，穿掘津呂港便於海運之類，一朝而感功成，事業永彰，聲望遍於南州。三省均在其職，官迹功烈若遠不及，而人物之高，殆出乎其上。平生以實踐體察自得性命之源，因不欲誇耀勝人，懋啟後進，實為南州理學之巨擘矣。[46]

三省嘗於居齋之壁廳大書曰："一命之士苟存心於愛物，則於人必有所濟"；此乃仿程顥之"視民如傷"。其暇日教人講習經傳，所定科目如:《小學》、《四書》、《近思錄》、《五經》、《易》、《通書》、《周易啓蒙》、《左氏穀梁公羊三傳》、《通鑑綱目》、《大學衍義》、《十七史》。尤重《四書》、《近思錄》。

三省雖少著書，但據大高坂芝山所撰《南學傳》與《南學遺訓》可見其言論之一斑。《南學傳》卷上〈三省傳〉云：

> 學其可知也，可行也，涵養須用主人，窮理以讀書為要。讀書平氣而商量，莫迂闊，莫奇異，看來看去，歸著至當之義而已。

《南學遺訓》云：

> 三省先生曰：學者當以知止為要也，惟精以知所止，惟一以得所止，萬事各有所當止之處，其大者為人子止於孝，為人臣止於忠之類也。其小者、手容恭、足容重，亦手足當止之處也。若能知止而不為外物所移，不為異端所眩，雖大不加焉，雖窮居不損焉。

---

[46]〈小倉三省〉《先哲叢談後編》卷1，第7頁。

又《南學傳》上卷〈兼山傳〉稱三省嘗諫兼山“須慎事於始，毋貽悔於後”蓋三省讀書窮理，知止安份，撙節退讓，淡泊養德爲說。

三省著有《周易大傳研幾》八冊等書。

野中兼山

野中兼山（西元一六０五年～西元一六六三年）土佐(今高知)人，名止，字良繼，小字傳右衛門，號兼山。世仕國侯，父良明性磊落，不善家計，賴其母秋田氏，方克餬口，四歲喪父，幸母苦心籌帷，以教養兼山成人爲志，兼山日後功成名就，乃庭訓所賜。

野中兼山天資英特，儀容雄偉。少時來江戶，得讀中庸集註，雖未盡了其義，而比之佛說虛誕，則較企慕。後請學於時中，始知聖道，翻然而歸之，因四方求朱書，或翻刻以利後學，然著述少傳，世所憾焉。兼山資性剛毅，博覽載籍，考索古今。性嚴峻剛毅，其友小倉三省每諫曰：“古之功臣，皆德量寬大，仁垂惠布，故能澤及子孫。若嚴刑重罰，雖收效於一時，其積怨畜禍，亦未有自全，吾子熟慮之。”[47]兼山終未納雅言，及三省歿後，彈劾益多，驕奢日長，由是怨議紛起，尋病終，或云賜死。森不染居士嘗謂：“近來土州有野中某者，開經學、崇宋儒，爲邦輔治，而性嚴酷，如鷹擊非，終不能自全，惜耳。”[48]

兼山除朱子學外，於拓荒築港，興水利，便舟車，誠一理論和實踐合一之事業家。其〈室戶湊記〉一文，自述以人力征服自然之功績，昭然如在目前。彼謂：

> 嗟夫自陰陽動靜，天地已闢有此海，未有此湊也。自今而推諸太古有舟楫之始，而復溺於此者，不知其幾何人矣。自今而引諸天地大敞之後，而免復溺之害者，亦不知其幾何人矣。甚矣！賢君之所以勞其民，所以逸其民，皆得其道也。昔人有言，天地之雷霆草木，人不能

---

[47]〈野中兼山〉《漢學者傳記集成》卷1，第44頁。
[48]〈野中兼山〉《漢學者傳記集成》卷1，第45頁。

> 為之，人之陶冶舟車，天地亦不能為之，於此見人事之功用，有可以補助化工之不及者。湊湊之利，視陶冶舟車，尤為不動，而及物一成而永賴亘萬世，而上有助於聖人起舟輯之利也。[49]

兼山極力倡導朱子學，政治餘暇常集學徒講《小學》、《近思錄》，讀《五經》、《春秋》及《通鑑綱目》。兼山並翻刻朱子學書，如《小學句讀》、《小學本注》、《朱子語類》、《朱子學的》、《自省錄》及《小學》白本等。更出版《玉山講義》、《仁說》、《刑經》、《夙夜箴》、《敬齋箴》等書，後世稱爲野中本，對朱子學於海南之傳播，厥功至偉。

兼山著書不多，今有《兼山餘草》、《室戶湊記》等傳世。

山崎闇齋

山崎闇齋(西元一六一八年～西元一六八二年)京都人，名嘉，字敬義，小字嘉右衛門，號闇齋，晚年信神道，號垂加。

大高坂芝山《南學傳》序文云："興國(西元一三四0年～)以還，有三般學，謂京師學，關西學，海南學者也。"此京師學即惺窩羅山一派，關西學又名海西學，即省菴益軒一派，海南學乃指從南村梅軒以至三省兼山及其門下一派。因之南學派所指南學，即土佐學，實者兼山以後便中絕。然南學於土佐本土絕滅之際，即有山崎闇齋和其弟子繼起，以新南學之姿出現。芝山雖嚴評闇齋，但《南學傳》中仍不能不稱其"蓋所沿時中之遺風也"；於此可見闇齋於南學史上之地位。

據《先哲叢談》卷三記其早年時事云：

> 闇齋幼桀驁不可制，父為托諸妙心寺，剃髮名絕藏主，乃一意修禪，無懈怠，然性行猶不悛。嘗與倫輩論議，闇齋詞理塞，即其夜就彼寢，火紙幃。或讀佛典，深夜忽拍案放聲大笑，

[49]〈南路志〉《海南朱子學發達之研究》卷43，第55頁。

> 衆起怪問，曰："笑釋迦虛誕！"其豪邁不羈皆此類也。衆議欲逐之，當是時，土佐公子某居妙心寺，公子聰明有藻鑒，嘆曰："此兒神姿非常，後當有為"；乃遣之學於土佐吸江寺，時土佐有鴻儒小倉三省、野中兼山，共見闇齋，亦深器之，而惜其陷異端，示之《四子》及程朱書則大悅，遂蓄髮歸於儒，時年二十五。[50]

闇齋三十歲時自著《闢異》一書跋，述其脫佛歸儒之由，年三十八，始開講筵於京師，四方遊學之士靡然向風。闇齋著書雖多，然少創意，卻對日本影響極大，蓋其奉朱子學如宗教，宜乎井上哲次郎《日本朱子學派之哲學》評爲"盲信朱子言說之精神的奴隸"。[51]

室鳩巢於《鳩巢文集》曾論及：

> 山崎氏表章纘述之書，皆多為後世抄略考證之類，朱子之書，盛行中國，中國儒者有志理學者所素傳習而通知，不待表章纘述。如此之為，惟在本朝，首倡正學，崇明朱子之書，則其功有不可誣者。

佐藤直方於《討論筆記》亦稱道其師云：

> 元明世以儒明者不可枚舉，而至窺聖學門牆，則方孝儒薛文清二人而已。朝鮮李退溪東夷之產，而悅中國之道，尊孔孟，宗程朱，其學識之所造，大非元明諸儒之儔矣。我邦中古崇儒道，王公以下，學者亦多矣，而至道學則未知其說也，其後朱書之來我邦已數百年矣，讀之者亦豈為少乎？然未聞有知發明道學之正義，而為萬世不易之準則者。近世獨山崎敬義

---

[50] 〈山崎闇齋〉《先哲叢談》卷3，第1頁。
[51] 〈山崎闇齋〉《日本朱子學派之哲學》章2，第410頁。

> 先生，讀其書尊其人，講其學，博文之富，議論之實，識見之高，實非世儒之所及焉，蓋我邦儒學正脈之首倡也。[52]

闇齋之學，初專主濂洛，奉程朱，晚從吉川惟足學神道，遂成一家之言，爲此道中興之祖，並融合宋學與神道，創立所謂“垂加神道”一派。頗關心道德，但流於形式而乏人情，被譏爲“道學先生”。務明倫常，尤重君臣之義，甚得會津侯保科正之尊信，其道大行於世，前後執贄者六千餘人，講學教人常執一杖擊講座，音吐如鐘，顏色尤厲，師弟之間，精刻嚴肅，宜乎《日本的朱子學》作者朱謙之評析其思想學說不外教條、嚴肅、神秘、神國四者。[53]

闇齋著有《垂加草全集》、《垂加文集》、《垂加文集》續、《垂加文集》拾遺、《文會筆錄》、《朱易衍義》、《周子書》、《大家商量集》、《闢異》、《武銘》、《仁說問答》、《性論明備錄》、《感興考》、《經名考》、《孝經外傳》、《敬齋箴》、《小學蒙養集》、《大學啓發集》等書。

佐藤直方

佐藤直方(西元一六五0年～西元一七一九年)小字五郎右衛門，號剛齋，備後(今廣島)人。屬海南朱子學派山崎闇齋，爲崎門三傑(即佐藤直方、淺見絅齋、三宅尙齋)，但三人均反對闇齋之神道說，而各接納其師說之一部分。如反對敬內義外說與神道說而被破門之直方，實者卻發展闇齋之教條。絅齋則發展闇齋之嚴肅與忠君報國思想，尙齋則發展闇齋之神秘。

直方資性灑脫，講學有暢達快辯之風，譬喻百端，教人樂觀自得，對《中庸》、《易》尤有心得，而於《四書》、《小學》、《近思錄》等甚爲重視。

直方尊信朱子學，以朱子學爲正學，而排詞章記問之學，重道德之實踐躬行。彼謂：

---

[52]〈韞藏錄〉《日本倫理匯編》冊 7，卷 1，第 11 頁。

[53]〈海南朱子學派〉《日本的朱子學》章 4，第 295 頁。

> 晦菴先生之德廣大，才該博，真孔子以來之一人，而其用心之深也如是，則《集注章句》之詳審精密，固其所也，而談《四書》者何待他求哉！[54]

又《道學標的》序云：

> 孔曾思孟之後，接其道統者，周程張朱世，吾人所學豈外此而他求乎！俗學者流，不知求道者，固置而無論焉，雖或有稱實學聖賢者，而於道不知所向，則徒局於謹厚拘滯之域耳，亦何足與議於道學哉。今實學聖賢而欲造大道，則又不可以不識聖賢之要歸矣。因竊略舉聖賢之言關於此者，以備諸講學用力之標的云。[55]

又《跋講學鞭策錄》云：

> 為學之方，朱先生明之至矣盡矣，今究其要而舉之，不過敬義兩言，而至於日新之功，上達之效，則全在乎積累習熟而已矣。[56]

可見直方崇朱之篤，斥異之苛，著《排釋錄》以反佛，攻陸王背聖賢之道，非議古學派，蓋評仁齋以真儒名而每譏宋儒，議程朱，故不得不力辯，又惜背師之名，反敬義內外說與神道說，至被削弟子籍。

又《跋排釋錄》云：

> 朱子解孟子能言距楊墨之說，曰："邪說害正，人人得而攻之"；不必聖賢，如《春秋》

---

[54]〈韞藏錄〉卷1《日本倫理匯編》冊7，第18頁。

[55]〈韞藏錄〉卷1《日本倫理匯編》冊7，第19頁。

[56]〈韞藏錄〉《日本倫理匯編》冊7，卷1，第25頁。

之法，亂臣賊子，人人得而誅之，不必士師也。聖人救世立法之意，其切如此，若以此意推之，則不能攻討，而又倡為不必攻討之說者，其為邪說之徒亂賊之黨可知矣。嗚呼！孟朱之說如是之嚴且切，而程子又曰："佛老之書，甚於楊墨"；則學者之於佛氏也，豈可不痛辨而猛距哉。此予所以敢不自量，集是編以欲與天下後世植正排邪者共之也。[57]

直方門下除三輪執齋(後入於陽明學)外，尙有野田剛齋、菅野兼山、稻葉迂齋等，而承其學統則有稻葉默齋、岡田寒泉、服部栗齋、賴杏坪等。

直方著有所謂佐藤門四書(即《講學鞭策錄》、《道學標的》、《鬼神集說》、《排釋錄》)、《四書便講》、《韞藏錄》、《學海餘波》等。

淺見絅齋

淺見絅齋(西元一六五二年～西元一七一一年)近江(今滋賀)人。名安正，初名順良，號絅齋，又號望楠樓，從學闇齋，爲崎門三傑之一。

《先哲叢談》記其初年事云：

初年強學患咯血，闇齋猶課督不少貸，植元貞者為謂闇齋曰："之子疾日篤，請姑廢業以保嗇。"闇齋不可。居無幾，疾愈矣。闇齋："死生命也，奈之何使之折其志。"[58]

以此不合理之嚴肅學風，絅齋非唯未否認，且繼承之。以絅齋和直方相比，直方資性磊落，不嚴師弟之禮，絅齋則資性嚴峻，其師弟之間，真如秋霜烈日。

《先達遺事》記直方云：

---

[57]〈韞藏錄〉《日本倫理匯編》冊7，卷1，第26頁。

[58]〈淺見絅齋〉《先哲叢談》卷5，第6頁。

> 如佐藤子則無嚴師弟之禮，嘗云：吾且為慕者來講書，此為友生，豈師弟之謂乎？但從游日久，則稱呼以爾汝，此輩亦自是在弟子之列耳。今之學者多不信其師，師獨自尊大，甚可笑云云。

《先達遺事》記絅齋云：

> 絅齋晚講授錦里，師弟之間嚴峻又甚於闇齋。先君子(稻葉迂齋)嘗侍其講筵，課會之日，門人侍坐函丈，實如臣下在君前。

此又是一嚴肅之教育典型，較之闇齋更具嚴正武士之風骨，因其爲人如此，爰少有與相處者。

《先達遺事》記云：

> 佐藤淺見晚絕交，京人傳說，絅齋詰佐藤云：居親喪而仕，何禮？自是不復相接。

三宅尙齋《默識錄》云：“絅齋先生與直方先生初其交如兄弟，後不相通，然而義亦無可言者，乃是氣質之癖，學問之大疵，甚可惜。直方先生後來思舊交，有將通問之意，絅齋先生終執而不肯。”此亦可見兩人之長短。

絅齋爲人慷慨，兼好武事，常騎馬擊劍，其所佩劍鐔鐫觀瀾篆“赤心報國”四字，可見其志士之風骨。曾作《西銘參考》內提“綱常民彝”蓋受張橫渠三綱五常，民之秉彝之影響。於闇齋學統中，絅齋堪謂傳道之人。

板倉勝明《絅齋淺見先生傳》云：

> 《語》云：“水至清則無魚，人至察則無徒”；若先生與先師絕交，不無過剛之病也。雖然其學力尚精核，闡發義理，激揚廉恥，程

子所謂處貧賤而不變，視富貴而不移者，先生實其人也歟！故一聞其風則使人興起，知區區聲利不足慕焉。宜哉，傳道之任，有望於先生也！[59]

《先哲叢談》記絅齋以嚴肅態度待人，亦以此對待闇齋。所謂："吾愛吾師，尤愛真理"，此非背叛師說，而是篤守朱子學，堪稱青出於藍。

絅齋少學山崎闇齋，砥行植節，社中無出其右者，後不從闇齋敬義內外說，又不喜神道，是以遂不見容。闇齋歿後，悔其叛師，炷香謝罪云。蓋闇齋倡神道，一時及門弟子皆靡之，而堅守舊說不少變動者，不過絅齋及直方、尚齋數子耳。[60]

絅齋學說蓋分：以自然本體為主之世界觀；以學問精華所在之大義名分；以皇統一系之正統論等。

絅齋著有《靖獻遺言》、《講義》、《赤城忠士筆記》、《聖學圖講義》、《拘幽操講義》、《西銘參考》、《考說》、《六經編考》、《絅齋先生文集》等。

三宅尚齋

三宅尚齋(西元一六六二年～西元一七四一年)播摩(今兵庫)人。名重固，小字儀左衛門，後更丹治，號尚齋，為崎門三傑中最後出，亦最近神秘者。從學闇齋三年，闇齋歿後乃折中於直方、絅齋兩人，兩人待之以友誼，相互切磋，遂得三傑之稱。三人皆尊朱子學，而尚齋與直方不同，彼亦是嚴肅者。

稻葉默齋於《默水一滴》記其事云：

佐藤漫接門人，尚翁嚴訓弟子，兩先生往諸

[59]〈西銘參考〉卷首《絅齋淺見先生傳》。
[60]〈淺見絅齊〉《先哲叢談》卷5，第5頁。

> 侯，佐不必固責，尚翁禮接甚苛劇。小野崎舍人云："三宅師道至重，佐藤任自然，而佐藤重於尚翁許多。"

又《先哲叢談》卷五云：

> 尚齋與直方交義素善，而議論未必同。每曰直方《四十六士論》使人消滅至誠惻怛之心。[61]

若以尙齋與絅齋相較，絅齋尊重日本，以日本爲中國，強調皇統一系，國體尊嚴，此乃其大義名分論；尙齋則於另一立場，肯定湯武革命，以爲天下者天下之天下，公開以儒道反神道。

《默識錄》卷四云：

> 堯舜以禪讓安天下，不敢私天下，湯武以放伐安萬民，不敢私萬民，天下是天下之天下，非一人之私有也。
>
> 轉倒尊卑，反復上下，變革莫大焉，唯爵命出於西者，利之所在，不在於茲也。其不易位者，國俗昏愚，信神而畏怖也，以是罵湯武者可笑！[62]

《默識錄》卷四云：

> 天與之湯武，人歸之，當此時豈可得已哉！…今也皇統雖未絕，天命雖未變，其間或有與先帝戰，如出公輒者；或有為大臣所要，敬受命，如漢帝於王莽者。上下亂，三綱湮，正統既絕，所不絕者，為同氣而已。如此而欲誇於湯武之聖，其亦可驚之甚矣。如《日本魂》

---

[61]〈三宅尚齋〉《先哲叢談》卷5，第20頁。

[62]〈默識錄〉《日本倫理匯編》冊7，卷4，第568頁。

所言，合孔孟程朱為大凡夫之見者，則我卻不問其是非，信孔孟程朱之徒，而為可怪之談，我恐其未登泰山矣。[63]

尚齋雖反神道之偏狹，但卻又步向朱子學之神秘色彩。《日本道學淵源錄》卷四云：

先生（尚齋）見垂加翁（闇齋）請學神道，翁曰："汝今須要就經書燦然明白者用功夫，未晚。"後先生復以此謀淺見佐藤二子，淺見子乃曰："吾友俟學至朱子地位，而後學神道。"先生聞之大得歸依，終無復他念。[64]

《默識錄》卷四云：

"余讀《神代卷》，因考諸家說，皆信不可信者，而妄立牽強說，動曰傳授。…神代事固當不分明，然神學之徒，爭立牽強臆說，可哀哉！"[65]

《日本道學淵源錄》卷四云：

尚齋先生教授生徒，禁學神學，著為條約。及卒，遺命諸子，若有違犯，非吾徒也。[66]

翁（闇齋）治神道，先生不好神道，其言曰：後世皮相膚立，不得治神道之本旨，是故安正不好之，直方排之，其他門生半沉半落，不足論焉。若夫偏好之，則重遠之邪說，文雄之怪言，不得不起焉，則先生不修神道也有微意在。

---

[63]〈默識錄〉《日本倫理匯編》冊 7，卷 4，第 569 頁。
[64]〈三宅尚齋〉《日本道學淵源錄》卷 4，第 3 頁。
[65]〈默識錄〉《日本倫理匯編》冊 7，卷 4，第 573 頁。
[66]〈三宅尚齋〉《日本道學淵源錄》卷 4，第 49 頁。

> 垂加之樞機，道體之本源，筆不能書，言不能文。[67]

尙齋學說蓋分：其一、由理氣二元論轉爲理一元論；其二、由理一元論而窮究天地萬物之理；其三、由理而生定命之人生觀；其四、由天人合一、古今一氣而生之鬼神觀；其五、由居敬窮理、困知勉行而生仁恕之風，行好生之德；其六、由偏長日本皇統而歸中和中華正統。

尙齋著有《狼嚔錄》三卷、《默識錄》四卷等書。

谷秦山

谷秦山(西元一六六三年～西元一七一八年)土佐(今高知)人，名重遠，號秦山，通稱丹三郎。

秦山夙慧彊記，髫齡啓蒙，十歲時就僧守信讀法華經，未及二月，竟能成誦。年十七，上京都往見絅齋，再謁闇齋，闇齋盛稱其才，故崎門學派中神儒兼修，傳闇齋之學於海南者爲谷秦山。不惑之年，一度仕宦，唯半載而歸，曾受教於絅齋、直方，專研程朱之學。年四十五，坐案得罪，禁錮家居，處之泰然，幽居十二年，雖貧苦而道益進。五十又六，禁錮解除，旋即病歿。今試觀《秦山集》可得其情。詩曰：“十二年來罪籍中，年年無事臥牆東。旨哉玉傳被黎庶，面上溫然常世風。”[68]

秦山承絅齋之大義名分論，將絅齋之《靖獻遺言》於土佐大肆傳授，其後成爲勤王之先驅，蓋種因於此。彼謂：

> 夫國之強久，不在乎土地甲兵之盛，在乎名分之嚴，…而天理民彝之在人者，不可泯沒，名分之所存，不可罔也。我朝終古不受外國之侵侮者，豈以大小強弱之勢哉？唯其名分之正，冠絕乎萬國也。[69]

---

[67]〈三宅尙齋〉《日本道學淵源錄》卷 4，第 52 頁。
[68]〈秦山集〉《海南朱子學發達之研究》，卷 7，第 125 頁。
[69]〈秦山集〉《海南朱子學發達之研究》，卷 10，第 144 頁。

秦山受闇齋之皇統一系、神國崇拜之影響，認爲儒道兼修，方無欠缺，其私講牓諭云：

> 頃觀二三子之稱說，其於堯舜湯武之事，雖或不詳，猶可聞焉。其於日本祖宗神聖之事，非特不知傳授之次第，或至不辨名號男女之分。嗟呼！知人之父，不知己之父，認人之君，以為己之君，此莫大之罪。…只宜神儒並進，博詳兼舉而已。[70]

秦山之主張，除神國思想之大義名分論外，亦至主理一分殊，主一無適。讀書窮理，習熟積累，自然有成，蓋不出朱子範疇。

泰山著有《神代卷鹽土傳》、《中土祓鹽土傳》、《保建大記打聞》、《秦山集》、《秦山隨筆》等書。

(四)大阪朱子學派

京都、江戶、大阪爲日本之“三都”，京都爲皇居重鎭，歷史名都；江戶爲德川將軍領地，爲武家都城，維新後爲政治中心；大阪原爲豐臣秀吉據地，後爲町人群聚，元祿(西元一六八八年)以後漸成商人都城。初以西鶴等人之平民文學，次如契冲、阿闍梨之國學。至於漢學則以懷德堂成立之元祖五井持軒爲始，其學風較自由，雖以朱學爲主，但亦兼容他派，以實用爲宗。除持軒外，如中井竹山、履軒兩兄弟，富永仲基、山片蟠桃、三宅石菴、中井甃菴、五井蘭洲等。

五井持軒

五井持軒(西元一六四一年～西元一七二一年)大阪人。名守任，號持軒，通稱加助。年十五，負笈遊京師，師事伊藤仁齋，中村惕齋，又與貝原益軒、伊藤東涯、三輪執齋等人遊。年二七，篤信朱子學，年三十，學風尙未變，益軒亦未發表《大疑錄》，持軒從諸儒研究程朱之學。

---

[70]〈秦山集〉《海南朱子學發達之研究》，卷 14，第 138 頁。

持軒學宗朱子，極其尊信，晚年稍違其說，批宋儒之說雖精，然以理氣分歧而言性，實悖孟子之旨。持軒講《孟子》，雖從《新注》而無偏執之弊。蓋大阪朱子之興，誠以持軒爲嚆矢。或謂其學近於陽明，以國學爲主，以儒學爲輔，而漢學則以懷德堂之元祖持軒爲始。初代學主是三宅石菴，而以中井竹山、履軒兩昆仲爲教授，其生以庶民爲多，佼佼者如富永仲基、山片蟠桃等。

三宅石菴

三宅石菴(西元一六六五年～西元一七三0年)大阪人，名正名，字實父，號石菴，又號萬年。爲懷德堂創立之學主。《先哲叢談》卷五記其事云：

> 石菴少耽學，不視家道，由是產遂蕩盡。…弟觀瀾…於是兄弟相攜來江戶，教授取給，居數年，石菴獨歸京師，尋至大阪，時名翹然起，弟子雲集。中井甃菴等相謀請諸官，建庠校，名懷德堂，眾皆推石菴主之，固辭不可，遂領祭酒事，後中井氏嗣之，至今不衰。[71]

石菴學術思想蓋難詳考，但其《論語首章講義》曾云："學者何？學道也；道者何？人之道也。人生與鳥獸不同，學道即學人之道"何謂人之道，蓋謂："君臣、父子、夫婦、兄弟、朋友五者、畢竟"君君、臣臣、父父、子子、夫夫、婦婦、兄弟朋友之所以爲兄弟朋友，此即人之道也。"[72]石菴倡道德修養之外，猶考定《中庸》，可見其對儒家經典懷疑之新作風。

石菴《中庸錯簡說》云：

> 按朱張二公往復所論《中庸》疑義，不指言其為何章，然以文意推之，其在第十六章前後也必矣。蓋朱子病此數章無次序，故設費之大

[71]〈三宅石菴〉《先哲叢談》卷5，第22頁。
[72]〈懷德堂五種〉《懷德堂遺書》卷1，第1頁。

> 小及兼費隱包大小等之說以通之，而南軒未釋然也爾。至於吾石菴先生深疑於第十六章，潛玩日久，迨晚年一日有省，乃創錯簡之說，移此章置第二十四章後曰：“是或可以得本篇次序起承之明確矣。”於是宿疑始渙然云。[73]

《大學》錯簡，諸儒論者甚多，惟《中庸》錯簡之說，創自石菴，此治學之精神，對後來懷德堂之學風，頗有影響。石菴宗朱子而兼取陸王，此自由之新學風，亦成大阪朱子學之一特色。香山太冲云：“世呼石菴爲鵺學問，此謂其首朱子尾陽明而聲似仁齋也。”五井蘭洲亦言：“宅子學無宗旨，以賣藥爲業，喜談醫，俗目之曰鵺學，言其首朱尾陸，手腳如王，鳴生似醫也。”(《蘭洲遺稿》)此二說稍異，但稱其爲“鵺學問”則一。蓋“鵺”乃俗稱猴頭虎身蛇尾之怪獸，用以形容石菴學術，殆無疑義。然石菴非純然朱子學者，但卻承認“朱陸王子皆吾道之宗子，斯文之大家”；並非全然棄程朱。《蘭洲遺稿》記云：“有小芝莊者嘗與蘭洲共謁石菴，莊語稍犯朱子，石菴厲聲叱之曰：‘子安知朱子，亦安知陸，第自修可耳！’莊逡巡卻退。”由此可見石菴思想中並無宗派，但以道德爲重耳。

中井甃菴

中井甃菴(西元一六九三年～西元一七五八年)播州龍野人。名誠之，字叔貴，號忠藏，自號甃菴。年十四舉家遷大阪，受句讀於五井持軒，師事三宅石菴。年十六赴江戶，就室鳩巢、三輪執齋、三宅觀瀾等聞道。弱冠歸大阪再事持軒、石菴，年三十四創懷德堂於尼崎坊，延石菴爲西席。石菴歿後，乃繼任爲學主。與石菴同爲陽朱陰王，常主實踐躬行，不事詞章，故皆未脫稿。其子竹山作《不問語跋》云：“先君子主踐履，不留意於翰墨。”[74]又作《行狀》記其學云：

---

[73]〈奠陰集〉《懷德堂遺書》第5卷，第22頁。
[74]〈奠陰集〉《懷德堂遺書》卷8，第39頁。

> 其學坦平簡易，不設蹊徑，深嫉近世學者騖虛文廢實行，嘗云："一部《論語》終身用不盡，何必鬪多誇博？"又曰："鳥獸各成群，人道捨人曷求？"

甃菴不恥言行相違之人，居常教人每揭孝悌，可見其學風與持軒、石菴相近。或問何謂學問？彼則諄誨曰：

> 孝弟忠信，我不知其他。子自求諸家事日用之間，亦有餘師。[75]

五井蘭洲記其後云：

> 五孝子之狀，中井甃菴記，為實可觀，而文不溢嗚，曰五子之孝也，蓋得諸天性，而古今之所希矣。

甃菴可謂苦學勵行尙實爲首要之學者，同時反映大阪町人所需，正是有道德修養之人。

甃菴著有《詩文集》、《和歌和文集》若干卷，另有《五孝子傳》、《富貴村良農事狀》等書。

五井蘭洲

五井蘭洲(西元一六九七年～西元一七六二年)大阪人。名純楨，字子祥，號蘭洲，又號冽菴，通稱藤九郎。爲持軒季子初爲懷德堂助教，曾仕於江戶津輕侯，後歸大阪，任懷德堂教授，繼甃菴之後，爲第三任學主。石菴之學以"鵺"稱，而蘭洲承家學，宗程朱，操守堅，其學務去偏固支離之弊，雖於性命理氣之說，別具一解，然學問大本仍以朱學爲依歸。竹山稱蘭洲之卓識獨見，時發前人之未發，且又長於論辨，或爲挺程朱，而以闢異爲己任。故有攻伊藤仁齋之《非伊》，斥荻生徂徠之《非物》，嘗《論學蔽》云：

---

[75]〈蕒陰集〉《懷德堂遺書》卷9，第10頁。

為陸王之學者，廢學問，棄事物，其弊也禪莊。為仁齋之學者，蔑義氣，疏心性，其弊也管商功利。為徂徠之學者，局修辭，遺以敬直內之訓，其弊也放蕩浮躁。為闇齋之學者，頗過嚴毅，乏雍容和氣，其弊也苛薄寡恩。惟茲四學，爭辯強聒，道乃四分五裂，使學者眩其所從，若觀孔孟則必為長太息而已。無偏無黨，中正之道，蕩蕩平平，唯以聖賢之切己遺訓為心術德行之基，如此而後乃免四學之弊。[76]

又著《非物篇》六卷，其《序》云：

徂徠撰是書，既言皆徵諸古言，故命曰《論語徵》。然書中半取諸胸臆以為說，我未見其為徵也。且也彼初未睹《皇侃義疏》，晚年《徵》既成，偶得而讀之，然卒不能卒業而物故焉。何以知之？余所閲徵寫本，皇說皆旁注添入，亦止《公冶長篇》，故以朱子同皇說者為朱說，誤駁為道學之見者多矣，可笑也。印本係於其門人改定以揜醜，故世少知者矣。凡此《徵》章章而戾，句句而誣，非之不加者，非為有一是，不遑枚舉也。已覽者察之。

中井竹山稱道此書，其《非物篇序》云：

善夫先生之辨也，近世異言詭辭，亂學術而懷士風者，以物徂徠氏為魁焉，其說尤張皇，以震撼一時，所謂是可忍孰不可忍者。先生超邁之才，醇正之學，乃握其《論語徵》者作為是編，竭立攻討，欲以息洪水猛獸之害。夫閑

[76] 西村時彥《懷德堂考》，第 37 頁，大阪懷德堂紀念會。

道之業，承聖之勛，於是乎偉矣！[77]

因《論語徵》之作“誣蔑聖經，浸陵朱《注》，則其害已迫，禍且弗測，先生之辨不得已而出矣。”[78]可知蘭洲是朱學之衛道者，但其雖篤信程朱，然亦不甘於固陋，如程子謂“性皆善也，聖人用爲仁義禮智信以名之。”又如朱子說：“仁義禮智信，列於五常，聖人皆顯之以爲教。”此皆以仁義禮智信爲孔孟之舊，蘭洲駁之曰：“四德加信爲五常，昉於董仲舒之附會，非古義也。”

中井竹山作《質疑篇序》並稱道云：

> 猗與斯說也！啟端於吳蘇原，而成於先生，其識卓矣。
>
> 近儒之鼓詖辭誣聖經，捨旃，其鄉實學宗宋儒亦多膠泥焉。每有片言犯程朱者，輒悍然咆勃不肯究指趣，只見其偏隘矣。五父執故蘭洲五井先生承程朱之緒於家，力祛末流之弊，學行道藝領袖乎一世，平昔經史之說輯成卷，謙曰《質疑》之篇，其深造自得，亡所偏倚而超見新意，蓋山立而水湧焉。[79]

蘭洲門下有甃菴之二子，即竹山、履軒兩兄弟，於大阪朱子學之發展，頗具指標之意。

中井竹山

中井竹山(西元一七三０年～西元一八０四年)大阪人。名積善，字子慶，號竹山，又號同關子。幼少時師事蘭洲，繼蘭洲爲懷德堂第四任學主。蓋以生與關羽同日，故又號同關子。其《關將軍像贊》自注云：“世傳關公揆辰在竹醉日，予亦以是日生，故及之。”其稱關雲長義列千秋“童儒猶識

[77] 〈蕒陰集〉《懷德堂遺書》卷 6，第 14 頁。
[78] 〈蕒陰集〉《懷德堂遺書》卷 6，第 14 頁。
[79] 〈蕒陰集〉《懷德堂遺書》卷 6，第 6 頁。

名姓，可謂不世之豪”，[80]其重關公亦重日本義士。

《赤穗義士文書跋》云：

> 赤穗義士之舉，膾炙人口久矣，琉球嘗傳其事，適清國者為譚其巔末，清人傾耳，莫不感泣，事見《大島筆記》。嗚呼！理義之悅心，芻豢不啻者可以見也已。[81]

竹山以爲忠義即理義，即道學，因作《文文山像贊》竟云：

> 善夫，古人有言：三閭大夫有此忠憤而無其雍容，五柳先生有此清節而無其激烈。噫嘻！孰知洛閩諸賢千萬言之緒論傳說，翻成《正氣歌》一闋[82]

竹山此思想，與町人社會所謂忠義思想相結合，是以深受大眾之青睞。

竹山《草茅危言》卷四云：

> 吾儒之道，聖人之道也，聖人之道，人之道也，人之道即天地之道也。四海萬國將不可一日離，無此道則國恆亡，無可以容異端之餘地。故道尊而無對，大而無外，小而無內，格致誠正戒懼慎獨，從一心之微以至治國平天下，天地位而萬物育一也。列而為五倫，分而為四民，布而為禮樂刑政，冠婚、喪祭、朝聘、田獵、耕織、財鬻、幣帛、饔餐、莫非道之用，日月、風雲、山川、草木、禽獸、蟲豸，草非道之發現，是皆吾儒中之道也。…

[80]〈奠陰集〉《懷德堂遺書》卷8，第2頁。
[81]〈奠陰集〉《懷德堂遺書》卷8，第4頁。
[82]〈奠陰集〉《懷德堂遺書》卷8，第1頁。

> 如此廣大人倫之中，有尊貴有卑賤，有賢智有愚不肖，有農工商賈之恆產，有遊手閒民。遊手閒民既多，則其中即有棋局，音曲之藝者，有俳優、傀儡，有賣卜、相者，僧尼、術士、遊女、乞食、盜賊，是皆吾人倫中之物也，即使有甚害，亦無悉予殄滅之而已。惟去其泰甚者，使邪不害正，寓之於後王裁成輔相之內，是吾儒中之術也。[83]

儒家本領即在唱明聖學，亦即人倫日用之道，使邪不害正，正可避邪，因竹山以"唱正學迴狂瀾"之精神宣導，絕不許異端有容身之地。其《奠陰集》卷六云：

> 滔滔乎邪正不白，皇綱日以圮，竟歸喪亂。中間四百有餘歲，譎誕疣贅之說益恣，聖學幾乎熄矣。治運將回，藤子斂夫崛起乎其間，始揭洛閩之統，以襄斥異端，天下再知有聖學，雖語焉之不詳，功亦偉矣。自元和偃武以還，巨人俊士接踵而出，儒風大振，弦誦盈閭者百有五十年於茲，其流風餘韻，自有激懦而律貪者，然詳考其學，往往從資之所近，立意見，分門戶，或失則粗，或失則瑣，或失則虛，紛紜轇轕。變幻百出，其深錮玩弊亦不可得而裁矣。是則在學者，尤當竭立辨析矣，要可畏避回護，更誤後學也哉！[84]

竹山重忠義，厭僞學，如闇齋之"俠學"、徂徠之"妖學"，餘如"禪學"、"腐學"、"巫學"、"霸學"、"野學"、"史學"、"市學"等，皆曾爲文批之。其《建學私議》雖批山崎、荻生二家，然其學術方向仍屬朱子學派。蓋

[83]〈出家之事〉《草茅危言》卷4，第100頁。
[84]〈送中村君彝之江都序〉《奠陰集》卷6，第28頁。

朱子學派有教條、合理之分，竹山則發展其後者。其反佛之說，首見於〈送中村君彝之江都序〉中，另於《草茅危言》和《逸史》中，亦屢有攻擊之語。是以竹山反佛教、反妖妄，於倡名教之外，於儒教之發展有其正面合理之意義。且於竹山學說中，取其科學之精華，去其封建之糟粕，則其所反映確是日本當時之有益思想。餘如朱子學體系中，尊王賤霸之思想。於其《逸史》和《答藤江貞藏書》中可窺其梗概。

竹山著有《草茅危言》、《逸史》、《竹山國字牘》、《奠陰集》、《易斷》、《書斷》、《詩斷》、《禮斷》、《四書斷》等書。

中井履軒

中井履軒(西元一七三二年～西元一八一六年)大阪人，名積德，字處叔，號履軒，其兄爲竹山，乃甃菴次子。竹山長文史，其經學著作如《易斷》、《書斷》、《詩斷》、《禮斷》、《四書斷》等，皆爲朱子《集注》或《新注五經》之欄外書，惜皆不傳於世。履軒長經學，一生研經，兄弟性格互殊，雖名列懷德堂講師，而終身隱居於水哉館，自絕於塵世。雖言禮樂政刑，然不從天子出則不仕。其研究學風，折衷群言，卻時違宋儒之說。常謂理氣體用，復初居敬之說，皆非孔孟之本旨，《四書》、《五經》、《性理大全》是儒者三大厄。又謂《易十翼》、《春秋》皆非孔子所作，《古文尚書》、《孝經》等均爲僞作，《周禮》獨取《考工記》一篇。

履軒所著有關經學各書有《七經雕題》、《七經雕題略》、《七經逢原》三種。據此得以窺見其經說，亦即懷德堂之經學特徵，即排斥理氣心性之說，而近於常識之研究。履軒思想可概分爲四：其一、人本主義，其二、實用主義，其三、合理主義，其四、尊王賤霸思想。

其一、人本主義

竹山與履軒均以懷德堂之學風反映大阪市民社會之思想，以商人爲本位，以資本立場發言。如竹山於《蒙養篇》中云："商人之利猶士之知行，農之作業，皆義而非利，只有貪非分之高利，才流於奸曲而背義，故以町家爲只謀利欲之人者大誤也。"[85]履軒則釋《論語・先進》"賜不受命而貨殖焉，億則屢中"云：

> 人有資業，日月滋息，亦復何害？及自然外來之福祿，世俗所謂好時命也。賜也未遭好時命，唯奮智勞思，廢居轉，以殖其財，所以有不受命之訾矣。
>
> 貧富在天是士大夫之事矣，在商賈中矣，未嘗有束手俟命者，至於大貧大富有似天命者，然亦千百中之一矣。竟不得以天命藉口，總存乎精力志業。士大夫雖欲求富，而無所事耳，商賈則日夜所事皆是求富矣，但有守經與奇權兩道而已矣。夫子所謂受命，亦在商賈中而言，蓋謂其守經勤乎業，不作奇權之術，時至而成富者也。子貢不受命，蓋奇權之億中云。[86]

其二、實用主義

履軒所謂道，是指人倫日用之間所當行者而言，亦即實用之觀點。如釋《論語・述而》"志於道"云：

道如君子之道，堯舜之道，夫子之道，吾道之道，此與人倫日用當行者非兩事，然文辭所指，各有謂也。[87]

又如《大學雜議》中，論窮理，否定補傳"窮理至極、豁然貫通無不明，爲初學工夫"之荒謬之說，彼謂：

古聖賢之於物，適用之外，無論其理也。若以一人之心，百年之功，而欲推窮萬事萬物之理，其亦難矣。聖賢必不其然矣！[88]

---

[85]〈蒙養篇〉《懷德堂五種》第2頁。

[86]〈論語逢原〉《四書注釋全書》第213頁。

[87]〈論語逢原〉《四書注釋全書》第127頁。

[88]〈大學雜議〉《四書注釋全書》第17頁。

履軒實用主義，雖只能反映商人偏狹功利之思想，然於形上之世界觀，卻予以有力之打擊。

其三、合理主義

履軒倡合理主義之格物方法，尤重知行並進之實踐。其《大學雜議》中云：

格物謂躬往踐其地，蒞其事，執其勞也。譬如欲知稼穡之理，必先執耒耜，親耕耘，然後其理可得而知也；若欲知音樂之理，必先親吹竽擊鐘，進退舞蹈也；乃厭其煩勞，徒在家讀譜按節，夢想於金石之諧和，鳳凰之來儀，終世弗可得已。學算之牙籌，學書之筆墨皆然。故欲孝欲弟欲信者，弗親蒞其事而得焉哉，此知行並進之方也，若夫瞑搜妄索，徒費精神而已矣。[89]

可見履軒除重感性認知外，亦重理性之認知，故其合理主義，實受當時科學知識之影響。其《春秋左傳雕題略》中云：

隋唐以來，曆法漸密，然不能無差於數百年之後，是法有未盡也，況三代之曆尤疏略，而其法又不傳，則後世安得而較之哉？元凱乃據臆說造長曆，輒斥經傳之誤，不亦謬乎！凡據長曆爲言者，今皆不從，後並仿此。[90]

履軒以宋代禪法盛行，學世大夫皆墜於其檻阱，故宋儒近禪，其談性命、論心性，亦多用禪者之言。是以履軒建議可不理宋儒之說。彼謂：

商賈之家，百貨紛紛，必有賬籍以統之，其立部分門，家各有法，而徽號不同，雖同業者，東家之人不能理西家之賬，西家亦然。夫賬籍之便利，彼豈不自盡哉！然而猶

---

[89]〈大學雜議〉《四書注釋全書》卷3，第14頁。

[90]中井履軒：《春秋左傳雕題略》第3頁。

人面之不同也。夫理人欲者，程張家之徽號也，欲持此以理孔孟家之賬，必有不合者。故學者弗若先熟於孔孟家之賬，而得其徽號也，若程張家之徽號，不必理焉。[91]

履軒反對宋儒之世界觀，否認道體之觀念，否認孔子以“中”爲主，否認性即理之說，否認理氣與天理人欲之說。於經學則倡合理之自由研究學風，否認宋儒之穿鑿附會。於《周易逢原》中，指出朱子有“用意太精密，遂失傳文之意”；[92]或對經典本文懷疑，或不免有武斷之譏，然卻發前人之所未發。故其反宗教、反神仙，此乃大阪朱子學斥妖妄災異，惟人道可確切掌握之特色。

其四、尊王賤霸之思想

就地域而言，大阪距京都近，離江戶遠，因之其思想較爲開放，並富尊王賤霸之精神。履軒於《通語》特重大義名分論，彼謂：

神武闢宇，斯立人極，光參日月，緒等天壤，聖聖相承，無姓可紀，但謂之天孫耳。叔世紀綱陵遲，野戰之血，重明之昃，一而不足。降而保元、歷治承而極，眇視跛履，一治一亂，寰宇永爲武人之有，方恣其吞噬之時，天地爲之震動，離宮之餓，泡島之狩，王道如線，綰於其手，然皆不敢流涎於彝鼎，大統至今，穆如在天上者何耶？豈畏天哉！將以民彝之不可廢也。嗟乎！是我邦禮文所以度越外國者，余於此未嘗不蹶然而爲之嘆息者也。[93]

履軒常謂：“禮樂刑政不從天子出，不仕”可見其憂國慨世之義。

履軒著有《七經雕題略》、《七經逢原》等書。

富永仲基

富永仲基(西元一七一五年～西元一七六二年)大阪

---

[91]〈論語逢原〉《四書注釋全書》，第37頁。
[92]中井履軒《周易逢原》卷下，第43頁。
[93]中井履軒《通語》三，第100頁。

人。名德基，後名仲基，字仲子，號南闕、藍闕，後號謙齋，是懷德堂創立五位之一芳春之子。

大阪朱子學派之發展，由尊崇朱子學至朱子學之解體。此思想之特徵於竹山、履軒已見其端倪，至仲基而更顯現。蓋仲基爲自由學派之先驅，因其父與懷德堂之關係，幼少時曾師事石菴，年十五六著《說蔽》批儒教諸子，被擯於師門外，乃隱居攝津池田，從徂徠友人田中相江之吳江社學詩文。後出京都，受雇校訂一切經，遂精佛典，父歿開塾受徒。其基本思想乃儒家之"誠之道"，誠之道在使人爲善，如《論語》之忠信，《孟子》、《中庸》之誠，朱子之窮理盡性，王陽明之致良知，皆歸於誠之道。佛教亦一本至誠至信，日本神道亦歸於誠之道，仲基以儒教"誠"字說明佛教與神道，此"誠"即懷德堂之學風，溯自石菴以下，悉倡道德修養，而將朱子理氣心性歸之於誠之道。

仲基著有《出定後語》批佛教，著《翁之文》批神道，此皆對宗教迷信予以痛擊，雖或有反之，但其效果有限。

(五)寬政以後朱子學派

德川家齊(第十一代幕主)於寬政二年(西元一七九Ｏ年)松平定信頒"異學禁制令"以程朱爲正統，雖爲幕府所好，伸張一己之勢，然予人以迂闊陳腐之弊。異學之禁絕，其目的在羽翼霸業，以求幕府之安全，因之由幕府視之，彼等鼓吹尊王之學派，蓋皆異學之徒。是以雖以振興學政爲名，實則行思想統制之實。異學之徒如那波魯堂、西山拙齋等，遭此禁令，當即反彈，餘如異學之錚錚者，在江戶有徂徠派之市川鶴鳴，折衷派之山本北山、冢田大峰、豐島豐洲、龜田鵬齋等，反抗最力，世稱五鬼。北山、大峰兩人首先上書執政，大峰指出學問源流，有如弓馬槍劍之有流派，無論何派均以教孝悌忠信，講治國平天下爲事，元寬草昧之際，學運未開，故用朱子學，時至今日，則可不拘學派。雖文長二千數百言，然執政不採。蓋以折衷派之立場，反異學之禁，力主自由研究，容納漢魏古注，容納徂徠之說，而不偏一派之私。故異學之禁雖嚴，然終無法滅絕學術自由研究和反幕府尊王傾向之心。

柴野栗山

柴野栗山(西元一七三四年～西元一八0七年)讚岐(今香川)人。名邦彥，字彥輔，號栗山，仕幕府爲昌平黌教官，與古賀精里、尾藤二洲，共稱寬政三博士。其人其學雖無足觀，因其爲異學禁中之要角，深受松平定信信任，其言論自成爲朱學沒落中之一復興旗幟，所著《栗山文集·論學弊》於歷舉學弊之後，即說："近世之弊大抵不出此數端，而輾轉反復，日新見異，怪妄訛誕，《論語》解至於有二十餘家，道術無紀，言之傷心"[94]又第三卷有《答大江尹》數千言論及當時學風之弊。

慶元(慶長元和)之間，天下初定，惺窩羅山諸先生以博洽精識爲一時唱，首誦宋學，贊成一代太平之治，但時猶草昧，人文未開，故其於文辭頗有未厭人意者焉，繼而山崎木下二氏與焉，皆豪傑之士也，並研究正學，成就人材，其門稱爲多士出焉，則有所建處焉，則有所守皆有可觀者也。山崎之流爲三宅淺見諸家，其末失之弊，或剛愎褊滯，自許甚過，身猶未免爲鄉人，已以大賢自居，以己之意見，直爲聖賢規矩，責人刻薄，不量力而循序，是以人材多未成而敗焉。木下流分爲新井雨森祇園諸家，其末流之弊，頗流浮靡者有之，然皆有用之器也，而室鳩巢尤精粹，其制行文章經世之才，信稱通儒全材也。…..此數家雖有小得失，然皆學脈正適，而室氏則彥之所嘗景仰而欣慕也，此昭代所據以開國成治者然也。[95]

栗山雖斥異學，但其本人卻是尊王主義者，彼自稱日本之蘇東坡，於"神武陵"一詩中，猶尊皇統，彼曰：

遺陵纔問路人求，半死孤松半畝丘，不有神聖開帝統，誰教品庶脫夷流？廐王像設專金閣，藤相墳塋層玉樓，百代本枝麗不億，誰能此處一回頭。

---

[94]〈論語弊〉《栗山文集》卷1，第8頁。

[95]〈答大江尹〉《栗山文集》卷3，第3頁。

西村時彥於日本宋學史稱許栗山“有才有識，辨大義而富權略，幕府所以尊崇王室者，亦栗山翼贊之功。”[96]爲禁遏異學，栗山頗受當時文士非議，被視如仇敵，後於栗山與林述齋之努力下，朱子學雖有復興之象，然卻萌尊王倒幕之苗，而此洪流，終於衝潰德川幕府。

栗山著有《雜字類編》、《聖賢像考》、《栗山文集》等書。

古賀精里

古賀精里(西元一七五0年～西元一八一七年)土佐(今高知)人，名樸，字淳風，號精里。爲寬政以後之朱子學者，雖稱寬政三博士，然已臨朱子學終末階段，井上哲次郎於《日本朱子學派之哲學》略謂：柴野栗山，乏善可陳，尾藤二洲則於程朱見解之外，別無發明，唯於文章技巧，頗具說服力。[97]至於古賀精里則略而不談，故謂此時朱子學之復興，實甚貧弱。

蓋據時人所言，學問極博，一時無雙，觀其著作，皆爲集說、集釋之類。

精里早年從事餘姚之學，其《初集抄・讀熊澤了介傳》稱了介“其氣焰足以懾人，器幹足以立事，豈世之庸腐乖僻汩沒章句者之所冀其萬一哉”。但終認其“談及道學者，多憑臆杜撰，牽強支離，要之不免爲功利空寂之歸”。[98]然了介門生至三千人，爲人所仰慕如此，評之適足自暴其短。

精里著有《精里先生初、二、三集》、《大學章句纂釋》、《大學諸說辨誤》、《中庸章句纂釋》、《中庸諸說辯誤》、《近思錄集說》、《四書集釋》、《歸臥亭雜鈔》、《精里先生文集》等書。

尾藤二洲

尾藤二洲(西元一七四五年～西元一八一三年)伊豫(今

---

[96]〈柴野栗山〉《日本宋學史》章3，第341頁。
[97]〈古賀精里〉《日本朱子學派之哲學》卷2，第531頁。
[98]〈初集抄〉《精里文集》卷2，第30頁。

愛媛)人，名孝肇，字志尹，號二洲，別號約山，父以操舟爲業，年五歲，誤落船塢，傷腳成跛。年十四，受儒醫宇田川揚軒之教，揚軒師事伊藤仁齋門人香川修菴，崇信徂徠學。年二十四至大阪入片山北海之門；北海亦曾受學於徂徠學者宇野明霞，明霞則師向井三省，三省又爲木下順菴之徒，時北海爲混沌詩社盟主，二洲與詩社賴春水、古賀精里，時相切磋，共習朱子學，年二十六，開塾受徒。後與中井竹山、西山拙齋等過從甚密。

二洲年四十五，受幕府命爲昌平黌教官，長達二十一年，爲中興正學，屢至各藩學、私塾視導，以矯天下風俗爲己志，使朱子學得以大揚於世。以朱子學爲論學標準，其《素餐錄》中謂："自有儒者以來，未有如朱子" 又謂："學至於朱子極其大，而德行言辭，皆師表百世。"[99]

二洲著有《素餐錄》、《靜寄餘筆》、《正學指掌》、《稱謂私言》等書。

安積艮齋

安積艮齋(西元一七八五年～西元一八六0年)岩代(今福島)人，名信，通名佑助，字思順，號艮齋，別號見山樓。勤於爲學，不修邊幅，家貧爲妻所厭，發憤奔江戶，倖得法華僧日明之助，介依於佐藤一齋爲學僕，刻苦勉勵，汲水採柴，暇便讀書，如是二三年，學漸進。年廿一，遊林述齋之門，其業益進。廿四歲，設帳教學。年四十一，以文名聲振都下。耳順之年，始任昌平黌教官。艮齋出身寒微，因之躬行心得之餘，頗能爲貧困者設想。其《艮齋詩略》中《江都》一首云：

> 江都美酒濃如油，我欲飲之雙泪流。江都嘉魚鮮且旨，我欲食之不下喉。問我憂愁胡乃爾？妻子邈絕山谷裡。胡蜜暮鹽恆號饑，吁何忍獨飽甘旨！[100]

---

[99]〈素餐錄〉《日本倫理彙編》冊8，第344頁。

[100]〈江都〉《艮齋詩略》卷1，第29頁。

艮齋無疑是朱子學者，又能對朱子學以外之異學，採較寬容之見。其捍衛程朱，可謂無所不至。如云：

孔孟歿，斯道不明，漢唐諸儒，蕪蔓於訓詁，支離於辭章，佛老異端之說，蝓亂天下之耳目，而聖賢之學幾乎熄矣。逮程朱二大儒起，繼道緒於既墜，闢千聖之煙晦，振揭本源，闡發蘊奧，然後群聖賢之道，如太陽之再中，而其學遂遍寰瀛矣。吾邦自惺窩羅山二先生倡濂洛之學，天下靡然從之，迄今二百有餘年，彌久彌盛，其間橫生異議，牴排攘斥不遺餘力者亦不少，而其說首尾衝決，漫無統紀，孰若程朱之醇正可據也哉！[101]

自孔孟歿千五百年間，德業功烈，非無人也；文章議論，非無人也；名物度數之詳，訓詁援證之博，非無人也；然至繼千古之絕學，則獨推朱子者何？以其能發揮格物致知之義也。骨物致知之義⋯..諸儒之解，皆不中肯綮，至朱子而其說始定，雖後世有碩儒，究不能駕其上，學者舍此而又何所據哉？[102]

程朱去孔孟二千有餘年，聖徂神伏，異端橫流，而吾道所寄不越乎朽簡殘編之間，是以慨然奮起，潛思力學，體之於身，揭之於事，然後一旦有所悟入，故其說雖曰得之遺經，而其實皆千古獨得之見，堯舜之所未言，孔孟之所未發，漢唐諸儒之所未聞，當世士大夫既已响視怪駭，至斥之爲僞學矣，則無怪乎後世之紛紜之言也。然其學有以修己可以治人，可以爲碩儒，可以爲名臣賢相，雖曰斷斷乎非孔孟之真，吾將取焉。[103]

艮齋雖主崇奉程朱，以程朱爲醇正可據，以朱子格致爲獨得之見，然亦主對朱子之說，宜信其可信，疑其可疑。其〈答安井伯恭書〉云：

---

[101]〈明善堂記〉《艮齋文錄》卷上，第10頁。
[102]〈大學札記序〉《艮齋文錄續》卷1，第5頁。
[103]〈續焦氏孟子正義〉《艮齋文錄續》卷1，第36頁。

朱晦菴氣魄極大，天才極高，承濂洛諸賢之統，而更昭廓之，以明斯道於天下，實孔孟以來一人而已。學者由其說而溯聖人之道，如沿河而至海，浸浸乎孰御焉….但《六經》、《四子》非一人之作，其言或因時而發，或隨事而出，紫陽雖賢安得以一人之見，斷群賢之言，故其《詩傳》早晚不同，《集注或問語類》頗多牴牾，倘使晦菴其齡更加十數年，其說與今所傳不同也昭昭乎！後儒宜當信其可信，疑其可疑，….宋元諸儒….迄於明初….諸儒亦皆尊奉朱子之學，而未必墨守其說也。….夫道者天下之公道也，學者天下之公學也，非朱子所得而私也，後儒苟有可疑輒折中乎古人之說以補其或有所遺，無乃朱子所望於後學固如是耶？[104]

由艮齋之說觀之，聖賢是因時立教，“故孔子自有孔子之時，孟子自有孟子之時，而程朱自有程朱之時，時異故教異，而其道則一而已矣”。[105]此即“儒者之道”。

艮齋論儒道，主兼包並容，雖不免排佛與以神儒爲一，蓋在異學之禁漸弛，儒學已臨終末之際，正值和洋學接觸之初，時負朱子學派重責之艮齋，乃不得不重整儒學之陣線，乃趨勢使然。其《史論》云：

然則圓顱而橫目者，莫不有道也，奚獨至於吾國而無道乎哉！鴻荒之世，典籍不傳，其道不可得而詳焉，果有道則神聖所教，乃堯舜禹湯文武周公之道，曷嘗有二乎哉！北畠親房有曰：“上古神聖天照皇，以三神器傳諸皇孫，神鏡者象正直者也，神璽也者象仁慈者也，神劍也者象決斷者也。”此言蓋有所受之也。仲尼稱《乾》之德曰“其動也直”；稱坤之德曰“直方大”；稱人之德曰“生也直”；直也者合三才而一焉者也。仲尼贊《易》曰：“顯諸仁”；又曰“立人之道曰仁與義”；洙泗所教，魯典所陳，皆仁也，仁也者盡人之道而參天地者也。孔子舉

---

[104]〈答安井伯恭書〉《艮齋文錄略》卷3，第8頁。
[105]安積艮齋《艮齋文略》卷中，第3頁。

三達德，而勇居一焉，孟子論浩然之氣曰至剛，勇云剛云，決斷是也。正直以爲幹，仁慈以發之，決斷以行之，三才之道備矣，聖人之事畢矣。三器之訓，鄒魯之教，如合符節。何則道也者原於天，具乎人，未嘗有東西彼此之異，故斯心同也，斯道同也。[106]

艮齋以朱子學之立場反對洋學即科學。洋學由艮齋視之，猶“小技末藝”僅是“支離煩碎”之學。以傳統之知識與道德爲依據，排斥西學與耶教，倡鎖國閉關之說，於今觀之，固屬可笑，但於當時，可謂是一愛國熱誠之學者。其《洋外紀略》直斥西學爲“怪妄”。彼謂：

大抵西學於天象地理器物之制，極其精密，至若性命之理則迂誕，而不達於大道。誠如紀曉嵐所駁，蓋明於小者昧於大，道之至者不兩能，其勢然也。西學者乃主張其說，欲以駕周公孔子而軼其上，只見其怪妄不自量耳，而儒者或崇信之，以爲千古聖賢所未發，可勝嘆哉！[107]

艮齋著有《詩略》、《文錄》、《閒話》、《南柯餘篇》、《史論》、《洋外紀略》等書。

賴山陽

賴山陽(西元一七八０年～西元一八三二年)廣島人，名襄，字子成，通稱久太郎，號山陽，又號三十六峰外史。父名春水，母名梅颸，亦長於文筆，爲朱子學者，極受安藝藩主淺野重晟之推重。幼受家學，誦讀《小學》、《近思錄》，一日曝書得東坡《史論》讀之，大喜，遂以文章名世。年十三，由安藝寄於江戶父親詩一首：“十有三春秋，逝者已如水。天地無始終，人生有生死。安得類古人，千載列青史”。名儒柴野栗山觀之，大爲讚賞。十四歲栗山示之，讀《通鑑綱目》，年十八，從叔父杏坪東遊，學於姨丈尾藤二洲之塾，廿一歲以倡天皇親政，思想與藩國及

[106]〈北畠親房〉《史論》下，第27頁。
[107]〈妖教〉《洋外紀略》卷中，北京大學藏抄本。

家庭不合，恐釀大事，乃出奔京都，旋被叔父杏坪追回，以狂疾之名監禁於家，半年有餘移至“仁室”(較人性慈悲牢獄之謂)，許用筆硯，遂於仁室中從事《日本外史》之編纂。屏居數年《外史》書成。而立之年，其父之友菅茶山迎爲備後國廉塾之都講。二年，未得藩廳許可往京師，因被誤任再次脫逃，數年間不得歸省廣島。後山陽於京都下帷講學，不仕他藩，享年五十又三。

山陽之爲人，據其《畫像自贊》，即可知其梗概。其一云：

躬偃仰一室，而心關百代之得失。弗恤已鹽齏，而憂人家國。文章滿腹，不濟乎饑，曲尺直尋，則所不爲。噫是何物迂拙男兒乎！雖然，烏知無念此迂拙者之時哉！

其《畫像自贊》二云：

此膝不屈於諸侯，聊答故君之德。此眼竭之群籍，不虛先人之囑。此脚侍母輿，二躋芳山，五踔大湖，十上下澊瀠，而未曾踵朱頓之門，此口不能銛殘杯冷炙，而此手欲援黔黎之寒餓也。

果真於《畫像自贊》三十五年後，山陽於《日本外史》、《日本政紀》所鼓吹之勤王精神，終竟翼贊明治維新事業，實出意表，不再謂其“迂拙”矣。山陽之著述多元，尤以史論成其大名，其《日本外史》取材於平家物語與數世紀來，民間最愛慕之人物如重盛、義經、正成等英雄故事，以生動有力之漢文體寫出，特強調建武中興，書至楠木正成盡忠至誠處，筆端奔流，激烈慷慨，其尊王賤霸之觀念，深烙讀者之心中。

山陽之歷史哲學，承儒家之法，深受孔子《春秋》朱子《通鑑綱目》之影響。彼謂：

春秋之書，無意褒貶，直書其事，褒貶自明。春秋之書有文例，有特筆，有隱諱，是三者而已。有文例以明彼此之可推，有特筆以知大義之所繫，有隱諱以知其不忍言國惡。

又《讀通鑑綱目》亦指出：

欲觀治亂莫如《通鑑》，而《綱目》可以晰其條理，不必拘拘義例。[108]

由此可知其史論中隱約學《春秋》與《綱目》之筆法，體裁則仿史記世家以敘武家歷史，倡明王道之興廢，王室之振頹，是以勤王之思想易被讀者所接受。

山陽重儒學，其學術宗旨見於其《讀論語孟子》一文中：

吾教入學之士，必先曰"通大義"；此見〈光武紀〉，又《吳志》："涉獵見往事，大有所益，與書生尋章摘句異"等語，即"通大義"之謂。⋯..其實原於《論語》曰："君子識其大者"；又曰："爲君子儒"。漢以後至今紛紛章句之說，大抵小人儒之識小者也。[109]

我學有一宗旨曰"實"，又折爲兩字曰"適用"，爲人要實，讀書要實，作文章又要實，實則適用矣。其不適用者，不必爲不必讀不必作也，故又衍爲三字曰"通大義"。[110]

山陽主實用實學，唯實用實學，即於朱子學外治陽明之學亦無不可。彼《讀傳習錄後》云：

要之漢人學皆爲世用，於應物上着力，故不得不驗之於心也。邦人學，學文字而已，故少及心性者。吾友大鹽士起喜王學，吾未嘗與論學，知其人豪傑，當以此學適用，

---

[108]〈讀通鑑綱目〉《山陽先生書後》《全集》冊3，第70頁。
[109]〈讀論語孟子〉《山陽先生書後》《全集》冊3，第50頁。
[110]〈讀論語孟子〉《山陽先生書後》《全集》冊3，第51頁。

適用斯可矣，又知其必不藉口良知以爲恣睢，如明清間王學者流也。[111]

由上可知，其學術宗旨在於實，亦即適用。若要通大義，凡不悖於此者皆可取，如其論及陽明學者大鹽中齋取其適用，讚其善學；推崇陽明學者熊澤蕃山之事功，對朱子學者新井白石勇於任事，深致敬意。對宋儒之不合世用處，則痛加針砭，如朱子注《太極圖參同契》喜爲玄奧，不切世用，亦其病耳。又如《題朱考亭先生像》一絕，頗能從事實觀朱子學之流弊。其詩云：

韓岳驅馳虎嘯風，《四書》獨費畢生功。一張萬古科場彀，無數英雄墜此中。[112]

賴山陽於史學、經學雖有所成，然於文學亦不容小覷，以詩、文、書三絕，號稱日本文學之泰斗，絕非偶然，其〈蒙古來〉即有名之傳統漢詩，其力雄渾，沈鬱頓挫，論者以爲有昌黎眉山之風，尤以唐絕壓卷、語頗中肯。如：

筑海颶風連天黑，蔽海而來者何賊？蒙古來，來自北。東西次第期吞食。嚇得趙家老寡婦，持此來擬男兒國。相摸太郎膽如瓮，防海將士人各力。蒙古來，吾不怖。吾怖關東令如山，直前斫賊不許顧。倒吾檣，登虜艦，擒虜將，吾軍喊。可恨東風一驅附大濤，不使膻血盡膏日本刀。

山陽雖以史學名，以詩名，而其學問所寄，仍在朱子學，其門人江木鰐水寫其〈行狀〉曰："經說歸本閩洛，而不甚墨守，要以通古聖賢立言大義爲務"。山陽非徒談性命，研訓詁，而不務實用實學之人，絕非否定朱子學，是將朱子學立言大義融於史學、詩中，爲寬政以後最著之朱子學者。

---

[111]〈讀論語孟子〉《山陽先生書後》《全集》冊 3，第 75 頁。
[112]〈題朱考亭先生像〉《山陽詩鈔》卷 2，第 14 頁。

山陽著有《日本外史》、《日本政記》、《山陽詩鈔》、《山陽文集》、《山陽先生書後》、《賴山陽全集》等書。

(五)水戶學派

水戶位江戶東北常陸(今茨城)，水戶藩於慶長年間(西元一五九六年～西元一六一四年)成立，藩侯爲德川家康之么子賴房，爲三親藩之一。水戶學是以水戶德川家編纂《大日本史》事業爲中心而發展之一大思想體系。水戶學派則爲二代藩主德川興國，會聚眾多學者共襄其事，所形成之學派。以地方言，或稱之爲“常陸學”(藤田東湖)；以時代言，或稱之爲“天保學”；以學問性質言，或稱之爲“天朝正學”(栗田栗里)。實者以鞏固傳統社會制度之大義名分爲主軸，歷時長達二百三十年。此學派可分作前後兩期，前期以德川興國所設彰考館爲中心，發展水戶史學，後期以德川齊昭所設弘道館爲中心，發展水戶政教學。前者主著爲《大日本史》，其代表者有安積澹泊、栗山潛鋒、三宅觀瀾、森儼塾等。後者主著爲《弘道館記》，其代表者有青山延于、藤田幽谷、會澤正志齋、藤田東湖等。然就前後二期所倡之大義名分，皆從孔子之《春秋》和朱子之《通鑑綱目》脫胎而來。水戶學即因之故，輒被歸入朱子學派實者水派乃網羅日本儒教之各學派。[113]

[113]三浦藤作：《日本倫理學史》，第222頁。中興館書店。

藤原惺窩系統(京師派)

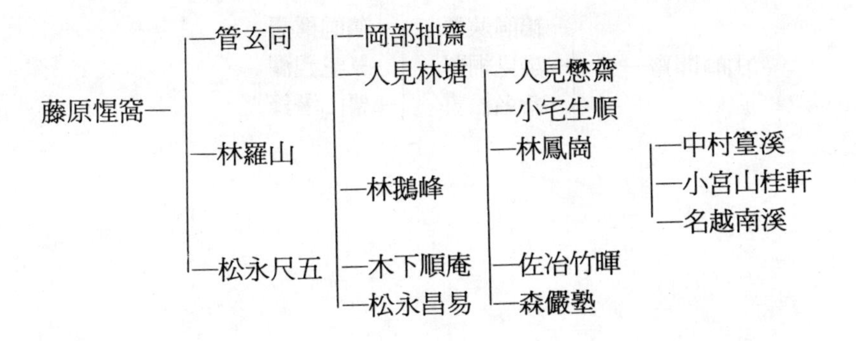
藤原惺窩
管玄同
林羅山
松永尺五
岡部拙齋
人見林塘
林鵝峰
木下順庵
松永昌易
人見懋齋
小宅生順
林鳳崗
佐冶竹暉
森儼塾
中村篁溪
小宮山桂軒
名越南溪

山崎闇齋系統(闇齋派)

山崎闇齋—
- 鵜飼煉齋
- 淺見絅齋
- 桑名松雲
- 鵜飼稱齋
- 三宅觀瀾
- 栗山潛鋒

朱舜水系統(舜水派)

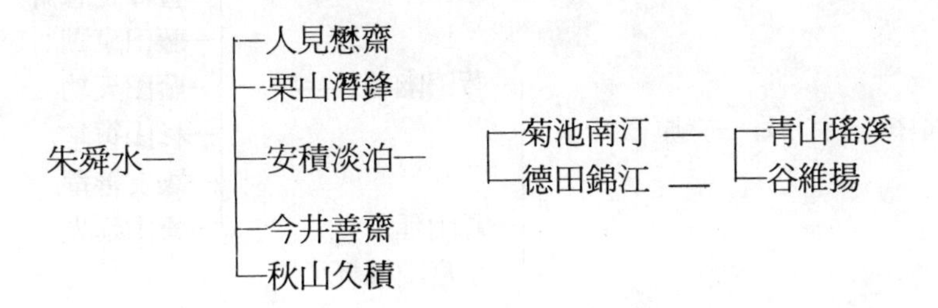

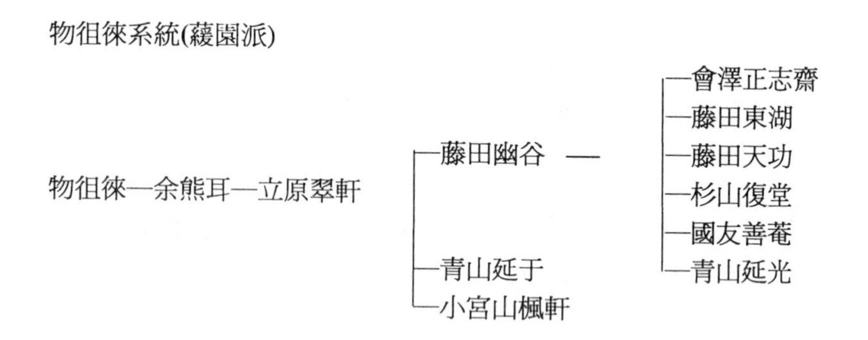
物徂徠系統(蘐園派)
物徂徠
余熊耳
立原翠軒
藤田幽谷
青山延于
小宮山楓軒
會澤正志齋
藤田東湖
藤田天功
杉山復堂
國友善菴
青山延光

伊藤仁齋系統(堀河派)

伊藤仁齋—相田信也

山鹿素行系統(聖教派)

山鹿素行—佐久間立齋

參考朱謙之、三浦藤作〈水戶學派系統表〉

《日本的朱子學》第438頁。

由表中可見水戶學派於朱子學派中，有惺窩、闇齋、朱舜水三系統，於朱子學派之外，帶有古學派(護園派、堀河派、聖教)之色彩。其中尤以荻生徂徠之系統，實占水戶學後期之重要地位，如藤田幽谷、青山延于、會澤正志齋、藤田東湖，皆出於此，彼等實際參與政教革新運動，對大義名分由衷擁護，撰寫《弘道館記》，完成《大日本史》之大業，亦以彼等爲主。彼等雖出自古學，卻不拘泥於古學，而於立言大義和朱子派合流爲一，如青山延于是徂徠派，但其《明徵錄》卻贊賞朱子學派；[114]又如藤田東湖是出於古學派，卻於《弘道館記述義》中，批判古學派對《神代記》之看法。[115]

水戶學之思想根源，可溯及日本南北朝之北　親房，和德川時代之朱舜水。

朱舜水

朱舜水(西元一六００年～西元一六八二年)浙江餘姚人，名之瑜，字魯璵，號順水。爲明末遺臣，數往日本乞師。未果，明亡，仿魯仲連義不帝秦，長留扶桑講學，有安東省菴、安積澹泊等師事之，時水戶藩主德川興國聞其名，聘爲賓師，興起水戶學風，爲水戶學之奠基者。

安積澹泊作《明故徵君文恭先生碑陰》云：

寬文五年(西元一六六五年)，我水戶侯梅里公聞其學殖德望，厚禮而聘，徵君慨然赴焉，待以賓師，禮遇甚隆。每見談論，依經守義，啓沃備至，教授學者，亹亹不倦，雖老而疾，手不釋卷。[116]

《先哲叢談》記其事云：

水戶義公聘爲賓師，寵待甚厚，歲致饒裕，然儉節自奉，無所費，至人或訴笑其嗇也。遂儲三千餘金，臨終盡

---

[114]青山延于：《明徵錄》卷 9，第 27 頁。
[115]藤田東湖：《藤田東湖全集》卷 2，第 25 頁。
[116]〈明故徵君文恭先生碑陰〉《朱舜水全集》附錄，第 753 頁。

納之水戶庫內。嘗謂曰：“中國乏黃金，若用此於彼，一以當百矣。”新井白石謂舜水縮節積餘財，非苟而然矣，其意蓋在充舉義兵以圖恢復之用也。然時不至而終，可憫哉！[117]

舜水雖屏居海外，孤忠高節，志在復明，惟以邦仇未雪為憾。其所作《中原陽九述略》、《安南供役紀事》等，孤臣忠誠溢於言表，精神照耀千古。曾參與《大日本史》之編纂事業，在其潛移默化下，水戶學者尤重大義名分，此乃朱子學派 另一特色。同時又重實行。“巨儒、鴻士者，經邦弘化，康濟艱難者也。”[118]主宋儒而不流於宋儒之迂腐。“宋儒之學可為也，宋之習氣不可為也。”[119]可見其非朱子學之盲信者，其答安東省菴書，述其學術之宗旨。舜水云：

學者之道如治裘，遴其粹然者而取之。故曰：“千金之裘非一狐之腋。”故曰：“擇其善者而從之，其不善者而改之。”若曰：“我某氏學某學”，此欺人盜名，巧取世資者也，何足效哉！陽明先生為不佞比鄰，向日所言終不肯少有阿私，賢契猶能記憶否？至于更為朱陸兩可之見，則大非也。世間道理惟有不可二者，無兩可者也。

舜水學術採實用實學，故無門戶之見，評明道渾厚寬恕，斥伊川、朱子為明己志，有吹毛求疵之病。又認為朱子以陳同甫為異端，未免過當之憾，讚陽明雖有弱處但強處亦多，此治學態度，成水戶學兼容並包之自由學風。一者貫徹朱子學之大義名分精神，另者視其實功實用而不論其門戶。此亦水戶學後來轉為水戶政教學之契機。是以水戶學之思想體系中，如皇道史觀、神儒一致論等可溯於北親房，而如尊王賤霸、忠孝無二等可源於朱舜水，亦即

[117]〈朱舜水〉《先哲叢談》卷2，第15頁。
[118]〈答林春信問〉《朱舜水文集》卷22，第419頁。
[119]〈答加藤明友〉《朱舜水文集》卷22，第419頁。

水戶學之思想根源。

舜水著有《明朱徵君集》、《朱舜水先生集》、《朱舜水全集》等書。

德川光國

德川光國(西元一六二八年～西元一七００年)水戶人，字子龍，小字千代松，號梅里，諡義公，爲水戶學之創建者，是德川賴房(威公)之第三子，家康之孫，襲賴房之後，任水戶城主，故水戶學與水戶藩有密不可分之關係。水戶家與記伊、尾張之德川家，共稱御三家，然官位、領地均不及二家。爲確立支持新藩主之統治思想觀念，水戶學即應運而生。光國經由修史事業之尊皇思想與皇室及公家建立特殊之關係。

光國是一有遠見之政治家與學者，十八歲時讀《史記・伯夷傳》，即有所感，慕其高義，撫卷嘆曰：不有載籍，虞夏之文，不可得而見；不由史筆，何以俾後之人有所觀感？於是慨然有修史之志，後拜舜水爲師。〈桃源遺事〉云：

朱之瑜來長崎也，公遣使徵聘，竟以爲師，問道講學，自執弟子禮。之瑜時有規諫，言甚剴切，公嘗嘉納焉。[120]

光國是江戶時代優秀之武士代表，主以“士道”之思想倡學問，因感慨於戰國之失序，爲確立身分之倫常，藉以實現仁義。其〈梅里先生碑陰並銘〉中，自述其爲人：

其爲人也，不滯物，不著事，尊神儒而駁神儒，崇佛老而排佛老。常喜賓客，殆市於門，每有暇讀書，不必求解。歡不歡歡，憂不憂憂，日之夕，花之朝，斟酒適意，吟詩於情。聲色飽食，不爲其美，第宅器物，有則隨有而樂胥，無則任無而晏如。[121]

---

[120]青山延于〈桃源遺事〉《明徵錄》卷5，第2頁。
[121]〈常山文集〉《水戶學全集》冊4，卷20，第46頁。

光國對學問以寬弘之度，士道之心，經世之學，反怪力亂神之說。傾心朱學，講究大義，毀廢佛寺，護衛儒教。光國設彰考館，編纂《大日本史》爲其一生事業之高峰，所聘諸儒皆爲一時之選，撰述校勘，徵實闕疑，褒貶是非，立言有證，爲日本史學界創新紀元。該書有三大特色，即列神功於后妃，揭大友於帝紀，以南朝爲正統，蓋公之義例，可爲萬世之史法也。彼等試圖將幕藩體制形成後之新身分制予以合理化，有其教訓之義。

光國《大日本史》之三大特筆，實皆源於《春秋通鑒》之義，板倉勝明稱之曰：

國家文明，生若義公，以有爲之才，舉曠世之典，聘舜水朱之瑜，講究《春秋》之大義，就僧契衝發明古語之難析，史館諸人，亦極一時之選。

又《梅里先生碑陰並銘》自述語云：

自早有志於編史，然罕書可徵，爰搜爰購，求之得之，徵遴以稗官小說，據實闕疑。正潤皇統，是非人臣，輯成一家之言。

光國天資英毅仁恕，御眾有方，能推心置腹，故人樂爲之用，倡傳統社會之道德觀，如男尊女卑，君尊臣卑等觀念，主張心爲世界之本體，以忠孝一致，文武不歧爲士道之本，援儒學教化藩民，尊皇室，擁國體，敬神道，主名教，終成名君。

光國著有《禮儀類典》、《釋萬葉集》、《常山詠草》、《常山文集》、《西山公隨筆》等書。

安積澹泊

安積澹泊(西元一六五六年～西元一七三七年)水戶人，名覺，字子先，稱覺兵衛，號澹泊，又號老圃，仕水戶侯，天和三年(西元一六八三年)入彰考館，後爲〈大日本史〉編纂總裁。爲朱舜水門生，當舜水來水戶時，澹泊年十歲，即奉父及義公之命備弟子列，晨讀夕誦，同修者共四人，唯澹泊得盛名。與今井弘濟同撰〈舜水先生行狀〉，又自作〈舜水先生遺事〉及〈明故徵恭先生碑陰〉等，晚歲誡其子孫云：

舜水先生自書《緣由》一卷，及小李將軍畫軸，義公自鐫“朱舜水遺物也”六字押印及紫檀筆筒，皆是朱先生歿後義公所賜者，皆藏而實護之。凡我子孫當敬之如神明，其或淪落喪失者，非吾子孫。[122]

澹泊博學洽聞，能操華語，擅於史學，其祖正信有功於國，其父繼食其祿，澹泊亦襲之，舜水警曰：“勿恃前蔭，汝宜勉之。”澹泊受教，且深企之，故其思想或受其影響。澹泊雖主朱子學，然亦不甚固泥。如讀《資治通鑑》，喜涑水(司馬光)舊本，而不喜朱子《綱目》。於〈湖亭涉筆序〉中謂：

書法發明，雖議論剴切，頗有傷於苛酷者。設使其人面聞之，必有辭焉，豈心服哉？

又《先哲叢談》記其修史志業云：

當義公(光國)之世，史館得人，及公薨，一時名彥相尋凋喪，澹泊獨存，爲世所瞻仰。徂徠《書》曰：“先侯業已去世，一時鄒(陽)枚(乘)之輩，寥落殆盡，而足下獨以朱先生高弟弟子，巍然以存，有如靈光。”[123]

澹泊歷事四公(烈、肅、恭、戍)端亮方正，慎密自守，博學能文，名揚內外，一時名儒如新井白石、室鳩巢等，皆爲知友。

澹泊所作《大日本史論贊》具“正潤皇統，是非人臣”之歷史哲學，不徒以詞采爲文，考據爲學，且具發凡起例

[122]板倉勝明〈澹泊安積先生傳〉《澹泊史論》，卷首，第1頁。
[123]〈安積澹泊〉《先哲叢談》，卷5，第10頁。

與該核謹嚴教訓史之真精神，故於核名實、正名分、獎名行三者中，尤以褒貶喜悲之間，更顯儒家大義名分之意。

澹泊著有《老圃詩膎》、《朱文公遺事》、《西山遺事》、《湖亭涉筆》、《澹泊史論》等書。

栗山潛鋒

栗山潛鋒(西元一六七一年～西元一七0六年)山城(今京都)人，名願，又成信，字伯立，號潛鋒、大拙、拙齋，通稱源助。本姓長澤，父真節，係儒者，仕淀侯。生性穎慧，好學不倦，學於闇齋門下桑名松雪，又嘗問學於朱舜水，尤精國史。後改姓栗山，以鵜飼錬齋之薦，仕八條親王，爲伴讀進講經史。年廿三，始遊江戶，錬齋又薦，仕水戶侯，賜祿三百石，任彰考館總裁，三宅觀瀾、安積澹泊均服其才。

潛鋒之歷史傑作—《保建大記》最能見其哲學史觀，歷記保元元年至建元三年(西元一一五六年～西元一一九二年)卅八年間之史實爲中心。直論政治之是非，皇統之得失，一喜國體之尊嚴，一悲衰亂之所起，其意以詳審王室衰微爲因，而昭示鑒戒於後世。其思想根柢，仍以天皇中心、大義名分、王政復古爲主。

潛鋒任職史館，刻苦勵精，不遺餘力。又私閱諸家記載，作後小松、稱光、後花園《三帝紀》，名曰《倭史後編》，積勞成疾，得年僅卅三。澹泊惜其死，稱其書曰：

趙方有言：“未死一日，當立一日紀綱。”栗子未嘗轉職蒞事，區區之心，竊欲表彰皇統之原委，抉摘人臣之幽隱，以備將來之鑒戒，是亦彰考館中一日紀綱也，其可少耶！[124]

潛鋒少時，嘗自云：“寧爲虎而早死，勿爲鼠而爲長矣。”觀其著作，自中世以降諸家記傳珍籍六十餘種，爲日本類書之首倡。

潛鋒著有《保建大記》、《義公行實》、《敝帚文集》、《國

---

[124]〈寄泉竹軒佐竹暉兩總裁書〉《澹泊集》，卷1，第100頁。

史後編》、《倭史後編》等書。

三宅觀瀾

三宅觀瀾(西元一六七五年～西元一七一八年)，京都人，名緝明，字用晦，號觀瀾，石菴之弟。初受業於崎門三傑之一淺見絅齋，出仕後以出處異途爲師門所絕，後遊木下順菴之門。

觀瀾天資穎悟，尤能文章，嘗作謁楠公正成詩並序云："一從廟算失元勛，海自蒼茫山自紛。當日臣軀唯粉碎，後來皇統遂瓜分。血凝地上青青草，怨遏嶠嶙漠漠雲。……"獨有遺心懷故國，依然南向岳王墳。[125]

鵜飼金平(真昌)錄上水戶德川光國，光國大稱嘆，乃召爲史館纂修，後爲總裁。初觀瀾謁光國於帝山，光國大悅，賦詩贈之云：

久驚我耳轟雷霆，風度相逢江上萍。驟雨一過涼洗暑，忽開柳眼放垂青。

觀瀾時年廿六，作詩和之。青山延于記其事云："是時觀瀾初謁公，而公虛心待之，至唱和應酬，殆如故人，人臣委質之初，古今豈有如此者？宜乎海內之士欽艷景慕至今不衰。"[126]傳爲水戶興起一段佳話。

觀瀾熟悉南朝事實，《大日本史》中新田、楠木各氏等傳皆出其手。寶永六年(西元一七０九年)任史館總裁，翌年續撰本紀，極力宣揚王政復古，貶斥霸政。正德元年(西元一七一一年)因新井白石之薦，與室鳩巢同擢爲幕府博士，後與朝鮮聘使南聖客館唱和，見其論議經義，商榷古今，甚爲感佩。享保三年(西元一七一八年)卒，年四十五。觀瀾不得壽，然其學術文章則爲首屈，梁田蛻巖、荻生徂徠、雨森方洲皆極推重。蛻巖於祭文中曰：

文章典雅，學養深邃，志氣精采，宜其蚤譽水府，而

---

[125]〈謁楠公正成詩並序〉《觀瀾集》第500頁。

[126]〈文苑遺談〉《青山延于集》第330頁。

爲史筆冠冕。安積、栗山二子，雖材識博物，尙且退舍，足見英華擅發。[127]

觀瀾嘗作《中興鑒言》，與潛鋒之《保建大記》並稱水戶史論雙璧。青山延于曾論史館人才云：

余嘗觀潛鋒之議論核實，觀瀾之文章富贍，得此才可謂不易，其他諸子，安澹泊、村篁溪之徒，亦皆以老練之才，博洽之學，各因其所長以竭其力。譬猶驅順風而下長江，居高屋而建瓴水，則國史之成，將不待數年而奏其功，而潛鋒、篁溪相繼淪謝，觀瀾應幕府之辟，數年之間，人材零落，老成殆盡，頽波砥柱，惟澹泊先生而已。[128]

今讀觀瀾《中興鑒言》，頌贊建武中興事業惜其時短未垂久鑒。文分《論勢》、《論義》、《論德》三篇，講大義名分，文辭雅健，但就思想言，則與潛鋒迥異。潛鋒主神器之所在，即正統之所在；觀瀾卻主正統在義不在器，南北朝時，義在南朝，即視爲正統。又倡王政復古，歌咏帝王之學。

觀瀾亦倡忠義，如栗山潛鋒歌頌赤穗四七士復仇之事，潛鋒《敝帚集》有〈忠義碑〉之作，觀瀾亦作《報仇錄》盛讚大石良雄視死如歸之忠義精神，影響所及，對當時社會人心與武士道德有正面之教育作用。

觀瀾著有《觀瀾文集》、《遺錄》、《絲尾餘簡》、《中興鑑言》、《烈士復仇錄》等書。

德川齊昭

德川齊昭(西元一八００年～西元一八六０年)水戶人，字子信，號景山、潛龍閣，幼名虎三郎，通稱敬三郎，爲水戶藩侯德川治紀之第三子，繼兄齊修爲第十代藩主。幼從會澤安學，通達文武諸道，以傑出之才，鼓舞一世。其週邊人物，以藤田東湖爲主。君臣上下倡水戶之尊皇思

[127]〈三宅觀瀾〉《漢學者傳記集成》關書院，第129頁。
[128]〈文苑遺談〉《青山延于集》第333頁。

想，使明治維新時之諸豪傑，如西鄉隆盛、吉田松陰、吉田東洋等，皆聞風興起。於齊昭時代，內憂外患掩至，西力東漸，全國上下均感壓迫。齊昭以愛國號召，倡尊王攘夷之策，對外防禦帝國侵略；對內改革諸般內政，其思想之積極，促成維新之實現，同時賦予水戶學以新義。若謂治保時代是水戶政教學之準備期，則齊昭時代可謂是水戶政教學之完成期。

齊昭革新藩政措施中，以創"弘道館"最值重視。天保四年(西元一八三三年)其〈告志篇〉詔示藩國，述其反本報始之志，首述："日本是神聖之國，天祖天孫立統建極以來，明遠之德，如太陽之共照臨，家祚之隆，與天壤共無窮，從君臣父子之常道以至衣食住之日用，皆是天祖之恩賚，萬民永免饑寒之患，天下無敢萌非望之念。"[129]次述東照宮之功勞和二百餘年間，天下保泰山之安，人民免塗炭之苦，皆生浴太平之德澤。但此宏篇，是以神道與政治結合，達其統治之目的，然其思想蓋脫胎於孔孟。試觀其《弘道館記》則更清楚。

齊昭襲封五年後建弘道館，此館是水戶之藩學，是水戶學思想之具體化。初用假名寫成，後譯為漢文，今錄全文如下：

弘道者何？人能弘道也。道者何？天地之大經，而生民不可須臾離者也。

弘道之館，為何而設也？恭惟上古，神聖立極垂統，天地位焉，萬物育焉。其所以照臨六合統御寓內者，未嘗不由斯道也。寶祚以之無窮，國體以之尊嚴，蒼生以之安寧，蠻夷戎狄以之率服，而聖子神孫尚不肯自足，樂取於人以為善。乃若西土(中國)唐虞三代之治教，資以贊皇猷。於是斯道愈大愈明，而無復尚焉。中世以降，異端邪說，誣民惑世，俗儒曲學，舍此從彼，皇化陵夷，禍亂相踵；大道之不明於世也，蓋亦久矣。我東照宮撥亂反正，尊王攘夷，允武允文，以開太平之基。我祖威公(賴房)實受封

[129]〈水戶烈公(齊昭)集〉《水戶學全集》冊 4，第 50 頁。

於東土，夙慕日本武尊之爲之，尊神道，繕武備。義公(光國)繼述，嘗發感於夷齊，更崇儒教，明倫正名，以藩屏於國家，爾來百數十年，世承遺緒，沐浴恩澤，以至今日；則苟爲臣子者，豈可弗思所以推弘斯道發揚先德乎？此則館之所以爲設也。

抑夫祀建御雷神者何？以其亮天功於草味，留威靈於茲土，欲原其始，報其本，使民知斯道之所繇來也。

其營孔子廟者何？以唐虞三代之道折衷於此，欲欽其德，資其教，使人知斯道之所以益大且明，不偶然也。

嗚呼！我國中士民，夙夜匪懈，出入斯館，奉神州之道，資斯土之教，忠孝無二，文武不岐，學問事業不殊其效，敬神崇儒，無有偏黨，集眾思，宣群力，以報國家無窮之恩，則豈祖宗之志弗墜，神聖在天之靈亦將降鑒焉。

設斯館以統其治教者誰？權中納言從三位源朝臣齊昭也。

天保九年(西元一八三八年)歲次戊戌春三月齊昭撰。[130]

《弘道館記》文分六段：其一、首述弘道館之名稱，其二、次述建館之原由，其三、述奉祀武神建御雷神之理由，其四、述設孔子聖廟之理由，其五、述弘道館教育之宗旨，其六、以該館教育之責任自負。向來水戶學者極重斯篇，以斯篇爲水戶學之神髓，水戶之哲學。實則此篇所述“奉神州之道，資西土之教”；“敬神崇儒，無所偏黨，一以報國家無窮之恩”；與祭祀佐命之神道，乃源於闇齋學，蓋欲藉神儒一致，以便其統御萬方之道，即所稱“皇道”。又首句“道者何？天地之大經，而生民不可須臾離也”，本出於《中庸》，是解說“天命之謂性，率性之謂道”，但水戶學者將此“道”別解。至於“忠孝不二，文武不歧”，雖合於尊王攘夷 策，然出於舊傳統之道德內容，而非革新之思想，然就“攘夷”而言齊昭一生之歷史卻予人作一示範。其事迹藤田東湖於《常陸帶》一書略謂，

---

[130]〈水戶烈公集〉《水戶學全集》冊 4，第 60 頁。

如察有司之能否邪正而行進退，正田野境界，輕減租稅抑奢侈，獎勵文武一途之風，同時開言路，而最重要者是創弘道館和兵制改革。是水戶學後期思想之奠基者與攘夷思想之先驅者。一者因其固守鎖國之傳統，一者因其反對帝國之侵略，屢與幕閣相左，安政五年(西元一八五八年)受幕府戒飭，屏居水戶，兩年後竟悲鬱以終。

後人輯有《水戶烈公集》、《水戶學全集》等書。

藤田幽谷

藤田幽谷(西元一七七四年～西元一八二八年)水戶人，名一正，字子定，號幽谷。始仕水府史館爲編修，受水戶中興之祖治保(文公)之命，專掌補志表之事，治記(武公)時任總裁。幽谷幼年穎悟絕人，成童時〈讀孝經〉，長赤水之以示清人程赤城，赤城大加讚賞致書云："吾土之大，妙筆屬文者固不乏其人，論至論經義，則寥寥鮮聞，貴國得才，實可貴也！"[131]年十五作〈志學論〉，年十八作〈正名論〉，先後作〈建元論〉、〈安民論〉。尤以〈正名論〉尊重大義名分爲幽谷一生學術所寄。

會澤正志齋〈及門遺範〉云：

(先生)十八歲著〈正名論〉，言君臣之大義，其教子弟以忠孝者本於此也。

幽谷舉孔子作《春秋》以道名分，以明天無二日，國無二王，並盛稱："赫赫日本自皇祖開國以來，以天爲父，以地爲母，聖子神孫，世世繼明德以照臨四海，四海之內尊之曰天皇，號八洲之廣，兆民之眾，絕倫之力，超世之智，從古迄今未嘗有一日以庶姓而奸天位者。蓋君臣之名，上下之分正且嚴焉，猶天地之將不可易也，以是皇統之悠遠，國祚之長久，舟車所至，人力所通，殊庭絕域，未有若我邦者也。"[132]在此歌頌中，幽谷"以天爲父，以地爲母"；儒教之天地人三才之思想，賦予日本國體以形

[131]〈文苑遺談抄〉《青山延于集》第351頁。

[132]〈藤田幽谷集〉《水戶學全集》冊4，第344頁。

上學之意。非唯如此，且以大義名分教人。

會澤正齋作〈幽谷藤田先生墓志銘〉載：

其教子弟，務在勵名節，振風俗。

會澤正志齋之〈及門遺範〉中云：

先生教人，專在忠孝。….先生尤重君臣之義。….先生原於《春秋》尊王攘夷之義，尤謹於名分，君臣上下之際，華夷內外之辨，論之極詳明。….先生於文學網羅古今，薈萃眾說，斷之以聖經。

若將正志齋所見之幽谷思想和〈弘道館記〉相較，所謂“勵名節”、“尤謹於名分”，即〈弘道館記〉之“明倫正名”、“教人專在忠孝”，亦即“忠孝無二”。又如“尊王攘夷”與“斷之以聖經”亦同義，可見〈弘道館記〉亦有所本。幽谷〈正名論〉闡述日本國體之本質云：

天朝開闢以來，皇統一姓，傳之無窮，擁神器，握寶圖，禮樂舊章率由不改，天皇之尊，宇內無二。[133]

此一者說明幕府與皇室之關係，一者警告幕府政權主從之分。是故幕府尊皇室，則諸侯崇幕府，諸侯崇幕府則卿大夫敬諸侯，夫然後上下相保，萬邦協和。觀此尊王攘夷與正名定分是幽谷思想之主要成分。

幽谷曾撰《勸農或問》一書，以為勸農是富國之唯一手段，為政之目的在養民，養民之要在於扶弱抑強，養老慈幼，並除去侈惰、兼併、力役、橫斂、煩擾五弊，要重稅商賈，輕賦農民，此重農輕商之說適與大阪朱子學派相反。

綜觀幽谷之學，出自立原翠軒(屬古學派)亦是著名之朱子學者，幽谷亦承其說，尊崇朱子然亦重仁齋與徂徠，

---

[133]〈藤田幽谷集〉《水戶學全集》冊4，第347頁。

彼以徂徠論禮樂政刑，講有用之學，故彼等能取長補短，專務實學，誠爲後期水戶學之特色。

幽谷著有《志學論》、《正名論》、《建元論》、《正名論》、《幽谷遺稿》、《藤田幽谷集》等書。

會澤正志齋

會澤正志齋(西元一七八二年～西元一八六三年)常陸(今茨城)人，名安，字伯民，通稱恒藏，號正志齋(簡稱正志)，後號憩齋。是幕末思想家之巨擘，爲水戶學之集大成者，其思想淵源於幽谷，故有《及門遺範》之作。初因幽谷之薦，入彰考館爲寫字生，次爲諸公子侍讀。文政三年(西元一八二０年)年卅九開塾八年，完成其代表作《新論》。文政十二年水戶藩主齊修(哀公)卒，與藤田東湖擁立敬三郎(齊昭)有功，拔擢爲郡奉行，後轉爲彰考館總裁，年五九任弘道館總裁，後坐齊昭罪嫌被禁，囚中著作不輟，後齊昭遇赦，再參與幕政，正志齋亦出佐之，唱主戰論。齊昭再被戒飭，正志齋以時局急轉直下，志不得申，乃決心退職，上齊昭之子慶喜〈時務策〉，翌年抑鬱以終。

正志齋著作甚豐，約可分爲三類：

其一、思問篇，以研究中國哲學爲主，如〈孝經考〉、〈中庸釋義〉、〈典謨述義〉、並〈附錄〉、〈刪詩義〉、〈讀論日札〉、〈讀書日札〉、〈讀周官〉等。

其二、閑聖篇，以宣揚尊皇攘夷爲主，如〈新論〉、〈迪彝編〉、〈草偃和言〉、〈學制略說〉、〈退食間話〉、〈及門遺範〉、〈下學邇言〉、〈讀直毗靈〉等。

其三、息邪篇，以排斥耶穌爲主，如〈豈好辨〉、〈兩眼考〉、〈息邪漫錄〉等。

正志齋以〈閑聖篇〉爲其中心思想之代表，尤以〈新論〉爲成名作，首篇旨在尊皇，故宣揚皇室中心主義；中三篇旨在攘夷，故宣揚日本中心主義；末篇旨在政教，故提倡儒教中心主義。

正志齋是朱子學研究者，亦是水戶政教學之代表者，爲尊王攘夷論之巨擘其思想一者影響於維新人物，一者影響於保守人物。故其發爲言論，付之實踐，樹立日人之信心，煽起尊王攘夷之熱情，然於明治維新之後竟發展爲對外擴張之侵略主義，蓋始料所未及。

藤田東湖

藤田東湖(西元一八0六年～西元一八五五年)水戶人，名彪，字斌卿，號東湖，幽谷之子，亦是其思想之分身。六歲時從父授《孝經》，年八歲教以酒間吟文天祥之《正氣歌》，承父忠孝精神與政治家之素養。如謂正志齋爲水戶政教學之理論家，則東湖爲水戶政教學之實行家。正如德富蘇峰稱曰："東湖先生不單以學問文章鼓吹指導天下大勢，先生其人實是活的水戶學的權化。"[134]

東湖名著如〈回天詩史〉、〈常陸帶〉、〈和文天祥正氣歌〉，皆生動流暢，言之有物，富悲歌慷慨之成分，爲其自身最佳之寫照。其〈回天詩史〉云：

三決死矣而不死，二十五回渡刀水。五乞閒地不得閒，三十九年七歲徒。邦家隆替非偶然，人生得失豈徒爾。自驚塵埃盈皮膚，猶餘忠義塡骨髓。嫖姚定遠不可期，丘明馬遷空自企。苟明大義正人心，'皇道奚患不興起，斯心奮發誓神明，古人有云斃後已。[135]

東湖之〈和文天祥正氣歌〉於幕末時亦膾炙人口，傳唱一時，爲忠孝義烈之士所煽慕。其詩云：

天地正大氣，粹然鍾神州。秀爲不二岳，巍巍聳千秋。注爲大瀛水，洋洋環八洲。發爲萬朵櫻，眾芳難與儔。凝爲百煉鐵，銳利可斷鍪。藎臣皆熊罷，武夫盡好仇。神州孰君臨，萬古仰天皇。皇風洽六合，明德侔太陽。世不無汚隆，正氣時放光。乃參大連議，侃侃排瞿曇。乃助明主斷，焰焰焚伽藍。中郎嘗用之，宗社磐石安。清丸嘗用之，妖僧肝膽寒。忽揮龍口劍，虜使頭足分。忽起西海颶，怒濤殲胡氛。志賀月明夜，陽爲鳳輦巡。芳野戰酣日，又代帝子屯。或投鎌倉窟，憂憤正悁悁。或並櫻井驛，遺訓何

134〈解題〉《藤田東湖全集》卷1，第22頁引。
135〈回天詩史〉《東湖全集》卷1，第4頁。

殷勤。或殉天目山，幽囚不忘君。可守伏見城，一身當萬軍。升平二百歲，斯氣常獲伸。然當其鬱屈，生四十七人。乃知人雖亡，英靈未嘗泯。長在天地間，凜然敘彝倫。孰能扶持之，卓立東海濱。忠誠尊皇室，孝敬事天神。修文與奮武，誓欲清胡塵。一朝天步艱，邦君身先淪。頑鈍不知機，罪戾及孤臣。孤臣困葛藟，君冤向誰陳。孤子遠墳墓，何以謝先親。荏苒二周星，獨有斯氣隨。嗟予雖萬死，豈忍與汝離。屈伸付天地，生死復奚疑。生當雪君冤，復見張綱維。死為忠義鬼，極天護皇基。[136]

此詩與上述〈回天詩史〉之“猶餘忠義填骨髓”可謂異曲同工，相互發明。東湖謂：

蘇軾有言：“道義貫心肝，忠義填骨髓，直須談笑於生死之間。”余深服斯語，亦舉以勵弟子，以為斯語可以注孟子“浩然之氣”也。夫浩然之氣，孟子既曰：“以直養”，又曰“集義所生”，又曰：“配義與道”，其所以示人，反復叮嚀不一而足，推其說則《大學》所謂：“心廣體胖”，《中庸》“不愧屋漏”，《論語》“內省不疚”者，皆浩然之地而非胸中別有一個盛大之物也。….必道義貫心肝，忠義填骨髓，然後正氣充實其中，及其至則可塞於天地之間也。[137]

東湖此正氣即浩然之氣，其感懷之作自述其“好弔千古忠義魂，欲為扶桑培根基”。又其弔〈楠木正成〉云：

我慕楠夫子，謀略古今無。誓建回天業，感激忘其軀。廟堂常少算，乾坤忠義孤。空餘一片氣，凜凜不可誣。[138]

又〈題楠畫像〉云：

---

[136]〈和文天祥正氣歌〉《藤田東湖全集》卷3，第4頁。
[137]〈回天詩史〉《藤田東湖全集》卷1，第186頁。
[138]〈楠木正成〉《藤田東湖全集》卷3，第191頁。

大廈誰知一木支，中興成否繫南枝。勤王義結金剛壘，逆賊膽寒菊水旗。還闕復當射虎徑，鞠躬無奈廟堂機。空餘一片精忠義，凜烈長爲百世師。[139]

東湖一生赤誠忠心，著書立說，震動一世，予幕末勤王運動極大之影響。於幽居三年之後，弘化四年(西元一八四七年)年四二放歸水戶，完成《弘道館述義》一書。嘉永二年(西元一八四九年)齊昭再起，參劃幕政，東湖復出江戶。安政元年(西元一八五四年)任海岸防禦，以唱尊皇攘夷，爲世所重。

東湖著有《回天詩史》、《常陸帶》、《和文天祥正氣歌》、《與史館青山總裁書》、《見聞偶筆》、《東湖封事》等書。其中就其思想體系言，首推《弘道館記述義》，此書闡述日本國體之尊嚴，與正志齋《新論》同稱水戶學之二大名著。《新論》以時務策爲主，予人事過境遷之感，《弘道館述義》則以國危爲背景，明倡水戶學之思想，爲其特色。

概觀水戶學淵源雖多，要以惺窩、闇齋、朱舜水三系統，蓋三系或出於朱子學，或與朱子學關係密切。雖其中或滲入日本神道說，陽明之說或實踐精神，但受朱子學影響最大卻不容置疑。

二、中日朱子學之異同

日本之朱子學是以中國朱子學爲母體而形成、演變，因而中日兩國之朱子學自有頗多相似處。然兩國之經濟、政治、社會、文化、歷史等因素，其所顯示之理論特色、社會功能亦不盡相同。

以上是對日本朱子學之論述，底下擬將中日朱子學之異同分述如下：

相同：

(一)同視程朱爲道學正統，是中、日兩國朱子學派共同點

---

[139]〈題楠畫像〉《藤田東湖全集》卷3，第219頁。

之一 早於中國唐代，韓愈爲與佛、道抗衡，而編製“道統”說，朱子借其說，並謂宋代已出現繼承“道統”之後聖—二程。彼謂：“吾少讀程氏書，則已知先生之道學德行，實繼孔孟不傳之統。”(《朱文公文集》卷 78)朱子意在宣示己之“道統”爲嫡傳。此後，朱子之門人和《宋史·道學傳》便極力宣揚程、朱爲“道學”正統。中、日兩國之朱子學者，雖各有所趨，且對朱子學亦不乏批判，然卻眾口一詞以程朱爲“道學”正統。

中國南宋之魏了翁以爲“道學”經朱子之論著“然後帝王經世之規，聖賢新民之學，粲然中興”（《朱文公年譜序》)。元代之吳澄、鄭玉雖主朱陸兼修，但仍以程朱爲道統正傳，未將陸九淵歸入“道統”傳遞系譜。元代之劉因與吳澄、鄭玉不同，較重“實學”並主“窮理”，又傾唯物，但亦承認朱子是理學之集大成者。其評宋儒謂：邵(雍)至大也，周(敦頤)至精也，程(顥、頤)至正也，朱子極其大，盡其精，而貫之以正也。(《元史本傳》)明代薛瑄批朱子之“理在氣先”說，提“理不離氣”說，已突破朱子之矩矱，但仍謂：“孔子之後有大功於聖學者，朱子也。”(《讀書續錄》卷5)明代羅欽順改造朱子哲學體系，已轉化爲唯物，而在其與王陽明辯論時，仍以維護朱子自命爲程朱派。

日本之朱子學者亦如此。如前所述，林羅山和山崎闇齋接受中國之“道統”說。其後學蓋亦承此一“道統”。如崎門學派之佐藤直方謂：“孔曾思孟之後，接其道統者，周程張朱也，吾人所學豈外此而他求乎？”[140]江戶時代後期之崎門派學者尾藤二洲亦謂：“孔孟之所說，程朱之所傳是也”[141]安積艮齋則謂：“孔孟歿，斯道不明....。逮程朱二大儒起，繼道緒於既墜，闢千聖之溟海，振揭本源，闡發蘊奧，然後群聖賢之道，如太陽之再中，而其學遂遍寰瀛矣。”[142]海西學

[140]〈海南朱子學派〉《日本的朱子學》章 4，第 314 頁。
[141]〈寬政以後朱子學派〉《日本的朱子學》章 6，第 399 頁。
[142]〈寬政以後朱子學派〉《日本的朱子學》章 6，第 409 頁。

派之貝原益軒雖以唯物批朱子，但於《大疑錄》中仍謂："孔孟之後，唯此二子，誠可以爲知道之人，學者之所當爲宗師也。"[143]大阪懷德堂學派之五井蘭州謂："真知""實見"，已異於朱子之認識論，但終生以闢異爲己任，爲程朱之衛士。

中、日朱子學者尊程朱爲"道學"正統，固有假先聖前賢之名，以明己說之正當，雖未全襲程朱，然亦表明其思想淵源於程朱。即或改造、背離程朱傳統，但仍未脫離程朱窠臼。

(二)同主"性即理"與"合內外"亦中、日兩國朱子學者共同點之一 朱子思想體系之中心是"天道"與"性"，實者是關於世界本源與人性本源之問題。朱子之理氣論要在討論本體論，即世界本源問題，此乃朱子思想體系之始。朱子之心性論則討論人性本源問題，此乃朱子思想體系之核心。談"天"(宇宙)是爲落實至"人"(倫理)，人性論是溝通"天""人"之樞紐。於本體論之問題，中、日兩國之朱子學派皆曾分化，有祖述朱子理論者，有日趨氣本論，亦有漸向心本論者，已出現理論之歧異。而於人性論之問題，中、日兩國之朱子學者卻仍承認"性即理"或"性"源於"天命"，即認爲人之善之本性源於外在之先驗道德本體。此不同於王陽明之"心即理"之主觀。唯心人性論。此表明於中、日兩國朱子學派中之分化，皆未完全貫徹至人性論領域，唯其如此，方可認爲繼續存在之朱子學派。

朱子之人性論接受張載和二程將人性分爲"天命之性"和"氣質之性"，又承程頤"性即理"之思想，以爲"天命之性"是天理賦予人，是純粹之善，而"氣質之性"則雜理與氣，故有善惡。如此，朱子即將人性說成與生俱生、先天具有之天理。而天理之內容，依朱子之說，即是仁義禮智等道德觀念，朱子認爲人人皆有善之本性來自外在之先驗道德本體，而人之倫理即在於拂拭"氣質之性"中之污濁而

---

[143]〈貝原益軒・室鳩巢〉《日本思想大系》冊34，第17頁。

回歸“天命之性”，簡言之即“明天理，滅人欲”。

中、日兩國趨向唯物之朱子學者，如黃震、劉因、羅欽順和貝原益軒等，皆不贊同朱子將人性區分爲“天命之性”和“氣質之性”，然皆遵奉朱子“性即理”之說，反對陸九淵或王陽明“心即理”和“心即性”之說。惟彼等未識人性並非天生或先驗獲得，而是人類自我建立，人性之實質是社會關係之總合。

將人性之本源歸諸“理”或“天命”(“天”)，以爲存在客觀之先驗道德體，是中、日朱子學派之共同理論特徵，亦是區分朱子學派與佛教和儒學中之陸王學派之理論標誌。中、日兩國朱子學派之學者，於分化過程中，雖亦提些許合理之思想，然皆未能圓滿解釋人性之來源。

此外，於認識論和修養之法主張“合內外”，亦是中、日兩國朱子學派之共同點。朱子之“格物致知論”主張，要體認天理既要外而“格物”，又要內而“致知”，即謂既要向外窮至事物之理，又要從內向外“推致”我心固有之知。此即是“合內外”。

於中、日兩國朱子學派之分化過程中，有主向外用功之“格物”、“窮理”和“道問學”；有主做內心功夫之“致知”、“居敬”和“尊德性”。對於“格物”與“致知”、“窮理”與“居敬”、“道問學”與“尊德性”，雖上述朱子學者所主各異，然彼得皆認爲內外功夫必須並用而不可偏廢，即仍遵朱子“合內外”。主觀唯心之陸、王學派反對“合內外”之說。如陸九淵以尊德性爲宗旨，倡簡易工夫。王陽明則批朱子“居敬窮理互相發”之說是“支離決裂”，認爲不必經事事物物之“理”即可追求“天理”，完全取消朱子學派向外求知之認識活動，主張“致良知”即推致擴充心中自有之良知於事事物物，方是“簡易明白”之“作聖之功”(《傳習錄》)。由此觀之“合內外”之說，既是中、日兩國朱子學派之共同特徵，亦是與陸王學派相區別之理論標誌。

相異：

(一)理論導向之區別　中國朱子學重形而上之思辨，日本朱子學則偏於經驗科學。

中華民族是一具有思維之民族，可謂是中國朱子學理論導向使然。其中，以“柔弱勝剛強”爲內容之尙柔代表道家之思維，以“一陰一陽之謂道”爲核心思想之尙剛是儒家思想之代表。此外，佛教哲學尤具深邃之思維。宋之朱子學吸收各種思維，形成思維之綱，集儒、釋、道思維之大成，成爲中華民族理性思維之代表。如中國朱子學所獨具之理論範疇：形而上、形而下、理、氣、道、器、性、理、理一分殊、格物窮理，……此一理論範疇之形成，標志中國朱子學理思維之發達。從形而上（理）和形而下（天、地、人、物）範疇出發，中國朱子學探討宇宙生成演變之過程；從道（理）器（物）範疇言，中國朱子學闡述理與物之間“你中有我、我中有你”思維；從性理範疇言，中國朱子學得出“性即理”此一左右中國人性問題之命題；從理一分殊言，中國朱子學探究個別與一般、特殊與普遍之思維關係；從格物窮理言，中國朱子學硏求主觀認識客觀諸問題，對中華文化傳統影響深遠。

日本朱子學從即物觀點言，向經驗方向發展。此即是日本朱子學之經驗、自然、實證之意。是以，日本朱子學所言一草、一木、一蟲、一物中之理論，即經驗之理論。以此經驗之理論爲重心，日本朱子學尤重即物窮理、格物窮理。此探求即導致日本朱子學對經驗科學之興趣。是以，日本朱子學從經驗理論言，以自然、科學、實用、經世等問題展開。以自然言，日本朱子學尋求自然中之實理，由此發展日本之科學歷史學、本草學、地質學等經驗科學；以實用言，日本朱子學重實學；以經世言，日本朱子學提倡利國濟民；即形成日本民族講究實際、倡導實用，提倡經驗科學、實證科學之良好風氣。此是日本朱子學理論導向之結果。

(二)發展趨勢之區別　元明以後，中國朱子學逐漸僵化；而日本朱子學則未固守成說，而形成新理論。於中國，朱子哲學分爲兩路，即唯理和唯物，由唯理向唯物是一漫長之潛滋暗長之過程。有宋之黃震等人，元代之劉因、許謙等人，明之薛瑄等人，直至明中期羅欽順、王廷相方提出較有系統之哲學思想，即唯氣思想。但始終未能成爲朱子學中之主流，而正統朱子學則日益僵化，是以有陽明學之興起。

而於日本朱子學中，從江戶時之朱子學派形成，至具有與羅欽順相近思想之貝原益軒唯物哲學，僅四十餘年之時間。不少朱子學者逐漸轉向唯物，如安東省庵、貝原益軒、室鳩巢和懷德堂學派之五井蘭洲、中井竹山、中井履軒及幕末之佐久間象山等皆屬此一派。其力量足以與祖述朱子之林家朱子學和崎門學派相頡頏。[144]

(三)社會功效之區別　中國朱子學最終成爲接受西學之樊籬，日本朱子學則爲西學進入日本提供理論基礎。宋明理學對中華民族是一重氣節、重品德、講求以理統情、自我節制、發奮立志等建立主體意志和倫理責任，發揮有益作用，此是中國朱子學功能之一。朱子學之道德思想表現爲人之氣節、操守，主張以“立志”、“修身”，終達爲仁、爲聖，進而“治國平天下”。如此，道德修養與社會責任合一，尤顯朱子學道德之理之方。但另者，由於朱子學崇尚形而上之理性思辨，鄙視事功、脫離現實，久之成爲一教規，桎梏中國人之思維，堵塞向大自然學習新思維之路。是以，於朱子學規範下，中國人之思維偏離自然和科學之軌跡發展，其結果造成近代中國於自然科學之落伍和視自然科學爲“雕蟲小技”之心理。

朱子學之傳播於江戶時代之日本社會中，朱子學發揮較多之社會功效。如日本朱子學合理思維之傳播，推動日本合理主義思維之發展。尤以重視內外“格物”、“窮理”之朱子學者，彼等以“理”解釋爲事物之規律，因而能以“理”作爲此一範疇之媒介，承認西方自然科學之合理性，並接受西方自然科學。懷德堂之部分朱子學者和幕末之佐久間象山，正是循此道路，試圖接受西方自然科學並將其與儒學相調和。此即言，朱子說合理主義思想於日本之傳播，爲日本接受近代西方自然科學奠定基礎。若無朱子學合理主義之傳播，日本人仍沉溺於佛教之信仰，則甚難設想日本於明治維新前後能迅速吸收西方之近代科學技術，成就其維新大業。

---

[111]王家驊〈儒學的全盛和日本化〉《儒家思想與日本文化》，章4，第101頁。

除前述之理論導向之區別、發展趨勢之區別、社會功效之區別外，日本之朱子學由於與固有思想相結合而具有神秘主義色彩。日本之朱子學者(除室鳩巢之外)，無論林羅山、貝原益軒、山崎闇齋及其後學，皆主日本固有神道與朱子學之一致不違，致力於神儒合一。彼等之神儒合一思想，雖有儒主神從或神主儒從之區別，但皆使日本之朱學沾染神秘之色彩。日本之朱子學可說是中國朱子學於日本之變種，是日本民族文化與中國民族文化融合之產物。

三、朱子學對日本之影響

日本所吸收之中國文化是何物？如何有此力量？誠然中國文化範圍甚廣，但中國之學術思想產生之力量最大，思想產生信仰，信仰發生力量，是千古不易之道理，影響於日本最大者應是朱子學之思想，朱子學所代表是中國學術思想之主流，是儒家思想之精華。朱子學影響日本則是多元，由政治至宗教，從史學、文學至科學，由學校教育至社會風氣，無不受其影響，此影響比之當代之中國之影響絕不遜色，今略舉如下：

(一)朱子學倡導大義名分，重視論常道德　朱子學倡大義名分，嚴上下之分，重視倫常道德，於日本江戶時代，鞏固德川幕府之傳統體制，如以《六諭衍義》、《宋名臣言行錄》、《小學書》等，普施於民間，使民效忠領主，其教訓，成爲武士道之精神，成神道家之神訓，爲日本國民道德奠基。時至今日，日人求學力行，謹嚴篤實，經濟大國之民族性優點等，皆可由朱子學之教訓中析出。尤以日本人重實踐，不尙空言，取資於朱子學中合理之成分獨多，各地領主受朱子學之教，常以仁君自期，澄清吏治，爲民服務，武士道之獻身理論，亦承朱子學之合理成分。而中國人習朱子，固亦有所得，然每生流弊，蓋襲朱子學不合理之成分也。

(二)朱子學主張尊王攘夷，鼓吹中華思想　具強烈民族主義傾向，其正統觀，尊王攘夷觀，使習朱子學之人，具愛君憂國，犧牲盡忠之心，故宋明滅亡之際，韓國高麗王朝敗亡之時，朱子學者中，出現頗多殉國愛道志士。於日本，朱子學之講授，曾促成建武中興，楠木正成等忠於皇室者，皆秉受朱子之教。日本朱子學派中，如海南學派、水戶學派之思想主流，即此正統觀、尊王攘夷觀，而兩學派所孕育之日本志士，後成爲明治維新之主力，彼時所謂四強藩－－長州、薩摩、土佐、肥前－－皆曾盛行朱子學，後成勤王先驅可爲明證。

(三)朱子學主張修己、安人，排斥禪佛觀念 朱子學初期雖由禪僧傳於日本，然朱子學中，本有一排佛之因在，朱子學主入世，以修己安人爲目的。佛教則廢人倫，講來世，與朱子學不相容。朱子學者雖排佛，然其對佛教教義、僧團生活之指責，卻使禪僧趨向理智，不耽於迷信，使佛教本身得修正教義，改良教規，朱子學使日本佛教步向合理化，是以朱子學使日本佛教步向合理化，其興衰則是相輔相成。

日本宗教除外來之佛教、基督教外，其神道原爲日本人之原始信仰，雖含不合理之成份，然因朱子學之傳入，以其理性成分，構成神道教派之理論，如林羅山將神道轉爲理智，並使神道教訓成爲日本人傳統之國民道德。朱子學將神道之咒術宗教意識予以純化、合理化，使神道有其理論系統，而與現實結合，尤以神道之尊祖、尊皇，使日人生忠君報德之念，爲強國之一大助力。

(四)朱子學重視合理主義，傳揚主義，傳揚正統理念 朱子學以資治通鑑綱目等書，使其合理主義、正統主義傳揚於日本，日人史學名著多受朱子學史觀之影響，如北　親房之《神皇正統記》，水戶之《大日本史》，賴山陽之《日本外史》皆是朱子學史觀之作，餘如崎門之淺見絅齋《靖獻遺言》、曾澤正志齋《新論》、賴山陽之《日本政記》等政論之作亦皆倡尊王忠君，影響所及，匯成推動王政復古之激流，終使明治維新水到渠成。

(五)朱子學主張格物窮理，重視實學研究 朱子學中有格物窮理說，此理論形成知識主義，使林氏官學標榜博學主義，讓海西學派重視實學之研究，朱子學者如貝原益軒、中村惕齋、新井白石等人皆是有名之博學者，朱子學促成其研究自然科學之興趣。此博學主知之意識，使日人認爲學問應博採眾長，兼容並包，不專事一家，日本朱子學者如藤原惺窩，即崇朱而不排陸。其答林羅山書曰：“陸文安天資高明，措辭渾括，自然之妙亦不可掩焉。”又曰：“紫陽篤實而邃密，金谿高明而簡易，人見其異，不見其同，一旦貫通，同歟異歟！必自知之，然後已。”即兼採朱陸。另有常被列爲陽明學者之佐久間象山，其師事佐藤一齋，或將其視爲朱子學者，因其活用朱子學之窮理之說，以與蘭學相容。又如大阪朱子學派亦較能容受異己。

其六，朱子學普及人格教育，尊重儒家精神朱子學隨著教育之普及，其教訓已融入日人之生活，如日本獨特之武士道理論、日本之通俗小說之懲惡勸善之觀點、林羅山所傳之儒學精神，大阪學派之現實、進取精神、海南學派之風格，無不受朱子學之影響。由此可知日本人善於吸收外來文化，亦必定考慮本國風土人情，而非全盤接受。即無論如何，不放棄其本國特色，此不棄之特色，即是“日本精神”，德川光國自傳曾言：“尊神儒而駁神儒，尊佛老而排佛老”，此即日本思想之代表。

朱子學傳入日本後，日本氾其繁瑣、寂靜，而取其簡易、合理、實踐之，日本取人之長，補己之短，虛心吸收外來學說精華，而不失其本國特色之作法，亦足採取資。

第三節　中日陽明學之比較

一、日本陽明學之發展

中國陽明學傳入日本是十六世紀中葉，但其嬗變爲日本陽明學派則是十七世紀三０年代。十七世紀至十九世紀是日本幕藩封建制已臨崩潰之時。德川（江戶）時代日本哲學發展之歷史可分爲三：初期爲朱子學勃興期（西元一六０三年～西元一七三五年），中其爲朱子學與古學對立時期（西元一七三六年～西元一七八八年），末期爲陽明學隆盛時期（西元一七八九年～西元一八六八年）。從中國傳入之宋學分化、演變爲三，正是日本幕藩封建社會關係之反映。德川初期，幕府提倡朱子學，而成正統官學。中期是古學派與朱子學派之論爭，是由代表非當權派主張王政復古與代表當權派之德川氏擁護幕府思想之兩派。"寬政異學之禁"[145]使古學派衰落，代之而起則是代表日本社會下層武士和百姓之陽明學。後期是日本封建制內部已有資本主義萌芽，封建等級制甫弛，亟思變革之社會現狀。彼等之理論指南即是陽明學。因陽明學之簡易直截，合於日本武士快刀利刃之性格；陽明學倡導之知行合一說，合於日本武士勇往直前之習慣；陽明學之講究實際，合於日本武士重事功之品行。是以，日本陽明學於日本封建社會瓦解過程中，是以民間異端思想之姿而登於哲學之領域。尤値關注者，即陽明學雖和古學不同，而所採之"復古"之形式則無二至。其共通之特色，即"尊王"，尊王即示對幕藩制之不滿，同時亦意味傾向於絕對統一日本之意識。所謂陽明學於日本歷史上之意義，即指此而言。

日本陽明學是於日本當時之社會經濟條件下產生。但於產生之後，即有其發展規律。產生之前，亦有其特殊之思想背景。

---

[145] 寬政異學之禁：指 1790 年(日本寬政二年)幕府發布異學禁令，定程朱之學為唯一正統，程朱學以外之學派則當作異學禁止。1795 年(寬政七年)又發布禁止異學者進入仕途。

日本陽明學之開創於中江藤樹，而追溯前始蓋於禪僧了庵桂悟，桂悟乃五山大老，曾以八十七歲之高齡，奉足利義澄之命，遠使中國，與明一代儒宗王陽明相遇，臨東歸時，陽明作序一篇相送。齋藤拙堂《文話》載："嘗於山田祠官證隼人之家，見所藏王陽明《送日本正史了庵和尚歸國序》一幅，字畫穩秀，神采奕奕，無疑爲其親筆"。原文序如下：

> 世之惡奔競而厭煩挐者，多遯而之釋焉，為釋有道，不曰清乎！撓而不濁，不曰潔乎！狎而不染，故必息慮以浣塵，獨行以離偶，斯為不詭於其道也。苟不如是，則雖皓其首、緇其衣、梵其書，亦逃租繇而已耳，樂縱誕而已耳，其於道何如耶？今有日本正使堆雲桂悟字了庵者，年逾上壽，不倦為學，領彼國王之命，來貢珍於大明。舟抵鄞將之滸，寓館於驛，予嘗過焉，見其法容潔脩，律行堅鞏，坐一室左右經書，鉛采自陶，皆楚楚可觀，豈非清然乎！與之辨空，則出所謂預修諸殿院之文，論教異同，以並吾聖人，遂性閑情安，不譁以肆，非淨然乎！且來得名山水而遊，賢士大夫而從，靡曼之色，不接於目；淫哇之聲，不入於耳；而奇邪之行，不作於身；故其心日益清，志日益淨，偶不期離而自異，塵不待浣而已絕矣。茲有歸思，吾國與之文字交者，若太宰公及諸縉紳輩，皆文儒之擇也，咸惜其去，各為詩章，以艷飾迥躅，固非貸而濫者，吾安得不序。皇明正德八年歲在癸酉，五月既望餘姚王守仁書。

此序作於陽明倡良之之說後，時年四十二，可謂文化交流史上之一重要片段。雖不能逕言其傳陽明之學，然日本學者，向皆重視此一歷史文件。井上哲次郎稱："桂悟親與陽明接觸，爲哲學史上決不可看過的事實。”[146]川田鐵彌亦稱：“如桂悟禪宗之外，兼傳程朱之學餘姚之學，論知行合一之義，爲日本王學倡導之嚆矢，其在斯人乎！”[147]然日本陽明學派並非逕受陽明之影響，而卻受陽明左派之影響。蓋陽明以挽救明代社會危機之意院出發，建立其一己之思想體系，雖反對統治者所倡直系之程朱理學，但仍以傳統統治爲其立場。而陽明學左派則不然，泰州之後“其人多能以赤手博龍蛇”[148]以百姓之立場。成爲當時民主啓蒙思想之先驅。陽明與陽明左派之分歧，正如中國陽明學和日本陽明學之分歧，其最大差異以陽明反對百姓起義，而日本陽明學之大鹽中齋則是爲百姓起義之急先鋒。

日本之陽明學分爲兩派，一爲具強烈內省之德教派，一爲以改造世界爲己任之事功派，如中江藤樹從王龍溪《語錄》出發，是屬王學左派之一系統，但其繼承弟子，有主事功派之熊澤蕃山，有主內省派（或稱存養派）之淵岡山，而以蕃山之左派爲日本陽明學之正傳。且比德教派之爲日本王學右派言，亦和中國所謂王學右派，如羅念庵、聶雙江之與朱子學合流者不同。日本之王學右派，如梁川星巖、春日潛菴，均受劉蕺山之影響。

又如佐藤一齋門下之池田草庵，亦極尊信蕺山[149]。彼等非龍溪、心齋，而是東廓、兩峰、念庵，是爲右派立言；然其歸結，乃以蕺山之證人一派爲主，由此可見其與中國之王學右派之殊。日本陽明學，無分左右兩派，皆重實踐；不貴空談無用之學，尤以左派如大鹽中齋，如西鄉隆盛、吉田松陰與明治維新時草莽志士，彼等雖不免近於淺薄，而均能顯示其民意及時代之精神，亦即日本陽明學之最大特色。

日本陽學學，以中江藤樹爲首倡。然陽明學之流傳於日本，於藤樹之前。已有僧人桂悟了庵於明正德五年（西元一五一〇年）與陽明晤見，是日人之知有陽明，遠在十六世紀

---

[146]〈附錄〉《日本朱子學派之哲學》，第 636 頁。
[147]〈緒論〉《日本程朱學的源流》章 1，第 64 頁。
[148]〈泰州學案序〉《明儒學案》卷 32，第 703 頁。
[149]〈泰州學案序〉《明儒學案》卷 32，第 703 頁。

之初期矣。而大張旗鼓爲陽明學張目者，實以中江藤樹爲始。

今知日本陽明學乃以中江藤樹爲其先聲，其後經熊澤蕃山、淵 岡山、三輪執齋、再經佐藤一齋、大鹽中齋，此六子向爲世所公認，及至幕末志士輩出，日本陽明學之主流人物，可謂網羅殆盡。下擬就日本之《陽明學大系》中之《日本之陽明學》（上、中、下）介紹其代表者。

日本陽明學之傳授表如後：

陽明學派

第一期：(一六0八～一六四八)
元　祖 中江藤樹

(一六一九～一六九一)
熊澤蕃山

(一六一七～一六八六)
淵 岡山

第二期：(一六六九～一六八六)
中興之祖　三輪執齋

第三期：近世陽明學

(一七七二～一八五九)
佐藤一齋

(一七九七～一八六六)
吉村秋陽

(一八0五～一八六四)
山田方谷

(一八一一～一八六四)
佐久間象山

(一八一一～一八八二)
奧宮慥齋

(一八一三～一八七八)
池田草庵

(一八一六～一八四五)
柳澤芝陵

(一八三二～一八九一)
東　澤瀉

(一七九三～一八三七)
大鹽中齋

(一八0九～一八三七)
宇津木靜區

(一八0七～一八四九)
林　良齋

中江藤樹

中江藤樹(西元一六0八年～西元一六四八年)近江（今滋賀縣）人，名原，字惟命，通稱與右衛門，號藤樹別號默軒、顧軒。慶長十三年(西元一六0八年)三月七日，生於近江國高島郡小川村。

藤樹爲人，正直誠樸，溫恭謙讓，一舉一動，莫不中矩，且其孝道爲世所公認，村民尊之如神，遂稱“近江聖人”。幼時讀大學中“自天子以至於庶人，壹是皆以修身爲本”句，嘆曰：“幸哉！此經之存，聖人豈不可學而至焉乎？”[150]初修程朱之學，以禮法自持，後信奉陽明學，以存養本心。

嘗訪友人兒玉氏，鄉人嘲之曰：“孔子來矣”藤樹答曰：“孔子卒二千有餘載於此，今汝目以孔子者，豈以我學文學而嘲之乎？學文，士之常耳，士而無文，與奴僕何異。”[151]鄉人聞之有愧色。其時日人尙武，好談兵法。有詢以防箭法者。藤樹曰：“余亦有防箭法，只在其直進無避而已。夫中吾身，是命分之箭，千萬中唯有一枝耳；若有避之心，則非命之箭亦中者也。”[152]由其措詞之鋒利，直刺人心，足以見其爲人如秋霜之潔、夏日之烈。

寬永七年(西元一六三0年)二十三歲，所學漸達朱子學之境界，二十五歲仕於新谷侯，嘗二度歸省其母，但仍以不能奉侍左右爲憾。癸酉元旦(西元一六三三年)偶讀《皋魚》傳，至“樹欲靜而風不止，子欲養而親不待；往而不可返者年也，逝而不可追者親也”思母不已，乃賦詩云：

> 羇旅逢春遠耐哀，緡蠻黃鳥止斯梅；樹欲靜而風不止，來者可追歸去來。

---

[150]〈中江藤樹〉《日本陽明學派之哲學》章1，第8頁。

[151]〈中江藤樹〉《日本陽明學派之哲學》章1，第9頁。

[152]〈中江藤樹〉《日本陽明學派之哲學》章1，第9頁。

藤樹後棄官歸鄉，事母盡孝，益自奮勵。其思想發展，依其平生經歷，可分三期：

其一、朱子時代(西元一六一八年～一六三九年，元和四年～寬永十六年)，十一歲至三十二歲；

其二、過渡時代(西元一六三九年～一六四四年，寬永十六年～正保元年)，三十二歲至三十七歲；

其三、陽明學時代(西元一六四四年～一六四八年，正保元年～慶安元年)，三十七歲至四十一歲。

藤樹於二十三歲篤信朱子之時，便以己所信，批當時學官林氏學，二十八歲時讀《周易啓蒙》，窮其蘊奧。藤樹開塾講學，輒隨其學風之變化而前後有異。中年以前，以《孝經》為主，旁及《四書小學》，寬永十五年讀《五經》頗有所感，乃著《原人說》與《持敬圖說》，以示修養之法。寬永十六年建學舍，模擬朱子《白鹿洞學規》草成《藤樹規》與《學舍座右戒》，倡格律森嚴之朱子學之學風。藤樹於學規中自言："原竊惟今之人爲學者，惟記誦詞章而已，是以吾道之所寄，不越乎言語文字之間，愚嘗憂之也深，故推本聖人立教宗旨，而參與《白鹿洞規條》。"又《座右戒》中明辨長幼之序，凡五等，曰尊者，曰長者，曰敵者，曰少者，曰幼者。

三十二歲，藤樹傾注從朱子學所得，著《論語鄉黨啓蒙翼傳》，所用參考書，有何宴《集解》、皇侃《義疏》、《邢昺疏》、朱熹《集注》及《大全蒙引翼經圖解》及《易》、《詩》、《三禮經疏》及諸子《說文》等，可見其之廣博，頗具朱子學之本領。

年三十三讀《龍溪語錄》，始與姚江學派接觸，然頗以龍溪見解近似禪宗爲怪。年三十七，始購得《陽明全書》而讀之。自是舍朱子學而歸於陽明，爲陽明學之首倡者。其答池田子之函曰：

余信朱學，用工甚久，但學無入

德之門。幸得陽明全集而熟讀之，於是數年之疑惑乃解，而有入德之把柄[153]

其告門弟子曰：“余嘗信朱學，命汝輩專以小學為原則，今始知其拘泥之甚矣。蓋守格法之與求名利，雖不可同日而論。至其害真性活潑之體則一也。汝輩讀聖賢書，宜師其意，勿泥其跡[154]

由此可見藤樹思想從過渡時期漸已達於成熟，然即在朱子學時代，已示其與當時官學不同，至寬永十七年乃有更大之變化，於道德則倡全孝說；又因讀《性理會通》，感悟感應陰隲之理，非神仙浮屠之道，而爲儒之本體。藤樹之過渡期之哲學，則全陷於神秘之直覺，尤以此神秘之直覺即所云愛敬感通之理，更符封建時代民間社會之迷信心理要求。且以實際行動做好事，“又與諸生及鄉民相謀與食於貧民，又修道路橋樑等。[155]是年秋著《翁問答》，此書採自問自答；問者體充，答者天君，以體充表氣，天君表心，實爲從朱子學至陽明學過渡期之重要著作。

藤樹之陽明學實者建於《大學》、《中庸》、《論語》三書之一貫論。晚年在《與戶田氏書》中，稱“心法者無如《大學》、《中庸》、《論語》”；此和其中年以《易》、《孝經》爲主之學風相較則殊，而尤重《大學》、《中庸》二書首章，《論語》則以爲聖賢言行，不必合於今日，故唯作《抄解》。藤樹

[153]〈中江藤樹〉《日本陽明學派之哲學》篇1，章1，第13頁。
[154]〈中江藤樹〉《日本陽明學派之哲學》篇1，章1，第13頁。
[155]〈藤樹先生行狀〉《藤樹全書》卷1，第20頁。

向重實踐，其思想雖前後各異，而篤志修學，聲聞海內，尤以晚年專治陽明學，以致良知爲主，其言語行事，感人特多。

藤樹之弟子三輪執齋於《藤書先生全書》序文：

> 其初尊信朱子，潛心集註，合大全背誦之。然心無所得，疑惑難解。廣搜書肆，得由中土傳來之陽明全書，詳覽熟讀，數年疑惑盡釋。於是聖門階梯之通路，得之於陽明夫子致良知之學。從其教數年，超然默會，將其心傳接於本邦百年之後。蓋先生德崇學正，實本邦道學之淵源，是以當世之教靡然，慕其風，崇其德，皆興起服從矣。[156]

明治維新之思想家杉浦重剛於《祭藤樹先生文》：

> 近江聖人歟？日本聖人歟？東洋聖人歟？抑亦宇內聖人歟？聖人之所以為聖，古今東西蓋一其揆。己為近江聖人，所以為宇內聖人。[157]

洵然藤樹已達聖域，豈局限於近江歟？其至三十三歲止，全尊信朱子學，三十三歲以後，一變而爲王學，爲陽明學派之鼻祖。惜以英年早逝，倡王學僅八年，倘能假以天年，其造詣成就，尤足觀矣，甫逾不惑，論著已有十餘種之多，於此可知其學問識見之深遠。

---

[156]〈中江藤樹〉《日本陽明學派之哲學》篇1，章1，第14頁

[157]〈中江藤樹〉《日本陽明學派之哲學》篇1，章1，第20頁

藤樹學說概分宇宙論、神靈論、人類論、心理論、倫理論、政治論、學問論、教育論、異端論等，上舉學說，可知藤樹雖非直接陽明之人，其瞭解之深如此，可謂難能可貴。吾人試以藤樹所言與陽明傳習錄、明儒學案相較，覺吾國王學之末流，誤入歧途，至成狂禪。陽明之真正知己，非龍溪非心齋，尤非周海門與李卓吾，亦非東林學派，或可求之海東日本之中江藤樹與其後繼之人乎！

藤樹之主要著作有《翁問答》、《孝經啓蒙》、《大學解》、《中庸解》和《藤樹全書》等。然明確表現藤樹之陽明學，則是《大學解》、《中庸解》兩著作。藤樹雖未重複陽明“心即理”之命題，但與陽明同認爲“心”是本體，是天地萬物和萬理之本源。彼謂：“心統體之總號，太極之異名也。合理氣，統性情……其大無外，其小無內。”[158]此乃主觀唯心之世界觀。然藤樹之主觀唯心哲學體系，即所謂：“全孝心法”，雖以陽明爲依歸，但其邏輯結構卻有己之特色。如陽明以“孝”是人類愛親之本性，而藤樹則以“孝”作爲其哲學體系之最高範疇。陽明是借助“心之本體”、“良知”將此一抽象之先驗道德意識予以道德哲學化，而藤樹則逕將“孝”此一道德規範作爲本體，使其道德哲學更富於感情與自然之色調。

藤樹轉變爲陽明學者後，即未再從仕，以教學而終其生。

藤樹學之傳承，家學之外，分爲兩派：一爲左派，以寬永十八年(西元一六四一年)就學之熊澤蕃山爲代表；一爲右派，以正保元年(西元一六四四年)就學之淵岡山爲代表。藤樹有三子，長宜伯，次仲樹，再次季重，其中唯季重名望稍高，稱彌三郎，號常省，承其父之書院。曾作《會約》一卷，懸於壁間，以勸諸生，今錄片段，藉觀其學風。

---

[158]〈中江藤樹〉《日本陽明學派之哲學》篇1，章1，第48頁

> 夫以文會友，以友輔仁者，先賢之明訓也。今一二之同志，孝弟之餘暇，交會於此，其志以為從古訓講習討論，相俱切磋琢磨，而除去於習氣之昏蔽，而復本然之性，至孝弟之極處焉，故筆會約數件，揭之於壁間，以為古人之勸戒。[159]

以《會約》觀之，乃仿《藤樹榘》而作，《榘》爲藤樹於朱子學時代所作，本無所發明，而《會約》則更迂腐，可見藤樹學之傳布，非在家學，而在蕃岡二山之傳承，熊澤蕃山與淵岡山對師說之取捨所見互殊，一尙事功，一德教，即一爲事功派，一爲內省派。

熊澤蕃山

熊澤蕃山（西元一六一九年～西元一六九一年）京都人，名伯繼，字了介，號蕃山、息遊軒。天性深智俊才，卓越古今。年甫十六即仕備前岡山之藩主池田光政，年二十七入中江籐樹之門，爲藤樹門人中最出色者，修陽明學，益得光政之信任，參與藩政，乃布德施惠、賑貧救困、罷勾查、禁賭博、毀淫祠、表節義、明聖教以闢異端、嚴武備以戒不虞，諸新政驚海內之耳目。太宰春台〈復湯淺常山書〉云：“夫烈公者，不世出之英主，得熊澤子，而任以國政。明良之遇，實千載之一時也。”[160]後遭同事之妒嫉，三十九歲退隱於京都，與顯要交往，著書講學，批評政治，遂受幕府所忌，幽囚於吉野、明石、下總、古河等地，終病死獄中。

蕃山雖是陽明學者，亦兼修朱子學。彼將學問活用於現實之政治，並主張須適應於《時》《處》《位》

---

[159]〈中江季重〉《藤樹先生全集》五卷47，第100頁。

[160]〈熊澤蕃山〉《日本陽明學派之哲學》篇1，章2，第191頁。

三者方有效果，所論均切中時弊，被稱爲經世論學者之始祖。蕃山確係不可多得之才，誠有識之士所共認。當江戶時代古文辭派之開祖荻生徂徠睥睨天下時，眼中幾無人，然於熊澤氏，則深表敬服，嘗曰："蓋百年來，儒者之巨擘，唯熊澤一人耳。"[161]又曰："人才則熊澤，學問則仁齋，餘子碌碌未足數也。"[162]又曰："伊藤仁齋之道德，熊澤了介英才，與余之學術，合而爲一，可謂聖人矣。"[163]於徂徠眼中唯蕃山、仁齋與其本人，堪稱江戶儒學鼎足之勢。

永富獨嘯菴亦曰："偃武以來，豪傑之士四人，山鹿素行、熊澤了介、伊藤仁齋、物徂徠。"[164]著名詩人服部南郭(古文辭派)亦曰："予讀熊澤了介經濟說，足蹈其地，口論其政，事事確說，不似他人空言矣。"[165]由此可知，熊澤蕃山確實是位鴻儒碩彥所公認之儒學者。

蕃山曾親炙藤樹之學，信奉致良知之說，雖未必拘泥於藤樹之言，惟其所述蓋受藤樹薰陶鎔鑄有以致之，殆非淵源於江西[166]者幾希，故謂蕃山乃藤樹之精神之子。蕃山之學問既出自藤樹，藤樹之學問又本於陽明，則蕃山之屬陽明學派，無復論矣。然蕃山乃活眼達識之人，不拘泥於舊套，不固滯於古風，常應時勢而變通，故其一言一行，似又不仿藤樹，別樹一幟。蓋藤樹非如其他陽明學派之人，獨尊崇陽明，而輕侮朱子，亦非褊狹固陋之人，各採朱子陽明之所長，唯知宋之理學與明之心法何者裨益於己。

江戶時代以幕府和諸藩爲中心，立封建體制。

---

[161]〈熊澤蕃山〉《漢學者傳記集成》卷1，第57頁。
[162]〈熊澤蕃山〉《日本陽明學派之哲學》篇1，章2，第203頁。
[163]〈熊澤蕃山〉《日本陽明學派之哲學》篇1，章2，第203頁。
[161]指江戶時代以前，戰亂頻仍；江戶時代以後，天下太平。
[165]〈熊澤蕃山〉《日本陽明學派之哲學》篇1，章2，第203頁。
[166]江西，指中江藤樹之江西派，曾著有江西文集一卷。

於此體制之下，學者紛紛謀求榮達，而藤樹卻棄官歸里，一心思索人生之根源，實踐其所得之陽明學。而從其門下輩出之熊澤蕃山，對於當時之政治、社會、學問、宗教等，始終以自由之立場，予以直率之批評，表述其超越時流之卓見，此種不與時流同污之高潔人品與勇往直前之氣魄，尤值欽敬。

藤田幽谷之〈熊澤伯繼傳〉末之贊辭曰："熊澤伯繼，抱王佐之才，位不過陪臣。雖有經世之略，不能施本朝。猶以區區之備，立政成教，傳之後世。後之學者，皆以其平生之志酬足稱，其然乎？豈其然乎？身持屠刀，試此割雞，盛名難處，身以讒廢。悲哉！昔賈誼不容於孝文之時，其治安策，終漢之世，皆不得驗，伯繼既歿，其言尚立，亦足以不朽矣。"[167]

元祿四年(西元一六九一年)歿，熊澤蕃山之著作有《集義和書》十六卷、《集義外書》十六卷、《大學小解》一卷、《中庸小解》一卷、《論語小解》八卷、《二十四孝評》一卷、《三輪物語》八卷、《夜會記》四卷、《三神託解》一卷、《神道大義》一卷、《繫辭解》三卷、《大學或問》二卷、《孝經解或問》十卷、《女子訓》五卷、《易經小解》五卷、《易繫小解》二卷、《孝經小解》二卷、《孝經或問》八卷、《孟子小學》七卷、《宇佐問答》二卷、《葬祭辨論》一卷、《源氏外傳》二卷、《二十四孝或問小解》一卷、《息遊先生初年文集》二卷、《蕃山先生和歌》一卷、《熊澤翁遊會實錄》十卷、《心學文集》二卷、《孝經外傳或問》三卷、《別本孝經外傳或問》四卷、《經濟辨》、《易繫辭和解》、《大和西銘》一卷、《雅樂解》一卷等書。

淵岡山

淵岡山(西元一六一七年～西元一六八六年)仙

---

[167]〈日本之陽明學(上)〉《陽明學大系》卷8，第73頁。

台人，名宗誠、惟元，原稱四郎左衛門，後稱源右衛門，一說源兵衛，因住洛外之岡山，故號岡山，其後門人遂稱岡山先生。

年十五隨父至江戶，因其父知友之薦，得侍幕臣一尾伊織，漸得一尾氏之信任，委以近江浦生郡收取年貢一千石之重責，始聞藤樹先生之學德，後經中川謙叔之介，謁其門而師事之。其間凡五年，先生歿後，遵先生之母所囑，延畫工作先生遺像三幅，其一懸於藤樹書院，延寶二年(西元一六七四年)於京都創設學舍，建先師之祠堂，宣講江西之學，凡五十年，從諸國來學者甚眾。其學術宗旨在紹述藤樹之學，傳之天下後世自期，務以興起斯學爲務。

岡山(內省派)與蕃山(事功派)當時並稱"藤門雙壁"。岡山常以先師琴曲："生死利害猶幻像浮雲，讚譽得失亦朝三暮四，倘不能坦然無欲，則不能卻除凡心。"[168]自惕，今由此可觀其人品矣。

淵岡山之著作《岡山先生示教錄》七卷、《岡山先生示教錄》追加一卷、《岡山先生書翰集》三卷等書。

三輪執齋

三輪執齋(西元一六六九年～西元一七四四年)京都人，名希賢，字善藏，號執齋，別號神山子、躬耕盧。爲日本陽明學中興之祖。父母早喪，年十五，託養於父知友真野某，故其性行內向，純孝天成，秉摯夙成，可以想見。年十七，始從河瀨菅雄學醫，又從飛鳥井雅章學和歌。年十九入號稱崎門三傑(佐藤直方、淺見絅齋、三宅尙齋)之一一佐藤直方之門治朱子學，尊之如神明，信之如蓍龜。年逾而立，始得《王文成公全書》，熟讀〈傳習錄〉、〈文錄〉，漸有所得，乃捨朱而歸王，篤信陽明，祖述藤樹，而爲忠實之信徒，其學術思想影響於幕末維新

168〈日本之陽明學(中)〉《陽明學大系》卷8，第64頁。

甚大。

執齋嘗因直方之薦，仕厩橋侯，後因悟於陽明致良知之學，講說士大夫間，而直方主程朱甚力，執齋入其門，反私向王學，爲直方所不容，至於絕交。後歸京，尋往大阪，又來江戶，數年之間，居止不定，最後於下谷泉橋之北創設講舍，稱明倫堂，教授諸生，以東都之木鐸自任，門人之多，指不勝屈。時荻生徂徠已死，雖有服部安郭、平野全華而皆以詞藻名，不足稱執齋獨於此間，宣揚陽明之學，特放一異彩。

日本儒學史中一致公認三輪執齋爲陽明學中興之祖，良由其《日用心法》，《四言教講義》，《拔本塞源私抄》各書，一心依良知教爲依歸。其中允以《四言教講義》最爲明顯。“四言教”起於王龍溪與錢德洪之天泉辯論，於明末影響頗大。今錄三輪氏所言之要點如後：

> 此四言教，陽明王文成公對於入門之始教人之定法，人人可以受用之規矩。其本即為大學修身工夫，古聖繼天立極，引人入道之嫡嫡相承之要法，亦即人皆可以為堯舜之大典也。舍此而外，即為異端，似而效之，即為霸術，違而背之者為惡，不為之者為愚。故學聖人之道者，必齋戒沐浴，謹敬奉行，起居動靜之中，絕無間斷而服膺之，斯可矣。[169]

其歸依陽明學之真誠，躍然紙上，豈龍溪泰州之自作聰明者所能與之同日而語乎？此即日本儒者奉行陽明學說之真面目。

---

[169]〈王陽明(上)〉《陽明學大系》卷2，第360頁。

三輪氏於“四言教”之解釋如下：

無善無惡心之體：心爲無聲無臭，故無善惡之可名，此即心體而至善者也。人人可以用力而至之鵠的。

有善有惡意之動：心自本體發動者善，自形氣發動者惡，惟動而後善惡分，此即人人用力之處，學問之要點所在。

知善知惡是良知：雖有惡念，而本體之良知未嘗亡，故善惡不辨乃必無之事。所謂良，不出於人爲，乃自然而然。其爲物未易測度，惟其自然而然，故稱爲良知。是爲人人用力之規矩。

爲善去惡是格物：天下之事事物物，無不起於意。爲其意中之善，去其意中之，惡是爲格物。乃人人用力之實功。

讀第一句三輪氏之解釋，以心爲無聲無臭，與朱子解釋太極圖中之無極，正相類似，其與王龍溪之以無善無惡四字，貫徹於四言之終始者大異。日人之務實而不喜玄談，即此可見。

三輪執齋之生也，細川侯嘗有禁陽明學傳習之令，然志操堅貞之士，未嘗因此而廢陽明之學，故張君勱先生曰：“日本王學之緒賴以不墜者，三輪氏之功也”[170]其時日本儒學界，各立門戶，互相辯難。執齋既修朱子之學，不廢聖經賢傳之引證，同時注重內心分析，以發揮陽明特色。因之執齋有“信王固深，尊朱亦不淺”之自白也。

執齋尊信藤樹，由藤樹先生全書序可知矣。又《先哲叢談》卷六：

---

[170]〈日本之陽明學之復興及其贊助日本開國與維新大業〉《比較中日陽明學》篇5，第67頁。

> 執齋尤諳達事體，其言優游有餘地，能使聽者心醉，嘗抵近江小川村，集士民講學，四坐皆感泣服之，翕然相謂為藤樹先生再生。[171]

藤樹因其純篤弘毅之人品，深造自得之學術，是以有“陽明學中興之祖”之讚譽。

西元一七四四年歿，三輪執齋之著作有《日用心法》一卷、《四言教講義》一卷、《大學俗學》二卷、《孝經小解》四卷、《周易進講手記》六卷、《訓蒙大意和解》一卷、《堯典和釋》二卷、《神道臆說》一卷、《標註傳習錄》四卷、《陽明學名義》二卷、《社倉大意》一卷、《古本大學校正本》一卷、《拔本塞源論抄》一卷、《雜著》四卷等書。

佐藤一齋

佐藤一齋(西元一七七二年～西元一八五九年)江戶(今東京)人，初名信行，通稱幾久藏，後名坦，字大道，改稱捨藏，號一齋，亦稱愛日樓、老吾軒。安永元年(西元一七七二年)出生於江戶，後陽明(西元一四七二年)三百年而後生，亦可謂奇緣。與大鹽中齋同爲日本近世陽明學之佼佼者。

一齋好讀書，又善臨池之技，射騎刀槍，無所不學，七歲始入三井觀和學篆隸諸體，與十二、三歲者相比，殆如成人。有藩醫和田圭言者，性多才，善讀書，有文藻，常從之問字。及至成童，嶄露頭角，欲以天下第一等事而成其名，乃立志從事於聖賢之學。

年十九出仕於松平乘保之近侍，與長己四歲之述齋認識，往來講學，蓋無虛日。二十一歲十至大阪，師事中井竹山(懷德堂之學頭)，日夜切靡。竹

---

[171]〈三輪執齋〉《先哲叢談》卷6，第11頁。

山之長子曾弘，詞才絕倫，麗澤相質，其學大進。遂遊京都，見皆川淇園。寬政五年(西元一七九三年)入林簡順之門，寓其邸內，始以儒爲業。簡順歿，無嗣子。官特命述齋以林氏之後承之。於是始正師弟之名，而日夜同學，潛心於六經，傍學文辭。其所交者，如松崎慊堂、清水赤誠；市野隼卿之輩，皆一時之選。或與名儒互討詰難，時僧蕉中以能文鳴世，來江戶，一齋常送文請其批正，受益頗多。

一齋於大阪時，中井氏贈以"朴而復興"四字，且告以此爲王文成之語，自是轉而研究陽明學。年二十九始專注於陽明之學，自成一家之言。一齋雖心服陽明，表則避之。其答大鹽中齋之書，曾稱："姚江之書，雖嘗讀之，然僅爲一己箴砭之用，以云此間(指昌平黌)所教授，乃宋學，乃林氏家學。"[172]但亦時受陽朱陰王之謗，良以當時幕府尊朱子學，一齋言中似有不欲與之相近。然其〈言志耋錄〉中所言，竟有與陽明如出一轍者。

> 學，一也，而等有三。初學文，此學行，終學心。然初之學文，即在吾心，終之學心，乃學之熟也。有三而無三。[173]
>
> 教有三等，心教，化也。躬教，迹也。言教則資於言矣。孔子曰："子欲無言"蓋以心教為尚也。[174]

前述一齋於二十四、五歲時信奉陽明，其所發蓋皆源於竹山與陽明之語，其所著《大學一家私言》(後改名《大學摘說》實即所稱稱《欄外書》，全由姚江派立論，摘朱子之謬。然一齋爲林述齋之門人，勤其熟長，後任昌平黌教官，故不能公然舉陽明學

---

[172]〈日本之陽明學(中)〉《陽明學大系》卷9，第179頁。
[173]〈日本之陽明學(中)〉《陽明學大系》卷9，第186頁。
[174]〈日本之陽明學(中)〉《陽明學大系》卷9，第194頁。

之名，且朱子學爲幕府之官學，是以一齋陽則發朱子學，陰則唱陽明學，致免“陽朱陰王”之譏。況朱王二氏之學，又不能完全調和，且藤樹、蕃山、執齋之徒，又皆主張陽明學而排斥朱子學，一齋不能有並採之嫌，因之，頗費苦心。

一齋《言志四錄》是其處世風格之儒學理論概說，並未拘泥於朱子學與陽明學之區別，於此表現一齋之調和立場。

一齋《言志四錄》、《言志錄》、《言志晚錄》、《言志耋錄》爲日人語錄中之最特出者，即雨森芳洲之《橘牕茶話》、尾藤二洲之《素餐錄》之類，亦未能企及。一齋之《言志四錄》向爲學者所服膺，且奉爲金科玉律，蓋其簡易旨切，若再三翫讀，更覺有味，足徵其深智歷多也。唯吾國薛敬軒之《讀書錄》、胡敬齋之《居業錄》，堪稱伯仲之間。而一齋爲《周易》、《大學》、《近思錄》、《傳習錄》等書所作之欄外書，較明顯表現其陽明學之見，另有二十餘書。綜觀其學說概分：理氣之說、定數論、精神與身體之說、善惡之說、死生之說。[175]

大鹽中齋

大鹽中齋（西元一七九三年～西元一八三七年）大阪人，幼名文之助，通稱平八郎，初明正高，後改後素字子起，號連齋，後改中軒、中齋。又其家塾之名洗心洞，因自從洗心洞主人。

中齋乃近世大阪之奇傑，其事蹟早爲世人所聞，後與其徒專執於陽明學之鼓吹，亦同爲世人所讚慕。曾從鈴木恕平、林述齋學朱子學，後得明儒呂坤之《呻吟語》熟讀玩味，恍然有悟，再得《陽明全書》，誠心研磨，乃轉學陽明，信奉“知行合一”之說。

平八郎既仕之後，以陽明之學教授生徒。門生

---

[175]〈日本之陽明學(中)〉《陽明學大系》卷9，第194頁。

或有喪心者，輒戒之曰："世如海，身如船，心如舵。身船終日浮沉於海，若無心舵，則其不被利雨名風、慾瀾情波之所覆溺者幾希。是故失其性寶之欲者，宜堅執心舵，以渡那無涯無底之世海。縱逢風雨波瀾，庶免覆溺之害。"或問曰："何謂心舵？"答曰："心舵即良知。"[176]

自天保四年(西元一八三三年)至天保七年(西元一八三六年)，大阪饑荒已達頂點，米價騰貴，貧民幾餓死。時跡部氏掌權，曾開庫藏以救民，不許。平八郎憂之，乃建一策，欲府下富商輸金賑濟，鮮有應之者。中齋乃賣所藏書五萬卷，得銀六百五十兩爲賑恤之資。跡部氏責其所爲侮蔑長官。大鹽氏乃發檄文。謂：傳云："四海困窮，天祿永終。"又曰："小人之使爲國家，災害並至。信哉此言！近年天災地變，指僂不可勝數。而有司恬然，湎酒漁色，賄賂公行，愛憎意任。士風不振，廉恥掃地。吾豈忍心坐視耶！"[177]效法我先民弔民除暴，執行天誅之語。惜勢寡不敵，父子自焚其家，繼之以自殺。此乃有名之"大鹽平八郎起義"。起義雖敗，卻予統治者莫大之患，傳播平等思想，鼓舞民眾，影響頗大。對此次起義之評價，日本學者德富蘇峰以爲於日本維新史上"確有極重要關係"而予以肯定。日本歷史學家井上靖說："這次起義雖然只有一天就鎮壓下去了，但是它以全國人心激昂爲背景，發生於日本的經濟中心—大阪，….其政治和社會上的影響，真是非常深刻。"大鹽中齋之所以能成爲震憾全國之武裝起義領導者，此乃其將陽明學"知行合一"學說付諸實際之結果。作爲陽明學者，大鹽中齋繼承王陽明重視"行"之合理思想，即將"知行合一"理解爲知即必行，去實踐。此即是後人評價大鹽中齋之"英雄觀"此"英雄觀"，

---

[176]〈大鹽中齋〉《漢學者傳記集成》卷6，第1092頁。
[177]〈大鹽中齋〉《漢學者傳記集成》卷6，第1092頁。

是日本陽明學之最大特色。

中齋學說背景宜溯自其早年喪母，育於大阪同姓之家爲養子，童年飽經憂患，深知民間疾苦，及長嘗遊江戶，爲林述齋門下，後得《古本大學》讀之，乃依誠意致知之旨，私淑陽明。文政四年(西元一八二一年)曾爲大阪東町執事高井山氏之輔，銳意圖事，政績頗著，時稱奇傑。其後高井山氏年老辭職，跡部良弼代之，不滿中齋之鯁直，中齋乃辭官，立洗心洞學堂講學，自稱洗心洞主人。雖自誇稱"孔孟學"，實專以研究陽明爲事。其洗心洞入學盟誓謂："爲學之要唯在躬行孝弟仁義。"[178]蓋日本近代陽明學者中，以實踐躬行，行其內心信仰之最徹底者，當以中齋爲首屈，雖死於饑饉之亂，然其無愧於殺身成仁之義，可以斷言，其遺風餘韻，更令後人仰慕。後如西鄉隆盛、吉田松陰之殉職，殆亦受其精神之感召。

中齋學說之總綱，曰太虛。乃其深思苦索有得，爲人類修爲之根本，其心歸於太虛，即所謂"歸太虛"。要在去人欲，以道德之觀點，實現其精神之純粹。彼謂人之太虛與天之太虛通，如其不通，人無生存之理。蓋中齋立說乃以吾國周濂溪曰："無欲則靜虛動直"。明道曰："心本至虛"。朱子曰："虛靈不昧以具眾理"爲根據。除太虛之外，其學說尚有致良知、氣質之變化、一死生、去虛僞，足爲吾人關注者。

另者，《古本大學刮目》爲大鹽氏之精心結構，集漢、唐、宋、明、清各家釋大學之文，而尤詳於王門各派之釋大學者，讀此書而後知陽明恢復古本大學之意，躍然紙上。此吾國學者所應爲而未暇爲之。大鹽氏可謂吾國儒者補過之人矣。

大鹽中齋之著作有《古本大學刮目》七卷、《洗心洞劄記抄錄》二卷、《儒門空虛聚語》三卷、《增

---

[178]〈大鹽中齋〉《日本陽明學派之哲學》篇3，章1，第460頁。

補孝經彙註》三卷、《洗心洞學名學則》一卷、《古本大學旁註》一卷、《大學或問增註》、《奉納書籍聚跋》一卷、《洗心洞詩文》二卷、《洗心洞劄記》三卷、《學礎》若干卷等書。

最後對幕末志士之陽明學略作介紹：

十九世紀中葉日本封建制度崩潰，同時又值外國列強之壓力，當時之思想家，於“尊王”與“攘夷”之口號下，始將下級武士、小地主、商人之改革勢力集結，與德川幕府對立。當時彼等以尊王攘夷反對幕府時，即使其從政治覺醒，從純傳統步向資本變革之途。彼等之活動和中齋僅以農民爲號召而不重視市民之要求則異，其時代已具客觀改革之條件，因之彼等所主張之陽明學，乃更趨於行動。此時代人物，有被譽爲“維新三傑”之梁川星巖、西鄉隆盛、吉田松陰等。[179]

梁川星巖

梁川星巖(西元一七八九年～西元一八五八年)美濃安八郡曾根村人，名孟緯，字公圖，又無象，號星巖，又稱詩禪道人，通稱新十郎，享壽七十。

十八歲時出鄉，學於山本北山之奚疑塾，所交大窪詩佛、菊池五山等皆一時俊才，後遊歷四方二十年，抵鎭西，探地利，歸入京與賴山陽等締交親善。天保五年(西元一八三四年)再至江戶，參加詩佛之江山詩設卜居神田，結茅屋，開玉池吟社，以指導後進，弘化二年(西元一八四五年)忽售之西歸，人問其故，不言，強叩之，乃曰：“江戶民物富庶，人口且五百萬，而其食多海運所輸，如有英夷連臣艦，列大炮，窺覦房相之間，則五百萬生靈，饑餓在旦夕，吾徒無用游民，不如速去，以減人物也。”其實乃避林子平等遭難之覆轍云。因去隱於京城東北鴉川，題其室爲鴨沂小隱，焚香讀書，優

[179]〈幕末志士的陽明學〉《日本的古學及陽明學》章7，第366頁。

游自得。

嘉永安政年間(西元一八四八年～西元一八五九年)外艦屢至，幕府多失政，星巖憂之，與薩摩西鄉隆盛、肥後橫井小楠等屢議密事。戊午秋(西元一八五八年)閣老間部詮勝奉命上京，將收捕尊王攘夷諸志士，星巖聞而慨嘆，因嘗與銓勝相識，欲往諫，作詩二十五首，以諷切時弊。其中有詩：

當年乃祖氣憑陵，叱咤風雲捲地興，
今日不能除外釁，征夷二字是虛稱。
小籌大策漫紛紛，一舉誰能掃海氛，
聖慮焦思無晝夜，微臣爭不效忠勤。
勢孤大樹支難得，遠去萬牛挽不回，
欲壽國家真命脈，只須竭力拔群材。

星巖以是年(西元一八五八年)秋卒。及諸子就縛，幕吏謂星巖爲巨魁，數其罪，收其妻景婉下獄訊問，景婉夷然對曰：“良人男子也，豈泄國家機密於婦女子乎！縱令泄之，安得爲人妻而白其夫罪案乎！”不復言。吏無如之何，釋之，實星巖卒後三日事云。星巖晚年潛心哲學，折衷於王陽明、劉蕺山，出入於邵康節陳白沙，頗有悟入。自稱：

十九初游學，使氣頗負抱，頹齡既六旬，方始志於道。

梁川星巖著有《星巖集》三十二卷,《星巖遺稿》八卷、《籲天集》一卷、《春雷餘響》十卷及《自警編》、《香巖集》等。

西鄉隆盛

西鄉隆盛(西元一八二六年～西元一八七七年)鹿兒島人，名隆盛，號南洲，通稱吉之助，鹿兒島藩士。性剛毅，容貌魁偉，少好文武，仕島津公齊彬，年二十二三抵江戶官藩邸，往來水戶，居藤田東湖塾，東湖嘗告人云："他日繼我志者，獨有此少年男兒耳。"南洲雖與東湖往來，但其修心煉膽，卻全從陽明學得來。彼曾與大久保利通及海江田信義同於鄉里聽陽明學者伊東潛龍講學。伊東所著有《餘姚學苑》二卷，蓋曾私淑於佐藤一齋者。南洲亦崇信一齋，曾從《言志四錄》中抄其中最神契之一百一條，作爲金科玉律，卷首有秋月種樹序，其文曰：

> 佐藤一齋《言志錄》凡一千三十四條，行於世。西鄉南洲手抄其一百餘條，藏於家。余嘗游鹿兒島而觀之，沙汰精確，旨義簡明，亦可以窺南洲之學識矣。嗚呼，南洲夙抱勤王之志，致匪躬之節，間關崎嶇，死而復蘇，謀國而不謀身，身益困而人益信，《言志錄》所謂"我執公情以行公事，天下無不服"南洲實行之矣。德川氏之未造，怠惰成風，志氣衰弱，天厭幕府，將興維新之大業，南洲能率大軍夷叛亂，叱咤一聲，萬軍披靡，非得士心豈能如是乎。《言志錄》所謂"因民義之激之，因民欲以趨之，則民忘其生而致其死，是可以戰也"，南洲實行之矣。夫南洲之得人心，立功業如彼，而晚節末路如此，可惜也。此編所載，毫無與道相背，後進之徒能

讀之，可以進德也，可以臨死而不畏也。余嘗聞，南洲之學術基於餘姚，及得此書，始信焉。....[180]

慶應元年(西元一八六五年)以降，日本輿論，一致以倒幕爲中心。德川慶喜將軍自知其位不保，乃有還政之請。然明治天皇與薩長等討幕之計已定，於是有王政復古，與征討號令之發佈，熾仁親王爲東征總督，西鄉氏任總督府參謀之職。及德川自行請罪，戰事因之告終。此後有廢封建改郡縣之議，亦由西鄉氏倡之。日本國內大局稍定，西鄉提征韓之論，木戶氏與大久保氏以爲應先圖內政之安定，不勤遠略。於是西鄉退居故梓鹿兒島，自設私校，自藏軍火，且訓練叛軍，占領九州，政府發兵討之，是名西南戰役。西鄉氏陷於重圍之中，乃自刃以死。

“維新三傑”之一之西鄉隆盛亦是一力行之陽明學者。西鄉隆盛以陽明學之即知即行思想爲理論，倡導開國倒幕。爲此，主張學要經世致用，反對空談聖賢之書，以知而不行比作“觀人劍術”，“一旦較量格鬥，則唯敗逃而已”。從此知而必行、行而不息之思想言，其不辭辛勞，勤於政事，參與幕政改革和勤王運動；爲奉還大政於天皇，新任總督府參謀之職，徵求幕府將軍；爲改革舊制，首倡廢封建改郡縣之議；....爲此，成爲日本勤王運動中首一功臣。

故此，章太炎說：“日本維新，亦由王學爲其先導。”[181]梁啓超說：“日本維新之治，心學之爲用也”[182]此等論斷皆符日本歷史之事實。

南洲於陽明學之造詣，於其手抄《言志錄》之

180〈附錄〉《西鄉南洲遺訓》岩波文庫本，第68頁。

181〈答鐵錚〉《民報》第14號。

182〈宗教家與哲學家之長短得失〉《北京大學學報》1987年，第1期。

外，所著有《南洲遺訓》一卷、《遺文》一卷，均收於《岩波文庫》中。《遺訓》共四一條，又追加二條，問答四條，南洲答七條，補遺三條，其中略可舉者，如言道、言誠：

> 以道為天地自然之物，講學之道則當以敬天愛人為目的，以修身克己為終始，克己之極功為毋意毋必毋固毋我。[183]
>
> 行道無尊卑貴賤之差別，孔子以匹夫終其身，三千之徒皆行道也。[184]
>
> 行道者舉天下而毀之不足，舉天下而譽之不足，自信之原故也。[185]
>
> 使後世至今信仰悅服者，只是一箇真誠也。[186]
>
> 夫天下非誠不動，非才不治，誠之至者，其動也速，才之周者，其治也廣。才與誠合，然後事可成。[187]
>
> 至誠之域，先從慎獨下手，閒居即慎獨之場所，古人主靜立人極，是其至誠之地位也。[188]

就中尤以陽明學密切之語如：

> 若知與能，為天然固有之物，則“無知之知不慮而知，無能之能，不學而能”（王陽明語）是何物耶？其惟

---

[183]〈第二一條〉《西鄉南洲遺訓》岩波文庫本，第12頁。
[184]〈第二八條〉《西鄉南洲遺訓》岩波文庫本，第14頁。
[185]〈第三一條〉《西鄉南洲遺訓》岩波文庫本，第15頁。
[186]〈第三七條〉《西鄉南洲遺訓》岩波文庫本，第18頁。
[187]〈第三九條〉《西鄉南洲遺訓》岩波文庫本，第19頁。
[188]〈南洲答第二條〉《西鄉南洲遺訓》岩波文庫本，第21頁。

心之所為，非乎？[189]

南洲固非學者，然就其所心得之處，如於死生無所着念，即是從陽明學而來。《祭戊辰戰死者文》首二句：

夫生者之有死，自然之理，豈得逃之乎。[190]

又獄中所寫《詩》:

洛陽知己皆為鬼，南嶼浮囚獨竊生，生死何疑天附與，願留鬼魂魄護星城。[191]

由上可見南洲思想所在。

吉田松陰

吉田松陰(西元一八三0年～西元一八五九年)長洲藩(今山口縣)人，名矩方，字義卿，通稱寅次郎，號松陰，又號二十一回猛士。家世爲長洲藩兵法師員。松陰爲人以名節自勵，深沉有大志，年甫十一，藩主召講《武教全書》聞之嘆曰：“矩方講兵，使《七書》與《六經》爭光。”弘化二年(西元一八四五年)從山田賴毅學兵法，賴毅對松陰說：“吾察世運，轉變非運，今子專攻詩書，徒過歲月，可惜。盍大開豁眼，見宇宙形勢。”松陰深感其言，始學西洋知識。嘉永四年(西元一八五一年)，出江戶，入佐久間象山之門，後以欲視察東北地理，不得藩之許可，乃脫藩竟成其功，然亦以此得罪，幽居於鄉

[189]〈南洲答第三條〉《西鄉南洲遺訓》岩波文庫本，第22頁。
[190]〈遺篇〉《西鄉南洲遺訓》岩波文庫本，第82頁。
[191]〈遺篇〉《西鄉南洲遺訓》岩波文庫本，第76頁。

里，嘉永六年漸復自由之身，乃再赴江戶，師事象山。時美艦來浦賀，要求通商，輿論沸騰，松陰深憂國事，著《急務條議》、《攘夷私議》等，強主攘夷。安政元年(西元一八五四年)美艦叩下田，松陰感憤，意欲游歐美，觀其形勢，以講攻守之策，與同志澀木松太郎欲駕美艦外航，象山為之經劃百方，終以犯國禁被投江戶獄中，後繫於長門野山之獄，象山亦被捕。幕吏見松陰詰其所由，松陰正色道："寅次郎決非借他人智力者也，吾知國有嚴禁，甘心為之，事成則上供天朝之用，下報藩主之恩；不成則服斷頭車裂之刑，如此而已。"既而象山被赦，松陰在獄一年，被處私家禁錮，許其創設松下村塾，為藩士講兵學漢學，其間屢上書藩主，痛切時務，會幕府與美人私約開五港，松陰聞之大憤，上《時勢論》於大原宰相，大意在合草莽志士兼諭諸藩，以劃中興之業。又謀刺幕府閣老間部詮勝，事覺，檻致江戶，於安政六年(西元一八五九年)十月被殺於小家原，時年三十歲。

黃遵憲有詩贊曰："丈夫四方志，胡乃死檻車？倘遂七生願，祝君生支那。"吉田松陰發展王陽明之"知行合一"說，使之成為醞釀明治維新運動之思想動力和造就明治維新一代新人之思想指南，此是日本陽明學者對"知行合一"說之重要發展。

關於知行關係，吉田松陰認為知行是"二而一，一而二"之關係；"以知廢行非真知，以行廢知非實行。故知行二而一，先後亦相待而相濟也。"[192]同時，彼又吸收朱子之"論先後，知為先；論輕重，行為重"之思想，認為知對行具有指導作用，是以"知為先"；實行是真知之結果，是以"行為重"。總之，其以"一而二"進行具體分析，以"二而一"進行理論縱合，以朱子之見補充、完善陽明之知行學說，將知行提升。

---

[192]〈吉田松陰全集〉岩波書電1939年，第258頁。

吉田松陰從重行思想，主張為學應“去虛就實，略冗攬權要”，即提倡有用之學。因之，將“訓詁之學，詞章之學，考據之學，老佛之學”統斥之為無為之，“曲學”，而以治國理民之“義理經濟之學”為“正學”，所謂“義理經濟之學”，即其師佐久間象山所倡之“東洋道德，西洋藝術，精粗不遺，表裡兼該”之學問，即以西方之科學文化補充，發展日本之傳統學說。從重行思想言，主張尊王攘夷、尊王倒幕，並以身殉行。於《自警詩》中即抒發此視死如歸之情懷。詩文曰：“士苟得正而斃，何必明哲保身？不能見機而作，猶當殺身成仁，道並行而不悖，百世以俟聖人。”[193]從重行思想出發，弘揚陽明之“知行合一”說，創建松下村塾。此外松陰所設下“松下村塾”有下記一聯，充分表示其志趣：“自非讀萬卷書，寧得為千秋人。”可知其受儒學熏染之深遠與實踐之澈底，宜乎德富蘇峯稱之為“日本男兒之真面目”。松陰門下陽明學者，多卓越人才。明治維新前後叱吒風雲、雄飛宙堂之俊傑之輩，如伊藤博文、木戶孝允、高杉晉作、山縣有朋、井上馨等，皆出其門下。小村塾八十名學生中，竟有一半為明治維新獻力。吉田松陰之高徒，號稱“松門雙璧”之一之高杉晉作(西元一八三九年～西元一八六七年)亦是維新運動之領導人之一。其讀王陽明之《傳習錄》之後，亦作詩曰：“王學振興聖學新，古今雜說遂沉湮，唯能信得良知字，即是羲皇以上人。”[194]

松陰學於佐久間象山之門，其學雖不限於姚江，且傾向於王學左派。當十九歲時自記：“歸家後，偶取王陽明之文讀之。”二十一歲秋凡五十日間，受業於佐藤一齋之門人葉山佐內，熱心研究《傳習錄》。蓋松陰與李贄(卓吾)思想之接觸，當從嘉永

[193]〈吉田松陰〉《日本陽明學派之哲學》篇4，章10，第611頁。
[194]〈吉田松陰〉《日本陽明學派之哲學》篇4，章10，第612頁。

五年(西元一八五二年)讀陳龍川文始。其後於安政三年至六年(西元一八五六年～西元一八五九年)間反復熟讀《焚書》六卷,《續藏書》二十七卷，可見其直接間接常與李贄之思想接觸。松陰讀《焚書》極其精細，隨讀隨抄，並加短評，尤以關於生死、交友、豪傑烈士等，無不詳盡。其《評楊定見》云："夫卓老七十之老人，猶能如此，況吾甫三十，安可遽爲衰颯老人之態哉"！又予其弟子《與高杉晉作書》云：

> 貴問丈夫所可死如何？僕去冬以來，死之一字，大有發明。《李氏焚書》之功為多，其說甚長，約言之，死非可好，亦非可惡，道盡心安，便是死所。世有身死而心死者，有身亡而魂存者，心死、生無益也，魂存、亡無損也。

然松陰之於李贄，亦非全盤接受，如亦云："李老老莊之見，豈知人間大見識哉！""卓吾貴智過於貴忠。"但從大體而言，是傾倒於卓吾，尤以晚年思想，對生死問題得力於《李氏焚書》，誠受王學左派之影響。

松陰著書五十餘種如《講孟札記》、《孫子評注》、《史記前後漢書明倫抄》、《東坡策批評》、《通鑒抄》、《李氏藏書抄》、《李氏焚書抄》及詩文集等十餘種。

二、中日陽明學之異同

中國自元明以降，升爲官學之朱子學掩襲中國之思想與文化界。至明王陽明如異軍突起，倡主觀"心學"。衝決朱子學之堤壩，泛濫天下。陽明歿後，又有浙中王學(如錢德洪、王畿等)、江右王學(如鄒東廓、羅念庵、聶雙江等)、泰州學派(如王艮、期，可謂中國陽明學之全盛期。但，於日本之江戶時代，雖時斷時續出現傾向陽明學之儒學者，然未能形成學統明確而連綿不絕之學派。若對日本陽明學之發展史略作回顧，即不難發現此一現象。

日本陽明學者從敦篤踐履、經世致用發展王陽明之"知行合一"說。對於"知"彼等未流於抽象之理論，而是與具體之社會實踐相結合，將"知"運用於實際生活之中。對於"行"，彼等不以"行"爲道德踐履之框架，將"行"之內容擴展至社會實踐和政治之實際運用。此具有實踐意義之"知"與"行"之結合，形成一力量，此即是足以推翻長達二百六十年之久之德川幕藩領主之統治，繼而發展日本資本主義之原動力。

經上述對日本陽明學特徵之論述，中日兩國陽明學之相異處有二：

其一，井上哲次郎曾說："日本的朱子學和陽明學各有長短，試考德川時代的儒教史，朱子學中不無偉人，然固陋迂腐者頗多。"反之，陽明學派中人物，則多有建樹者，而固陋迂腐之人幾乎沒有。可見，陽明學果有陶冶人物之功無疑。"[195]此是因日本陽明學者將"知行合一"說引向實行實功，將"即知即行"之理論付諸於經世致用之實踐之結果。於日本，陽明學者是將"知行合一"、"即知即行"作爲一至善之理念，即一精神信仰去追求，從真善美去做。因之，彼等視"知識"爲改革社會、經邦弘化之真知識、真學問；視"行動"爲將此真知識、真學問，即己之美好理念，付諸於現實之具體行動，於此思想下，竟將"知行合一"與"置生死於度外"作同義之釋。爲事業，日本陽明學倡知而必行，行而不息，甚至以身殉行之精神。此即是日本陽明學者重實踐、重踐履之求實精神。

與日本陽明相比，中國陽明學是以深厚之中國

---

[195]〈敘論〉《日本陽明學派之哲學》，第4頁。

傳統文化爲其背景而形成、發展，是以，印有倫理道德之標記。王陽明之“知行合一”、“即知即行”說，雖是重實行、實用，實踐之意。但此實踐，是指人倫道德修養之實踐，人格涵養之實踐。王陽明以爲理想人格之培養，在於“正心”。是以，從心學闡釋“知行合一”說。彼所謂之“知”，是指“心”之體；彼所謂之“行”，是指心之用。如此，“知行合一”於“心”。是以，其“知行合一”說主要指“心”上功夫。唯下力氣於“心”，便可正心誠意，達道德修養之目的。由此，“知行合一”之實踐意義便是實踐於“心”，進而實踐於道德。

其二，由於日本陽明學是處於官學地位之朱子學相頡頏而發展，日本之陽明學者或以陽朱陰王之幟而宣傳陽明學，如佐藤一齋；或公然主張吸取朱子學中之合理思想，如佐久間象山。由此形成日本陽明學有別於中國陽明學之一特色；即是彼等將王陽明重實行之思想與朱子“格物窮理”之理論相結合，提倡吸收西方近代之自然科學。如佐藤一齋至暮年時，已不排斥西方之科學技術，其思想開啓“東洋道德、西洋藝術”之先河。又如佐久間象山公開宣稱：“爲學之久，一以程朱爲準。”此表明其篤信程朱之格物致知說，並批陸九淵之學說是“見理過於高尙，存心失於易簡”，“規模腔殼雖已致似廣大，終亦不免淪於禪佛之偏”。[196]是以，彼欲以程朱格物窮理之合理彌補陸九淵學說空疏之蔽。佐久間象山又偏執程朱之說，排斥陸王之學，而是兼採眾家之長之學風。遵循此學風，將王陽明重實行之合理思想與朱子學“格物窮理”中之合理因素相結合，開日本學術理論一代新風。從陽明學之實行實功言，彼反對“無用之學”，提倡“有用之學”，並首創“東洋道德，西洋藝術”。而溝通“東洋道德，西洋藝術”之橋樑，即是朱子學格物窮理之方

[196]《日本思想大系》卷55，第420頁。

法。佐久間象山認爲朱子學之"格物窮理"說具有比較科學和完整之認知功能，當此認知功能與陽明學之重行思想相結合時，可使人之"行動"更合理化、科學化，亦即造成吸取西學之新貌。佐久間象山曾痛斥反對西學之人是"世之儒者，類皆凡夫庸人，不知窮理，視爲別物。……蒙蔽深固，永守孩童之見。此輩唯可哀憫，不足以爲商校。"並稱贊西學說："近來西洋所發明許多學術，要皆實理，祇只資吾聖學。"[197]總之，佐久間象山融會陽明學、朱子學和西學，於日本傳統文化中注入西方之科學文化，並將西學普及於武士和知識分子。日本陽明學不主一家之見，廣採眾攬之價值觀，可稱爲是多元價值觀。此多元價值觀之來源正是日本陽明學者從實功、實用出發，勇於打破門戶之見，博採眾家之長。日本陽明學者之多元價值觀，迄今仍影響日本國民之日常生活。

與日本陽明學之見相反，中國陽明學固守一家之見，對朱子學採取排斥態度。王陽明之哲學命題如"心即理"、"知行合一"、"致良知"等，皆是對朱子學而發。此等命題從理論言，確實彌補朱子學之不合理。然另者，亦加深朱、王學派之間門戶之見。造成此現象，是因中國陽明學之道德實踐觀將"知""行"之內涵局限於倫理道德領域。傳統之倫理規範是心中自明，唯知於心，行於心，自可一通百通，此即是中國陽明學之一元價值觀。一元價值觀僅認爲一學說、一事物是有價值，其餘學說和事物之價值均不予承認。因其固守成說，終導致自身之瓦解。

三、陽明學對日本之影響

十七、八世紀，陽明學於國內受到冷落與批判

[197]〈雜纂·贈小村炳文〉《佐久間象山全集》，卷6，第100頁。

時，於東鄰日本，王學卻與國內形成鮮明之對照，頗受重視。此一時期之日本，以幕府爲中心之傳統領主爲鞏固其統治，同時加強武力與思想之牽制，奉中國傳來之朱子學爲官學。但，隨幕府制於經濟政治上之動搖，異端思想開始發展，陽明學即作爲官學相對立之異端而崛起，其間派別眾多，思想活躍，學者輩出，由是爲日本近代史上著名之明治維新思想鋪路。

日本陽明學之發展，一如張君勱於《比較中日陽明學中所提，有三期：

第一期之代表人物是中江藤樹及其門人，藤樹原信奉朱子學，後讀《龍溪語錄》，對王學產生興趣，年近不惑購得陽明全書，讀之深相契合，由是捨朱子而歸陽明。

藤樹學主良知，嘗引古人語說："良知者生前隨身之規矩，死後隨身之資糧。"依陽明之思想傳說，藤樹解《大學》，亦訓格爲正，物爲事，知爲良知，致知爲致良知。藤樹修身行己，以誠意爲本體，以格物爲功夫，以慎獨爲要領。可見藤樹之本體論和功夫論，均是陽明之思想路向。

藤樹歸宗王學後四年即逝，然其所創日本王學卻蔚爲大觀。門人熊澤蕃山、淵岡山，承其衣缽，繼續推進王學。蕃山雖以爲己辨惑之事有取於朱子窮理之學，自反慎獨則取之陽明之良知，但實際取之陽明則是其思想之主流。其闡良知說："良知無心以愛敬爲心，良知無體以無欲爲體。"[198]又說："愛敬者慈悲無我之真，無欲者圓神不倚之中，無知者謙虛神明之靈也。…故致其良知，則聖茲得焉。"[199]蕃山此思想，皆依藤樹思想加以發展。

淵岡山之學術宗旨，亦在紹述藤樹學說，彼甚折服陽明之致良知學說，彼以爲"良知所照，在我

---

[198]〈熊澤蕃山與淵岡山〉《日本的古學及陽明學》章3，第251頁。

[199]〈熊澤蕃山與淵岡山〉《日本的古學及陽明學》章3，第252頁。

左右，尙有何事之足憚哉。”[200]岡山猶重良知與意之區分，以爲意知雖同謬以千里。私意盛則良知暗，良知明則利意消。爲闡揚王學，岡山創建學舍，其生遍及京都、江戶、會津等地，極力推展王學之流播。

第二期之代表人物是三輪執齋。執齋由藤樹遺書而入王學。其師佐藤直方力主程朱，而執齋稱頌陽明“得心傳於同然，指聖功於良知，德業輝於當世，餘訓流於萬邦”，創明倫堂教授王學。執齋又翻刻《傳習錄》，並加標注，宣傳陽明致良知思想；又作《大學講義序》，宣傳古本大學之思想；作《四言教》，解釋無善無惡心之體；作《朱子晚年定論答或人書》，爲陽明顛倒朱子早晚年歲辯護；又作《日用心法》，闡明心法是堯舜孔孟一貫相傳之道；轉錄《藤樹先生全書》，傳播藤樹讀陽明書之感悟，如此等等，使陽明學朱子學之包圍下得以流播和光大。

第三期是王學發展之極盛時期，代表人物是佐藤一齋和大鹽中齋。一齊是日本陽明學大家，出身世家，幼好騎射，後事儒學。一齋推重陽明，以爲《拔本塞源論》、《尊經閣記》是古今獨步著書據陽明而難朱子。於哲學理論言，一齋主張“理氣合一”、“知行合一”，又力主良知，以視察爲良知之用，以行而真知爲知，不行而徒知爲不知，以實實在在之真知爲良知本體。又主天地萬物一體，又主形神二元，區分真己和軀殼之己，一齋之見，皆導源於陽明《傳習錄》。

一齋門人眾多，其中不乏佼佼者。門人佐久間象山，爲日本幕末之王學學者。篤信陽明學說，並將王學和科學及兵學融會貫通。門人山田方谷，於一齋門下學成歸藩，開館授徒，弟子眾多。彼發展王學中之事功思想，於日本頗具影響。吉村秋陽，終身從事王學，信守一齋師教，一生以著述講學爲

---

[200]〈熊澤蕃山與淵岡山〉《日本的古學及陽明學》章3，第254頁。

事，推進王學。一齋之再傳弟子，蓋皆成爲明治維新之中心人物。

尤值一審者大鹽中齋。三十七歲致仕後，以王學爲指向，專事講學著書。於哲學言，中齋將良知釋爲太虛，謂：“陽明王子之學，要在致良知，而良知二字出自孟子，孟子之良知，出易之乾知，孔子之言，乾知非他，天之太虛靈明而已矣。”[201]中齋主張良知即太虛，即是強調良知是萬物之本體，以其無形無象，故謂太虛。由此，中齋提心歸太虛之命題：“不心歸乎太虛，而謂良知者，皆情識之知，而非真良知也。真良知者非他，太虛之靈而已矣，非知道者孰能悟之。”[202]心歸太虛，即心歸良知本體，如太虛了無一物，無私無欲無我，而又涵合萬物，心存天理。中齋是以見微以知，紹述王學之勤。

日本近世之王學，朱謙之之《日本的古學及陽明學》述之甚詳。作爲一學術思潮，雖是日本社會經濟、政治之產物，但於理論淵源言，仍植根於陽明心學。由於王學主張萬物一體，知行合一，心理合一，修身行己，事上磨練，簡易直截，適應日本德川時代志士仁人要求變革社會之需要，使陽明學於十七、八世紀於中國被擯棄之際，卻於海東日本盛行。中日不少學者認爲陽明學是推動日本明治維新之原動力，蓋非虛語。

日本秋月胤繼嘗謂：“在陽明學者中，其創始者如藤樹，寧謂以德行立，其餘大部份如熊澤蕃山，皆以事業家立，其小者治一藩之政，大者掌一國之權，均能對當時有所貢獻，可謂真能發揮陽明學者之面目，此點爲陽明學對吾國(日本)及後世之影響，其尤大者，研究吾國之陽明學，更應特別注意此點。”(《陸王研究》)。安岡正篤謂：“陽明學

---

[201]〈大鹽中齋〉《日本的古學及陽明學》篇3，章1，第489頁。

[202]〈大鹽中齋〉《日本的古學及陽明學》篇3，章1，第485頁。

正傳於日本....幸未中斷，反能發展其真髓，不可不說是一美事。”（《王陽明傳》）。國父孫中山嘗謂：“五十年前維新諸豪傑，沉醉於中國哲學大家王陽明知行合一的學說，故皆具有獨立的尙武精神，以成此拯救四千五百萬人於水火中之大功。”（《國父全集》）。先總統　蔣公謂：“日本維新變法後之所以富強，在三十年內成爲一個現代化的國家，就是由於它致力於科學與工業發展，實行王陽明“知行合一”的哲學思想”(《蔣總統集》)。

回溯江戶時代，由於德川幕府安定日本政局，是以學術文化亦隨之昌盛，彼時學者如藤原惺窩首倡朱子學，後得林羅山相繼鼓吹，使朱子學風靡一時。但因朱子學之獨盛，遂使日本儒學陷於偏固，缺乏生趣。因之，引起反動，陽明學於焉興起。

率先倡導陽明學是起自民間之學者—中江藤樹。與代表官方學術、標榜教育主義之朱子學派，形成對峙之局。因陽明學派純係由民間學者之贊助，目的在倡導平民教育，因而形成一潛在勢力，並成爲後來推動明治維新之主力。當時日本學者，力倡陽明學之原因有：

其一、陽明簡易直截，合於易經所謂乾以易知，坤以簡能之條件，因而合於日人快刀利刃之性格。

其二、陽明學側重於即知即行，合於日人勇往直前之習慣。

其三、日本人注重事功，將陽明學應用於人間社會，發生大效果。

何況日人不長於理論之精細分析，故對於朱子之理氣二元與陽明之理氣合一，不作抉擇可否之表示，惟其在迎王之中，不做排朱之論，而成爲日本之折衷主義。此殆由於日本兼容並蓄之精神之所致乎？

普及於民間之陽明學，其人物中，出類拔萃者頗多。如：中江藤樹、熊澤蕃山、北島雪山、細井廣澤、三重松菴、三宅石庵、三輪執齋、川田雄琴、林子平、佐藤一齋、梁川星巖、大鹽中齋、宇津木靜區、林良齋、吉村秋陽、山田方谷、佐久間象山、西鄉隆盛、吉田松陰等，皆一時之選。

維新以後之日本社會，仍受陽明學之熏陶，可見陽明思想對日本之影響，實至深且鉅。因日本無本土文化積習之累，猶一素紙，最易濡染，復以純樸，誠摯而富朝氣之民族性，故對外來之學說，頗富敏銳之識鑒力，若肯定其價値，立即接受，絕無成見，並拳拳服膺，黽勉以赴，非唯見之於一己身心之修養，抑且運用於國家政事之經綸，生死禍福，在所不計。且彼等對陽明學說之吸收，不取抽象精微之理論，而專取平易淺近之實踐精神，此即日本學術直能“取人之長”之優點，由此亦可見日本學者深得陽明“即知即行”與“知行合一”之真髓。

結　論

中、韓、日三國壤地爲鄰，命運血緣與文化背景相近，於歐風東漸前，蓋多取資中國，而今吾等共同關注新世紀面臨之挑戰和出路。爲探索此問題及其化解之道，西方學者馬克斯・韋伯(Max Weber)預測：廿一世紀將是以儒家思想爲主流之平洋世紀。日、韓等國深受儒家文化之影響，具有儒家淑世之精神。在中國社會，以孔孟學說爲中心之儒家思想，可謂是中華文化之主流和道統，其間經漢唐、歷宋明等諸儒之闡揚，尤以朱子、陽明之重修己，倡仁義，尊理性，踐力行之人文觀念，深符東亞各國之圓滿答案。是以吾人所希者，不徒於既往歷史之回顧，而在於今後之擷長補短，他山之石，不無攻錯之用也。

朱子爲南宋一代哲學名家，其學說以匡時濟世，解決精神困惑，因應需求而創建，並因之以確立其人生觀、社會觀、世界觀。朱子之學說是以對時弊之憂慮和對人生之疑惑之超脫而受時代所肯定。元明以降，朱子學弘揚於韓、日等國，形成具東方特色之韓國朱子學、日本朱子學。所以考釋韓、日朱子學，可知作爲活學之朱子學與韓、日兩國之現代發展，頗具關聯。韓國朱子學者則以朱子之“開源節流”思想，改革時弊，發展生產，加速其現代化之完成。日本朱子學者則以“格物窮理”思想，運用於科技之發展，作爲擷取西方科技之本。

陽明爲有明一代儒宗，誕生於浙東，欲追孔孟之舊觀，其於居夷處困之間，上承象山之學，深悟本體之理，倡知行合一與致良知之學，其思想精神，非唯影響中國近代之學術文化，且遠及日、韓兩國，下開近代一脈相承之道統和力行哲學之宏規。吾人於探討朱子、陽明學說，廣被東邦，深植其民心，諦造其歷史之餘，更覺兩位先賢之說，非但適用於昔日，且歷古常新，實有弘揚之必要。

溯源儒學影響中國之古代與現代，亦影響東亞之古代與現代，非唯是中國傳統文化之核心和主體，亦是東亞文化之重要組成部分。日、韓等國是將儒學作爲先進學說，予以接受，於中世紀彼等主動學儒，將儒學移植於其本土，建構以儒學爲核心之本土文化，尤以朱子學與陽明學爲主，從而形成所謂“儒學文化圈”。茲略述如後：

其一，此等國家之儒學與中國儒學本質上一致。其發展脈絡及派別之分化，皆無非是中國儒學於域外表現。

其二，日、韓等國之儒學，蓋非中國儒學之簡單再現，不同於中國本土之區域儒學。如朝鮮朱子學之求實精神，朱、王對立所反映之官學與私學之對立；日本神道對儒學君臣、父子之道之糅合，皆具其本土之特色。

其三，儒學於東亞儒學文化圈內，成爲傳統文化之基本內容，影響此等國家之社會發展和民族文化心理之形成，尤以儒學文化圈之國家和地區經濟之崛起、發展，使得世人開始重視儒學中之朱子學、陽明學於現代化社會，乃至後現代社會中之作用，其間或有可資國人借鏡省察之處。

底下擬歸納中、韓、日三國之朱子學、陽明學之同異，分別對三國所產生不同之結果，略作概述。

中、韓、日三國爲鄰，由於地理環境和學術交往，形成東亞儒學文化圈。因之，以中、韓、日三國朱子學作爲儒學之發展，有其相同之處；又因不同之國度及與其本土文化、社會環境相結合，而有其相異之處。

今就中、韓、日三國朱子學之相同言：

其一，以朱學為官學 中國自元便以朱子學爲開科取士之標準，並以朱子學作爲國家典章制度、文化思想、倫理道德、理論思維之指導思想和價值取向。獲得獨尊之地位，而視其餘思想爲異端邪說。朝鮮於高麗末傳入朱子學後，便成批佛主力，對建立和鞏固朝鮮李朝有所貢獻。李朝初，鄭道傳、權近等以朱子學作爲改革立新制度之理念。十六世紀李退溪、李栗谷等使朱子學於哲學思維、倫理道德、政治文化、教育制度及百姓日用生活，居於主遵之位，並使朱子學融合於朝鮮傳統文化之中，而成爲李朝之官方意識。朱子學傳入日本後，曾於社會政治、文化教育和倫理道德有所影響。進入江戶時代，朱子學得以與政治相結合，而成爲修身齊家之功夫和治國平天下之理念。於江戶幕府二百五十年間，成爲官方意識。

其二，以朱子學為致用之學 中國儒學具有入世之實行精神，以現世之修養而達成聖之境界。朱子學既是道德形上學，又是百姓日用之學。朝鮮李朝於接受朱子學時，以實理精神結合朝鮮現實，實踐國家管理、普及教育、倫理道德、家禮制度等之改革。日本傳入朱子學後，即以其作爲批評墨守漢唐舊注訓詁之學說，五山禪僧於研討朱子學而與幕府政權相結合，傳授朱子學，並漸成主導思想。是以朱子學於江戶時期對鞏固幕府體制、文化教育和倫理道德等皆有其實效。

其三，以朱子學為群體道德之精神 中、韓、日三國爲儒學文化圈之成員，皆具有“群體第一，個人第二”之精神。中國朱子深研漢學，治經以奠其基，是宋學之重心，非憑空說理，或流於玄，或流於釋者可比。韓國之教育憲章曾謂：唯有國家之強盛，方有自我之發展，進而發揮國民之獻身精神。如韓新鄉村運動之“勤勉”、“自助”、“合作”等原則，即植基於朱子學之群體道德理念。日本之群體意識是戰後經濟成功之動力。然其團隊精神，則內外有別，對內倡導“以和爲貴”，對外主張“競逐爭勝”。

次就中、韓、日三國朱子學之相異言：

其一，格物窮理之理性特徵 中國朱子學注重形上學道德理性之精神。此理既形而上之宇宙本體，是普遍存有之根據，亦是價値之源泉。朱子學之求理精神，反映華夏民族之生存方式和文化核心，以及由其所轉化之自覺生存智慧和價値觀念。因之，對理之格致和窮究，其目的是依理性原則，從事德行之實踐，經道德主體之自覺操持，實現萬物存有之價值及人生意義。朝鮮朱子學於探求人間現實與存有本體時，更關注人間之社會現實問題。朝鮮朱子學發展朱子學中重實踐理性、人間倫理。如謂朝鮮朱子學重人間倫理，則日本朱子學對“格物窮理”之探究，重於人間倫理、百姓日用之研究。是以日本、朝鮮朱子學與中國重形上學道德理性互異，較形下學之實踐理性。

其二，倫理道德觀念之側重 程朱道問學外亦重道德修養。二程倡導“涵養須用敬，進學在致知。”[1]敬有三義：主一、持中和直內是涵養之功夫和境界。於四德四端中，中國朱子學主仁爲四德之首，仁包四德；於四端中主惻隱，惻隱涵羞惡、辭讓、是非三端。朝鮮朱子學者李退溪從四端七情契入，重倫理道德之修養，以仁義禮智指導行爲，藉改人之氣質，而達聖人之境界。日本朱子學講忠孝，但主“誠”，江戶時期，崎門學派之佐藤直方、三宅尚齋、淺見絅齋等，雖曾予批評。然入江戶後期，“誠”爲倫理道德思想之主流。吉田松陰以“誠”具有實、一、久之涵義。實是以實心去實行，內心與外表爲一，內外不二即誠。而中國講誠，輒道德情感轉爲道德形上學，賦予誠以形而上本體之性質。

其三，與他派之衝突和融合 朱子學作爲歷史之思潮，必與他派思想有關。如何對待與己相異之學派，中國儒學雖具有包容性，然統治者輒企圖以此一思想，排斥他派，視他派爲異端邪說，或離經叛道。朱子學對隋唐至宋初外來之佛教和本土之道教，於儒、釋、道三教衝突融合中和合爲新理學，並將唐以來儒、釋、道三教文化兼容並蓄，落實於新學風、新時代。但元、明、清之統治者，以朱子學爲官學，而漸失其生命力。朝鮮之朱子學作爲反佛之主力，視佛教爲異端，以朱子學爲思想之主導。並於破邪顯正之思想政策下，將陽明學等學派，皆視爲“破”、“邪”之列，予以壓制。此與中國朱子學者對陸九淵心學或明代朱子學者對王陽明

[1]程顥、程頤〈河南程氏遺書〉《二程集》卷18，頁188。

心學迥異。對傳統之花郎道、東學亦採排斥之態度。日本朱子學與中國、朝鮮有別，朱子學非唯依五山禪僧而傳日，亦依禪僧而傳播。朱子學與禪原是融合，而非初始即視爲異端。對日本固有之神道亦非否定，而採包容性、共存性。於鎌倉、室町時代有主以神、佛、儒三教合一者。及至江戶時代，日本朱子學脫禪而獨立，批佛之出世，然對日本固有之神道仍取融合之姿，而主神儒合一、神儒一致，如山崎闇齋之垂加神道。與朝鮮朱子學相較，日本朱子學對其他學派、神道，能以“厚德載物”之兼容精神，方使日本之古漢學、陽明學作爲一私學而得以發展。

由上以觀中國、朝鮮、日本三國之朱子學雖有其共性，但朱子學於傳播國之生根、發展，必然同所在國之社會實際相結合，與傳播國之傳統文化、思維方式、風俗習慣、行爲模式及社會需要相融合，因之，朝鮮有朝鮮化之朱子學，日本有日本化之朱子學，使朱子學呈現多之現象。研究此現象，正是深入各國家、各民族文化之功夫，亦是體認各國家、各民族文化血脈、生命智慧之不二法門。

二十世紀，頗多東、西方學者預言，二十一世紀將是以儒學爲核心之東方人世紀。尤以從十七世紀至十九世紀中國、朝鮮、日本史上之朱子學、陽明學、實學思潮之比較研究，從中追溯中國、朝鮮、日本近代社會發展之不同軌跡及其深層根源，從而研究傳統文化與東亞現代化之經緯，探索中國傳統文化與中、韓、日三國現代化之關聯。

吾人以爲於十七紀至十九世紀東亞歷史出現之朱子學、陽明學、實學思想對中、韓、日三國之社會、歷史之發展，皆起作用。但因中、韓、日三國之社會結構和文化背景互異，產生之影響亦有別。尤以後來之實學思想對“經世致用”、“利用厚生”、“經邦弘化”、“厚德載物”等中華傳統文化經精華，於海外發揮其更大之作用。

十六世紀初，陽明學傳入朝鮮。訥齋朴祥(西元一四七四年～西元一五三Ｏ年)《訥齋集》附錄年譜中有“陽明文字東來，東儒莫知其爲何等語，先生見其《傳習錄》，斥謂禪學之記載。”又十清軒金世弼（西元一四七三年~西元一五五三年）《十清軒集》中云：“陽明老子治心學，出入三家晚有聞，道脈千年傳孔孟，一毫差爽亦嫌云。”最早接陽明學爲南彥經和李瑤。但著作早佚，無由詳察，唯藉史書片斷，略知梗概。

南彥經批李滉之主理論，基於陽明之“心即理”之見，提“涵養體察，吾家宗旨，天理人事，本非二致，善矣。”[2]可見南氏所言，非客觀存在，而僅人事、吾心耳。對朱子學之“居敬”，則主“謹獨、慎獨”，以“謹獨爲日用親切工夫”。李氏亦評之曰：“詳此段語，意微有禪味，得無看白沙傳習未免有少中毒耶”。[3]

李瑤“獨深信陽明學說，瑤學於南彥經”[4]又據朝鮮《宣祖實錄》載，宣祖與李瑤等曾談及陽明學。頗有好感，並肯定之。但，陽明學於朝鮮傳播伊始，即遭正統朱子學家之批，李滉特著〈傳習錄辨〉一文，斥陽明學說：”其心強狠自用，其辭張皇震耀，使人眩惑而喪其守，賊仁義，亂天下，未必非此人也。”長期被視爲異端，直至許筠、張維始得發展。

許筠反對禮教，提倡人之平等。由於出身於庶子，痛恨嫡庶之別，有《洪吉童傳》等文學作品反映其心聲。於朝鮮史上爲首肯人欲之思想家。彼謂：“男女情欲，天也，分別倫紀，聖人之教也。天尊於聖人則寧違於聖人，而不敢違天稟之本性。”[5]

張維與許筠爲同代人，然於朝鮮陽明學發展史具有承先啓後之作用。張氏反朱子學之“知先行後”，主陽明學之“知行合一”。張維之陽明思想對鄭齊斗之陽明思想影響頗深。鄭齊斗謂：“當觀谿谷老(張維)於陽明之書，惟其文義

---

[2]李滉〈答南時甫〉《退溪集》卷14。
[3]李滉〈答南時甫〉《退溪集》卷14。
[4]李能和〈朝鮮儒界之陽明學派〉《青立學叢》25輯。
[5]安鼎福〈椽軒隨筆〉《順菴集》。

見解之熟，故一見便會無不得其要領。”[6]

鄭齊斗是朝鮮陽明學思想之代表者，以批朱子學闡述陽明之“心即理”、“致良知”、“知行合一”說，並建其獨特之理論體系。責朱子學末流謂：“至於今日之說者，則不是朱子學，直是假朱子，不是假朱子，直是附會朱子，以就其意挾朱子而作之威，濟其私。”[7]

鄭齊斗據王陽明之“理者，氣之條理；氣者，理之運用。”[8]批朱子“析心與理爲二”之說，以論證王陽明之“心外無理”、“心即理也”。又其駁朝鮮朱子學者脫離實際，空談道德修養，而主“行”即實踐之重要。

鄭齊斗歿後，因正統朱子學之鎭壓，朝鮮陽明學唯以家學形式流傳，直至二十世紀初，朴殷植引西方之進化論等學術思想，重釋陽明學，方得重新發展。

朴殷植於日本侵略朝鮮之後，朝鮮朱子學已失其生機，主張以陽明思想改造儒教，以適應新時代之需。《儒教求新論》即其代表作。其後又引法國啓蒙思想和英國實證主義，予以陽明學賦予新義。彼謂：“以學術殺天下者”，其危害“甚於焚坑之害”。[9]彼提“救國教育論”藉提高民族素質，發展科技，方能救國救民。因而，全心投入愛國文化啓蒙運動。

前曾述及中、韓、日三國朱子學之發展有其相同之處；又因不同之國度及與其本土文化、社會環境相結合，而有其相異之處，中、韓、日三國之陽明學，何嘗不然。

今就中、韓、日三國陽明學之相同言：

其一，兩者皆屬主體理學 王陽明繼承孟子之“萬物皆備於我”之心本論和“良知”、“良能”之先驗論及陸九淵之“人皆有是心，人皆具是理，心即理也”之思想，建其以“心

---

[6]鄭齊斗〈答崔汝和書〉《霞谷集》。
[7]鄭齊斗〈存言〉下《霞谷集》25輯。
[8]王陽明〈傳習錄〉中《王陽明全集》。
[9]朴殷植《朴殷植全集》中卷。

即理”、“致良知”、“知行合一”爲主之心學體系。朝鮮陽明學之代表鄭齊斗等人，於批朱子學，闡陽明之“心即理”、“致良知”、“知行合一”論，並合朝鮮實際，建其一己心學理論體系。日本陽明學者如中江藤樹、熊澤蕃山、淵岡山等，皆主“心”是本體，三者皆歸宗於主體理學派。

其二，朱子學漸失生機，陽明學應時而生 王陽明心學形成於明中葉，當時社會激化，風氣不正，朱子學日趨空疏，失控人心之作用。就理論淵源言，陽明上接孟子，近續九淵。而其現實之目的，則是革朱子學之弊，救理學之沒落，破心中之賊，重樹綱常名教之威。與此相類，十七世紀，朝鮮李朝政治失序，統治者明爭暗鬥，朝鮮朱子學漸失生機，變爲朋黨之爭理論工具。是以鄭齊斗等人試圖以陽明年學替代朱子學，以救國家之危亡。兩者實具相同之理論和現實之意義。

其三，中、韓、日陽明學者皆尊行“知行合一” 程朱主張“知先行後”，將知行兩分，陽明立革此弊，首創“知行合一”重道德之實踐與事上之磨練，言行一致，表裏如一。朝鮮陽明學者均喜“知行合一”說，尤重“行”之意義。鄭齊斗以禮、樂、射、御、書、數等諸“行”，皆陶冶心性之良方。朴殷植更贊陽明學之實踐精神。“蓋天下只有知而不行之人，斷無純然無知之人，而惟其不行故，不得爲知耳。”[10]此乃對陽明“知行合一”說之深化和肯定。日本陽明學者將“知行合一”說，引向實行實功，將“即知即行”之理論付諸於經世致用之效。日本之文化蓋由中國輸入，明治維新諸傑，皆沉醉於中國陽明之“知行合一”說，故具獨立尙武之精神，使日本由落後之封建社會，轉爲近代化之強國，誕生現代之日本。日本陽明學對開國與明治維新之貢獻，尤爲卓著。在此期間，雖無卓越之陽明學理論家，然佐久間象山與吉田松陰之於開國，西鄉隆盛、伊藤博文之遠略政策，皆大有功於日本，而論其熏陶之效，則實由陽明學有以致之。

---

[10]朴殷植《朴殷植全集》中卷。

次就中、韓、日三國陽明學之相異言：

其一，朱子學式微，仍被視為異端邪說 中國陽明學形成於朱子學流於空疏，失控人心之際，產生未久既得官方之認同與支持，形成較大聲勢，流行長達一百五十年之久。朝鮮陽明學則從其傳入伊始，即被視爲異端邪說，受正統朱子學之壓制，未能像中國陽明學得以興盛和發展。蓋朝鮮陽明學僅以家學之形式延續，因之，其影響和理論思維之發展，遠不及中國。

其二，日本陽明學和處於官學之朱子學相頡頏而生 日本陽明學者如佐藤一齋或舉陽朱陰王之幟宣傳陽明學；如佐久間象山或公然主張擷取朱子學中之合理思想。由此形成日本陽明學有別於中國陽明學之一特點。此乃彼等將陽明重實行之思想與朱子“格物窮理”之理論相結合，從而提倡吸收西方之自然科學。如佐藤一齋至暮年時，已不排斥西方之科技，其思想開啓“東洋道德、西洋藝術”之先河。又如佐久間象山公開宣稱：“爲學之久，一以程朱爲準。”表明其篤信程朱之格物致知說，並批陸九淵之學說是“見理過於高尙，存心失於易簡”，“規模腔殼雖已致似廣大，終亦不免淪於禪佛之偏。”[11]是以其欲以程朱格物窮理之合理性彌補陸九淵空疏之弊。佐久間象山又不偏執程朱之說，排斥陸王之學，而是兼採眾家之長。遵行此學風，進而將陽明重“行”與朱子主“格物窮理”中之合理因素相結合，開日本學術理論一代新風氣。是以日本陽明學此不苟一家之見，廣採眾攬之價值觀，可稱是多元價值觀。

其三，日本陽明學之多元與中國陽明學之一元相異 中國陽明學固守一家之見，對朱子學採排斥態度。陽明之諸多哲學如“心即理”、“知行合一”、“致良知”等，皆對朱子學而發。此等哲學理論雖補朱子學之不合理，但卻加深朱、王學派間門戶之見，而不能對朱子學中合理因素採吸收之

---

[11]家永三郎等《日本思想大系》卷55，頁420。

態，而僅固守已說。因之，不需“格物窮理”之外求功夫，只持一家之言，終導致自身之瓦解，不無憾焉。

綜觀前述，儒學已成世界性之學問，隨新世紀來臨之際，其所欲尋求化解人與自然、人與社會、人與人、人與人身靈等不同文明間衝突之道，儒學將被世人所關注，尤以集儒學大成宋明理學中之代表者朱子、陽明已成東亞文化圈之顯學。因之，吾等除萌發向國人闡述儒學自身及其於世界之傳播和演化，更宜向世人介紹儒學之發展現況和未來方向，以求世人皆來關懷朱子學、陽明學之現代意義和價值之闡發，並從中受到啓發和恩惠。今日吾等必須喚起人之覺醒，重建人之尊嚴，將人由物慾之深淵救出，使其過「人」之生活，有理想可追求，有光明可引導，則儒學之提倡與研究，實刻不容緩，吾等倘能步朱子承孔、孟之傳統－以愛人救世為主旨，以明德新民為途轍，以修己安人為方針，以內聖外王為目標，對朱子思想中之合理因素予以繼承、轉化、創新，而清除其思想中之消極、落後、流弊復以陽明之簡易直截，即知即行，[12]應用於人間社會，非唯對中國及東亞鄰邦韓、日等國之現代化和當代新文化建設，發揮其應有之作用和影響，更將是世人之福。

[12]張君勱：〈日本陽明學之興起〉《比較中日陽明學》篇 4，頁 76。

參考書目舉要

中 國

二程集	程顥、程頤	台灣漢京文化公司	1983
朱舜水集	朱舜水	台灣漢京文化公司	1984
宋元學案	黃宗羲	台灣華世出版社	1987
明儒學案	黃宗羲	台灣華世出版社	1987
宋明理學	吳　康	台灣華國出版社	1973
宋明理學	蔡仁厚	台灣學生書局	1980
宋明理學	陳　來	遼寧教育出版社	1992
宋明理學史	侯外廬等	北京人民出版社	1984
明代思想史	容肇祖	台灣開明書店	1975
中國儒學史	趙吉惠等	河南中州古籍出版社	1991
中國哲學史	勞思光	香港商務印書館	1978
宋明心學述評	甲　凱	台灣商務印書館	1967
宋明理學概述	錢　穆	台灣學生書局	1977
中國思想通史	侯外廬等	北京人民出版社	1998
新儒家思想史	張君勱	台灣弘文館出版社	1986
中國哲學史新編	馮友蘭	北京人民出版社	1998
日中文化比較論	王家驊	浙江人民出版社	1990
中外儒學比較研究	張立文等	北京東方出版社	1998
中國哲學思想論集	錢　穆等	台灣牧童出版社	1976
從陸象山到劉蕺山	牟宗三	台灣學生書局	1979
儒家思想與日本文化	王家驊	台灣淑馨出版社	1994
中韓日儒學比較研究	黃秉泰	社會科學文獻出版社	1995
中國文化對日韓越的影響	朱雲影	黎明文化事業公司	1981
中國、日本、朝鮮實學比較	李甦平等	安徽人民出版社	1995
朱熹	陳榮捷	台灣學生書局	1988
朱熹傳	郭　齊	四川大學出版社	2000

朱熹年譜	王懋竑	北京中華書局	1998
朱子語類	黎靖德	台北華世出版社	1984
朱子文集	朱　熹	台灣富德文教基金會	2000
朱子大傳	束景南	福建教育出版社	1992
朱熹評傳	李甦平	廣西教育出版社	1994
朱子學研究	鄒永賢	廈門大學出版社	1989
朱子新學案	錢　穆	台灣三民書局	1971
朱子新探索	陳榮捷	台灣學生書局	1988
日本的朱子學	朱謙之	北京人民出版社	2000
朱子思想研究	張立文	中國社會科學出版社	1981
朱熹及其哲學	楊天石	北京中華書局	1982
朱子哲學研究	陳　來	華東師範大學出版社	2000
朱熹年譜長編	束景南	華東師範大學出版社	2001
朱子及其哲學	范壽康	台灣開明書店	1964
朱熹與中國文化	蔡方鹿	貴州人民出版社	2000
朱子學研究書目	林慶彰	台灣文津出版社	1992
朱熹及宋元明理學	吳以寧	國際文化出版公司	1990
朱熹與退溪思想比較研究	張立文	台灣文津出版社	1995
王陽明	楊天石	上海中華書局	1972
陽明學	賈豐臻	台灣商務印書館	1967
陽明學派	謝無量	台灣廣文書局	1980
陽明學研究	吳　光	上海古籍出版社	2000
王陽明全集	王守仁	上海古籍出版社	1992
陽明學述要	錢　穆	台灣正中書局	1955
王陽明哲學	蔡仁厚	台灣三民書局	1974
王陽明與禪	陳榮捷	台灣學生書局	1974
王守仁評傳	張祥浩	南京大學出版社	1997
陽明學論文集	張其昀等	台灣華岡書局	1977

陽明學說真諦	張鐵君	中國新聞出版公司	1956
王陽明哲學研究	沈善洪	浙江人民出版社	1981
比較中日陽明學	張君勱	台灣商務印書館	1970
陽明學說在今日	張鐵君	台灣學園月刊社	1975
陽明學與近世中國	吳雁南	貴州教育出版社	1996
曠世大儒－王陽明	方志遠	河北人民出版社	2000
明王文成公守仁年譜	楊希閔	台灣商務印書館	1981
日本的古學及陽明學	朱謙之	北京人民出版社	2000
有无之境－王陽明哲學的精神	陳　來	北京人民出版社	1991
良知與心體－王陽明哲學研究	楊國榮	洪葉文化事業公司	1999

日本

日本儒學史	高田真治	地人書館	1943
儒教精神	武內義雄	岩波書店	1982
日本思想大系	家永三郎等	岩波書店	1971
講座東洋思想	宇野精一等	東京大學出版會	1982
明代思想研究	荒木見梧	創文社	1982
宋明哲學序說	岡田武彥	木耳社	1980
江戶期の儒學	岡田武彥	木耳社	1982
明清思想史 研究	山井　湧	東京大學書版會	1980
中國前近代思想の屈析と展開	溝口雄三	東京大學書版會	1980
朱子	市川安司	評論社	1974
朱子	三浦國雄	講談社	1979
朱子行狀	佐藤　仁	明德出版社	1969
朱子、陽明	武內義雄	岩波書店	1936
朱子の哲學	大濱　皓	東京大學出版會	1983
朱子學大系	諸橋轍次等	明德出版社	1974
朱子學研究	秋月胤繼	京文社	1927
朱子と王陽明	荒木見梧等	中央公論社	1974

朱熹と王陽明	高橋　進	國書刊行會	1979
朱子哲學論考	市川安司	汲古書院	1985
朱子學と陽明學	島田虔次	岩波書店	1967
朱子の思想形成	友枝龍太郎	春秋社	1969
日本朱子學と朝鮮	阿部吉雄	東京大學出版會	1965
日本朱子學派の哲學	井上哲次郎	富山房	1905
王陽明	近藤信康	勁草書房	1963
王陽明	谷光隆	人物往來社	1967
陽明學大系	宇野哲人等	明德出版社	1971
王陽明全集	安岡正篤等	明德出版社	1982
王陽明研就	安岡正篤	明德出版社	1981
陽明學の世界	木村光德	明德出版社	1986
陽明學の研究－成立篇	山下龍二	現代情報社	1971
王陽明の研究－展開篇	山下龍二	現代情報社	1971
王陽明と明末の儒學	岡田武彥	明德出版社	1981
日本陽明學派の哲學	井上哲次郎	富山房	1900

韓 國

宋明哲學(朱子學 陽明學)	劉明鍾	螢雪出版社	1976
朱子大全	李家源等	韓國精神文化研究院	1980
朝鮮儒學史	玄相允	民眾書館	1977
韓國儒學史	裴宗鎬	延世大出版部	1981
韓國儒學史	柳承國	成均館大出版部	1988
韓國哲學史	韓振乾等譯	社會科學文獻出版社	1996
韓國思想史	劉明鍾	東亞大出版部	1981
朱子哲學의研究	柳仁熙	延世大出版部	1980
退溪哲學의研究	尹絲淳	高麗大出版部	1983
栗谷 의哲學思想	宋錫球	中央日報設	1984
朱子學 과 韓國儒學	柳承國等	成均館大出版部	1980

退溪의生涯과思想	柳正東	博英社	1974
朱子哲學과中國哲學	柳仁熙	汎學社	1980
中韓日儒學比較研究	黃秉泰	社會科學文獻出版社	1995
陽明學演論	鄭寅普	三星美術文化財團	1981
韓國의陽明學	劉明鍾	同和出版社	1983
韓國陽明學研究	金吉煥	一志社	1991
陽明哲學의研究	宋在雲	思社研	1991
王陽明哲學의研究	安宗樹	延世大出版部	1983
朝鮮時代의陽明學研究	尹南漢	集文堂	1982

附錄一

中日韓朱子學陽明學關係人物生卒年表

中國		日本		韓國	
朱子學	陽明學	朱子學	陽明學	朱子學	陽明學
周敦頤(1017-1073)	婁　諒(1422-1491)	藤原惺窩(1561-1619)	中江藤樹(1608-1678)	安　珦(1243-1306)	金世弼(1473-1553)
張　載(1020-1077)	羅欽順(1465-1547)	林　羅山(1583-1657)	熊澤蕃山(1619-1691)	白頤正(？-？)	洪仁祐(1515-1554)
程　顥(1032-1085)	湛若水(1466-1560)	松永尺五(1590-1655)	北島雪山(1637-1697)	禹　倬(1253-1333)	南彥經(1528-1574
程　頤(1033-1107)	王守仁(1472-1529)	那波活所(1595-1648)	細井廣澤(1658-1735)	權　溥(1262-1346)	李晬光(1563-1628)
謝良佐(1050-1103)	顧東橋(1476-1545)	谷　時中(1598-1649)	三宅石庵(1665-1730)	李　穡(1328-1396)	許　筠(1569-1618)
陽　時(1053-1135)	黃　綰(1477-1551)	小倉三省(1604-1654)	三輪執齋(1669-1744)	鄭夢周(1337-1392)	崔鳴吉(1586-1647)
羅從彥(1072-1135)	何景明(1483-1521)	野中兼山(1605-1663)	中根東里(1694-1765)	鄭道傳(1337-1398)	鄭齊斗(1649-1736)
李　侗(1088-1158)	王　艮(1483-1541)	山崎闇齋(1618-1682)	佐藤一齋(1772-1859)	權　近(1352-1409)	梁得中(1665-1742)
朱　熹(1130-1200)	徐　愛(1487-1517)	木下順菴(1621-1698)	梁川星巖(1789-1858)	趙光祖(1482-1519)	李匡臣(1700-1744)
蔡元定(1135-1198)	南大吉(1487-1541)	雨森芳洲(1621-1708)	大鹽中齋(1794-1837)	徐敬德(1489-1546)	李匡師(1705-1777)
呂祖謙(1137-1181)	聶　豹(1487-1563)	安東省菴(1622-1701)	吉村秋陽(1797-1866)	趙　穆(1524-1606)	洪大容(1731-1783)
趙汝愚(1140-1196)	鄒守益(1491-1562)	德川光國(1628-1700)	山田方谷(1805-1877)	奇大升(1527-1572)	權哲身(1736-1801)
黃　榦(1152-1221)	歐陽德(1496-1554)	貝原益軒(1630-1714)	宇津木靜區 1809-1837)	李　珥(1536-1584)	李令翊(1738-1780)
何北山(1188-1268)	錢德洪(1496-1574)	佐藤直方(1650-1719)	奧宮慥齋(1811-1882)	柳成龍(1542-1607)	鄭東愈(1744-1808)
許　衡(1209-1281)	羅汝芳(1515-1588)	淺見絅齋(1652-1711)	佐久間象山 1811-1864)	金長在(1548-1631)	李忠翊(1744-1816)
王應麟(1222-1296)	何汝元(1517-1579)	安積澹泊(1656-1737)	春日潛庵(1812-1878)	宋時烈(1607-1689)	朴齊家(1750-1805)
金仁山(1232-1303)	耿定向(1524-1596)	新井白石(1657-1725)	池田草庵(1813-1878)	朴世采(1631-1695)	申　綽(1760-1828)
吳草廬(1249-1333)	李　贄(1527-1602_	室　鳩巢(1658-1734)	林　良齋(？-1849)	韓元震(1682-1750)	丁若鏞(1762-1836)
許白雲(1270-1337)	許孚遠(1535-1604)	三宅尚齋(1662-1741)	柳澤芝陵(1816-1845)	李　東(1677-1729)	李建昌(1853-1898)
曹　瑞(1376-1434)	宋應昌(1536-1606)	栗山潛鋒(1671-1706)	西鄉南洲(1826-1877)	奇正鎮(1698-1879)	朴殷植(1856-1926)
吳與弼(1391-1469)	顧憲成(1550-1613)	中井竹山(1730-1804)	吉田松陰(1830-1859)		李能和(1869-1945)
薛　瑄(1392-1464)	高攀龍(1562-1626)	佐藤一齋(1772-1859)	高杉東行(？-1867)		宋鎮禹(1890-1945)
胡居仁(1434-1484)	劉宗周(1578-1645)	藤田幽谷(1774-1826)	東　澤瀉(1832-1891)		鄭寅普(1892-？)

附錄二 宋朝帝系圖

建隆九六〇—九七六　咸平九九八—一〇二二　乾興一〇二二—一0六三　治平一〇六四—一〇六七　熙寧一〇六八—一〇八五

太祖(趙匡胤)—真　宗—仁　宗—英　宗—神　宗—

元佑一〇八六—一一〇一　崇禎一一〇二—一一二五　靖康一一二六—　建炎一一二七—一一六二　建隆一一六三—一一八九

哲　宗　徽　宗—欽　宗—高　宗—孝　宗—

紹熙一一九〇—一一九四　慶元一一九五—一二二四　寶慶一二二五—一二六四　咸淳一二六五—一二七四　德佑一二七五—

光　宗—寧　宗—理　宗—度　宗—恭　宗—

景炎一二七六—一二七七　祥興一二七八—一二七九

端　宗—衛王(趙昺)南宋亡

附錄三　朱子年表(1130-1200)

西元	干支	帝王年號	史　　實
一一三O	庚戌	建炎四年（一歲）	九月十五日生於福建尤溪城外毓秀峰下之鄭氏草堂。 父松，字喬年，號韋齋。時自尤溪縣尉辭官歸隱。
一一三三	癸丑	紹興三年（四歲）	幼穎悟莊重，甫能言，韋齋指示曰：此天也。問曰：天之上何物？韋齋異之。
一一三四	甲寅	紹興四年（五歲）	始入小學，韋齋召試館職，除秘書省正字。
一一三七	乙巳	紹興七年（八歲）	建州城南環溪精舍成，一家引越。
一一三八	戊午	紹興八年（九歲）	陽明讀孟子，慨然奮發，專心致志向學，做工夫。
一一三九	己未	紹興九年（一O歲）	勵志聖賢之學，於舉子業，初不經意。
一一四O	庚申	紹興十年（一一歲）	父反秦檜和議，退隱環溪精舍。
一一四三	癸亥	紹興十三年（一四歲）	三月父歿。遵遺命師事屏山劉子翬。白水劉勉之，籍溪胡憲，皆韋齋故友。子翬字以元晦，勉之則以女妻之，不數年，二劉相繼去世，事籍溪最久。
一一四四	甲子	紹興十四年（一五歲）	葬韋齋於崇安縣五年里西塔山。讀中庸人一己百，人十己千一章，因見呂與叔解得此段痛快，未嘗不悚然警勵奮發。
一一四五	乙丑	紹興十五年（一六歲）	嘗留心於禪。 自云：「某自十六、七歲，下工夫讀書，彼時四旁皆無津涯，只自恁地硬著力去做，至今日雖不足道，但當時也是吃了多少辛苦讀書。」
一一四七	丁卯	紹興十七年（一八歲）	舉建州鄉貢。考官蔡兹謂人曰：「吾取中一後生，三篇皆欲爲朝廷措置大事，他日必非常人。」

西 元	干 支	帝王年號	史 實
一一四八	戊辰	紹興十八年（一九歲）	春、科舉合格，得同進士出身之資格。於湖之上見徐誠叟，徐告以克己歸仁，知言養氣之說，雖時未達其言，久而後知其爲不易之論。
一一四九	己巳	紹興十九年（二〇歲）	自云：「十五六時，至二十歲，史書都不要看但覺閒事非沒又緊，不難理會。大率才看得此等文字有味，畢竟粗心了。」
一一五〇	庚午	紹興二十年（二一歲）	春、徽州婺源故鄉掃墓。董穎有詩讚朱子少時文章：「共歎韋齋老，有子筆扛鼎。」
一一五一	辛未	紹興二一年（二二歲）	春、吏部任官銓試合格。
一一五三	癸酉	紹興二三年（二四歲）	夏、赴任同安縣途中，與延平李侗會。秋、赴同安任。七月長男，子塾生。
一一五四	甲戌	紹興二四年（二五歲）	七月、埜生。
一一五五	乙亥	紹興二五年（二六歲）	春、建經史閣。與呂東萊交友。
一一五六	丙子	紹興二六年（二七歲）	七月、任滿。
一一五七	丁丑	紹興二七年（二八歲）	候任未，秩滿罷歸。
一一五八	戊寅	紹興二八年（二九歲）	正月、再赴延平李侗問以一貫忠恕之說。
一一五九	己卯	紹興二九年（三〇歲）	三月、校定上蔡語錄。
一一六〇	庚辰	紹興三十年（三一歲）	冬、三見延平李侗，正式受學。
一一六一	亥巳	紹興三一年（三二歲）	張南軒之師，胡五峰歿。
一一六二	壬午	紹興三二年（三三歲）	迎謁李侗於建安，與同歸延平。八月、奉應詔壬午封事。
一一六三	癸未	孝宗	十月、李延平歿。十一月、上垂拱奏劄。

西 元	干 支	帝王年號	史 實
		隆興元年（三四歲）	
一一六四	甲申	隆興二年（三五歲）	正月、至延平哭李侗之喪。編成困學恐聞。
一一六五	乙酉	宋孝宗 乾道元年（三六歲）	四月、赴臨安請祠祿官。五月、任監南嶽廟。
一一六六	丙戌	乾道二年（三七歲）	林擇之入門。寫成雜學辨。
一一六七	丁亥	乾道三年（三八歲）	七月、崇安大水，奉府檄行視水災，賑災，並答林擇之賑災書云：「大率今時肉食者，漠然無意於民。」
一一六八	戊子	乾道四年（三九歲）	四月、崇安饑，請粟於府以賑之。始立社倉法於建州。 編成程氏遺書。
一一六九	己丑	乾道五年（四〇歲）	正月、三男在生。 六月、校定大極圖通書。 九月、母祝孺人歿，享壽七十。 建寒泉精舍於建陽。
一一七〇	庚寅	乾道六年（四一歲）	正月、葬祝孺人。 七月、遷父韋齋墓。 改訂西銘解，並完成知言疑義。
一一七一	辛卯	乾道七年（四二歲）	五月、創社倉於崇安五夫里。
一一七二	壬辰	乾道八年（四三歲）	撰克齋記，始提克己二字，認爲是求仁要術。 正月、完成論孟精義。 四月、通鑑綱目、八朝名臣言行錄、中和舊說序。
一一七三	癸巳	乾道九年（四四歲）	六月、完成程氏外書，伊洛淵源錄。
一一七四	甲午	孝宗	六月、完成古今祭家禮、大學章句、中庸章句、

西元	干支	帝王年號	史實
		淳熙元年（四五歲）	大學或問、中庸或問。
一一七五	乙未	淳熙二年（四六歲）	四月、呂東萊訪朱子於寒泉精舍，同編近思錄。 因呂東萊約與陸九齡、九淵及劉靖之諸人相會於信州之鵝湖寺，史稱鵝湖之會。 七月、於廬峰雲谷建晦庵，草堂命名晦庵。
一一七六	丙申	淳熙三年（四七歲）	春、黃勉齋入門。 三月、婺源行，修祖墳。 六月、除秘書省秘書郎。 十一月、妻劉氏歿。
一一七七	丁酉	淳熙四年（四八歲）	二月、作江州濂溪書堂記。 六月、撰成論語、孟子集註，論語、孟子或問。 十月、詩集傳初稿成。
一一七八	戊戌	淳熙五年（四九歲）	八月、除知南昌軍，請祠祿官。
一一七九	己亥	淳熙六年（五〇歲）	陸九齡自撫州至信州，訪朱子於鉛山之觀音寺。始和鵝湖寺九齡詩韻，中有名句「舊學商量加邃，新知涵養轉深沉」。 三月、赴南康軍任，重建白鹿洞書院，爲作學規，呂祖謙並爲記。 立周濂溪祠，配以二程，撰濂溪說。 再校太極圖說、通書。
一一八〇	庚子	淳熙七年（五一歲）	二月、張南軒歿。 九月、陸九齡歿。
一一八一	辛丑	淳熙八年（五二歲）	書濂溪光風霽月亭，撰徽州婺源縣學三先生祠記 二月、陸九淵來訪，朱子陪同至白鹿洞書院，請升講席。講「君子喻於義，小人喻於利」一章。 三月、除提舉江南西路常平茶鹽公事，閏三月，

西元	干支	帝王年號	史實
			去南康歸崇安。 四月、過江州，拜周濂溪書堂遺像，劉清之請爲諸生說太極圖義。 七月、呂東萊歿。 八月、以浙東大饑，改提舉兩浙東路常平茶鹽公事，陸游寄詩朱子，促早來施賑。 十一月、奏事延和殿，力言災異之起，由於人謀不善。 十二月、下朱子社倉法於諸郡。
一一八二	壬寅	淳熙九年 （五三歲）	永康學派陳亮來訪，旬日始別。哭詣東萊墓。
一一八三	癸卯	淳熙十年 （五四歲）	正月、差主管臺州崇道觀。 四月、作武夷精舍，自是杜門不出。
一一八四	甲辰	淳熙十一年 （五五歲）	十二月、編次張南軒文集四十四卷，又爲之序。
一一八五	乙巳	淳熙十二年 （五六歲）	四月、除主管華州雲台觀。
一一八六	丙午	淳熙十三年 （五七歲）	三月、易學啓蒙成。 八月、孝經刊誤成。
一一八七	丁未	淳熙十四年 （五八歲）	三月、小學書成。 四月、除管南京鴻慶宮。 詩集傳改訂稿成。
一一八八	戊申	淳熙十五年 （五九歲）	二月、始出太極圖說，西銘解，以授學者。八月，主管西京嵩山崇福宮。 十一月、上封事。
一一八九	己酉	淳熙十六年 （六〇歲）	二月、序大學章句及中庸章句。 閏五月、改朝散郎。 十一月、改知漳州。
一一九〇	庚戌	宋光宗 紹熙元年 （六一歲）	趙崇度謁朱子於考亭，朱授以大學一編。 十月、刊四經、四子書於漳州。周易本義成。

西 元	干 支	帝王年號	史 實
一一九一	辛亥	紹熙二年（六二歲）	正月、長子塾卒。 三月、除閣修撰，主管南京鴻慶宮。 四月末、離漳州，歸建陽，寓同繇縣。 撰德安府應城縣上蔡謝先生祠記。
一一九二	壬子	紹熙三年（六三歲）	此年李燔入門。陸九淵卒。日本鎌倉幕府開始。 築室於建陽之考亭。 撰黃州州學二程先生祠記。 寫成孟子要略。
一一九三	癸丑	紹熙四年（六四歲）	二月、主舌南京鴻慶宮。 十月、作邵州州學濂溪先生祠記。 十二月、爲荆湖南路安撫使，知潭州。
一一九四	甲寅	紹熙五年（六五歲）	至長沙，修復嶽麓書院。 五月、赴任潭州，諭降洞猿。 六月、孝宗崩，光宗內禪，寧宗即位。 八月、趙汝愚拜右丞相，朱子召爲煥章閣待制侍講，赴行在。 十月、奏事行宮便殿。受詔進講大學，封婺源縣開國男之爵位，食邑三百戶。以上疏忤韓侂胄，罷歸。 十一月、至玉山，講學於縣庠，未幾，還考亭。築竹木精舍（後更名滄州），來學者益衆。有頃著手編纂儀禮經傳通解。
一一九五	乙卯	宋寧宗慶元元年（六六歲）	草疏萬言，擬劾韓侂胄專權蔽主，衆弟子止之取奏稿焚之，罷奏，並更號遯翁。 十二月、詔以秘閣修撰，提舉南京鴻慶宮。
一一九六	丙辰	慶元二年（六七歲）	八月、下詔，禁止道學。 十二、落職罷祠。
一一九七	丁巳	慶元三年（六八歲）	寫成韓文考異、周易參同契考異。 蔡元定謫道州，朱子與從游者數百人餞別於蕭寺中，元定泰然賦詩曰：「執手笑相別，無爲兒女悲。」

西元	干支	帝王年號	史實
一一九八	戊午	慶元四年 （六九歲）	蔡沈應朱子命，續作書集傳。
一一九九	己未	慶元五年 （七〇歲）	三月、寫成楚辭集註、後語、辨證。 四月、以朝奉大夫致仕，始以野服見客。
一二〇〇	庚申	慶元六年 （七一歲）	正月、作聚星亭贊。 三月、改大學意章。三月九日（陽曆四月廿三日）病歿於建陽考亭。 十一月、葬於建陽縣唐石里大林谷，會葬者數千人。
一二四一	辛丑	宋理宗 淳祐元年	死後四十一年，詔周、張、二程和朱熹同時從祀孔廟。

附錄四　明朝帝系圖

洪武一三六八—一三九八　建文一三九九—一四〇二　永樂一四〇三—一四二四　洪熙一四二五—　宣德一四二六—一四三五

明太祖(朱元璋)—惠　帝—成　祖—仁　宗—宣　宗—

正統一四三六—一四四九　景泰一四五〇—一四五六　天順一四五七—一四六四　成化一四六五—一四八七　弘治一四八八—一五〇五

英　宗—代　宗—英　宗—憲　宗—孝　宗—

正德一五〇六—一五二一　嘉靖一五二二—一五六六　隆慶一五六七—一五七二　萬曆一五七三—一六二〇　泰昌一六二〇—

武　宗—世　宗—穆　宗—神　宗—光　宗—

天啓一六二一—一六二七　崇禎一六二八—一六四四

熹　宗—毅宗(朱由校)明亡

附錄五　王陽明年表

西元	干支	帝王年號	史實
一四七二	壬辰	明憲宗 成化八年 （一歲）	九月十三日，王陽明浙江省餘姚之瑞雲樓出生，母鄭氏懷孕十四個月，取名「雲」。
一四七六	丙申	成化一二年 （五歲）	改名守仁，已能默記祖父所讀書之文句。
一四八二	壬寅	成化一八年 （一一歲）	隨父京師，過金山寺賦詩，透露心願讀聖賢書做一等事。
一四八四	甲辰	成化二〇年 （一三歲）	母鄭氏歿，時年四十一歲。
一四八六	丙午	成化二二年 （一五歲）	旅行居庸關，夢謁馬伏波廟，夢中並得詩一首。
一四八七	丁未	成化二三年 （一六歲）	憲宗崩。
一四八八	戊申	孝宗 弘治元年 （一七歲）	至江西迎夫人諸氏。合巹當天，王陽明竟因和道士請教養生之道，而忘花燭洞房。
一四八九	己酉	弘治二年 （一八歲）	年底偕夫人回餘姚。航程中經廣信，乃求見婁一齋，請益宋儒格物之學，以為聖賢可學而至。
一四九二	壬子	弘治五年 （二一歲）	參加浙江鄉試，考中。廣西古田僮族反亂。
一四九七	丁巳	弘治一〇年 （二六歲）	始學兵法，盡讀兵家秘笈。邊境不平靜。
一四九八	戊午	弘治一一年 （二七歲）	有遺世入山之意。
一四九九	己未	弘治一二年 （二八歲）	進士及第，觀政工部，開始仕途，疏陳邊務八事。
一五〇〇	庚申	弘治一三年 （二九歲）	授刑部雲南清吏司主事，河南、山東白蓮教徒暴亂。
一五〇一	辛酉	弘治一四年 （三〇歲）	審理江西囚犯。遊九華山並賦詩。
一五〇二	壬戌	弘治一五年 （三一歲）	告病返越，築室陽明洞中。靜坐得道，摒棄詞章。
一五〇三	癸亥	弘治一六年 （三二歲）	養疾錢塘西湖，悟仙釋之非，興再仕之念。
一五〇四	甲子	弘治一七年 （三三歲）	秋、主持山東鄉試。
一五〇五	乙丑	弘治一八年	提倡聖學，教授門徒，訂交湛若水。

西　元	干支	帝王年號	史　　實
		（三四歲）	
一五〇六	丙寅	武宗 正德元年 （三五歲）	廷杖四十，被謫爲龍場驛驛丞。
一五〇七	丁卯	正德二年 （三六歲）	赴謫錢塘途中，劉瑾派人追殺，王陽明佯爲投江，逃此劫難。
一五〇八	戊辰	正德三年 （三七歲）	隱名易服，潛入武夷山，得一道士提醒，乃赴謫地龍場。始悟格物致知之學。劉瑾將朝官三百多人下獄。
一五〇九	己巳	正德四年 （三八歲）	在貴陽書院主講，始論知行合一。
一五一〇	庚午	正德五年 （三九歲）	陞盧陵知縣，又陞南京刑部四川清吏司主事。與黃綰論聖學。
一五一一	辛未	正德六年 （四〇歲）	調吏部驗封清吏主事。又調文選清吏司員外郎。送湛甘泉奉使安南，詩一首「別湛甘泉」爲贈。江西反亂。
一五一二	壬申	正德七年 （四一歲）	陞考功清吏司郎中，又陞南部太僕寺少卿，便道歸省。弟子徐愛以祁州知州考滿進京，陞南京工部員外郎，兩人同舟歸越，暢談大學之道。
一五一三	癸酉	正德八年 （四二歲）	至滁州督馬政，諸生從遊者日眾。
一五一四	甲戌	正德九年 （四三歲）	陞南京鴻臚寺少卿。
一五一五	乙亥	正德一〇年 （四四歲）	擇從弟守信子正憲爲嗣。上疏乞歸，因祖母岑太夫人高年九十六。
一五一六	丙子	正德一一年 （四五歲）	陞都察院左僉都御史。 巡撫南贛、汀、漳等處。
一五一七	丁丑	正德一二年 （四六歲）	授提都南贛、汀、漳等處軍務。十月平橫水桶岡諸寇。
一五一八	戊寅	正德一三年 （四七歲）	陞都察院副御史，廕子錦衣衛，世襲百戶。 一年間平四省邊境巨寇。 七月、刻古本大學、朱子晚年定論。 八月、門人薛侃刻傳習錄。 九月、修濂溪書院。
一五一九	己卯	正德一四年 （四八歲）	以祖母疾，疏乞致仕不允。奉命巡撫江西。 祖母岑太夫人歿，兩乞便道省葬不允。 平江西寧王朱宸濠之亂。
一五二〇	庚辰	正德一五年 （四九歲）	四疏省葬不允。 王心齋執弟子禮。

西　元	干支	帝王年號	史　　實
一五二一	辛巳	正德一六年 （五〇歲）	始揭「致良致」之教。 講學於白鹿洞。
一五二二	壬午	世宗 嘉靖元年 （五一歲）	兩疏辭封爵。 祖父龍山公歿，葬於石泉山。
一五二四	甲申	嘉靖三年 （五三歲）	八月、宴門人於天泉橋。南大吉續刻傳習錄。
一五二五	乙酉	嘉靖四年 （五四歲）	夫人諸氏歿，葬於徐山。答顧東橋書，有拔本塞源之論。 人立陽明書院於越城。
一五二六	丙戌	嘉靖五年 （五五歲）	繼室張氏生子正億。
一五二七	丁亥	嘉靖六年 （五六歲）	奉命兼都察院左都御史，復奉暫兼理巡撫兩廣。疏辭不允。 黃綰等薦王陽明堪任輔弼，因桂萼等阻而未果。
一五二八	戊子	嘉靖七年 （五七歲）	十月、上疏告病，謁馬伏波廟，爲詩識之。 十一月二十九日辰時，王陽明歿。
一五二九	己丑	嘉靖八年	正月、發喪南昌，二月抵越。至十一月始葬洪溪。

附錄六 朱子學研究論著目錄（中文篇）

專著書名	作者	書 局	年份
朱子學派	謝旡量	上海中華書局	1915
朱子	謝毓修	上海商務印書館	1922
朱熹	周予同	上海商務印書館	1929
朱熹教育學說	祁致賢	台灣復興書局	1954
朱熹	譚 鳴	星洲世界書局	1962
朱子文集	朱 熹	台灣中華書局	1963
朱子大全	朱 熹	台灣中華書局	1964
朱熹與金門	郭曉齡	金門縣文獻委員會	1970
朱子學提網	錢 穆	台灣三民書局	1971
朱子新學案	錢 穆	台灣三民書局	1971
朱子研究	楊筠如	台灣商務印書館	1972
朱熹的文學批評研究	張 健	台灣商務印書館	1973
朱子及其哲學	范壽康	台灣開明書店	1976
朱熹	陸寶千	台灣商務印書館	1978
朱熹倫理學	楊慧傑	台灣牧童出版社	1978
朱子語類	朱 熹	台灣中文出版社	1979
朱熹思想研究	張立文	中國社科出版社	1981
朱子年譜	王懋竑	台灣商務印書館	1982
朱學論集	陳榮捷	台灣學生書局	1982
朱子門人	陳榮捷	台灣學生書局	1982
朱熹及其哲學	楊天石	北京中華書局	1982
朱子哲學思想的發展與完成	劉述先	台灣學生書局	1982
晦庵易學探微	曾春海	台灣輔大出版社	1983
朱子哲學思想的發展及其成就	梁承武	文史哲出版社	1984
朱熹評傳	陳正夫等	江西人民出版社	1984
朱學論叢	龔道運	文史哲出版社	1985
朱子學	王儒松	教育文物出版社	1985
朱子理學與佛學之探討	熊 琬	文津出版社	1985
朱子語類	黎靖德	文津出版社	1986
福建朱子學	高令印等	福建人民出版社	1986
朱熹與岳麓書院	楊金鑫	上海華東師大出版社	1986
朱熹事跡考	高令印	上海人民出版社	1987
朱熹哲學研究	陳 來	中國社科出版社	1987
朱熹教育思想述評	周德昌	吉林教育出版社	1987
朱子新探索	陳榮捷	台灣學生書局	1988
朱子詩中的思想研究	申美子	文史哲出版社	1988
朱子書信編年考証	陳 來	上海人民出版社	1989
朱熹與白鹿洞書院	李邦國	湖北教育出版社	1989
朱子學研究	鄒永賢	廈門大學出版社	1989

專著書名	作者	書　局	年份
朱熹教育思想研究	韓鍾文	江西教育出版社	1989
朱熹與中國文化	周谷城等	學林出版社	1989
朱子新學案	錢　穆	台灣三民書局	1989
朱熹王守仁哲學研究	鄧艾民	華東師大出版社	1989
朱熹及宋元明理學	吳以寧	國際文化出版公司	1990
朱熹與閩學淵源	武夷山朱熹研究中心	上海三聯書店	1990
朱熹易學析論	曾春海	輔仁大學出版社	1990
朱熹	陳榮捷	東大圖書公司	1990
朱熹論集	陳榮捷	台灣學生書局	1990
朱熹與李退溪詩比較研究	李秀雄	北京大學出版社	1991
朱熹思想叢論	鄒永賢	廈門大學出版社	1991
朱熹佚文輯考	束景南	江蘇古籍出版社	1991
朱熹教育與中國文化	朱瑞熙	北京燕山出版社	1991
朱子學新論	武夷山朱熹研究中心	上海三聯書店	1991
朱子大傳	束景南	福建教育出版社	1992
朱熹集導讀	王瑞明等	四川巴蜀書社	1992
朱子學研究書目	林慶彰	文津出版社	1992
理心之間—朱熹和陸九淵的理學	高全喜	北京三聯書店	1992
閩學源流	劉樹勛等	福建教育出版社	1993
朱熹新考	郭　齊	成都電子科大出版社	1994
朱子學與明初理學的發展	祝平次	台灣學生書局	1994
朱熹與退溪思想比較研究	張立文	文津出版社	1995
朱熹評傳	李甦平	廣西教育出版社	1996
朱熹的思想世界	田　浩	允晨文化實業公司	1996
朱熹哲學研究	金春峰	東大圖書公司	1997
朱子文集	朱　子	德富文教基金會	1998
朱熹與宋代蜀學	粟品孝	北京高等教育出版社	1998
朱熹評傳	張立文	南京大學出版社	1998
程朱思想新論	楊曉塘	人民出版社	1999
朱子理學美學	潘立勇	東方出版社	1999
朱子道德哲學研究	周天令	文津出版社	1999
朱子學之東傳日本與其發展	鄭樑生	文史哲出版社	1999
朱熹的史學思想	湯勤福	齊魯書社	2000
朱子《近思錄》新解	安　平	台灣正展出版社	2000
朱子哲學研究	陳　來	華東師大出版社	2000
朱熹文學研究	莫礪鋒	南京大學出版社	2000
朱熹與中國文化	蔡方鹿	貴州人民出版社	2000
朱熹傳	郭　齊	四川大學初版設	2000
朱子家禮與韓國之禮學	盧仁淑	北京人民文學出版社	2000
日本的朱子學	朱謙之	北京人民出版社	2000

朱子學研究論著目錄（日文篇）

專著書名	作者	書局	年份
日本朱子學派の哲學	井上哲次郎	富川房	1905
朱子研究	秋月胤繼	京文社	1927
朱王合編	楠本碩水	文成社	1932
朱子、陽明	武內義雄	岩波書店	1936
朱子	後藤俊瑞	日本評論社	1943
朱熹	友枝龍太郎	勁草書房	1963
日本朱子學と朝鮮	阿部吉雄	東京大學出版社	1965
朱子學と陽明學	島田虔次	岩波書店	1967
朱子行狀	佐藤 仁	明德出版社	1969
朱子の思想形成	友枝龍太郎	春秋社	1969
朱子－とその學問展開	市川安司	評論社	1974
朱子學大系(15卷)	諸橋轍次等	明德出版社	1974
近思錄	鈴木由次郎	明德出版社	1974
四書集注	鈴木由次郎	明德出版社	1974
朱子學入門	諸橋轍次等	明德出版社	1974
朱子、王陽明	荒木見悟等	中央公論社	1974
朱子と王陽明	間野潛龍	清水書院	1974
近思錄	市川安司	明治書院	1975
幕末維新朱子學者書簡集	岡田武彥等	明德出版社	1975
朱子集	吉川幸次郎	朝日新聞社	1976
近思錄(上、下)	湯淺幸孫	朝日新聞社	1976
朱子四書集註典據考	大槻信良	中文出版社	1976
朝鮮の朱子學	阿部吉雄等	明德出版社	1977
日本の朱子學	阿部吉雄等	明德出版社	1977
晦庵先生朱文公集人名索引	佐藤 仁	中文出版社	1977
朱子の先驅	阿部吉雄	明德出版社	1978
朱子の後繼	山井 湧	明德出版社	1978
朱子	三浦國雄	講談社	1979
朱熹と王陽明	高橋 進	國書刊行會	1979
朱子文集固有名詞索引	山井 湧	東豐書店	1980
近思錄	山崎道夫	明德出版社	1981
朱子語類	岡田武彥	明德出版社	1981
朱子文集	友枝龍太郎	明德出版社	1983
朱子の哲學	大濱 皓	東大出版社	1983
朱子倫理思想研究	山根三芳	東大出版社	1983
朱熹	佐藤 仁	集英社	1985
朱子哲學論考	市川安司	汲古書院	1985
朱子語類口語語彙索引	鹽見邦彥	中文出版社	1985
朱子の老子觀	大濱 皓	二玄社	1986
朱熹聖人觀の一端	末木恭彥	汲古書院	1990

朱子學研究論文期刊目錄(中文篇)

論文篇名	著譯者	刊名	卷期	年份
與友人論朱陸書第四	程南園	國學	1-1	1915
宋朱熹的詩經集傳和詩序辯	傅斯年	新潮	1-4	1919
朱子經傳史略	吳其昌	學衡	22	1923
晦庵學說平議	黎群鐸	國學叢刊	2-4	1924
朱子著述考	吳其昌	國學論叢	1-2	1927
朱熹的哲學	黃子通	燕京學報	2	1927
朱子學派與陽明學派之大別	陳復光	清華週報	27-10、15	1927
朱熹哲學述評	周予同	民鐸雜誌	10-2	1929
朱熹「格物致知」論	馮日章	朝華月刊	1-1	1929
程朱陸王「格物致知」說之反動	馮日章	朝華月刊	1-3	1930
程朱辨異	何炳松	東方雜誌	27-9、12	1930
朱子之根本精神—即物窮理	吳其昌	大公報文學副刊	146	1930
朱熹與黑格爾太極說之比較觀	賀　麟	大公報文學副刊	147	1930
關於朱熹太極說之討論	素　癡	大公報文學副刊	148	1930
朱子治學方法考	吳其昌	大公報文學副刊	149、150	1930
朱晦翁誕生八百年紀念	吳其昌	國聞週報	7-49、50	1930
跋洪去蕪本朱子年譜補記	容肇祖	燕京學報	20	1930
朱子所見呂紀異文考釋	羅庶丹	湖南大學期刊	5	1931
朱子與呂成公書年月考	葉渭清	北平圖出館館刊	6-1	1932
朱熹哲學	馮友蘭	清華學報	7-2	1932
程朱論仁之闡略	甫　文	佁志週刊	2-4～6	1932
朱熹與閩南文化	翁國梁	民俗	120	1933
朱子的教育思想	林　璋	師大月刊	1-4	1933
朱熹著述分類考略	牛繼昌	師大月刊	1-6	1933
朱熹的救荒論與經界論	鄒　枋	建國月刊	10-1	1934
朱熹的讀書法	邱　椿	大道半月刊	7-9	1934
朱子著述考	金云銘	福建文化	26	1934
朱學鈎玄	姚廷杰	國學論衡	2-16	1934
朱子攻擊毛詩序的檢討	龔書輝	廈大週刊	14-11~12	1934
從政及講學中的朱熹	白壽彝	北平研究院院務彙報	6-3	1935
朱子在籍在官之救荒概略及其平義	董源徵	國專月刊	1-1	1935
朱子論理氣	高名凱	正風半月刊	1-11~12	1935

論　文　篇　名	著譯者	刊　名	卷期	年份
讀朱氏大學章句發疑	鄭景賢	廈大月刊	14-19	1935
朱子語錄諸家匯輯	白壽彝	北平研究院院務彙報	6-4	1935
朱學檢討	孫　遠	國學論衡	5下、6	1935
師表四代之鄉賢朱子	饒思誠	江西省立圖書館館刊	2	1935
朱子論心	高名凱	正風半月刊	1-16、18	1935
朱子論理氣太極	嚴　群	新民月刊	1-6	1935
記正德本朱子實紀竝朱子年譜的本子	容肇祖	燕京學報	18	1935
程朱學派之知行學說	何格恩	民族	4-1	1936
朱子概要敘言	朱質璋	道德半月刊	3-4	1936
朱子對于易學的貢獻	白壽彝	北平晨報思辨	31	1936
朱易散記	白壽彝	北平晨報思辨	34	1936
朱王戴三家學術概論	姚廷杰	國學論衡	7	1936
朱子的讀書方法	葉大年	廈大圖書館報	1-8	1936
朱子的讀書法中之經濟學習法	謝武鵬	圖書展望	1-11	1936
朱熹底師承	白壽彝	文哲月刊	1-8、9	1936
朱一新漢宋兼采之議論	延　舉	時代青年	2-1	1936
二汪二朱及王炎	宛敏灝	學風	6-7、8	1936
朱子所說理與事物之關係	馮友蘭	哲學評論	7-2	1936
程朱陸王之治學方法	馬子實	進德月刊	2-8	1937
朱子之文學批評	郭紹虞	文學年報	4	1938
朱陸兩派直覺思想異同考	張達愚	學術界	2-3	1944
朱子學術述評	錢　穆	思想與時代	47	1947
朱熹的道文統一說	羅根澤	和平時報	8	1947
朱子心學略	錢　穆	學原	2-6	1948
周程朱子學派論	錢　穆	學原	2-2	1949
從現代觀點論朱子形而上學	張東蓀	學原	2-9	1949
鵝湖之會朱陸異同略說	黃彰健	中央研究院歷史語言研究所集刊	22	1950
朱熹學述	錢　穆	民主評論	4-1	1953
朱子的思想	錢　穆	新亞文學講座錄		1953
朱子與陸象山的交誼及辯學的經過	戴靜山	大陸雜誌	8-1	1954
朱子與呂東萊論蘇學（梅園雜記）	童　壽	大陸雜誌	8-12	1954
孔孟與程朱	錢　穆	人生雜誌	47	1954
談朱陸異同	王　昭	中興評論	2-1	1955
朱子學述	吳　康	學術季刊	3-4	1955
程朱「性即理」與陸王「心即理」之比較	康亦男	人生雜誌	111	1955
朱子讀書法	錢　穆	孟氏圖書館刊	2-2	1956
朱熹	盧　舟	教師報	4-12	1957

論 文 篇 名	著譯者	刊 名	卷期	年份
朱子與校勘學	錢 穆	新亞學術年刊	2-2	1957
日本漢學者對於朱王異同之論斷	任覺五	中日文化論集續篇（一）		1958
朱子教育思想	賈馥茗	師大教育集刊		1958
朱子宇宙學研評	周世輔	革命思想	5-6	1958
朱子人生哲學研解	周世輔	革命思想	6-1、2	1959
朱子行誼續考	費海璣	反攻	235	1959
宋代大教育家朱熹	周 辛	合肥師院學報	2	1959
論語疑誤及朱註商榷	王素存	大陸雜誌	18-5	1959
朱子的智識哲學與政治教育思想	周世輔	革命思想	6-3	1959
廣韻全濁上聲字朱熹口中所讀聲調考	許世瑛	幼獅學誌	9-3	1959
影宋本「晦庵朱侍講先生韓文考異」補正	楊 勇	新亞學術年刊		1959
朱熹口中已有舌尖前高元音說	許世瑛	淡江學報	9	1959
朱陸理學之辨	曹國霖	建設	8-10	1960
朱子行誼考	費海璣	大陸雜誌	20-9	1960
朱子的哲學思想	吳 康	學粹	2-5	1960
對朱子論太極的說明	杜而未	恆毅	10-2	1960
朱陸之異與同	李紹戶	建設	9-3、4	1960
朱子的氣象	費海璣	革命思想	9-5	1960
朱子行誼續考	費海璣	反攻		1961
研究朱熹哲學的幾個問題	武 仁	文匯報	4-11	1961
朱熹的「一貫」解有參考價值	俞啓榮	光明日報	5、26	1961
朱熹的哲學思想	林可濟	福建日報	10、14	1961
朱子苦參中和之經過	牟宗三	新亞學術年刊	3	1961
朱熹的純理學	孫振青	現代學人	3	1961
試論朱熹哲學性質	李德永	江漢學報	7	1962
朱子升配考	昭 晴	建設	10-9	1962
朱熹哲學性質問題的討論	集 體	江漢學報	6	1962
朱陸教育思想之比較研究	伍振鷟	師大學報	7	1962
朱子與四書	陳鐵凡	孔孟月刊	1-1	1962
朱子即物窮理之說為科學的入門	邢程霄	孔孟月刊	1-3	1962
朱子哲學裏面幾個基本概念－理氣心性	范壽康	師大教育研究所教育學術演講集		1963
大學朱王釋義之我見	萬心權	孔孟月刊	1-11	1963
朱熹的天體演化思想	唐澤宗	光明日報	8、9	1963
對「朱熹的天體演化思想」一文的幾點意見	尹士德	哲學	405	1963
朱子寫過「正蒙解」麼	張岱年	文史	3	1963
朱熹的教育思想	伍振鷟	教育輔導	14-1	1964
從朱子論語註論程朱孔孟思想歧異	錢 穆	清華學報（新）	4-2	1964
朱陸辯太極圖說之經過及評議	戴君仁	陳百年先生八秩大壽紀念論文集		1964

論　文　篇　名	著譯者	刊　名	卷期	年份
宋儒朱熹先生對教育本質的幾點看法	賈　銳	文風	5	1964
象山與朱子之爭辯	牟宗三	民主評論	18-8、11	1965
朱子陽明的格物致知說和他們整個思想的關係	戴君仁	孔孟學報	9	1965
論朱子對論語「夫子之文章」的注釋並論瞭解論語的方法	黃彰健	孔孟月刊	3-8	1965
朱晦庵基本思想的剖析	李康五	學園	1-8	1965
漢學鄭玄與宋學朱熹	劉伯閔	華僑日報	5、28	1965
朱熹與南宋偏安	徐復觀	華僑日報	6、9	1965
論朱子與程門之學風轉變	錢　穆	華岡學報	1	1965
與朱子爭辯	牟宗三	民主評論	16-18	1965
朱晦庵與王陽明	宇野哲人	史語所集刊	36	1965
論朱王格物致知之說	曾介木	學園	1-7	1966
談朱子晚年思想之衍變	賈　銳	孔孟月刊	5-2	1966
論朱晦庵的修養方法	李康五	學園	2-5	1967
朱陸異同探源	唐君毅	新亞學報	8-1	1967
論朱陸的交誼及其爭辯	楊永英	出版	23	1967
日本的朱子研究述評	費海璣	學園	2-8	1967
記朱子論當時學弊	錢　穆	政大學報	15	1967
朱熹五朝三朝名臣言行錄的史料價值	王德毅	東方雜誌（復）	13	1967
朱子詩序舊說敘錄	潘重規	新亞年刊	9	1967
書朱子禮儀經傳通解後	戴君仁	孔孟學報	14	1967
朱熹禮儀經傳通解與修門入及修書年歲考	戴君仁	台大文史哲學報	16	1967
朱熹八朝名臣言行錄的原本刪節本	鄭　騫	中央圖書館刊(新)	1-2	1967
從遊延年始末記	錢　穆	清華學報（新）	6-1、2	1967
談朱子的論語集註	錢　穆	孔孟月刊	6-5	1968
朱子的周易本義	戴君仁	書目季刊	2-3	1968
對青年談朱子思想	趙尺子	學園	3-2	1968
朱子道統觀之哲學性	陳榮捷	東西文化	15	1968
程朱及其門人之理學	程發軔	孔孟學報	16	1968
綜論朱子五十七歲前之大體傾向以及此後其成熟之義理系統之型態	牟宗三	新亞學術年刊	10	1968
朱子與四書	陳宗敏	孔孟月刊	7-2	1968
朱子與陸王思想中之一現代學術意義	唐君毅	東西文化	17	1968
記朱熹之校勘學	錢　穆	故宮季刊特刊	1	1969
朱熹的政治思想	王雲五	東方雜誌（復）	2-11	1969
朱陸教育思想之比較	清　奇	國魂	281	1969
朱子家學與師承	趙效宣	新亞學報	9-1	1969
朱熹之四書學	錢　穆	復興崗	6	1969
朱子學術思想之淵源	周榮村	中華學苑	4	1969

論　文　篇　名	著譯者	刊　　名	卷期	年份
朱熹對中國文化的功績（正）	胡信田	醒獅	8	1969
朱熹對中國文化的功績（續）	胡信田	醒獅	9	1969
記朱熹文學上、下	錢　穆	東方雜誌（復）	3-1、2	1969
朱子易例及易傳比較研究	程元敏	中山學術文化集刊	4	1969
朱子學提綱	錢　穆	文化復興	2-1	1969
朱子泛論心地工夫	錢　穆	文化復興	2-12	1969
朱子之學養	姜一華	學園	5-8	1970
宋儒東渡與日本武士道精神	東　初	東方雜誌（復）	3-11	1970
正中書局再版「朱子語類」序	錢　穆	新時代	10-8	1970
朱陸鵝湖之會	伍振鷟	台灣教育輔導月刊	12-8	1970
朱子語類的重刊	亦　棣	新時代	10-11	1970
朱熹的教學思想	王雲五	東方雜誌（復）	4-6	1970
朱熹的教學思想續完	王雲五	東方雜誌（復）	4-8	1971
朱子的教育思想	宋東炎	教與學	4-7	1971
朱子釋「風」	戴君仁	新時代	9-3	1971
朱子的教育興趣與詩集傳	戴君仁	文史季刊	1-3	1971
朱子理氣系統之疏解	黎華標	新亞年刊	13	1971
朱熹對於清初諸儒之影響	甲　凱	東方雜誌（復）	5-3	1971
朱、王之異同	周　彝	孔孟月刊	10-1	1971
讀朱子語類記	施之勉	大陸雜誌	44-1	1972
談談朱子各門人的體會分析	費海璣	學園	7-6	1972
研究朱子門人性行感言	費海璣	醒獅	10-6	1972
朱子門人性行考	費海璣	東方雜誌	6-1	1972
談朱子門人	費海璣	東方雜誌	6-2	1972
弘道教育的朱子	王煥琛	中華文化	5-8	1972
朱子的歷史教育	費海璣	現代國家	92	1972
朱子之道德的宇宙論	黎華標	新亞年刊	14	1972
朱子「理氣觀」討論	李日章	大陸雜誌	45-5	1972
朱熹楚辭集註與王洪二家注的比較與價值重估	傅錫任	淡江學報	23	1973
朱熹的知識論	王綱領	文藝復興	41	1973
倫理思想之研究	蔡懋堂	中研院史語所集刊	36	1973
集諸儒之大成的朱晦庵	褚柏思	今日中國	27	1973
朱熹對道教的評論	陳榮捷	國際東方學者會議論文		1973
朱子所定國風中言情緒詩研述	程元敏	孔孟學報	26	1973
朱子論韓愈文之氣勢	楊　勇	新亞年刊	15	1973
評朱熹的「待人」哲學	茅森姝	文匯報	5、27	1974
朱陸異同	譚作人	嘉師專刊	5	1974
略評朱熹	黃佳耿	中山大學學報	3	1974
朱子中庸章句的反動本質	施達青	光明日報	7、12	1974

論文篇名	著譯者	刊名	卷期	年份
詩經朱注本經文異字研究	靡文開	東方雜誌	8-5	1974
論語朱熹集註與何晏集解異義考辨	陳如勳	明志工專學報	6	1974
朱熹集新儒學之大成	陳榮捷	中華文化復興月刊	7-12	1974
朱熹與陸九淵	林貞羊	中國國學	3	1974
道學家朱熹的真面目	文　捷	學習與批評		1974
朱子理氣論的幾個要點	蔡仁厚	哲學與文化	3	1975
朱子的政治論	宋　晞	史學彙刊	6	1975
朱子性情論與韓儒李退溪四端七情說之研析	蔡茂松	成大歷史學報	2	1975
朱熹是孔孟之道的忠實衛道士	集　體	福建日報	4、22	1975
南宋朱陸葉三家說「克己復禮」	周學武	書目季刊	9-2	1975
朱子談讀書	陳宗敏	孔孟月刊	14-3	1975
「性即理」的兩個層次與朱子學之歧異	蔡仁厚	鵝湖	1-8	1976
朱子的居敬窮理說	周學武	書刊季目	9-4	1976
朱陸通詳述	陳榮捷	華學月刊	61	1977
朱子太極即理說	戴景賢	書目季刊	10-4	1977
朱子對老子學之評價	萬先法	中華文化復興月刊	10-5	1977
論朱子之「中和舊說」	張德麟	孔孟月刊	15-11	1977
朱子學流衍韓國考	錢　穆	新亞學報	12-1	1977
朱子學對於古籍訓釋的見解	胡楚生	大陸雜誌	55-2	1977
朱子論韓愈，文之文理	楊　勇	新亞學術年刊	19	1977
朱陸工夫異同論	葉偉平	鵝湖	3-4	1977
日本中世和近世的華學	張興唐	華學月刊	72	1977
評「朱子集」	石田和夫	中國哲學論集	3	1977
象山之「心即理」	牟宗三	鵝湖	3-11	1978
朱熹的詩經學	賴炎元	中國學術年刊	2	1978
朱熹小議	常國武	南京師院學報	2	1978
朱熹論性	王孺松	國文學報	7	1978
朱子心學發凡	王孺松	師大學報	23	1978
朱子語類之成立及其版本	李迺揚	華學月刊	80	1978
朱熹內聖外王的思想	陸寶千	中華文化復興月刊	11-9	1978
心學是否爲唯心論商榷	吳登臺	鵝湖	4-3	1978
試述朱子之人性論	祖蘭舫	中央月刊	10-11	1978
陸九淵之思想及其與朱熹之異同	陳郁夫	中華文化復興月刊	11-10	1978
朱陸鵝湖之會補述	陳榮捷	中華文化復興月刊	11-10	1978
朱熹唯心主認識論批判	張立文	西北大學學報	1	1978
性理精義與十七世紀之程朱學派	陳先法	中華文化復興月刊	11-12	1978
從朱注中庸「天命之謂性，修道之謂教」管窺朱子思想	莊錦津	孔孟月刊	17-5	1879
朱子的教學思想及其影響	黃錦鋐	教學與研究	1	1979
朱子的中和舊說與新說	蔡仁厚	孔孟學報	37	1979
略評朱熹「格物致知」的認識論	姜法曾	南開大學學報	1	1979

論　文　篇　名	著譯者	刊　名	卷期	年份
朱子早年的教育環境與思想發展轉變的痕跡	劉述先	幼獅學誌	15-3	1979
關於朱熹哲學思想的評價問題	姜法曾	文史哲	2	1979
朱子論陰陽	王孺松	師大國文學報	8	1979
朱子論仁	王孺松	師大學報	24	1979
朱熹及其心學	龔道運	國立編譯館館刊	8-1	1979
元代朱熹正統思想之興起	侯　健	中外文學	8-3	1979
朱子與大學爲定本的義理規模	蔡仁厚	華學月刊	93	1979
朱熹「四書集注」的天理論和人性論	邱漢生	中國史研究	2	1979
新儒家範型：論程朱之異	萬先法	中華文化復興月刊	12-5	1979
朱子詩集傳評介	趙制陽	中華文化復興月刊	12-11	1979
西方對朱熹的研究	劉坤一	中國史研究動態	8	1979
中國儒學思想對日本的影響－日本儒學的特質	龔霓馨	中外文學	8-6	1979
朱熹「格物致知論」小議	邱漢生	歷史教學	9	1979
「朱熹陽明與船山的格物義」	曾昭旭	中國文化	2	1979
朱子與退溪的窮理思想	戴璉璋	鵝湖	5-6	1979
朱子、陽明與船山之格物義	曾昭旭	鵝湖	5-6	1979
元儒許衡之朱子學	龔道運	國立編譯館館刊	8-2	1979
論朱熹形而上學的「格物」說	鄧艾民	中國哲學	1	1979
朱子之人性論	郭清寰	高雄師院學報	8	1980
朱陸門人及其後學	蔡仁厚	孔孟學報	39	1980
黃東發與朱子	林政華	孔孟學報	39	1980
朱子學在韓國	王　甦	孔孟學報	39	1980
論朱熹	張秉仁	史學月刊	3	1980
朱子修身論	王孺松	師大學報	25	1980
試論朱熹的比興說	李開金	武大學報	5	1980
元儒郝經之朱子學	龔道運	國立編譯館館刊	9-1	1980
朱子學對中韓兩國儒學的影響	高　明	孔孟學報	40	1980
朱子門人之各方面及其意義	陳榮捷	中國文化月刊	11	1980
中國哲學家－朱熹		哲學與文化	7-10	1980
朱子學的綱脈與朝鮮前期之朱子學	蔡仁厚	中國文化月刊	13	1980
朱子年譜	周憲文	銘傳學報	18	1981
元代之朱子學	萬先法	中華文化復興月刊	14-4	1981
論朱子之仁說	陳榮捷	哲學與文化	8-6	1981
試析論朱子對惡的看法	林營明	鵝湖	6-10	1981
朱子倫理思想研究	王孺松	師大學報	26	1981
朱陸的無極之辯	陳正榮	中華易經	2-6	1981
朱子固窮	陳榮捷	書目季刊	15-2	1981
朱熹哲學中的方法、知識和真理觀	梁燕城	鵝湖	7-6	1981
近三百年朱子學的反對學派	何佑森	幼獅學誌	16-4	1981
元儒金履祥之朱子學	龔道運	國立編譯館館刊	10-2	1981
從朱子晚年定論看陽明之于朱子	陳榮捷	書目季刊	15-3	1981

論　文　篇　名	著譯者	刊　　名	卷期	年份
程朱理學與封建專制主義	陳正夫	學術月刊	144	1981
佛教的理事說與朱熹理氣觀	樂壽明	哲學研究	9	1981
論朱熹對張戴氣的學說的汲和利用	王　冶	遼寧大學學報	51	1981
論朱熹的理本論	楊天石	中國哲學	5	1981
朱熹倫理思想述評	姜法曾	中國哲學	5	1981
西方對朱熹的研究	陳榮捷	中國哲學	5	1981
朱熹：作爲政治家的評價	樊樹志	復日學報	3	1981
論朱熹的太極說（上、中、下）	鄧艾民	明報	182、3、4	1981
朱子四書集義精要隨劄（上、下）	錢　穆	故宮季刊	16-1、2	1981
評程朱理學的神學特色	丁寶蘭	社會科學戰線	18	1982
元代朱陸合流與元代的理學	唐宇元	文史學	150	1982
評朱熹的「豁然貫通」	劉文英	社會科學（蘭州）	13	1982
評朱熹的政治思想	熊鐵基	華中師院學報	35	1982
黃士毅與「朱子語類」	姚瀛艇	河南師大學報	67	1982
朱熹的理學思想－天理論與性論	邱漢生	社會科學輯刊	21	1982
朱熹學派在福建的流傳及影響	昌懷辛	江淮論壇	4	1982
朱熹與王守仁之比較的探索	趙儷生	中國哲學史研究	8	1982
朱熹與宗教	任繼愈	中國社會科學	17	1982
朱熹觀書詩小考	陳　來	中國哲學	7	1982
正確對待朱熹	張義德	讀書	8	1982
論朱熹「會歸一理」的歷史哲學	邱漢生	哲學研究	6	1982
論朱熹的教學法思想	周德昌	天津師院學報	43	1982
論朱熹哲學思想的二重性	賈順先	社會科學研究	3	1982
對朱熹認識的幾點分析	李志林	江漢論壇	21	1982
淺析朱熹的辯證法	李景文	遼寧大學學報	55	1982
關於朱熹哲學的幾個問題	劉雨濤	社會科學研究	3	1982
關於朱熹天理人欲之辨的幾個問題	張　申	東北師大學報	77	1982
談夏威夷「國際朱子學會議」	金恆煒	明報	201	1982
國際朱子學討論會在夏威夷大學舉行	甌　海	哲學研究	9	1982
朱子與佛教	秦家懿	新亞學術集刊	3	1982
朱子建立道統的理據問題之省察		新亞學術集刊	3	1982
朱子在中國思想史上的意義	余英時	中國社會經濟史研討會論文	2	1982
朱子詩經學要義通證	李再薰	台大中研所碩士論文		1982
朱子學的新評價	蔡仁厚	鵝湖作者論文研討會論文	1	1982
朱子說詩前後期之轉變	潘重規	孔孟月刊	20-12	1982
朱子的禮學	高　明	輔仁學誌	11	1982
朱子之宗教實踐	陳榮捷	華學月刊	127	1982

論　文　篇　名	著譯者	刊　名	卷期	年份
宋代朱熹的氣象學思想	劉昭民	文藝復興	134	1982
朱子自稱	陳榮捷	中華文化復興月刊	15-15	1982
朱子德性修養論中的「格物致知」教	曾春海	哲學與文化	9-3	1982
朱子之宗教實踐	陳榮捷	華學月刊	.127	1982
朱子的形上結構論	羅　光	哲學與文化	9-6	1982
王韓易注及朱子本義之比較研究	徐正桂	高師國研所		1982
朱元晦的最後	徐復觀	鵝湖	7-10	1982
程朱異同初稿	徐復觀	大陸雜誌	64-2	1982
朱子的形上結構論	羅　光	夏威夷大學亞太會議論集		1982
朱熹的禮學	高　明1	夏威夷大學亞太會議論集		1982
朱子學的新反省與新評價		夏威夷大學亞太會議論集		1982
朱子易學的形上學	曾春海	哲學論集	15	1982
朱子學對日本的影響	陳弘昌	文大中研所博士論文		1982
朱子遇遯之家人卜辨正與考析	成中英	中華文化復興月刊	15-6	1982
朱熹的哲學思想	趙雅博	華學月刊	131	1982
朱子文學理論初探	李美珠	師大國研所集刊	26	1982
朱子倫理思想研究	王孺松	師大學報	26	1982
朱熹哲學中的方法、知識與真理觀	成中英	鵝湖	78	1982
朱子的理氣在形上學的位置	羅　光	哲學與文化	10-6	1983
日本德川時代初期朱子的蛻變	渡邊浩	史學評論	5	1983
從「孟子集註」看朱子思想中舊學與新知的融會	黃俊傑	史學評論	5	1983
朱子的仁說	佐藤仁	史學評論	5	1983
朱熹論「經」、「權」	韋政通	史學評論	5	1983
略論朱子之主要精神	錢　穆	史學評論	5	1983
朱子論易及其易學著作	曾春海	史學評論	5	1983
朱子的格物傳所衍生的問題	楊儒賓	史學評論	5	1983
朱子的仁說、太極觀念與道統問題的再省察	劉述先	史學評論	5	1983
略述元代朱學之盛	王明蓀	中華文化復興月刊	16-12	1983
論孔子之知與朱子之理	成中英	孔孟月刊	21-9	1983
近思錄隨劄	錢　穆	故宮季刊	17-3	1983
朱子的理氣說	簡宗修	台大中研所博士論文		1983
朱子易學的宇宙論	曾春海	輔仁學報	12	1983
朱子易學的人生哲學	曾春海	哲學論集	17	1983
朱子理學與佛學之探討	熊　琬	政大中研所博士論文		1983
朱子人格教育思想體系	權相赫	師大教研所博士論文		1983
朱子論涵養與察識	王孺松	教學與研究	5	1983
朱熹的宗教生活	陳榮捷	中西文化交流國際		1983

論文篇名	著譯者	刊名	卷期	年份
		學術會議論文		
朱子理學與文學裏的定命思想試論	侯 健	中外文學	11-11	1983
朱子思想中道德與知識的關係	胡森永	台大中研所碩士論文		1983
朱子學說中的體用義與韓儒張旅軒的經緯說	蔡茂松	中日韓文化關係研討會論文		1983
朱子籍貫考	王鐵藩	福建論壇		1983
朱熹遺跡研究	高令印	中國哲學	10	1983
朱熹「理一分殊」辨析	馬 序	社會科學戰線	22	1983
朱熹易學思想辨析	張立文	中國哲學研究	10	1983
朱熹在福建墨跡考釋	高令印	宋明理學討論會論文集		1983
朱熹的易學思想	鍾肇鵬	宋明理學討論會論文集		1983
朱熹的自然觀與宇宙生成論	趙吉惠	宋明理學討論會論文集		1983
朱熹理學範疇	吳乃恭	宋明理學討論會論文集		1983
略論朱熹哲學的理	蒙培元	宋明理學討論會論文集		1983
略論朱熹哲學思想的積極一面	周德豐	宋明理學討論會論文集		1983
略論程朱理學之援佛入儒	朱日耀	宋明理學討論會論文集		1983
試論朱熹哲學的「太極」	傅雲龍	宋明理學討論會論文集		1983
朱熹的文學觀	黃 珅	華東師範學報	46	1983
朱熹的思想方法中的合理因素	丁禎彥	華東師範學報	47	1983
朱熹的道德修養論	張善城	廈大學報	72	1983
朱熹法律思想探索	武樹臣	北大學報	99	1983
略論朱熹的理氣觀	劉興邦	湘大社會科學報	18	1983
「朱子新學案」述評	陳 來	中國哲學	9	1983
朱熹理學與自然科學	陳正夫	中國哲學	9	1983
關於程朱理氣學說兩條資料的考證	陳 來	中國哲學史研究	11	1983
朱陸通訊詳述	陳榮捷	中國哲學史研究	12	1983
朱熹的形上結構論	何植清	中國哲學史研究	12	1983
論朱熹與程頤之不同	陳 來	中國哲學	10	1983
論朱熹理學向王陽明心學的演變	蒙培元	哲學研究	6	1983
朱熹閩學的干城	昌懷辛	中華文史論叢		1983
朱子學與日本神道	陳弘昌	台中師專學報	13	1984
陳亮與朱熹之辯論	簡貴雀	師大國研所集刊	28	1984
朱子心性論的初步探討	田中貞一	台大哲學年刊	3	1984

論　文　篇　名	著譯者	刊　名	卷期	年份
朱子理學與佛學	熊　琬	華岡佛學學報	**7**	**1984**
知識與道德之辯證性結構－對朱子學的一些探討	林安梧	鵝湖	**10-6**	**1984**
朱熹之排佛及其對王安石之評價	蔣義斌	史學彙刊	**13**	**1984**
朱子哲學思想之發展及其成就	梁承武	師大國研所博士論文		**1984**
朱子詩中的思想研究	申美子	台大中研所碩士論文		**1985**
朱子理學與史學研究	吳展良	台大史研所碩士論文		**1985**
陳亮與朱熹的辯論 －明道誼而計功利	黃進興	漢學研究	**3-1**	**1985**
明代中葉程朱學者對禪的批評	陳郁夫	師大國文學報	**14**	**1985**
朱子的理氣學說	孫寶琛	孔孟學報	**49**	**1985**
朱子格物之再省察	曾昭旭	鵝湖	**11-13**	**1985**
朱子與世界哲學	陳榮捷	哲學年刊	**3**	**1985**
朱熹的歷史哲學	李楠永	國際中國哲學研討會論文集		**1985**
朱子建立性論思想之分析	吳登臺	雲林工專學報	**4**	**1985**
朱子對北宋古文六家的批評	何寄澎	幼獅學誌	**18-3**	**1985**
朱子心性之學綜述	蔡仁厚	東海學報	**27**	**1986**
朱熹與新儒學	陳榮捷	哲學與文化	**13-10**	**1986**
朱熹詩集傳鄭風淫詩平議	蔡根祥	孔孟月刊	**25-1**	**1986**
朱陸異同與康德流派	謝扶雅	中國文化月刊	**80**	**1986**
朱陸心性論比觀	曾春海	東方雜誌	**19-12**	**1986**
朱子學研究的新進展	汪金銘	中國哲學史研究		1958
朱陸晚年之異初探	梅　彥	中州學刊		1982
朱熹與建陽刻出	方彥壽	建陽文史資料	7	1987
重新認識朱熹的經濟思想	雷家宏	晉陽學刊		1987
試論出熹的社倉制	張全明	華中師大研究生學報		1987
朱熹的書法藝術	劉　建	建陽文史資料	7	1987
評《朱熹事跡考》	王鑒平	福建論壇		1987
重評朱熹的認識論	車　離	求是學刊		1987
試論朱熹思想的形成和發展過程	李　傑	史學論叢		1987
朱子思想的來源、核心和評價	蔡尙思	哲學研究		1988
朱熹的人才思想及其評價	蔡方鹿	人才與現代化		1988
緒絕學之傳、立一定之規的理學大師朱熹	沈芝盈	文史知識		1988
關於朱熹歷史觀的幾點看法	潘富思	浙江學刊		1988
朱熹美學思想探析	張立文	哲學研究		1988
朱熹的文道觀	莫礪鋒	文藝理論研究		1988
道教影響下的朱熹	劉仲宇	中州學刊		1988

論文篇名	著譯者	刊名	卷期	年份
朱熹的理學與道家、道教的關係	黃廣琴	湘潭大學學報		1988
論朱陸“無極”之辨	王　茂	江淮論壇		1988
朱熹哲學思想的基本範疇和邏輯結構		江西社會科學		1988
朱熹哲學與自然科學	張立文	孔子研究		1988
朱熹、王陽明學說之異同	任覺五	文史雜誌		1988
評朱熹的改革理論	張全明	華中師大學報		1988
朱熹在辨僞學上的成就和影響	王余光等	四川圖書館學報		1988
朱熹美育思想初探	潘立勇	孔子研究		1989
朱熹與朝鮮書院	劉洪波	貴州教育學院學報		1989
朱陸呂鵝湖三會正誤	東景南	中國哲學史研究		1989
朱熹與南劍三先生	何乃川	廈門大學學報		1989
朱熹與宋代刻書	曹　之	武漢大學學報		1989
朱熹與張拭關於仁的討論	蔡方鹿	江西社會科學		1989
朱熹論風騷	石文英	廈門大學學報		1989
朱熹“理一分殊”說再評介	李志林	華東師範學報		1989
朱熹的史學思想	葉建華	孔子研究		1989
倫朱熹楚辭學說得失根由	戴志鈞	北方論叢		1989
朱子《家禮》真僞考議	陳　來	北大學報		1989
朱熹的哲學與宗教	魏　琪	世界宗教研究		1989
都熹教育思想的特點探析	王步貴	社會科學輯刊		1989
論朱熹的法律思想	于逸生	北方論叢		1989
朱熹天理論的時代特色	王瑞明	華中師大學報		1989
朱熹的作文教學觀評析	潘新和	教育評論		1989
簡論朱熹理氣思想的認識論構架	王　健	哲學研究		1989

朱子學研究論著目錄（日文篇）

專著書名	作者	書局	年份
日本朱子學派の哲學	友枝龍太郎	富川房	1905
朱子研究	秋月胤繼	京文社	1927
朱王合編	楠本碩水原	文成社	1932
朱子、陽明	武內義雄	岩波書店	1936
朱子	後藤俊瑞	日本評論社	1943
朱熹	友枝龍太郎	勁草書房	1963
日本朱子學と朝鮮	阿部吉雄	東京大學出版社	1965
朱子學と陽明學	島田虔次	岩波書店	1967
朱子行狀	佐藤 仁	明德出版社	1969
朱子の想形成	友枝龍太郎	春秋社	1969
朱子－學問とその展開	市川安司	評論社	1974
朱子學大系(15 卷)	諸橋轍次等	明德出版社	1974
近思錄	鈴木由次郎	明德出版社	1974
四書集注	鈴木由次郎	明德出版社	1974
朱子學入門	諸橋轍次等	明德出版社	1974
朱子、王陽明	荒木見悟等	中央公論社	1974
朱子と王陽明	間野潛龍	清水書院	1974
近思錄	市川安司	明治書院	1975
幕末維新朱子學者書簡集	岡田武彥等	明德出版社	1975
朱子集	吉川幸次郎	朝日新聞社	1976
近思錄(上、下)	湯淺幸孫	朝日新聞社	1976
朱子四書集註典據考	大槻信良	中文出版社	1976
朝鮮の朱子學	阿部吉雄等	明德出版社	1977
日本の朱子學	阿部吉雄等	明德出版社	1977
晦庵先生朱文公集人名索引	佐藤 仁	中文出版社	1977
朱子の先驅	阿部吉雄	明得出版社	1978
朱子の後繼	山井 湧	明德出版社	1978
朱子	三浦國雄	講談社	1979
朱熹と王陽明	高橋 進	國書刊行會	1979
朱子文集固有名詞索引	山井 湧	東豐書店	1980
近思錄	山崎道夫	明德出版社	1981
朱子語類	岡田武彥	明德出版社	1981
朱子文集	友枝龍太郎	明德出版社	1983
朱子の哲學	大濱 皓	東大出版會	1983
朱子倫理思想研究	山根三芳	東大出版社	1983
朱熹	佐藤 仁	集英社	1985
朱子哲學論考	市川安司	汲古書院	1985
朱子語類口語語彙索引	鹽見邦彥	中文出版社	1985
朱子の老子觀	大濱 皓	二玄社	1986
朱熹聖人觀の一端	末木恭彥	汲古書院	1990

朱子學研究論文期刊目錄(日文篇)

論文篇名	著譯者	刊名	卷期	年份
朱子の窮理を論ず	井上哲次郎	哲學雜誌	6	1892
周張程朱の學	內藤恥叟	東洋哲學	1-4	1894
分出論は朱子の本意に非ず	黑木千尋	哲學雜誌	10	1895
朱陸の異同	建部遯吾	哲學雜誌	11	1896
朱熹の哲學	大橋虎雄	哲學雜誌	15	1900
朱子學の由來	花岡安見	國學院雜誌	6	1900
朱王二子の差異	高瀨武次郎	哲學雜誌	18	1902
鵝湖の會	山田 準	東洋哲學	13-2	1904
朱子の生涯及其の學術	松山直藏	東洋哲學	4-10	1907
朱子學研究	內田 正	哲學雜誌	23、24	1908
朱陸二子の異同に就いて	宇野哲人	哲學雜誌	27	1912
程朱哲學史論序	大江文城	東洋哲學	19-1	1912
朱子の撰著及び主要なる關係書類	大江文城	東洋哲學	20-2	1913
朱子の禮說	浦穿源吾	哲學研究	7-3	1922
朱子の仁說に就て	山口察常	東洋哲學	30-1	1922
朱子の理氣說に關する二、三の考察	宇野哲人	哲學雜誌	40	1925
朱子の理論に關する一考察	後藤俊瑞	哲學研究	10-12	1925
朱子の禮論に關する一考察	後藤俊瑞	哲學研究	11-2	1926
カントに於ける敬と程朱に於ける敬	藤井健二郎	狩野還曆支那學論叢		1928
朱子の窮理論	澤野章之助	狩野還曆支那學論叢		1928
朱子の非寂靜主義に就いて	青木晦藏	東洋文化	52	1928
朱子	本田成之	岩波講座世界思潮	4	1928
朱子の理氣ょ就いて(一～五)	青木晦藏	東洋文化	47-51	1928
宋儒新註書の傳來と其普及	大江文城	高瀨記念論叢		1928
朱子の理氣論(一)	青木晦藏	大谷學報	9-4	1928
朱子の理氣論(二)	青木晦藏	大谷學報	10-1	1929
朱子の天命說に就いて	青木晦藏	東洋文化	63、64	1929
朱子の理氣論(二)	青木晦藏	大谷學報	11-1	1930
朱子の性理論	青木晦藏	大谷學報	11-1	1930
朱子の鬼神論に就いて	青木晦藏	東洋文化	69、70	1930
朱陸の異同	青木晦藏	東洋文化	74	1930
朱子の理氣論(二)	青木晦藏	大谷學報	12-4	1931
朱文公略年譜	中山久四郎	斯文	13-11	1931
朱子の哲學	秋月胤繼	斯文	13-11	1931
朱子の儒學大成	諸橋轍次	斯文	13-11	1931
朱子の詩	久保天隨	斯文	13-11	1931
朱子の學風特其の史學に就いて	中山久四郎	斯文	13-11	1931
朱子の經學	安井小太郎	大東文化	1	1931
朱子の史學特に其の資治通鑑綱目について(一)	中山久四郎	史潮	1-3	1931

論文篇名	著譯者	刊名	卷期	年份
朱子の史學特に其の資治通鑑綱目について(二)	中山久四郎	史潮	2-1	1931
朱子學に就いて	安井小太郎	史潮	2-1	1931
朱子と論語(上、下)	藤塚鄰	東洋文化	108 109	1933
論語文物評論の章に於ける朱子の仁說管見	舞田正達	大東文化	6	1934
朱子の居敬窮理に就いて	鈴木直治	漢學會雜誌	2-2	1934
朱子の太極に就て(一、二)	鈴木直治	漢學會雜誌	3-1、2	1935
朱子の孝經刊誤に就いて	三井宇一郎	漢文學會報	3	1936
朱子における性說について	岡阪猛雄	漢文學會報	4	1936
朱子學にぉける識仁、定性二篇の地位	吉田抗賢	服部先生古稀論文集		1936
文公家禮に就いて	阿部吉雄	服部先生古稀論文集		1936
朱子實在論探究の一過程	後藤俊瑞	服部先生古稀論文集		1936
朱子における本體論	後藤俊瑞	台北帝大哲學年報	3	1936
朱子の學禪期について	後藤俊瑞	漢學會雜誌	4-3	1936
江戶初期における宋儒新注學挺一の機運	大江萬里	斯文	19-11	1937
江戶幕府の教化政策に於ける朱子學採用の問題に就いて	平塚益德	史苑	11-2	1937
詩集傳に就いて	目加田誠	漢學會雜誌	6-1	1938
朱陸王三子の異同について	秋月胤繼	懷德	16	1938
朱晦庵の理氣說について	津田左右	東洋思想研究	2	1938
朱子に於ける太極と陽氣の關係	柳童麟	漢學會雜誌	8	1938
語類と中心として觀たる朱子の根本思想	杉山義雄	漢學會雜誌	7-2	1939
太極圖說質疑(一、二)	鈴木直治	漢學會雜誌	7-2、3	1939
室鳩巢と朱子學	鈴木直治	近世日本の儒學		1939
朱子の存在論における「理」の性質について	安田二郎	支那學	9-4	1939
朱晦庵、張南軒の學說に就いて－特に未發已發について－(要旨)	市川安司	斯文	1	1940
朱子の「氣」に就いて	安田二郎	東方學報(京都)	10-4	1940
通鑑綱目を中心として見たる朱子の名分論	太田並三郎	國民精神文化	6-2	1940
支那教育史における朱子の小學	阿部吉雄	東方學報(東京)	11-1	1940
朱子の排佛說に於ける根本動機	結城令聞	支那佛教史	4-1	1940
朱子の白鹿洞書院について	鈴木虎雄	懷德	18	1940
集註本論語の訓點に就いて	西澤道寬	斯文	22-1	1940
朱子解釋について津田博士の高教を仰ぐ	安田二郎	東方學報(京都)	11-4	1941

論文篇名	著譯者	刊名	卷期	年份
近世における儒學とその史觀	池田雪雄	史潮	11-1	1941
朱子の氣補說	後藤俊瑞	漢學會雜誌	9-2	1941
朱子に於ける習慣の問題－序說	安田二郎	東亞論叢	5	1941
朱子學における知識の問題	後藤俊瑞	漢學會雜誌	9-3	1941
朱子語類「讀書法」を讀みて(要旨)	市川安司	斯文	24-6	1942
宋學の初傳とその受容形態	和島芳男	史雜	54-7	1943
朱子の學道復興－白鹿洞書院について	寺田 剛	歷史	18-9 10	1943
朱子學の日本傳來について	福井康順	斯文	25-12	1943
朱子の立場(要旨)	友枝龍太郎	斯文	25-2	1943
朱子學派の發生について	岩城隆利	四本史研	2	1946
中世に於ける宋學の受容について	和島芳男	學士院紀要	5-2、3	1947
貝原益軒における科學と朱子學	井上 忠	史淵	38、39	1948
東洋族制と朱子家禮	牧野	隨筆中國	3	1948
朱子の實踐論	荒木見悟	日本中國學會報	1	1950
朱子哲學における物と事について(要旨)	市川安司	東京支那學會報	8	1951
朱子の意識主題の問題	後藤俊瑞	哲學雜誌	66	1951
朱子定論樹立の經緯	木南卓一	東洋　文化社會	2	1952
朱子哲學なおけゐ物の意義	市川安司	日本中國學會報	3	1952
太極圖說解におけゐ動靜の問題(要旨)	市川安司	東京支那學會報	11	1952
ジシテと朱子の學	木村卓一	東方學報(京都)	22	1953
朱晦庵の二遺業	楠木正繼	哲學年報	14	1953
朱子にわける絕對自我の自覺	後藤俊瑞	日本中國學會報	4	1953
四書集註章句に現われた朱子の態度	大槻信良	日本中國學會報	5	1953
朱子の歷史觀	高森良久	東方學	7	1953
朱子學の歷史的構造(上)－中國における封建的思惟の成立とその特質	守本順一郎	思想	354	1953
朱子學の歷史的構造(下)－中國における封建的思惟の成立とその特質	守本順一郎	思想	355	1954
朱子の致知格物說の由來について	鐮田 正	漢文教室	10	1954
朱子における道佛二教探究の態度	大槻信良	千葉大文理學部紀要	1-2	1954
朱子哲學における理の性格－動靜を中心として	市穿安司	東大教養學部人文科學科紀要		1954
朱晦庵と佛教	佐藤達玄	印度學佛教學研究	3-1	1954
江戶幕府の朱子學採用說について	和島芳男	神戶女學院大學論集		1954
朱子における天理人欲との道心人心	大槻信良	支那學研究特集	11	1954
日本朱子學における仁說の一展開	阿部吉雄	人文科學紀要	4	1954
朱子格物論の周邊	荒木見悟	日本中國學會報	6	1954
朱子における本體論の輪廓	大槻信良	千葉大文理學部紀要	1-3	1955

論　文　篇　名	著譯者	刊　　名	卷期	年份
共に生きる倫理－朱子の立場について	山根三芳	哲學	5	1955
朱子の學問觀	大槻信良	東方學	10	1955
朱子文集に見える李覯の常語－宋儒孟子觀の一班	市川安司	東京支那學報	1	1955
陸象山の主張朱子の立場－自由と規範	木南卓一	日本中國學會報	7	1955
朱子の道德思想研究－善惡について	山根三芳	支那學研究	14	1956
朱子の本體思想につて	後藤俊瑞	哲學	6	1956
孟子集註「盡心」の解釋について	市川安司	哲學	6	1956
孟子心性說與朱子學	木南卓一	哲學	6	1956
朱子の敬ついて	山根三芳	哲學	6	1956
張横渠研究－朱子の理解を中心として	木南卓一	思想與教育	2	1956
朱子哲學に見える「知」の一考察－	市川安司	東大教養學部人文科學紀要	9	1956
周濂溪研究－朱子の理解を中心として－	木南卓一	東方學	12	1956
論語集註に見える天の解釋	市川安司	漢文教室	26	1956
朱子の師父と經歷及び著述について	菅谷軍次郎	菅城學院女子大研究論文集	10	1956
朱子の佛學批判	藤吉　慈海譯	佛學史學	6-1	1957
朱子の學における直觀と反省	友枝龍太郎	廣島大文學部紀要	11	1957
詩集傳をとはして見たる朱子の思想	友枝龍太郎	東京支那學報	3	1957
朱子理における論と實踐の問題	友枝龍太郎	支那學研究	17	1957
注釋家の表現－朱熹集註の文章－	近藤光男	漢文教室	34	1958
朱熹集註論語現代國語譯	小澤正明	八幡大論集	8-2 9-1	1958
朱子の志氣について－道德意志の一考察	山根三芳	廣島大文學部紀要	13	1958
朱子の倫理思想る權の意義	山根三芳	日本中國學會報	10	1958
朱子の治民策－	友枝龍太郎	東方學	17	1958
朱子語類讀書法	市川安司	倉石武四郎還曆(花甲)論文集		1958
朱文公家體の一考察	兼永芳之	支那學研究	21	1958
近思錄の成立過程	山崎道夫	東京學藝大研究報告	10	1959
朱子語類雜記	市川安司	東京大教養學部人文科學科紀要	21	1959
朱子太極論の成立過程(一、二)	友枝龍太郎	哲學廣島大文學部紀要	10、16	1959

論 文 篇 名	著 譯 者	刊 名	卷期	年份
朱子の倫理思想における「全體」の意義	山根三芳	支那學研究	22	1959
朱子桑天疑義	友枝龍太郎	東方古代研究	9	1959
朱子の鬼神論	友枝龍太郎	支那學研究	23	1959
朱子の倫理思想研究	山根三芳	倫理學年報	9	1960
朱子の思想とその時代	友枝龍太郎	歷史教育	8-6	1960
善と知を中心として朱子と曇巒の學說の比較檢討	佐伯惠達	九州中國學會報	6	1960
朱子格物論の構造－禪學よりの脫卻と知的立場の確立	友枝龍太郎	日本中國學會報	12	1960
朱子の倫理思想研究－幾の意味について	山根三芳	廣島大文學部紀要	19	1961
劉屏山論－建安における朱子の師友その一－	佐藤仁	九州中國學會報	7	1961
朱子の倫理思想における－「無爲」の意義	山根三芳	哲學	13	1961
朱子語類、「讀書法」	市川安司	中國名著		1961
葉子龍の晦庵先生語錄類要について	友枝龍太郎	廣島大文學部紀要	21	1962
朱子の中國防衛論	友枝龍太郎	支那學研究	27	1962
現代語譯朱子語類(一)理氣	佐藤仁	九州中國學會報	8	1962
朱子の通書解について－誠と太極の問題	友枝龍太郎	哲學	14	1962
朱子の生產論	守本順一郎	名古屋大法政論集	21	1962
建安における朱子の師友その二	佐藤仁	九州中國學會報	8	1962
現代語譯朱子語類(二)理氣	佐藤仁	九州中國學會報	9	1963
建安における朱子の師友その二	佐藤仁	九州中國學會報	9	1963
朱子齋居感興詩管見(一)	佐藤仁	九州中國學會報	9	1963
朱熹「楚辭集註」制作的動機	林田愼之助	九州中國學會報	9	1963
朱子語類の成立	友枝龍太郎	日本中國學會報	15	1963
朱晦庵の理一分殊解	市川安司	大東文化大學漢學會誌	6	1963
朱子の心性論における禪的なもの	久須本文雄	日本福祉大學研究紀要	7	1964
朱子の宇宙論	山田慶兒	東方學報(京都)	36	1964
朱陸同異論源流考	岡田武彥	目加田誠博士還曆紀念論集		1964
朱子の教育思想の概要	橫松宗	八幡大學論集	15-1	1964
朱子學の矛盾－對抗	岩間一雄	名古屋大學法政論集	30	1965
陸學の形成－朱子學的思惟展の開起點－	岩間一雄	名古屋大學法政論集	30	1965
朱子の天について	山根三芳	東方宗教	26	1965
朱王兩思想の比較論的研究(一)	高橋　進	東京大教育大學文學部紀要	48	1965

論　文　篇　名	著譯者	刊　名	卷期	年份
朱子の「學」	大谷邦彥	中國古典研究	13	1965
朱子の宇宙論	山田慶兒	東方學報(京都)	37	1966
朱熹集註論語現代國語譯	小澤正明譯	八幡大學論集	16-2	1966
朱子感興詩み若林強齋の感興講議	近藤啓吾	藝林	17-3	1966
朱子の仁說	友枝龍太郎	東京支那學報	12	1966
應舉の面より觀たる朱熹と陸九淵	赤塚光男	東洋文化(復刊)	14	1966
朱陸の學の異同とその背景	友枝龍太郎	廣島大學文學部紀要	26-3	1966
朱子の易經觀と周易本義の特質	戶團豐三郎	廣島大學文學部紀要	26-3	1966
呂晚村の朱子學	岡田武彥		11	1966
論語集註朱子自筆殘稿に就いて	吉原文昭	藝林	17-5	1966
朱子學に於ける中庸と大學	木南卓一	帝塚山大學紀要	3	1967
朱子新註の由來小考－論語首篇第一章について	田所義行	比治山女子短期大學紀要	1	1967
刊本論語集註の系統と成立年代に就いて	吉原文昭	東經支那學報	13	1967
朝鮮朱子學の發足とその意味	渡部　學	朝鮮研究	61	1967
爲己之學としての朱子學の完成	渡部　學	朝鮮研究	63	1967
朱子語類に見られる重覆形式	早川通介	愛知學院大學論叢		1968
四書に於ける朱子の音義	內田　龍	東横學園女子短期大學紀要	7	1968
近世前半期における朱子學の經驗的合理主義への變容	源子　圓	日本女子大學紀要	18	1969
朱子作年代考	山根三芳	漢文教室		1969
朱子語錄外任篇譯注	田中謙二	東洋史研究	28-1、2	1969
朱子全書にみえ宋時代の口語	大原信一譯	人文學	106	1969
朱子の封事と陳學批判	高田真治	東洋研究	17	1969
朱晦庵と王陽明	宇野哲人	斯人	62	1970
朱子の戊申封事	高田貞治	東洋研究	21	1970
朱、王兩思想の比較論的研究(二)	高橋　進	東京教育大學文學部紀要	85	1970
朱子書節要－成立及其版本－	疋田啓佑	九州中國學會報	16	1970
張南軒の論語解に與えた朱子の影響	高畑常信	哲學(廣島大學)	22	1970
朱子語錄外任編譯注	田中謙二	東洋史研究	30-1~4	1971
朱、王兩思想の比較論的研究(三)	高橋　進	東京教育大學文學部紀要	95	1971
中庸から見な朱熹と本居宣長	赤塚　忠	東京支那學報	16	1971
朱熹の蘇學批判－序說－	合山　究	中國文學論集	3	1972
朱子の哲學の比較思想史的研究	山下正男	京大人文學報	35	1972
朱子の父と師(上、中、下)	岡田武彥	西南學院大學文理論集	13、14	1972~74
朱晦庵と王陽明	宇野哲人	斯文	62	1973
朱子と陽明の修養について	宇野哲人	東洋文化	19	1974

論　文　篇　名	著譯者	刊　　名	卷期	年份
通書「動靜」章の注に見える朱晦庵の思考法	市川安司	宇野哲人白壽祝賀記念東洋學論叢		1974
朱子學北傳前史－金朝と朱子學－	吉川幸次郎	宇野哲人白壽祝賀記念東洋學論叢		1974
朱門弟子師事年考(續)	田中謙二	東方學報	48	1974
朱子學研究の現狀と課題	後藤延子	歷史學研究	421	1975
朱、王兩思想の比較論的研究(四)	高橋　進	筑波大學哲學思想學系論集		1976
朱熹と陸游	佐藤　仁	小尾郊一博士退休紀年中國文學論集		1976
朱子の讀書論	山根三芳	高大國語教育	23	1976
朱子の水思想	牧尾良海	智山學報	23、24	1976
朱子の禮學	上山春平	京大人文學報	41	1976
朱子の思想に於ける禪的なもの	久須本文雄	禪文化研究所紀要	8	1976
佛教と朱子の周邊	柳田盛山	禪文化研究所紀要	8	1976
評朱子集	石田和夫	中國哲學論集	3	1977
朱子の格物窮理と陽明の致良知	友枝龍太郎	東洋學術研究	16-4	1977
朱子における「形而上形而下」の概念について	望月高明	二松學舍大學人文叢書	12	1977
朱子學と陽明學	市川安司	二松學舍大學陽明學特輯		1978
朱子小傳(上)(中)	衣穿　強	神戶商科大人文論集	15-2、3	1979
朱子と謝上蔡(1)	佐藤　仁	哲學	31	1979
元代の朱子學と文教政策	岡田武彥譯	中國哲學論集	5	1979
比較思想的關心よりの朱子學研究の課題	湯川敬弘	東方學	57	1979
幕末の朱子學と陽明學	岡田武彥	二松學大日本漢文學特輯		1979
朱子の已發未發說(一)	高畑常信	香川大學國文研究	4	1979
朱子の已發未發說(二)	高畑常信	香川大學國文研究	5	1980
朱子の象數易思想とその意義	吾妻重二	哲學	68	1980
朱子小傳(下)	衣川　強	神戶商科大人文論集	15-4	1980
朱子の「心」に關する若干の考察	山井　湧	中哲文學會報	5	1980
朱子と道教をめぐる一側面	末木恭彥	東方學	60	1980
朱熹「鵝湖詩和陸子壽」詩について	松川健二	中國哲學	9	1980
朱子の周易解釋につて	小宮　厚	中國哲學論集	6	1980
幕末朱子學の性格	宮城公子	四天王寺女子大學紀要	12	1980
朱子學に於ける平常の重視について	小宮　厚	荒木教授退休紀念集		1981
「朱子晚年定論」の繼承－明末清初朱陸論の一端	吉田公平	荒木教授退休紀念集		1981

論　文　篇　名	著譯者	刊　名	卷期	年份
許敬庵の思想－朱子學と陽明學　間をめぐつで－	柴田　篤	荒木教授退休紀念集		1981
「朱子文集」に見える朱子の心	山井　湧	中哲文學會報	6	1981
朱子心性論の立過程	福島　仁	日本中國學會報	33	1981
朱熹の熙寧前後觀	石田　肇	群馬大學教育學部紀要	30	1981
朱子の「家禮」と「儀禮經傳通解」	上山春平	東方學報	54	1982
朱子と李退溪	友枝龍太郎	小尾博士古稀紀念集		1983
朱晦庵と「易」	三浦國雄	東方學報	55	1983
朱子仁おける經書學の構造	佐野公治	說林	33	1984
朱子の「知言疑義」について	朴　洋子	日本中國學會報	36	1984
朱熹「周易參同契考異」について	吾妻重二	日本中國學會報	36	1984
朱子鬼神論補	三浦國雄	人文研究	37-3	1985
朱子の太極觀	早川雅子	倫理學	3	1985
朱熹の事蹟に關する幾つかの資料	吾妻重二	中國古典研究	30	1985
朱子の工夫論につて	中　純夫	中國思想史研究	7	1985
朱子以後における大學觀の變遷	佐野公治	說林	34	1986
朱晦庵先生の論證	鬼頭有一	皇學館論叢	115	1987
評「朱子自由の傳統」	岡田武彥	斯文	94	1987
朱熹の墓－福建の旅から	三浦國雄	禪文化研究所紀要	15	1988
朱子の思想における分析	土田健次郎	哲學	78	1990
朱子における「氣象」と工夫	垣內景子	中國古典研究	36	1991
朱子學の成立と佛教	後藤延子	信州大學人文學報	25	1991
朱子の祖先崇拜について	樋　口勝	創價大外語科紀要	2	1992
朱子の死生觀について	福田　殖	中國哲學論集	18	1992
朱子學における認識と判斷	土田健次郎	哲學	79	1992
朱子《家禮》と五國の〈四禮〉	近藤啓吾	國學院中國學會報	38	1992
朱子の“情”について	緒方賢一	中國學治	8	1993
朱熹格物致知說の再檢討	角四達朗	日本中國學會報	45	1993
朱子の學問論	吾妻重二	泊園	33	1994
朱熹の心についての－考察	垣內景子	東洋の思想と宗教	33	1994
朱熹における“推”の論理とその射程	早坂俊廣	集刊東洋學	74	1995
朱熹の“敬”についての－考察	垣內景子	日本中國學會報	47	1995
朱子、張南軒、呂祖謙の理學思想の相違	高畑常信	東京學藝大人文紀要	47	1995
朱子の國家再生の試み	緒方賢一	中國學志	11	1996
朱熹祭祀感格說における「理」	市來津由彥	集刊東洋學	75	1996
朱子哲學における「心」の概念につい	垣內景子譯	東洋の思想之宗教	14	1997
朱熹の曾點觀	小路口聰	日本中國學會報	49	1997
理、象、數うして數、象、理：朱熹の「易」理解	木下鐵矢	東洋古典學研究	3	1997

朱子學研究論著及期刊目錄(韓文篇)

專著 或 期刊名	作者	書局	年份
朱子學과 李退溪 研究	李退溪國際學術會議 特輯	慶北大 退溪研究所	1973
退溪의 生涯와 思想	柳正東	博英社	1974
退溪理學의 存在論的 究明	丁淳睦	弘大論叢	1974
退溪의 哲學思研究	柳正東	成均館大 博士論文	1975
宋明哲學 (朱子學과 陽明學)	劉明鍾	螢雪出版社	1976
朝鮮儒學史	玄相允	民衆書館	1977
近世 東아시아에 있어서의 朱子學과 李退溪 研究	國際學術會議	慶北大 退溪研究所	1977
朱子哲學과 中國哲學	柳仁熙	汎學社	1980
朱子學에 있어서의 理와 實의 相涵性에 관한 연구	이동희	成均館大 碩士論文	1980
朱子哲學 研究	柳仁熙	延世大	1980
朱子學과 韓國儒教	東洋文化國際學術會議論文集	成均館大	1980
韓國儒學史	裵宗鎬	延世大出版部	1981
晦軒 안향思想에 關한 研究	金柄九	建國大	1981
朱子大學句에서의 格物致知論	李光浩	서울大	1981
朱子學에 있어서 理와 實의 相極性에 關한 研究	이동희	成均館大	1981
朱子哲學에 있어서 教育方法說의 研究	金炳燦		1981
韓國思想史	劉明鍾	이문出版社	1982
退溪哲學의 研究	尹絲淳	高麗大出版部	1983
朱子學의 根本 培養說과 朝鮮前期의 小學教育	박연호	韓國精神文化研究院附設大學院 碩士論文	1983
栗谷의 哲學思想	宋錫球	中央日報社	1984
朝鮮初期 朱子學의 普及과 女性의 社會的 地位	이순구	韓國精神文化研究院附設大學院 碩士論文	1985
朱子의 人性論에 있어서 心統性情設에 關한 研究	尹元鉉	中央大	1985

專著 或 期刊名	作者	書局	年份
朱子倫理思想의 本質에 關한 研究	孔泳立	成均館大	1986
朱子의 格物致知에 關한 研究	朴魯洪	東國大	1986
朱子와 退溪의 易學思想研究	金益洙	建國大	1987
朱子와 그 哲學	范壽康 著 洪瑀欽 譯	嶺南大	1988
性理學의 (理一分殊)體系	張源穆	서울大	1888
麗末鮮初 朱子學의 性格에 관한 研究	李京旼	仁荷大 碩士論文	1989
朱子와 陸象山의 比較研究	崔明煥	崇實大	1989
朱子格物致知說에 對한 研究	安銀洙	成均館大	1989
中庸章句를 通해 본 朱子의 人間觀	田炳述	建國大	1989
敎育理論으로서의 朱子學과 陽明學	張聖模	春川敎育大 論文集	1990
朱子大學章句本 研究	金榮天	仁荷大	1990
元代 許衡의 朱子學 受容과 官學主導에 관한 考察	김홍철	漢陽大 碩士論文	1991
朱子學의 根幹	백도근	嶺南哲學會 哲學論叢	1992
敎育理論으로서의 朱子學과 陽明學	장성모	서울大 博士論文	1993
退溪學在儒學中的地位		中國人民大學 退溪學國際學術會議論文集	1993
朱子學의 形成에 관한 研究	(日)이시야마 유타카	全南大 碩士論文	1994
朱子學의 形而上學的 特質에 관한 研究	정용선	成均館大 碩士論文	1994
주자학과 양명학 --철학과현실 제 20권	송영배	철학문화연구소	1994
朱子學의 哲學的 特性에 관한 研究	변원종	韓南大 碩士論文	1995
朱子의 涵養察論	이상돈	서울大 碩士論文	1996
朝鮮通信使와 朱子學	李在煥	韓日問題研究所 論文集	1996
朱熹의 太極論	김한상	서울大 碩士論文	1996
陸史詩에 끼친 朱子學적 영향	박현수	서울大 碩士論文	1996
朱子學의 韓國的 受容과 展開	이상린	嶺南大 博士論文	1997

專著 或 期刊名	作者	書局	年份
麗末鮮初의 朱子學 도입과 儒佛교섭	李東熙	東洋哲學研究會論文集	1997
朱子學에서 理의 운동성에 관한 研究	심도희	啓明大 碩士論文	1998
韓國 陽明學의 反朱子思想의 本原	鄭次根	昌原大 社科所	1998
南宋代 金華地域의 反道學運動과 朱子學受容	金陽燮	中央大 中央史論	1998
朱子學의 理本體論과 道德形而上學	홍원식	嶺南哲學會 哲學論叢	1998
教育理論에서의 朱熹와 王陽明의 格物致知論	박은주	서울大 碩士論文	1999
주자학과 조선건국 (1) (--고려말기 주자학의 수용과 적용)	박홍규	고려대학교 아세아문제연구소	2000
여말선초 주자학 도입기의 경전이해 (1) (--목은(牧隱) 이색(李穡)의 경전이해를 중심으로)	권정안	동양철학연구회	2000
주자학 비판론자들의 경전해석 (--『대학』의 해석을 중심으로)	송석준	동양철학연구회	2000
원대(元代) 및 명초(明初) 주자학의 전개양상 (--도덕적 실천주의)	이동희	동양철학연구회	2000
21세기 한국정치학의 쟁점과 과제 (--제 5 회의 / 새 천년 한국정치사상의 정체성을 찾아서 ; 주자학과 조선시대 정치사상의 정체성 문제)	이상익	한국정치학회 기획학술회의	2000
주자학파의 『대학』해석과 조선전기 주자학적 『대학』해석의 특징	이영호	동방한문학회	2000
주자학의 인간학적 이해	이강대	예문서원	2000
朱子學을 위한 변명 : 羅整菴의 理一分殊철학	최진덕	청계	2000
정조대의 경학과 주자학	김문식	문헌과해석사	2000
주자의 인간과 사상	유명종	세종출판사	2000

附錄七　陽明學研究論著目錄（中文篇）

專著書名	作者	書局	年份
陽明學派	謝無量	上海中華書局	1915
陽明先生傳纂	余重燿	上海中華書局	1924
王守仁與明理學	宋佩章	上海商務印書館	1931
左派王學	嵇文甫	上海開明書店	1934
王陽明	胡　越	上海中華書局	1940
王守仁	段天炯	勝利出版社	1945
王陽明致良知教	牟宗三	中央文物供應社	1954
王陽明學說新論	陳健夫	台大青年雜誌社	1954
王陽明	牟宗三	幼獅出版社	1955
王陽明全書	王陽明	台灣正中書局	1955
陽明學述要	錢　穆	台灣正中書局	1955
王陽明教育學說	丁仁齋	台灣復興書局	1955
陽明講學的精神和風度	張濟時	國父遺教出版社	1955
王學解蔽	張鐵君	新中國出版社	1956
陽明學說真諦	張鐵君	中國新聞出版社	1956
廣王陽明四句教	方大心	自由出版社	1957
王陽明傳習錄札記	但衡今	自印本	1957
王陽明哲學與事功	周　同	高雄國際文摘社	1957
陽明學論集	蔣和琪	文新印刷公司	1958
王陽明傳習錄注釋	于清遠	高雄黃埔出版社	1958
王陽明知行合一之教	梁啓超	台灣中華書局	1958
力行哲學淺說	胡一貫	國防部總政治部	1960
陽明學傳	張希之	台灣中華書局	1961
錫園文集(上)陽明學述	吳　康	台灣商務印書館	1961
陽明學說體系	黃敦涵	台灣泰山書局	1962
日本的古學及陽明學	朱謙之	北京三聯書店	1964
陸王哲學辨微	胡哲敷	水牛出版社	1966
力行哲學精義	黃公偉	中央文物供應社	1966
陽明學	賈豐臻	台灣商務印書館	1967
王守仁	錢　穆	台灣商務印書館	1968
陽明思想與現代教育	龔書綿	自印本	1968
知行哲學之研究	曾介木	中央文物供應社	1969
比較中日陽明學	張君勱	台灣商務印書館	1970
梅園論學集－陽明評象山說格物	戴君仁	台灣開明書店	1970
王陽明	楊天石	上海中華書局	1972
陽明傳(國劇創作)	張孔祥筠	台灣華岡書局	1972
王陽明全集	徐　愛	考正出版社	1972
陽明學論文集	張其昀	中華學術院	1972
王陽明傳	鄭繼孟	綜合出版社	1973

專著書名	作者	書局	年份
王陽明與禪	陳榮捷	台北無隱精舍	1973
王門諸子致良知學之發展	麥仲貴	香港中文大學	1973
力行哲學論證	聞亦博	台灣正中書局	1973
王陽明哲學	蔡仁厚	台灣三民書局	1974
王陽明致良知說	王開府	台灣學生書局	1974
王陽明與中國之儒家	李群英	台灣中華書局	1974
梅園論學續集－王陽明與陸象山	戴君仁	台灣藝文印書館	1974
王陽明聖學探討	鄧元忠	台灣正中書局	1975
陽明學說在今日	張鐵君	台灣學園月刊社	1975
王陽明論	林振玉	復文書局	1976
陽明實踐哲學	羅睿樺	漢華文物出版社	1976
王陽明的政治思想	李福登	台南家專	1977
王陽明之生平及其學說	王禹卿	台灣正中書局	1977
蔣總統思想與陽明哲學	周世輔	政大三研所	1977
中國歷代思想家(三四)－王守仁	王熙元	台灣商務印書館	1978
明清儒學家著述生卒年表	麥仲貴	台灣學生書局	1978
中國知行學說研究	楊承彬	台灣商務印書館	1978
王陽明入聖的工夫	朱秉義	幼獅文化公司	1979
王陽明哲學研究	沈善洪	浙江人民出版社	1981
明王文成公守仁年譜	楊希閔	台灣商務印書館	1981
陽明學說對日本之影響	戴瑞坤	台灣華岡書局	1981
王陽明哲學研究	沈善洪等	浙江人民出版社	1981
王陽明教育思想的哲學意義	沈善洪	中國哲學史研究	1981
王陽明的教育哲學思想初探	余懷彥	貴州社會科學	1981
明代的教育家王守仁	周德昌	廣東教育	1981
王守仁教學法簡述	陳增輝	上海教育	**1982**
王陽明思想之進展	鍾彩鈞	文史哲出版社	1983
王陽明傳習錄詳著集評	陳榮捷	台灣學生書局	1983
論王守仁的教育思想	駱嘯聲	教育科學研究	**1983**
王守仁的兒童教育觀	陳和華	人民教育	**1983**
王守仁的兒童教育說	泉　蓉	河南教育	**1984**
王學要略	歐陽煦	大中國圖書公司	1986
陽明學對韓國的影響	鄭德煦	文史哲出版社	**1986**
王陽明教學法述評	陳增輝	東北師大學報	**1986**
王陽明傳習錄及大學問	黎明編輯部	黎明文化公司	1987
王陽明	秦家懿	東大圖書公司	**1987**
陸王學說會通	趙維綱	新中出版社	**1987**
王陽明教育思想初探	吳乃恭	東北師大學報	**1987**
心學之思－王陽明哲學的闡釋	楊國榮	北京三聯書店	**1987**
王守仁的經學教育思想	畢　誠	北師大學報	**1988**
陽明學漢學研究論集	戴瑞坤	台灣學生書局	**1988**

專著書名	作者	書局	年份
王陽明心學研究	方爾加	湖南教育出版社	**1989**
王學通論	楊國榮	上海三聯書店	**1990**
良知與心體－王陽名哲學研究	楊國榮	洪葉文化事業公司	**1990**
左派王學	嵇文甫	國文天地雜誌社	**1990**
王陽明	江日新譯	東大圖書公司	**1991**
有無之境－王陽明哲學的精神	陳　來	北京人民出版社	**1991**
王陽明全集	王陽明	上海古籍出版社	**1992**
王守仁的個性與明代土風	方志遠	文史知識	**1992**
陸王學述	徐梵澄	上海遠東出版社	**1994**
王陽明評傳	方國根	廣西教育出版社	**1996**
王陽明與貴州文化	余懷彥	貴州教育出版社	**1996**
陽明學與近世中國	吳雁南	貴州教育出版社	**1996**
陸王心學研究	劉宗賢	山東人民出版社	**1997**
心靈學問－王陽明心學	趙士林	雲南人民出版社	**1997**
竭盡心性－重讀王陽明	韓　強	四川人民出版社	**1997**
王學之思	秦家倫等	貴州民族出版社	**1999**
陽明學研究	吳　光	上海古籍出版社	**2000**
王陽明與明末儒學	吳光等譯	上海古籍出版社	**2000**
曠世大儒－王陽明	方志遠	河北人民出版社	**2000**
王陽明	劉成有	香港中華書局	**2000**
王陽明傳奇	楊行恭	湖北人民出版社	**2000**

陽明學研究論文目錄（中文篇）

論文篇名	著譯者	刊名	卷期	年份
王學原論	莎泉生	牖報	1	1907
王學原論	莎泉生	牖報	2	1907
王學原論	莎泉生	牖報	4	1907
良知說法	倪義抱	國學雜誌	1-3	1915
王陽明性說	籀公譯	新中國	1-6	1919
王陽明心理學	汪震	心理	3-3	1924
王文成公全書題辭	章炳麟	華國月刊	2-1	1924
王陽明之直覺主義	黃建中	哲學月刊	1-7	1927
王守仁的哲學	黃子通	燕京學報	3	1928
王陽明與斐希脫	蔣徑三譯	中山大學語史所周刊	2-16	1928
王陽明先生年譜校錄	馬敘倫	浙江圖書館	2	1928
日本研究陽明學說書目介紹	蔣徑三	中山大學語史所周刊	2-16	1928
王陽明論「良知」	馮日昌	朝華月刊	1-5	1930
談王陽明的知行合一	王去病	建國月刊	4-3	1931
王陽明先生	談師籍	中興週刊	10	1933
王學闡微	姚廷杰	國學論衡	2	1933
王陽明的事業及其良知說的矛盾	公靄	汗血月刊	2-1	1933
實幹主義者王陽明	黎駒	汗血月刊	2-6	1934
陽明哲學緒論	余側龍	警燈月刊	1-4	1934
陽明學說述要	陳育真	教育學期刊	2-2	1934
王陽明之生平及其學說述略	詹壽山	明恥半月刊	2-4	1935
王陽明之知行合一	周分水	中央日報	1.12	1935
王學發揮	張壽鏞	光華大學半月刊	3-6、8 4-1、2	1935
《陽明先生年譜》校記	毛春翔	浙江圖書館館刊	4-5	1935
王陽明思想之淵源及其本質	翁琴崖	仁愛月刊	1-2、3	1935
陽明學爲今時救國之本論	唐文治	學術世界	1-3	1935
由陽明學說談判中國民族的精神教育	陳世英	遺族校刊	2-4、5	1935
王陽明政治思想之概述	儀芳	政治月刊	3-3	1935
王陽明的人生哲學	徐心芹	中庸半月刊	1-7	1935
王守仁的哲學	程憬	安大季刊	1-4	1936
陽明之教凡五變說	汪震	北平晨報	56、57	1936
十六世紀東方的哲學軍事大家－王陽明先生	王金振	華北日報	2.9	1936
王陽明之事功及其學說	馮俠夫	仁愛月刊	1-9	1939
陽明學說之疑難	陳恩成	書林	1-2、4	1937
王陽明的倫理哲學	王昌祉	工商學誌	9-1	1937
在龍場驛丞任內的王陽明	曹經沅	越風	2-1	1937

論 文 篇 名	著譯者	刊 名	卷期	年份
知行合一新論	賀 麟	北大四十周年紀念論集	乙 編 上卷	1940
王陽明“知行合一”淺論	常鏡海	新東方(上海)	1-2	1941
“知行合一”說批判	項維城	新認識	2-6	1941
王陽明先生與大學生的典型	竺可楨	浙大學生	復刊 2	1941
陽明先生復古本大學論	唐文治	大眾(上海)	2	1942
王陽明集外遺文	薇 園	國學叢刊	9	1942
王陽明的學習方法	操震球	自學	1-1	1943
《陽明學術發微》序	唐文志	大眾(上海)	1	1943
龍場驛與王陽名	周志輔	安徽驛運週刊	43	1944
王陽明與青年教育	羅廷光	讀書通訊	94	1944
王陽明－中國第一個民主主義者	胡秋原	民主政治	1	1945
王陽明臨終遺言	王崇武	東方雜誌	42-19	1946
陽明良知學述評	錢 穆	學原	1-8	1947
王守仁的思想方法	陳安仁	文化先鋒	6-22	1947
王陽明致良知教(一)	牟宗三	歷史與文化	3	1947
王陽明先生的基本教育觀	盛朗西	和平日報	10.19	1947
王陽明致良知教(二)	牟宗三	理想歷史文化	1	1948
泛論陽明學之分流	唐君毅	學原	2-1	1948
王守仁與大禮義	歐陽琛	新中華	12-7	1949
力行哲學理論體系的研究	鄧公玄	學術季刊	2-1	1953
王陽明安內攘外的方略	陳建夫	新社會	6-10	1954
許懷徹與王陽明	王德昭	民主評論	5-19	1954
陽明生平及其爲學	張文伯	三民主義半月刊	39	1954
陽明學說何以不是唯心論	張鐵君	國魂	96	1954
王陽明「致良知」學說在「行的哲學」中的地位	賈宗復	國魂	96	1954
王陽明的修身教育	陳代鍔	教育通訊	5-6	1954
文化改造與陽明學說	張鐵君	中央日報	9.19	1954
知行合一說的兩面觀	陳大齊	中央日報	10.3	1954
王陽明知行合一說的要義	陳大齊	中央日報	11.21	1954
自尊與無畏－陽明哲學的時代價值	曹翼遠	中央日報	10.23	1954
王陽明知行合一說的真義	楊一峰	中央日報	12.5	1954
王陽明與荀子	陳大齊	新生報	12、11	1954
東林派與王學辨微	張鐵君	中央日報	3、6	1955
浙東學派與陽明心教	章 群	新亞校刊	6	1955
王陽明的南贛鄉約	周天固	民主評論	6-5	1955
日本近世陽明學派概述	黃敦涵	民主評論	6-11	1955
陽明學說述評(上)	羅鴻詔	自由中國	13-11	1955
陽明學說述評(下)	羅鴻詔	自由中國	13-12	1955
王陽明學行簡述	牟宗三	幼獅	3-3	1955

論 文 篇 名	著譯者	刊 名	卷期	年份
陽明成學前的一番經歷	錢 穆	幼獅	3-4	1955
陽明並不否認「知難」的鐵證	張鐵君	建設	3-8	1955
陽明哲學要義及其時代精神	黃浩然	國魂	110	1955
王陽明傳習錄及大學問讀後	黃長治	國魂	111	1955
陽明哲學之分析	范 錡	國魂	111	1955
王陽明定宸濠之亂	邦 儀	國魂	111	1955
知行合一與心物合一的關係	馬 璧	國魂	114	1955
王陽明先生的學術思想及其事功	黃浩然	國魂	117	1955
知行合一與實驗哲學	龍一諤	主義與國策	58	1955
論王學要旨	李壽雍	中國學術史論集	1	1956
陽明學說之淵源及其影響	蔣夢麟	中國學術史論集	1	1956
從陽明的「致良知」探求力行哲學的要旨	王德溥	中國學術史論集	1	1956
讀「義理十講」及「比較中日陽明學」	宗孝忱	張君勱先生七十壽紀念論文集		1956
王陽明的教育方法(上)	胡美琦	民主評論	7-1	1956
王陽明的教育方法(下)	胡美琦	民主評論	7-2	1956
與羅鴻詔先生談談陽明學說(上)	張鐵君	中國一週	308	1956
與羅鴻詔先生談談陽明學說(中)	張鐵君	中國一週	309	1956
與羅鴻詔先生談談陽明學說(下)	張鐵君	中國一週	310	1956
述江右王門學	唐君毅	原泉	6	1956
晚明王學修正運動之起源	唐君毅	原泉	7	1956
王陽明的教育思想(上)	胡美琦	人生	12-8	1956
王陽明的教育思想(中)	胡美琦	人生	12-9	1956
王陽明的教育思想(下)	胡美琦	人生	12-10	1956
王陽明之才志學養及事功	黃建中	建設	5-6	1956
王陽明的人格生活與教育事業	鄭繼孟	反攻	152	1956
王陽明的教育思想	邱 椿	北師大學報	2	1957
王陽明致良知哲學的要義	柳嶽生	國魂	141	1957
對王陽明主觀唯心主義的批判	郝善群	新建設	57-4	1957
王陽明的心物論	孫振青	新鐸聲	12	1957
陽明心學及其教育思想	黃建中	師大學報	2	1957
心學原流考辨(上)	黃建中	大陸雜誌	14-11	1957
心學原流考辨(下)	黃建中	大陸雜誌	14-12	1957
陽明學述	吳 康	中國哲學史論集	1	1958
知行合一與心物合一	周伯達	建設	7-2	1958
陽明哲學要義	姜漢卿	國魂	157	1958
王學與學庸	姜漢卿	國魂	159	1958
王陽明的宗教觀	孫振青	恒毅	7-12	1958
王陽明的宗教觀(續)	孫振青	恒毅	8-1	1958
陽明哲學闡微	黃建中	革命思想	4-1	1958

論文篇名	著譯者	刊名	卷期	年份
陽明教育思想	鄧玉祥	師大教育研究所集刊	1	1958
陽明學說的研究	王寒生	民主憲政	15-8、9	1959
陽明學說的研究(續一)	王寒生	民主憲政	15-10	1959
陽明學說的研究(續完)	王寒生	民主憲政	16-2	1959
陽明學說之推陳出新	金耀基	革命思想	6-3	1959
王陽明哲學研解	周世輔	革命思想	6-6	1959
陽明「究竟話頭」淺釋	邱來晉	國魂	169	1959
論陽明之學(一)	胡秋原	民主評論	10-5	1959
論陽明之學(二)	胡秋原	民主評論	10-6	1959
王陽明「致良知」的理論與實踐	曹國霖	建設	9-6	1960
陽明之學(上)	錢　穆	新亞生活	3-3	1960
陽明之學(下)	錢　穆	新亞生活	3-5	1960
陽明之學	錢　穆	人生	20-3	1960
陽明知行哲學與教育思想	秦汝炎	師大教育研究所集刊	2	1960
日本漢學者對於朱王異同之論斷	任覺五	立達文稿	27	1961
陽明修身格物論之研究	邱來晉	國魂	189	1961
王陽明與孫中山學說之批判	溫心園	人生	21-0	1961
陽明學在日本的傳播	朱謙之	文匯報	4、1	1962
王陽明的思想方法	宋　哲	建設	10-9	1962
王守仁的教育思想評介	羅炳之	江海學刊	6	1962
王學真相之探討(上)	林繼平	人生	24-4	1962
王學真相之探討(下)	林繼平	人生	24-5	1962
中國古代哲學家－王陽明	王明等	教育與研究	4	1962
王學所表現的人格	林繼平	人生	25-3	1962
王陽明的政治思想	易大軍	政治評論	9-1	1962
關於王陽明的政治思想及其哲學思想的討論	伍健之	文匯報	1、20	1963
從陽明憨山之釋大學看儒佛疆界	林繼平	人生	25-5	1963
論王學的工夫問題(上)	林繼平	人生	25-8	1963
論王學的工夫問題(下)	林繼平	人生	25-9	1963
「王陽明集」中的江西「九姓漁戶」	傅衣凌	廈門大學學報	1	1963
王陽明的生平與思想	張起鈞	新時代	3-11	1963
朱子陽明的格物致知說和他們整個思想的關係	戴君仁	孔孟學報	9	1964
王陽明的「致良知」教育學說	伍振鷟	台灣教育輔導月刊	14-5	1964
陽明心學述評	劉珍修	哲學年刊	2	1964
王陽明與禪	陳榮捷	人生	27-11	1964
陽明居夷	吳　蕤	人生	28-8	1964
關於王陽明的「知行合一」	閻長貴	光明日報	10、22	1965
日本陽明學說近況(一)	費海璣	學園	1-1	1965
日本陽明學說近況(二)	費海璣	學園	1-2	1965

論文篇名	著譯者	刊名	卷期	年份
陽明學說與東林學派－明清反王學派批判之一	張鐵君	學園	1-2	1965
陽明先生格物學說釋義	姜一華	學園	1-4	1965
王陽明痛論士風	陳健夫	學園	1-4	1965
陽明學的究意義	姜漢卿	學園	1-11	1966
文武兼資的陽明先生	陳恒昇	暢流	33-11	1966
陽明學說是朱陸的統一思想	張鐵君	學園	1-5	1966
陽明學說釋疑	費海璣	學園	2-3	1966
陽明學析論（上）	王安邦	思想與時代	146	1966
陽明學析論（中）	王安邦	思想與時代	147	1966
陽明學析論（下）	王安邦	思想與時代	148	1966
陽明學析論（續完）	王安邦	思想與時代	149	1966
關於王陽明之知行合一	閻長貴	光明日報	10、3	1967
王陽明評傳	陳芳草	學園	3-3	1967
王陽明評傳（續）	陳芳草	學園	3-4	1967
總統　蔣公何以重視－陽明知行合一哲學	李康五	學園	3-10	1968
陽明先生事略	宋海屏	大學生	48	1968
陽明學與朱陸異同重辨(一)	唐君毅	新亞書局	8-2	1968
內聖外王的王陽明先生	方鳳陽	浙江月刊	1-5	1968
陽明學與朱陸異同重辨(一)	唐君毅	新亞書局	9-1	1969
陽明評象山說格物	戴君仁	大陸雜誌	39-4	1969
王陽明大學問之批判	王美奂	華岡學報	5	1969
王陽明經略西南邊務	鄭壽彭	中國邊政	25	1969
明治維新與陽明學	景　嘉	東西文化	25	1969
陽明哲學的流傳與影響	周世輔	生力月刊	3-35	1970
略論王陽明的致良知	周世輔	生力月刊	3-36	1970
略論王陽明的知行合一	周世輔	生力月刊	4-37	1970
王陽明的人生觀人性論與宇宙論	周世輔	生力月刊	4-39	1970
王陽明與其力行哲學	范誦堯	戰史彙刊	2	1970
王陽明與道教	柳存仁	中國文化研究所學報	3-2	1970
王陽明學風的轉變	困　五	學園	5-11	1970
陽明晦庵的天理人欲論	周世輔	學園	6-1	1970
論王陽明思想之豁然貫通	姜一華	學園	6-2	1970
知行合一哲學之研究	羅睿槿	學園	6-2	1970
王陽明認識論研究	周世輔	學園	6-4	1970
王學心物一體論探討	羅睿槿	學園	6-5	1971
陽明學的內涵概述	姜一華	學園	6-6	1971
陽明學的究竟義	姜漢卿	學園	6-8	1971
良知、致良知以及實踐	羅睿槿	學園	6-9	1971
陽明學的究竟義（續）	姜漢卿	學園	6-9	1971

論文篇名	著譯者	刊名	卷期	年份
王陽明的功夫與合一思想	原德汪	學園	6-9	1971
陽明理氣心性之學	羅睿樺	學園	6-10	1971
陽明篤實履踐精要	原德汪	學園	6-11	1971
論究竟話頭－陽明天泉證道的四言教研究	羅睿樺	學園	6-12	1971
良知良能與人性	周鼎珩	學園	7-1	1971
王陽明合一思想之結穴	姜漢卿	學園	7-2	1971
陽明哲學與道統	羅睿樺	學園	7-3	1971
陽明的宇宙觀與人生論	羅睿樺	學園	7-4	1971
王陽明與贛南鹽務	吳　蕤	鹽務	21	1971
王陽明先生「究竟話頭」之辨	蕭天石	藝文誌	71	1971
朱王之異同	周　彝	孔孟月刊	10-1	1971
王陽明「朱子晚年定論」評議	劉一葦	黃埔月刊	229	1971
王陽明心學造詣與赫赫武功之成就	姜漢卿	戰史彙刊	3	1971
論王陽明的「狂者」性格	秦家懿	文藝復興	16	1971
陽明學說旨趣－紀念王陽明五百年誕辰	張起鈞	自由報	11、17	1971
陽明說學旨趣－紀念王陽明五百年誕辰	張起鈞	自由報	11、18	1971
陽明子的倫理哲學	羅睿樺	學園	7-5	1972
讀陽明學說旨趣感言	姜一華	學園	7-5	1972
廣王陽明先生四句教	方大心	學園	7-6	1972
陽明子的道德實踐哲學	羅睿樺	學園	7-6	1972
陽明先生四句教與廣四句教（一）	蕭天石	學園	7-7	1972
陽明先生四句教與廣四句教（二）	蕭天石	學園	7-8	1972
陽明及其學派的五大特點	林　斌	學園	7-8	1972
姚江學派諸儒個性之探討	費海璣	學園	7-10	1972
從王陽明學說得到的啓示	王保德	學園	8-1	1972
研讀陽明傳習錄提要	啓　蒙	學園	8-1	1972
良知無有不知者	廖宇仁	學園	8-12	1972
陽明哲學的真理	東　山	檢驗	10-2	1972
王陽明的修養論	吳爽熹	哲學論集	1	1972
王陽明門入個性之認識	費海璣	東方雜誌	5-12	1972
王學聖人境界造詣之淵源	鄧元忠	文藝復興	30	1972
王學的分化與發展	牟宗三	新亞學術年刊	14	1972
陽明心學之再闡釋	劉述先	新亞學術年刊	14	1972
王陽明先生軍事思想之研究	魏汝霖	中華文化復興月刊	4-6	1972
明史陽明平寧藩考	曾霽虹	國立中央圖書館館刊	4-4	1972
陽明哲學與儒家思想體系	張性如	台南師專學報	4	1972
格物致知的探討	劉澂濤	孔孟學報	24	1972
王陽明與陸象山	戴君仁	孔孟學報	24	1972

論文篇名	著譯者	刊名	卷期	年份
王陽明「朱子晚年定論」評議	劉一葦	黃埔月刊	229	1972
世界學術對王陽明五百週年的紀念	唐端正	華僑日報	7-17	1972
王陽明誕生五百週年紀念	張其昀	陽明學論文集		1972
圓融統一的陽明學	張其昀	陽明學論文集		1972
重讀「陽明傳習錄」隨筆	吳經熊	陽明學論文集		1972
王陽明論心	羅　光	陽明學論文集		1972
陽明學與朱子學	唐君毅	陽明學論文集		1972
王陽明學述	張其昀	陽明學論文集		1972
國父論陽明知行合之一分析	任卓宣	陽明學論文集		1972
陽明思想與禪學	吳　怡	陽明學論文集		1972
陽明哲學與　國父學說	周世輔	陽明學論文集		1972
陽明思想與尋孔顏樂處	張鐵君	陽明學論文集		1972
「孫學」與「王學」之比較	張益弘	陽明學論文集		1972
論江右王門	戴君仁	陽明學論文集		1972
陽明學中「工夫指點」之意義	蔡仁厚	陽明學論文集		1972
陽明先生「致良知」的經緯	王秀谷	陽明學論文集		1972
中華道統與致良知	黃紹祖	陽明學論文集		1972
王陽明大學問之批判	王美奐	陽明學論文集		1972
歐美之陽明學	陳榮捷	陽明學論文集		1972
陽明學的三派	蘇振申譯	陽明學論文集		1972
陽明學對於日本的影響	林灑聰譯	陽明學論文集		1972
王陽明與了庵和尚	朱浩然譯	陽明學論文集		1972
陽明「良知說」討論	李日章	大陸雜誌	45-2	1972
陽明理學概要	陳貽鈺	孔孟月刊	10-5	1972
王陽明先生的學術思想	張其昀	國魂	317	1973
餘姚的理學大師－王陽明	袁建祿	浙江月刊	5-7	1973
陽明哲學的探討	陳峰津	中國國學	2	1973
王陽明在軍事上之成就	張明凱	黃埔月刊	255	1973
從陽明詩中體認陽明及其道	褚柏思	教與學	5-3	1973
陽明學說在朝鮮的委屈	金忠烈	華學月刊	16	1973
陽明先生眾弟子之個性	費海璣	民主憲政	42-1	1973
王陽明先生的門人性行考	費海璣	現代國家	90	1973
「致知議辯」疏解	牟宗三	新亞學術年刊	15	1973
王陽明對於我國學術思想的影響	田聰岳	古今談	104	1973
論陽明學形成及其開拓之人生境界	林繼平	中華文化復興月刊	6-9	1973
日本天理大學藏「王陽明講學答問並尺牘」卷初探	杜維明	大陸雜誌	46-3	1973
王陽明答周道通書五封	杜維明	大陸雜誌	47-2	1973
王陽明思想的發展與完成	蔡仁厚	中國學人	5	1973
陽明學與現代	蔡茂豐譯	華學月刊	17	1973
陽明心學	譚作人	嘉義師專學報	4	1973

論 文 篇 名	著譯者	刊 名	卷期	年份
記王陽明先生詩七首	姚嘯父	暢流	47-4	1973
日本的陽明學	溫文科譯	華學月刊	21	1973
陽明哲學的認識	方剛生	浙江月刊	64	1974
王陽明功業及其遭誣始末	翁咸新	暢流	52	1974
王陽明之人生哲學與勳業	林振玉	黃埔月刊	263	1974
王陽明光明磊落之人格	林振玉	黃埔月刊	268	1974
王陽明悟良知及其事功人格之展現	林繼平	文藝復興	50	1974
陽明龍場悟境探微	林繼平	新時代	14-2	1974
主觀唯心主義的修身術－評王守仁「傳習錄」	楊煥亭	文物	11	1974
略論中華文化大勢及歷代學術思想概要（續）－王陽明	馬　融	恒毅	22-8	1974
論陽明學的「晝夜」「死生」問題	林繼平	人文世界	4-3	1974
陽明先生的教育精神	羅睿樓	中華日報	9、30	1974
王學展現無我無相的事功	林繼平	幼獅	39-1	1974
王陽明良知論	孫鵬圖	訓練通訊	128	1974
陽明學的基本義旨	蔡仁厚	孔孟學報	28	1974
王陽明知行合一的真實意義	蔡仁厚	獅子吼	13-5	1974
王陽明的詩境	蔡仁厚	文藝復興	54	1974
王陽明四句教與天泉證道	蔡仁厚	哲學與文化	5	1974
王陽明社會思想之研究	張承漢	台大社會學刊	10	1974
王陽明致良知說	王開府	師大國研究所集刊	18	1974
陽明學說的要義	林麗貞	孔孟月刊	13-10	1975
王陽明的四有教與王龍溪的四無論	葉偉平	鵝湖	2-11	1975
知行學說之理論研究（上）	徐心涵	台中商專學報	7	1975
王陽明與傳習錄	戌惕軒	中央月刊	8-2	1975
王陽明與廣東的因緣	王萬福	廣東文獻	5-3	1975
陽明心學之流變	譚作人	嘉義師專學報	6	1975
從宗教觀看陽明學說	陳忠成	孔孟月刊	13-9	1975
簡述王陽明及其學說	黃淑惠	中國國學	4	1975
王陽明致良知哲學之要點	鄭世雄	哲學論集	5	1975
「王陽明哲學」序目	蔡仁厚	華學月刊	37	1975
王陽明「經學即心學」的基本要旨	蔡仁厚	中華文化復興月刊	8-9	1975
知行哲學及陽明學說之研究	原德汪	文藝復刊	65	1975
王陽明對　蔣總統的影響	吳經熊	蔣總統八九誕辰紀念論文集		1975
王陽明的政略與政治作戰	孫守立	三軍聯合月刊	13-8	1975
靜坐教法與陽明哲學	林繼平	香港自由報	1528、1534	1975
王陽明及其哲學思想	蘇　雨	中興評論	22-3	1975
知行學說之理論研究（下）	徐心涵	台中商專學報	8	1976

論文篇名	著譯者	刊名	卷期	年份
陽明學初探	林繼平	自由副刊	10-8、12、15、19	1976
陽明批評孟子盡心章朱注	戴君仁	書目季刊	10-1	1976
王陽明功業及其遭誣始末	翁咸新	暢流	53-8	1976
王陽明的兒童教育觀（上）	楊漢之	中央日報	9、6	1976
王陽明的兒童教育觀（下）	楊漢之	中央日報	9、7	1976
王陽明論「誠」（上）	朱秉義	中央日報	9、27	1976
王陽明論「誠」（下）	朱秉義	中央日報	9、28	1976
「陽明學大系」評介(一)	戴瑞坤	華學月刊	59	1976
「陽明學大系」評介(二)	戴瑞坤	華學月刊	62	1977
「陽明學大系」評介(三)	戴瑞坤	華學月刊	63	1977
「陽明學大系」評介(四)	戴瑞坤	華學月刊	65	1977
「陽明學大系」評介(五)上	戴瑞坤	華學月刊	72	1977
王陽明的四有教與王龍溪的四無論	葉偉平	鵝湖	2-11	1977
王陽明的一體觀	楊祖漢	鵝湖	3-4	1977
陽明學說體系新探	梁兆康	復興崗學報	16	1977
論知行合一	朱秉義	三民主義學報	1	1977
致良知學說功用	柳嶽生	中華國學	5	1977
知與行－陽明思想管窺	周富貴	教育月刊	22	1977
陽明哲學與禪宗（上）	張志良	中美技術季刊	22-2	1977
陽明哲學與禪宗（下）	張志良	中美技術季刊	22-3	1977
孟子與王陽明的良知說	詹秀惠	孔孟學報	34	1977
「傳習錄」與王陽明的思想要旨	陳弱水	書評書目	56	1977
陽明哲學與禪宗（續完）	張志良	中美技術季刊	23-1	1978
「陽明學大系」評介(五)下	戴瑞坤	華學月刊	73	1978
「陽明學大系」評介(六)	戴瑞坤	華學月刊	74	1978
王陽明對道禪的吸收與活用	朱秉義	華學月刊	77	1978
王守仁的哲學思想與文治武功	黃立懋	藝文志	151	1978
陽明學說在今日	張鐵君	華學月刊	78	1978
鄉先賢陽明先生在中國學術思想界之地位	徐　炎	餘姚史料	3	1978
王學發展的高峰－羅近溪	蔡仁厚	華岡哲聲	3-8	1978
陽明學探微	金偉中	東方文化	13-17	1978
王陽明之武功	姜一華	夏聲	159	1978
陽明學中佛學的影子	王志楣	孔孟月刊	16-7	1978
從歷史透視看陽明哲學精義（上）	孫智燊譯	中央日報	7、18	1978
從歷史透視看陽明哲學精義（下）	孫智燊譯	中央日報	7、25	1978
王陽明的學術思想及其對世界的影響	王熙元	中華文化復興月刊	11-7	1978
王陽明之武功與學術	張永明	東方雜誌	12-2	1978
「王陽明入聖的工夫」提要	朱秉義	華學月刊	81	1978

論文篇名	著譯者	刊名	卷期	年份
王陽明先生之人格與風格	魏元珪	哲學與文化	56	1978
王陽明天泉證道	甄在明	大學雜誌	118	1978
王陽明的融貫孔孟	朱秉義	三民主義報	3	1979
王陽明的「學宗與道統」	朱秉義	華學月刊	88	1979
王陽明解「格物」	朱秉義	文藝復興	103	1979
師法王陽明的學養、人格與風範	傅俊傑	三軍聯合月刊	17-7	1979
論王守仁的「知行合一」學說	張立文	北方論叢	6	1979
王陽明哲學的認識論與道德論	王爾晉	建設	28-4	1979
王陽明心學的產生及其特點	呂景琳	河北大學學報	2	1979
王陽明先生與贛州	宗紀先	東方雜誌	13-5	1979
王陽明之武功與學術	張永明	餘姚史料	4	1979
陽明學與明代佛教	如實譯	佛光學報	4	1979
陽明學說的真諦	陳右勳	嘉義師專學報	9	1979
王守仁(上)(下)	滐　鋆	公保月刊	20-11.12	1979
陽明哲學與禪宗	張志良	藝術學報	26	1979
王陽明答周衝書五通	楊天石	中國哲學	1	1979
一個政治家的王陽明	徐復觀	餘姚史料	5	1980
王陽明思想評述	沈善洪	浙江學刊	1	1980
王陽明先生的生命體會	鄧元忠	餘姚史料	5	1980
《王陽明聖學探討》導言	鄧元忠	東方雜誌	13-8	1980
王陽明哲學評述	李雄揮	台東師專學報	8	1980
先總統　蔣公闡述陽明學說之研究	談遠平	復興崗學報	23	1980
王陽明教育思想試評	陳增輝	天津師院學報	39	1981
王陽明哲學思想研究	柯兆利	學習與思考	3	1981
陽明先生的智略	黃志民	孔孟月刊	20-2	1981
論王陽明哲學思想的積極意義	沈善洪等	中國哲學	5	1981
從朱子晚年定論看陽明之於朱子	陳容捷	書目季刊	15-3	1981
評王守仁的「知行合一」說	張紹良	中國哲學	5	1981
論王守仁哲學的本來含義	陳曉岱	江西社會科學	5	1981
王陽明講學答問并尺牘	杜維明	中國哲學	5	1981
王陽明「四句教」之善惡思想	秦家懿	中國哲學	6	1981
陽明哲學在道德教育上的啓示	劉秋木	花蓮師專學報	12	1981
王陽明與佛道二教	柳存仁	清華學報	13-1.2	1981
簡論王陽明的詩作	喻博文	甘肅師大學報	4	1981
王陽明「知行合一」與「致良知」之研究	孫方琴	孔孟月刊	20-5	1982
王陽明“知行合一”的淵源及其影響	李德芳	貴州師院學報	4	1982
從大學看陽明心學的發展	林日盛	鵝湖	7-12	1982
王守仁南贛活動年譜	高銘群	贛南師專學報	4	1982
王陽明心學之發展及其影響	林日盛	文大哲研所碩士論文		1982
王陽明和他的學派	趙儷生	文史知識	6	1982

論文篇名	著譯者	刊名	卷期	年份
王守仁「知行合一」說評議	周立生	中國哲學史研究	8	1982
論王陽明的禪學思想	柯兆利	中國哲學	8	1982
王陽明在貴州	李德芳	貴州文史叢刊	8	1982
略談王陽明的“良知說”	夏瑰琦等	杭州師院學報	1	1982
王陽明哲學思想合理因素試探	陳遠寧	中國哲學	7	1982
試論王守仁的泛神論	曾樂山	學術月刊	159	1982
王陽明“知行合一”說的意義	杜維明	爭鳴	2	1982
論王陽明的倫理思想	張靜賢	學習與探索	22	1982
王門功夫問題之爭議及儒學精神之特色	勞思光	新亞學術集刊	3	1982
簡論王守仁的「知行合一」說	霍方雷	中國哲學史研究集刊	2	1982
“知先行後”與“知行合一”異同論	傅雲龍	中州學刊	5	1982
西方對王陽明的研究	陳榮捷	中國哲學	9	1983
王守仁的“破心中賊難”應作何解	陳衛平	江西社會科學	4	1983
王守仁「知行合一」說新探	龔振黔	貴州社會科學	20	1983
王陽明哲學的內在矛盾	沈善洪等	中國哲學	9	1983
論王守仁的「致良知」	顧寶田	宋明理學討論會論文集		1983
王陽明實踐道德說初探	劉宗賢	宋明理學討論會論文集		1983
王陽明「知行合一」命題發微	臧　宏	宋明理學討論會論文集		1983
王守仁的政治思想與教育思想	許抗生	宋明理學討論會論文集		1983
略論張載和王守仁的泛神論	曾樂山	宋明理學討論會論文集		1983
王陽明知行合一之釐定	陳德和	中國文化月刊	50	1983
論王陽明之物觀	劉紀璐	哲學年刊	2	1983
陽明對朱學似有誤	周世輔	文藝復興	141	1983
王陽明的致良知	陳郁夫	師大學報	28	1983
王陽明詩研究	崔完植	師大國研所博士論文		1984
王守仁“知行合一”說小析	劉興邦	湘潭大學社科學報	25	1984
王陽明與康德道德哲學的比較研究	鄭其良	文大哲研所博士論文		1984
王陽明墓地考	葉樹旺	浙江師院學報	4	1984
安岡正篤與陽明學在日本之薪傳	廖慶洲	台北市銀月刊	15-2	1984
「尊嚴無畏」王陽明	林繼平	中華文化復興月刊	17-4	1984
陽明言「物」諸義之解析	陳一峰	中國文化月刊	62	1984
王守仁在貴州時期的哲學思想	劉宗碧	中國哲學史研究	15	1984
王守仁的心理學思想	劉兆吉	西南師院學報	31	1984
王守仁哲學邏輯初析	張立文	中國哲學史研究	16	1984
王陽明“知行合一”新探	司徒興	中國哲學	12	1984
王陽明“良知”範疇論	臧　宏	安徽大學學報	51	1984
王陽明心學探微	劉宗賢	雲南社會科學	22	1984
王陽明良知學說批判	錢　杭	中國哲學	12	1984
試論王陽明的“是非之心”	楊　遜	湘潭大學社科學報	25	1984
論王守仁的“致良知”說	馮　契	華東師大學報	53	1984

論 文 篇 名	著譯者	刊 名	卷期	年份
論王陽明哲學之朱子思想淵源	劉述先	香港中大中國文化研究所學報	15	1984
湛甘泉與王陽明（上、下）	陳郁夫	東方雜誌	18-3.4	1984
王守仁哲學思想研究	任金麗	國內哲學動態	9	1984
國父知難行易學說與王陽明知行合一哲學之研究	賴新生	建國學報	3	1984
王陽明作送日本友人歸國序	趙友三	文物天地	3	1985
陽明思想研究法之探討舉例	陳炯彰	食貨	15-3.4	1985
王陽明“致良知”說的試評	陳增輝	中國哲學史研究	18	1985
王守仁學習心理思想初探	王承璐	心理學探新	3	1985
劉蕺山對陽明致良知說之繼承與發展	古清美	台大中文學報	1	1985
陽明學對韓國的影響	鄭德熙	師大史研所碩士論文		1985
試論王明的“心即理”說	李德芳	貴州社會科學	30	1985
王陽明親民思想與十六世紀英國入世思想之比較研究	陳炯彰	淡江學報	23	1985
王（陽明）曾（國藩）二儒論學與志之研究	魏智美	輔大中研所碩士論文		1985
王守仁“心學”體系的內部結構	劉建國	長白學刊	2	1985
席元山與王陽明的交誼－陽明「知行合一」說的形成	林繼平	東方雜誌	18-7	1985
國父「知難行易」說與王陽明「知行合一」說的比較研究	黃克仁	革命思想	59-5	1985
論陽明學說對近代學界之影響	吳　蘭	南亞學報	5	1985
王陽明知行合一與致良知學說的哲學	林玉華	行政學報	17	1985
國父知難行易學說與王陽明知行合一哲學之研究（續）	賴新生	建國學報	4	1985
佛教禪宗對王陽明哲學的影響	樂九波	中國哲學史研究	19	1985
陽明學說精要之探討（上、下）	陳添丁	革命思想	60-2.3	1986
試論王陽明的人性思想	劉宗賢	東岳論叢	6	1986
“四句教”是王陽明心學的綱領	張　踐	齊魯學刊	5	1986
王守仁的社會政治思想	湯　綱	江海學刊	4	1986
王陽明在九華山	孫這倫	藝譚	1	1986
王陽明「大學問」思想析論	蔡仁厚	書目季刊	20-1	1986
王陽明《大學問》思想析論	蔡仁厚	鵝湖	137	1986
王陽明哲學思想合理因素新辨	侮學治	爭鳴	4	1986
王學對日本明治維新的先導作用	魏常海	北京大學學報	140	1987
印體是用－陽明學說的檢討	加芷人	中國文化月刊	90	1987
王守仁的生平與學術思想	張金鑒	中華文化復興月刊	20-3	1987
聖人之所以爲聖人	陳一峰	鵝湖	141	1987

論 文 篇 名	著譯者	刊 名	卷期	年份
王學流派的演變及其異同	錢 明	孔子研究		1987
王守仁心學要義解析	程宜山	浙江學刊		1987
王陽明傳習錄辯朱熹評議三則	莊耀郎	孔孟月刊	26:1	1987
陽明心學探微	孫寶琛	中華文化復興月刊	20:11	1987
從王陽明到黃宗羲	沈善洪	浙江學刊	1	1987
王陽明“主貴陽書院”辨正	譚佛佑	貴州文史叢刊	1	1987
論王陽明對《大學》的重解	方爾加	安徽師大學報	1	1988
晚明王學志、知之辨的演進	陽國榮	上海社科院學術季刊		1988
王陽明對理學德育思想的變革	畢 誠	河北大學學報	5	1988
王陽明與道家哲學	王德有譯	哲學譯叢	2	1988
王陽明知行合一說新解	柳忠林	山東大學學報	2	1988
王陽明與紹興	傅振照	浙江學刊	4	1988
陽明“物”範疇之我見	方爾加	北京社科院學術季刊	4	1988
王陽明的早期思想研究	方爾加	貴州文史叢刊	1	1988
王陽明致知說再評價	楊榮國	爭鳴	5	1988
王陽明主體哲學論要	董 平	浙江學刊	5	1988
禪宗對陽明心學的影響	方爾加	中國哲學史研究	1	1988
王陽明朱熹格物觀差異之討論	郭玉林	中國哲學史研究	3	1988
王陽明“知行合一”說新探	程宜山	中國哲學史研究	2	1989
試論王陽明心學的歷史作用	張顯清	孔子研究	4	1990
陽明學派的本體功夫論	屠承先	中國社會科學	6	1990
王陽明的書藝及其遺墨	張克偉	中國國學	19	1991
王陽明先世及家世考實(上)	張克偉	孔孟月刊	346	1991
王陽明心學之傳承與流行	簡福興	高雄工專學報	21	1991
王陽明教研思想析論	張克偉	朱子學刊	1	1991
王陽明與敷文書院	張克偉	朱子學刊	2	1991
王陽明先世及家世考實(下)	張克偉	孔孟月刊	351	1991
陽明學說暨重要理念之省思	林明德	國防管理學院學報	12-1	1991
王陽明知識學研究	林麗珊	哲學論集	25	1991
從王陽明到劉宗周	楊國榮	孔孟月刊	347	1991
陸王心學異同辨	王偉民	北京大學學報	148	1991
王陽明思想之一考察	李鳳全	中國哲學論集	17	1991
王陽明哲學的理解與銓釋	陳 來	哲學研究	1	1991
論王陽明心學的特色	楊在原	史學月刊	193	1991
“四句教”與王學三分	丁爲祥	陝西師大學報	77	1992
王陽明關於朱錄學術的評價	畢 誠	福建論壇	72	1992
陽明學的心學特質	連清吉譯	中國文哲研究	2-4	1992
王陽明謫官龍場與王學系統確立之關係	張克偉	哲學與文化	220	1992
文學家王陽明	張奉箴	中國國學	20	1992
王守仁、湛若水心學思想之異同及對	蔡方鹿	社會科學輯刊	85	1993

論文篇名	著譯者	刊名	卷期	年份
明代心學的影響				
王陽明人生觀闡微	徐平	中正嶺學術研究集刊	12	1993
王陽明"知行合一"三指	丁爲祥	人文雜誌	83	1993
從王陽明到黃黎洲	羅義俊	中國文化	8	1993
王陽明哲學的體系性分析	陶國璋	新亞學報	16-2	1993
王守仁用兵思想之研究	周湘金	國防雜誌	9-4	1993
試論王陽明理想人格之學說	夏國乘	華東師大學報	109	1993
軍事家王陽明	張奉箴	中國國學	21	1993
陽明心學與佛老	王樹人	中國社科院研究生學報	76	1993
陽明哲學的視角	姜燦山	國立台灣師大國研所集刊	37	1993
王守仁的心學思想與南贛鄉約的推行	李江	江西師大學報	74	1994
王陽明與劉蕺山工夫論之比較	莊溎芬	國立台灣師大國研所集刊	38	1994
王陽明的大同理想	吳雁南	貴州文史叢刊	55	1994
王陽明在貴陽文明書院	何靜梧	貴州文史叢刊	55	1994
王陽明與貴州明代書院	王路平	貴州社會科學	130	1994
王陽明言「禮」之精義	蔡仁厚	中國文化月刊	182	1994
王學及其現代命運	陳鐵健	歷史研究	230	1994
王陽明政治作戰運用之研究	陳志明	空軍學術月刊	453	1994
陽明賓學三題小議	山本康雄	復旦學報	48	1994
王陽明哲學的特色看價值	屠承先	中國文化月刊	171	1994
王陽明謫居龍場遺跡考錄	王路平	孔子學刊	2	1994
王陽明的破山中賊與破心中賊	李明德	孔子學刊	3	1995
《王陽明年譜》訂誤	諸煥燦	鵝湖月刊	236	1995
王守仁哲學思想的內在啓蒙價值	楊義銀	西南師大學報	84	1995
王陽明"誠意"說的倫理哲學特質	林樂昌	陝西師大學報	99	1995
試論王陽明的萬物一體	林惠勝	中國學術年刊	16	1995
王陽明"龍場悟道"今論	徐新建	貴州社會科學	134	1995
王陽明的憂患意識與"知行合一"	吳雁南	貴州社會科學	134	1995
王陽明與貴州少數民族	王路平	貴州社會科學	135	1995
簡論王陽明"致良知"說的特點和意義	吳雁南	貴州文史叢刊	63	1995
陽明心學在美學上的意義與影響	潘立勇	文藝研究	95	1995
"國故新知"：王陽明的存在主義之發現	穆南珂	哲學研究	3	1996
王守仁的"心即理"及其認識論意義	陳奇	貴州文史叢刊	70	1996
王陽明的"知行合一"與"體究踐履"	陳奇	貴州社會科學	141	1996
王陽明的哲學歷程	楊國榮	華東師大學報	126	1996
王陽明的本體功夫理論	屠承先	甘肅社會科學	99	1996
存在與意義世界：王陽明與心物之辯	楊國榮	學術月刊	330	1996
略論王陽明的道德教育原則和方法	任滿麗	貴州社會科學	141	1996
從"四句教"看王陽明的宗旨與立言	馮巽	中山大學學報	141	1996
王陽明國際學術討論會綜述	王路平	貴州社會科學	144	1996

論 文 篇 名	著譯者	刊 名	卷期	年份
王陽明與近世中國	吳雁南	學術研究	144	1996
王守仁與江西書院教育	魏佐國	南方文物	21	1997
王明道德教育思想的積極意義	黃曉眾	貴州文史叢刊	74	1997
王陽明致良知宗旨之建立	蔡仁厚	中國文化月刊	208	1997
王陽明“四句教”探釋	張新民	貴州文史叢刊	75	1997
王陽明“四句教”再探釋	張新民	貴州文史叢刊	76	1997
王陽明在貴州不是三年	張清河	貴州文史叢刊	76	1997
王陽明、吳嵩梁與黔西	淡 遠	貴州文史叢刊	77	1997
王陽明修養理論述評	嚴 正	求是學刊	118	1997
王陽明與知行之辯	楊國榮	學習與探所	109	1997
種德、養德、考德：王守仁的德育理論與實踐	李賢榮	教育研究	206	1997
重評王學學風	路新生	天津社會科學	94	1997
陽明心學的意義	史炳軍	西北大學學報	96	1997
論王陽明的最後定見	劉述先	中國文哲研究集刊	11	1997
論陽明心學中的“未發之中”概念	曾 亦	復旦學報	94	1997
王陽明思想中的孟子學	黃俊傑	中國文化研究所學報	6	1997
王陽明心學之心	毛保華	孔孟月刊	423	1997
對朱王「格物致知」概念的界定與評價	高予遠	中國文化月刊	214	1998
論王陽明吾性自足、不假外求的「致良知」之教	劉振維	國立編譯館館刊	27-1	1998
論文陽明「致良知」對當前台灣的啓示	黃俊傑	台大歷史學報	22	1998
論陽明心學與禪學之異	楊 菁	東吳中文研究集刊	5	1998
王陽心學及其對道德教育的啓示	郭宗斌	公民教育學報	7	1998
陽明哲學對正心導心的助動功能	吳祥城	中山大學學報	19	1998
陽明心即理學說與朱熹的淵源關係	汪深娟	黃埔學報	37	1999
王守仁撫贛時期的文人領軍	吳振漢	國立中央大學人文學報	19	1999
陽明學者的講會與友論	呂妙芬	漢學研究	33	1999
陽明學派的建構與發展	呂妙芬	清華大學學報	29-2	1999
王陽明詩中的美人意象	林麗娟	國文編意	178	2000
王陽明的著述觀	黃開國	孔孟月刊	451	2000
王陽明「致良知」學說及其在教育上的意義	吳美瑤	鵝湖月刊	298	2000
王陽明對孟子性善論之詮釋與發展	林桐城	景文技術學院學報	11	2000
王門弟子的學風析論	黃文樹	高雄師大教育研究	8	2000
王陽明與周易	戴璉璋	中國文哲研究集刊	17	2000
《王陽明全書》的編輯形式與義理結構	蔡仁厚	明代研究通訊	3	2000
從傳《傳習錄》探陽明思想精微	高靜文	和春技術學院學報	6	2000

陽明學研究論著目錄（日文篇）

專著書名	作者	書局	年份
王陽明	三宅雄二郎	政教社	1893
日本の陽明學	高瀨武次郎	鐵華書院	1898
陽明學階梯	高瀨武次郎	參天閣	1899
王陽明	白河鯉洋	博文館	1900
日本陽明學派の哲學	井上哲次郎	富山房	1900
王學指掌	宮內默藏	國光社	1901
精神修養と陽明學	烏　有生	東海堂	1902
王陽明の人物養成譚	木村鷹太郎	大學館	1902
陽明と禪	里見常次郎	寶文館	1904
王陽明詳傳	高瀨武次郎	文明堂	1904
陽明哲學叉子付問答	東　正堂	成進堂	1904
陽明學新論	高瀨武次郎	原文盛堂	1906
傳習錄講義	東　敬治	松山堂	1906
良知	中尾水哉	參天閣	1907
陽明學講話	宮內鹿川	文華堂	1907
王陽明の修養	鹽見平之助	東海堂	1908
達磨と王陽明	忽滑谷快天	丙午出版社	1908
王陽明言行錄	渡邊芳雄	內外出版協會	1909
王陽明先生傳	宮內鹿川	文華堂	1909
陽明學活眼	陽明學研究會	文化書院	1910
王陽明	章三郎	丙午出版社	1911
陽明學要義	東正堂	昭文堂	1911
陽明學真髓	春日潛菴等	昭文堂	1911
王陽明年譜	里章三郎	丙午出版社	1911
陽明學と偉人	佐藤庄太	武田文永堂	1911
陽明學派の人物	石崎東國	前川書店	1912
陽明學關係書類	渡邊　美	內外出版社	1912
王陽明研究	桑原天泉	帝國堂	1917
陽明主義の修養	高瀨武次郎	東亞堂書房	1918
四言教論(洗心洞文庫)	高瀨武次郎	大鐙閣	1922
王陽明研究	安岡正篤	玄黃社	1922
日本陽明學	井上哲次郎等	大鐙閣	1922
陽明學提要	芝本善次郎	田中宋榮堂	1924
王陽明の哲學	高森良人	聖山閣	1927
陽明學講話	高瀨武次郎	弘道館	1928
陽明學精義	山田　準	三友社書店	1932
陽明學叢話	高瀨武次郎	成泉堂	1932
王陽明	杉原夷山	近代文藝社	1933
陽明學講話	山田　準	章華社	1934
王陽明の哲學	三島　復	大岡山書店	1934

專著書名	作者	書局	年份
陸王研究	秋月胤繼	章華社	1935
陽明學派	小柳司氣太	春陽堂	1935
日本陽明學語錄	柴田甚五郎	東亞研究會	1935
傳習錄	山田 準等	岩波書店	1936
言志錄と陽明學	山田 準	主張社	1936
王陽明	山田 準	章華社	1937
陽明學研究	木村秀吉	陽明學研究會	1938
王陽明	保田 清	弘文堂	1942
王陽明の解脫觀	安藤州一	敞文館	1942
王陽明	山本正一	中文館	1943
陸象山王陽明	山田 準	岩波書店	1943
王陽明の禪的思想研究	久須本文雄	日進堂	1958
王陽明研究	安岡正篤	明德出版社	1960
傳習錄	近藤康信	明台書院	1961
王守仁	近藤康信	勁草書房	1963
傳習錄	山本正一	法政大學出版局	1966
王陽明	谷 光隆	人物往來社	1967
王陽明と明末の儒學	岡田武彥	明德出版社	1969
陽明學入門		明德出版社	1971
陽明學大系(12 卷，別卷 1)		明德出版社	1971
陽明學の研究－成立編	山下龍二	現代情報社	1971
陽明學の研究－展開編	山下龍二	現代情報社	1971
傳習錄諸註集成(大系別卷)	荒木見梧	明德出版社	1972
王陽明(上)(下)	安岡正篤	明德出版社	1972
陽明門下	荒木見悟等	明德出版社	1972
王陽明の詩	菅原兵治	黎明書房	1972
日本の陽明學	柳町達也	明德出版社	1972
幕末維新陽明學者書簡集	岡田武彥	明德出版社	1972
陽明學便覽	橋本榮治	明德出版社	1974
陽明學研究	野村惠二	世界思想社	1974
王陽明集	島田虔次	朝日新聞社	1975
傳習錄	富山房編集部	富山房	1975
王陽明と湛甘泉	志賀一郎	新塔社	1976
傳習錄索引	九大中哲室編	九大中哲室	1977
王陽明	大西晴隆	講談社	1979
佛教と陽明學	荒木見悟	第三文明社	1979
陽明學入門	後藤基巳	青春出版社	1980
傳習錄	安岡正篤	明德出版社	1981
王陽明文集	岡田武彥	明德出版社	1981
王陽明研究－改訂版	安岡正篤	明德出版社	1981
陽明學十講	安岡正篤	明德出版社	1981

專著書名	作者	書局	年份
陽明學	西東　玄	鑽石社	1982
陽明學講話－新版	山田　準	明德出版社	1982
王陽明全集(全十卷)	安岡正篤	明德出版社	1982
王陽明	山下龍二	集英社	1984
陽明學の展開と佛教	荒木見梧	研文出版社	1984
湛甘泉と王陽明の關係	志賀一郎	風間書局	1985
王陽明全集(5)－公移－	難波江通泰	明德出版社	1985
新釋傳習錄	守屋　洋	PHP 研究社	1985
王陽明全集(4)(10)	安岡正篤等	明德出版社	1987
傳習錄	吉田公平	講談社	1988

陽明學研究論文目錄（日文篇）

論文篇名	著譯者	刊名	卷期	年份
知行合一說に就きて	元良勇次郎	東洋哲學	4-7	1897
王陽明の四言教を論ず	高瀨武次郎	東洋哲學	6-8	1899
王陽明	高瀨武次郎	史學界	1	1899
王學辯論	東　敬治	東洋哲學	9	1902
王陽明の學を論ず	中島德藏	史學雜誌	19	1904
王陽明の性說	高瀨武次郎	東洋哲學	11	1904
王陽明の良知固有論	高瀨武次郎	東洋哲學	11	1904
知行合一說	東　敬治	東洋哲學	11	1904
ストア哲學と陽明學	池澤定吉	東洋哲學	12	1905
致良知之工夫	高瀨武次郎	東洋哲學	13	1906
陽明學派諸子略傳	高瀨武次郎	東洋哲學	13	1906
王陽明先生略傳	村瀨誨輔	陽明學	1	1908
陽明學に就いて	井上哲次郎	陽明學	1	1908
王陽明と 禪宗	忽滑谷快天	禪宗	163、4	1908
陽明學と女子教育	中根東里	陽明學	1	1909
處世と陽明學	高瀨武次郎	陽明學	1	1909
王陽明の人生觀	里見無聲	陽明學	1	1909
王學管見	山田　準	陽明學	1	1909
禪と陽明學	孤峰鳥石	禪宗	176	1909
王學の淵源並に陽明學の教育法と方今の教育法	磯部檢藏	陽明學	3	1910
陽明學大意	井上哲次郎	陽明學	2	1910
陽明學と佛教	道重信孝	陽明學	2	1910
陽明先生の事蹟に就いて	東　敬治	陽明學	2	1910
陽明學と安心立命	高瀨武次郎	禪宗	181	1910
王陽明の人物を拜す	內田周平	東洋哲學	17	1910
真宗より觀たゐ陽明學	前田慧雲	東洋哲學	17	1910
陽明學と安心立命	高瀨武次郎	禪宗	181	1910
陽明學駁議	內田周平	東洋哲學	17	1910
詩學上より見たゐ陽明先生	谷村映雪	陽明學	3	1911
陽明先生の詩について	山崎光太郎	陽明學	4	1911
陽明學の源流	菊地晉二	陽明學	4	1912
王陽明と立志	山田 準	東洋哲學	19	1912
王學要論	井上光次郎	東洋哲學	19	1912
王子と知行合一	山田　準	東亞研究	3	1913
現代の思想と陽明學	小林正榮	陽明學	5	1913
陽明先生の唯心觀	長谷井超山	陽明學	5	1913
陽明學と經濟學	山路愛山	日本經濟新誌	5	1913
王陽明と善惡	山田　準	東亞研究	3	1914
現代哲學と陽明學	長谷井超山	陽明學	6	1914

論文篇名	著譯者	刊名	卷期	年份
陽明先生傳	高瀨武次郎	陽明學	7	1915
王陽明と論語	安井小太郎	東亞研究	5、6	1915
王陽明先生傳	河住　玄	陽明學	8、9	1916
陽明王子と修養	山田　準	東洋哲學	23	1916
王陽明の良知說	林 茂吉	東亞研究	6	1916
王陽明の性格を論ず	三島　復	東洋哲學	26	1919
現代の修養と陽明學	三島　復	斯文	1	1919
王陽明の論語解	三島　復	斯文	4	1922
印度哲學と陽明學との異同	長谷井超山	陽明學	13、14	1922
王陽明と現代思想	松村介石	東洋文化	1	1924
王陽明の致良知	高瀨武次郎	斯文	8	1926
陽明學の人生觀	高瀨武次郎	禪學研究	10	1929
陽明學と辯證法	紀平正美	哲學雜誌	44	1929
陽明學の研究	山田　準	丁酉倫理會倫理講演集	315	1929
王陽明よりみたる朱子及び朱子學	山田　準	大東文化	1	1931
陽明學概論	山田　準	漢文學講座	6	1933
陽明學に就いて	山田　準	道德	2	1933
龍城配所の王陽明	西川平吾	精神科學	2	1934
陽明學に於ける自性の徹見	蔦川芳久	大東文化	11	1935
日本陽明學の祖上としての	中江藤樹 志岐愛明	日本文化	3	1935
王陽明先生流謫事蹟考	河住　玄	東洋文化	128-132	1935
陽明學とより觀太る李二曲の位置	和田正俊	斯文	18-6	1936
王子少年事蹟考	河住　玄	東洋文化	150、152	1937
王陽明の人物を評す	內田周平	東洋文化	155	1937
王陽明先生年譜箋記(一)	河住　玄	東洋文化	162	1938
陽明思想の倫理學的考察	保田　清	哲學研究	23	1938
朱陸王三子の異同に就きて	秋月胤繼	懷德	16	1938
王陽明の佛刹巡歷年譜會要	久須本文雄	禪學研究	29	1938
陽明思想の展開と劉蕺山	安倍道明	滿蒙	19-11	1939
王陽明の哲學	尾崎筆五郎	日本大學科研究年報	6	1939
王陽明の遊歷禪刹とその禪的影響	久須本文雄	支那佛教史學	4-2	1940
王陽明出身靖亂錄の出所	長澤規矩也	書誌學	15	1940
王陽明の學說	山田　準	書苑	4-2	1940
王陽明	瓶　　禽	書苑	4-2	1940
王學の末流について	山本正一	大東文化學報	4	1941
王陽明の思想と六祖法寶壇經	久須本文雄	禪學研究	37	1942

論文篇名	著譯者	刊名	卷期	年份
陽明學の性格	安田二郎	東方學報	14	1943
四句教法考－王陽明の哲學に就いて－	平下欣一	東亞研究	8	1943
王陽明書		國華	53	1943
陽明學における人間概念の自我意識展開と其意義(一)(二)	島田虔次	東洋史研究	8	1943
陽明學の性格	安田二郎	東方學報(京都)	14	1943
知行合一論私見	和田正俊	斯文	25	1943
陽明思想成立に關する一二の考察	山本正一	斯文	25	1943
全書本傳習錄考(一)	今井宇三郎	斯文	27	1945
陽明學と徳川幕府封建社會	服部玄尙	日本史研究	2	1946
手簡より見たる王陽明の思想大要	保田 清	哲學研究	32	1948
王陽明晚年の思想	楠本正繼	敘說	5	1950
陽明學の形成とその變遷	大瀧一雄	東京支那學會報	臨時號	1951
陽明學の精神	楠本正繼	哲學雜誌	711	1951
王學左派論批判の批判	島田虔次	史學雜誌	61-9	1952
日本陽明學の方向	山下龍二	東京支那學會報	61-9	1952
陽明的「心理即」の一考察	大西晴隆	東洋の文化と社會	3	1953
朝鮮の陽明學派	高橋 亨	朝鮮學報	4	1953
陽明學小論	清水泰次	歷史教育	2	1954
陽明思想成立に關する一二の考察	山本正一	斯文	26	1954
中國思想における實踐論の展開	山本秀夫	思想	369、370	1955
陽明學研究の歷史から	山下龍二	歷史教育	3	1955
陽明學派と儒佛論爭	間野潛龍	支那學報	創刊號	1956
致良知關する一私言	小林信明	漢文教室	28	1957
知行合一論の一檢討	荒木見悟	支那學研究	18	1957
陽明學の生成	清水泰次	社會科學研究	3	1958
陽明學と禪學	荒木見悟	日本中國學會報	10	1958
王陽明の思想の變遷について	山下龍二	日本中國學會報	10	1958
傳習を錄讀む	豬城博之	西南學院大學文學論集	6	1959
日本陽明學について	保田 清	人文	5	1959
大禮の議と王陽明	天田武夫	中國哲學	1	1960
王陽明における平等の思想について	天田武夫	中國哲學	2	1961
王文成公全書の合刻について	鈴木隆一	懷德	32	1961
王陽明における惡の成立	高橋行司	大東文化大漢學會誌	4	1961

論文篇名	著譯者	刊名	卷期	年份
陽明の大學解釋について－誠意と致良知－	友枝龍太郎	哲學	13	1961
心即理の哲學	吉田賢抗	集刊東洋學	5	1961
良知說存在之意義	野村惠二	大阪府立大紀要	9	1961
陽明の「致知」についての一考察	美原道輝	九州中國學會報	8	1962
日本陽明學の一般的傾向	保田　清	人文	8	1962
王陽明倫理說における「性善」の研究	野村惠二	大阪府立大紀要	10	1962
陽明學の三綱領	下斗米晟	大東文化大紀要	1-1	1963
王陽明－朱子との認識論的比較考考察	洞野修一	愛知大文學論叢	27	1963
王陽明說動機論に就いての一考察	野村惠二	大阪府立大紀要	11	1963
陽明學研究の問題點	岩間一雄	名古屋大法政論集	25	1963
王門歸寂派の系統	岡田武彥	テオリア	7	1963
王陽明の研究(年譜)	志賀一郎	東洋學論集	內野還曆	1964
陽明學に於ける修學の態度について	野村惠二	大阪府立大紀要	12	1964
傳習錄に於ける引用典例(一)二)(三)	野村惠二	大阪府立大紀要	13、14、15	1964
陽明教學の矛盾	高橋行司	中國哲學	3	1965
王陽明への傳記的素描	岩間一雄	名古屋大法政論集	34	1966
王文成公全書概要	山下龍二	四庫提要譯注	集1	1966
王學の庶民性に關する社會的歷史的意義	酒井忠夫	龍谷史壇	56、57	1966
明初以降の思想動向と陽明學の形成	岩間一雄	岡山大法經雜誌	17	1966
陽明學の歷史的性格	岩間一雄	岡山大法經雜誌	17-1	1966
王陽明における教學と中庸の關係	野村惠二	藝林	18-4	1967
王陽明	山下龍二	講座東洋思想	2	1967
王陽明の封爵について	間野潛龍	東洋史論叢	田村頌壽	1968
湛甘泉と王陽明	荒木見悟	哲學年報	27	1968
王陽明と湛甘泉	志賀一郎	日本中國學會報	21	1969
王陽明の「自得」について	志賀一郎	漢文學會會報	28	1969
王陽明に於ける教學と中庸の關係	野村惠二	藝林	18	1969
王陽明における萬物一體說	藤澤弘昌	廣島大學教養部紀要	1	1969
王陽明の致良知說について	山崎良周	東洋文化論集	福井頌壽	1969
王陽明における性と惡	笠井　清	群馬專校研究報告	1	1969

論文篇名	著譯者	刊名	卷期	年份
陸、王心即理說考	笠井　清	群馬專校研究報告	2	1969
王陽明の教育思想	笠井　清	群馬專校研究報告	3	1970
王陽明における學問の性格	笠井　清	群馬專校研究報告	4	1970
心學と理學	荒木見悟	禪學研究	58	1970
王陽明の『大學』解釋と「自慊」「心即理」「知行合一」	笠井　清	倫理學年報	20	1970
「致良知」の意味	山井　湧	日本中國學會報	22	1970
「致良知」の成立と王陽明の生涯	山室三良	福岡大學人文論叢	2-3	1970
王陽明「聶文蔚に答ふる第一書」	山室三良	福岡大學人文論叢	2-4	1971
王陽明「聶文蔚に答ふる第二書」	山室三良	福岡大學人文論叢	3-1	1971
拔本塞源論を讀て－王明と現代	山室三良	福岡大學人文論叢	3	1971
陽明學における佛教の影響	浦邊正信	東洋學術研究	10	1972
錢緒山の「傳習錄」編纂について	吉田公平	九大哲學年報	31	1972
王陽明の思想	木南卓一	帝塚山大學紀要	9	1972
める陽明學理解について	島田虔次	東方學報(京都)	44	1973
王陽明の「心即理」の再檢討	上田弘毅	中哲文學會報	1	1974
王陽明の學問と事功の兩行について	近藤康信	東洋學論叢	宇野哲人白壽紀念	1974
陸王二子の佛教觀について	下斗米晟	大東文化大學紀要	12	1974
陸王二子の類同點と相違點について	下斗米晟	東洋學論叢	宇野白壽	1974
三重縣と陽明學	印田義保	東洋文化	37	1975
明末儒學の展開－幕末朱王學－	岡田武彥	中國哲學論集	1	1976
王陽明の家庭と王家運命	佐野公治	愛知大學十周年紀念論集		1976
陽明學倫理說における價值判斷の問題	野村惠二	大阪商業大學論集	44	1976
王陽明の思想に關する一考察	成重正信	廣島大中哲室		1977
王陽明の天地萬物一體觀	笠井　清	淑德大學研究紀要	9、10	1977
王陽明の心即理說に關する 一考察	市川安司	二松學會大東洋學研究所集刊	7	1977
王陽明の「自慊」について	難波江通泰	皇學館論叢	10-4	1977
王守仁の思想解放論	洪　樵榕	二松學舍大百周年論文集		1977
王陽明の思想－誠意說について	吉田公平	東北大教養學部紀要	25	1977
王陽明思想－體認をめぐって	吉田公平	中國哲學論集	3	1978
王陽その隱遁の思い	藪敏　也	中國哲學論集	5	1978
中國思想の展開と陽明學	赤塚　忠	二松學舍大陽明學特輯		1978
儒教倫理の本質と陽明學	宇野精一	二松學舍大陽明學		1978

論文篇名	著譯者	刊名	卷期	年份
		特輯		
陽明學と三島中洲	山口角鷹	二松學舍大陽明學特輯		1978
王陽明の詩文	石川梅次郎	二松學舍大陽明學特輯		1978
わが國における陽明學の受容	山田　塚	二松學舍大陽明學特輯		1978
王陽明その隱遁の思い	藪敏　也	中國哲學論集	5	1979
王陽明の「徐昌國墓誌」について	竹內弘行	高野山大學論叢	15	1980
王陽明その事上磨錬の勸め	藪敏　也	中國哲學史研究論集	荒木教授退休紀念	1981
王陽明、湛甘泉の交遊詩	上野日出刀	中國哲學史研究論集	荒木教授退休紀念	1981
王陽明の「朱子晚年定論」について	吉田公平	明代思想文藝論集		1981
王陽明の「五歲不能官」についての管見	小林和彥	中國哲學	14	1985
少年王陽明の實像を王陽明出身靖亂錄に探る	中田　勝	二松學舍	論集 3	1985
《王陽明出身靖亂錄》の考察	中田　勝	二松學舍	110 周年論文集	1987
傳習錄研究序說	洪　樵榕	二松學舍	110 周年論文集	1987
韓國陽明學研究の序論的考察	崔　在穆	倫理學	5	1987
中日韓三國朱子學陽明學述略	戴　瑞坤	逢甲學報	21	1988
陽明學における狂禪について	佐藤錬太郎	禪文化研究所紀要	15	1988
王守仁と少數民族について	谷口房男	東洋研究	99	1991
王守仁における致良知說の形成	角田達朗	斯文	100	1991
王陽明の「心」	中根公雄	二松學舍大學人文論叢	46	1991
王陽明の生涯－朱子かうの自立－	橋本敬司	哲學	43	1991
王陽明補遺詩三八首考－その制作年代と評價について－	濱　久雄	大東文化大學漢學會誌	30	1991
陽明學と晚明文學	李　慶	金澤大學人文論集	29	1991
王陽明思想の展開と明末の社會	李鳳全	九州中國學會報	30	1992
無善無惡論について－陽明學を中心に－	吳　震	中國思想史研究	15	1992
鄒東廓の思想形成に關する－考察－王陽明思想の受容と變容	木村慶二	中國哲學論集	19	1993
王守仁『大學古本旁釋』の考察	水野　實	日本中國學會報	46	1994

論文篇名	著譯者	刊名	卷期	年份
王陽明の「心中の賊を破るは難しについて」	裴　健	中國哲學論集	20	1994
王陽明哲學における善概念	鄭址郁	中國哲學論集	20	1994
張岳の陽明學批判	小島　毅	東洋史研究	53-1	1994
陽明學派における聶雙江、羅念庵の位置	福田　殖	日本中國學會報	47	1995
『出身靖亂錄』における王陽明像	大西克巳	集刊東洋學	84	1995
王陽明の經學思想	林慶彰、渡邊賢譯	二松學舍大學人文論叢	57	1996
王守仁の「誠意」宣揚の基盤	水野　實	東洋の思想と宗教	14	1997

陽明學研究論著及期刊目錄(韓文篇)

專著 或 期刊名	作者	書局	年份
朝鮮儒界의 陽明學派	李能和	青立學叢25	1937
陽明學의 傳來와 韓國儒家의 動向	金能根	崇實大 論文集	1967
陽明學의 東來와 辨斥	李丙壽	白樂濬還甲紀念 國學論叢	1957
陽明學 演論	鄭寅普	三星文化財團	1972
傳習錄	王陽明著 宋河璟譯	徽文出版社	1972
李朝陽明學의 傳來와 受容의 諸問題	尹南漢	中央大 中央史論	1972
心學研究	韓相璉	東國大	1973
朝鮮時代의 陽明學研究	尹南漢	中央大 博士論文	1974
鄭齊斗, 陽明學의 探索	柳承國	新丘文化社	1974
王陽明의 知行合一論 考察	宋河璟	崔逸雲回甲紀念論文集	1975
北學派와 陽明學	劉明鍾	哲學研究	1975
南彦經의 生涯思想 및 陽明學問題	尹南漢	中央大 中央史論	1975
朴殷植의 儒敎求新論, 陽明學論, 大同思想	愼鏞夏	歷史學報73	1977
韓國 陽明學派의 經學思想에 關한 研究	宋錫準	成均館大 碩士論文	1978
韓國 陽明學派의 研究	劉明鍾	韓國哲學研究8	1978
朝鮮의 陽明學 研究의 展開	劉明鍾	東明社	1978
朝鮮後期의 儒家哲學	金吉煥	東明社	1978
陽明學과 禪學과의 關係	金吉煥	철학연구28	1979
王陽明의 哲學속에서 人間의 價值實現에 대한 연구	구춘수	서울大 碩士論文	1980
韓國 近代思想史에 있어서 陽明學의 役割	柳承國	同德女大 同大論叢	1980
宋·明理學의 두 主流와 退溪의 陽明學 批判	琴章泰	同德女大 同大論叢	1980
陽明學과 朝鮮朝陽明學의 實際	金吉煥	韓國學報21, 一志社	1980
陽明哲學과 朱子學의 關係	金吉煥	忠南大 人文科學論文集	1980

專著 或 期刊名	作 者	書 局	年份
강화학파의 양명학전통 --철학연구 제29집	유명종	대한철학회	1980
朝鮮朝 陽明學에 있어서의 江華學派 형성에 관한 연구	빈무식	仁荷大 碩士論文	1981
王陽明의 知行合一 思想	박연수	서울大 碩士論文	1981
陽明哲學과 象山學의 關係	金吉煥	柳正東華甲紀念論叢	1981
朝鮮 陽明學의 特質과 그 理論構造	松田弘	韓國學報	1981
朝鮮陽明學研究의 現狀과 앞으로의 課題	松田弘	한국정신문화연구원	1981
韓國陽明學研究	金吉煥	一志社	1981
朝鮮時代의 陽明學 研究	尹南漢	集文堂	1982
萬物一體觀으로부터 본 王陽明의 拔本塞源論과 大學問	宋河璟	全北大	1982
性卽理와 心卽理의 比較考	宋在雲	鄭瑽紀念論文集	1982
陽明學의 思想的 系統	閔丙秀	雨石出版社	1982
韓國의 陽明學	劉明鍾	同和出版公社	1983
六朝禪과 王陽明의 致良知	宋在雲	韓相璉停年紀念論文集	1983
退溪哲學의 研究	尹絲淳	高麗大出版部	1983
王陽明 哲學의 研究	安宗樹	延世大	1983
王陽明 思想에 관한 研究	梁東換	圓光大	1983
谿谷張維 思想의 研究	呂廷寔	高麗大	1983
格物致知에 關한 研究	梁熙龍	圓光大	1983
晦齋 哲學思想 研究	金敎斌	成均館大	1983
王陽明思想과 圓佛敎 修行論 比較研究	李正仁	圓光大	1983
王陽明의 儒佛道思想 背景에 關한 研究	宋河璟	東西哲學研究	1984
陽明心學에 미친 禪學의 影響에 관한 考察	宋在雲	仁川大論文集	1984
栗谷의 哲學思想	宋錫球	中央日報社	1984
霞谷 鄭齊斗의 "良知論" 研究	金在求	東亞大	1984
宋·明哲學에 있어서 理에 關한 研究	金日換	均館成大	1984
成牛溪의 性理思想 研究	成校珍	建國大	1984

專著 或 期刊名	作者	書局	年份
王陽明 心學의 硏究	宋在雲	東國大	1985
王陽明의 致良知에 대한 硏究	朴聖基	東亞大	1985
王陽明의 心學論	李俊子	全北大	1985
朝鮮中期 陽明學의 辨斥과 受容	오성종	서울大 碩士論文	1986
李建昌과 朴殷植의 陽明學	趙喆濟	仁荷大 碩士論文	1986
韓國近代思想과 陽明學	전제공	成均館大 碩士論文	1986
淸代 陽明學의 終末	劉明鍾	東亞大 大學院 論文集	1987
王陽明의 심학에 관한 연구	이윤기	建國大 碩士論文	1987
王陽明 「致良知」의 構造	김성태	서울大 碩士論文	1987
陽明學과 佛敎, 佛敎와 諸科學	宋在錫	東國大出版部	1987
王陽明과 李退溪	李東熙	東洋哲學硏究會	1988
茯菴 李基讓의 陽明學 受容	서종태	西江大 碩士論文	1988
최명길의 陽明學 수용에 관한 연구	이은주	梨花女大 碩士論文	1990
陽明哲學의 硏究	宋在雲	思想社會硏究社	1991
陽明學의 大同社會意識에 관한 연구	김수중	서울大 博士論文	1991
鄭齊斗의 陽明學의 硏究	尹絲淳	高麗大 韓國學硏究所	1992
霞谷 鄭齊斗의 陽明學 受容과 經世思想	정세훈	서울大 碩士論文	1992
韓國 陽明學 實學의 思想的 관련성에 관한 考察	宋錫準	東洋哲學硏究會	1992
日本의 陽明學 受容과 展開	이명한	中央大 人文科學硏究所	1993
韓國近代 陽明學의 개혁사상적 성격과 그 전개	梁邦柱	濟州大 東아시아硏究所	1993
동아시아에 있어서 陽明學의 한 展開樣相	崔在穆	嶺南哲學會 哲學論叢	1993
王室陽明學 : 秘傳의 內侍內訓 공개	이원섭	초롱	1993
陽明學의 理欲觀	金德均	東洋哲學硏究會	1994
霞谷 鄭齊斗의 陽明學 硏究	김지근	圓光大 碩士論文	1994
陽明學의 韓國的 변용 : 霞谷 陽明學思想의 동아시아적 위치	최재목	嶺南哲學會 哲學論叢	1994
性理學과 陽明學 --연세대학교 국학연구원다산기념강좌6	劉明鍾	延世大出版部	1994

專著 或 期刊名	作者	書局	年份
양명학통론	양국영	박영사	1994
양명학 어떻게 가르칠 것인가 --동양철학 제5집	정인재	한국동양철학회	1994
공허의 실학 : 태허사상의 陽明學的 굴절	崔在穆	嶺南哲學會 哲學論叢	1995
陽明學의 體育哲學的 硏究	권오륜, 황철문	釜山大體科所 論文集	1995
象山學과 陽明學	김길락	예문서원	1995
王陽明의 工夫論	백은석	西江大 碩士論文	1996
陽明學의 身體思想에 관한 硏究	권오륜	釜山大 博士論文	1996
星湖學派의 陽明學과 西學	서종태	西江大 博士論文	1996
근대 영남유학계에서 實學의 繼承과 陽明學 수용의 문제	崔在穆	嶺南哲學會 哲學論叢	1997
日本의 近代와 陽明學	荻生茂	慶尙大 南冥學硏究所	1998
王陽明 心學에서 兒童敎育論의 특질	崔在穆	새한哲學會 哲學論叢	1998
王陽明의 知行合一論에 대한 硏究	정기철	서울大 碩士論文	1999
朴殷植(1859-1925)의 舊習改良論과 陽明學 濟唱	노관범	서울大 碩士論文	1999
敎育理論에서의 朱熹와 王陽明의 格物致知論	박은주	서울大 碩士論文	1999
공자와 양명학	정동국, 정덕희공저	대구대 인문과학예술문화총서7, 태학사	1999
양명학 공부 1 : '전습록' 풀이	김홍호	솔	1999
陽明學의 理解 : 陽明學과 韓國陽明學	朴連洙	집문당	1999
양명학과 공생.동심.교육의 이념	최재목	嶺南大出版部	1999
陽明哲學硏究 (--致良知論을 中心으로)	金順任	成均館大 碩士論文	2000
陽明의 心卽理說과 性說에 관한 考察	宋河璟	儒學硏究 제 5집	2000